LA DÉBÂCLE

D1506527

ÉMILE ZOLA

LA DÉBÂCLE

Notice biographique, introduction,
archives de l'œuvre par
Robert A. Jouanny
Professeur à l'Université de Rouen

GARNIER-FLAMMARION

NOTICE BIOGRAPHIQUE

1840 (2 avril) : Naissance à Paris, 10, rue Saint-Joseph, d'Emile Zola, fils de l'ingénieur François Zola et d'Emilie Aubert.

1843 : Installation à Aix-en-Provence, où François Zola va diriger un programme municipal de barrage et d'adduction d'eau.

1847 : A la mort de François, la famille demeure sans ressources.

1852-1857 : Etudes d'Emile au Collège Bourbon d'Aix. Il se lie d'amitié avec Cézanne et Baille et s'intéresse à la littérature et aux beaux-arts.

1858 : Installation à Paris. Zola supporte mal ce dépaysement. Il poursuit ses études au Lycée Saint-Louis et rêve de poésie.

1859 : Deux échecs au baccalauréat. Premières publications.

1860-1861 : Années difficiles. Vie de bohême, de rêveries, de misère physique et morale. Les lectures, les essais littéraires comptent plus que la recherche d'un métier.

1862 (1er février) : Zola entre comme commis chez Hachette, où il restera jusqu'en janvier 1866.

1862-1866 : Zola fréquente journalistes et écrivains, publie des contes et des chroniques, découvre Stendhal et Flaubert, Taine et Balzac. En 1864, il publie *les Contes à Ninon*, son premier livre; en 1865, *la Confession de Claude*.

1865 : Rencontre d'Alexandrine Meley qu'il épousera en mai 1870. Sa carrière de journaliste commence (*le Petit Journal*, *le Courrier du Monde*, *le Salut public* de Lyon, *la Vie Parisienne*, *le Figaro*, etc.).

1866 : Courriériste à *l'Evénement*, il s'efforce de « parler de chaque livre avant tous les autres critiques ». Polémiques contre l'académisme, en faveur de Manet, à propos du Salon de 1866. *Mes haines* (juin). Communication écrite au Congrès scientifique d'Aix : « deux définitions du roman ».

1867 : Nombreuses amitiés chez les peintres. *Les Mystères de Marseille, Thérèse Raquin.*

1868 : Deuxième édition de *Thérèse Raquin,* avec une préface qui expose les principes du naturalisme. Collaboration au *Globe,* à *l'Evénement illustré,* à *la Tribune,* journal d'opposition. Il parle aux Goncourt d'un projet, « l'histoire d'une famille, un roman en dix volumes ». Critique de la politique militariste de l'Empire (*la Tribune,* 13 septembre).

1869 : Plan des Rougon-Macquart. Contrat avec l'éditeur Lacroix. Début des relations avec P. Alexis. Préparation de *la Fortune des Rougon,* qui paraît en 1870. Collaboration au *Gaulois,* à *la Tribune,* au *Rappel.* Dans *la Tribune,* il critique la politique étrangère de l'Empire et rêve d'une paix universelle.

1870 : *La Tribune* disparaît en janvier. Collaboration à *la Cloche* où il publie des souvenirs remontant à la guerre d'Italie (11 juillet), des articles hostiles au chauvinisme cocardier (juillet-août), des contes hostiles à la guerre. Appel au combat, au nom de la République (5 août) : il évite de justesse des poursuites judiciaires, grâce à la chute de l'Empire. Départ pour Marseille, le 7 septembre, puis pour Bordeaux, le 11 décembre, où il est nommé, le 21 décembre, secrétaire de Glais-Bizouin, membre de la délégation générale du gouvernement à Bordeaux. De septembre à décembre, il a fondé et dirigé le quotidien *la Marseillaise.*

1871 : Retour à Paris en mars. Chroniqueur parlementaire de *la Cloche* et du *Sémaphore de Marseille,* il est suspect aux deux camps, pendant la Commune. *La Cloche* est supprimée par la Commune, le 19 avril; elle reparaîtra en juin.

1872 : *La Curée.* Chroniques diverses dans *la Cloche* (Lettres de Versailles, Lettres parisiennes).

1873 : *Le Ventre de Paris.* Echec de *Thérèse Raquin* au théâtre. Critiques dramatiques dans *l'Avenir national.*

1874 : *La Conquête de Plassans.* Dans *les Nouveaux Contes à Ninon,* on trouve des souvenirs de promenades dans Paris, durant la Commune.

1875 : *La Faute de l'Abbé Mouret.* Collaboration au *Messager de l'Europe,* de Saint-Pétersbourg.

1876 : *Son Excellence Eugène Rougon*. Scandale et succès de « l'Assommoir » publié en feuilleton dans *le Bien public*, puis dans *la République des Lettres*.

1877 : *L'Assommoir*. Zola est célèbre. Il se lie avec Huysmans, Céard, Hennique, Mirbeau, pour constituer le groupe des naturalistes. Dans *le Messager de l'Europe*, puis dans *le Bien public*, souvenirs de la guerre de Crimée et de la guerre d'Italie, description de Paris pendant le siège; en juillet, publication de « l'Attaque du moulin ».

1878 : Achat de la villa de Médan. Publication de l'arbre généalogique des Rougon-Macquart, dans *Une page d'amour*.

1879 : Représentation de *l'Assommoir* au théâtre. Scandale de « Nana » en feuilleton.

1880 : *Nana*. *Les Soirées de Médan*, où l'on retrouve « l'Attaque du moulin ». Crise morale, après la mort de sa mère. *Le Roman expérimental*. Début d'une collaboration régulière au *Figaro*. « Jacques Damour », dans *le Messager de l'Europe* (août).

1881 : Publication de plusieurs volumes d'œuvres critiques.

1882 : *Pot-Bouille*. Dans *Emile Zola, notes d'un ami*, Alexis fait état du projet d'un « roman militaire ».

1883 : *Au Bonheur des Dames*.

1884 : *La Joie de vivre. Naïs Micoulin* (six nouvelles, dont « Jacques Damour »).

1885 : *Germinal*.

1886 : *L'Œuvre*. Rupture avec Cézanne.

1887 : La publication de *la Terre* provoque un scandale. « Manifeste des cinq », hostile à Zola, dans *le Figaro* (18 août).

1888 : *Le Rêve*. Liaison avec Jeanne Rozerot.

1889 : Naissance de Denise, premier enfant de Jeanne.

1890 : *La Bête humaine*.

1891 : *L'Argent*. Préparation de *la Débâcle*, à partir de mars. Voyage à Sedan (du 17 avril au 26 avril). Interview dans *le Petit Ardennais* le 26 avril. Article sur « Sedan » dans *le Figaro* du 1er septembre. Naissance de Jacques deuxième enfant de Jeanne, le 25 septembre.

1892 : Publication de *la Débâcle*, en feuilleton, dans *la Vie populaire*, du 21 février au 21 juillet, et en volume le 24 juin. Réponse, sous le titre « Retour de voyage », (*le Figaro*, 10 octobre), à la lettre du capitaine Tanera, publiée dans *le Figaro* du 19 septembre.

1893 : *Le Docteur Pascal* marque la fin des *Rougon-Macquart*.

1894 : *Les Trois Villes : Lourdes*. Condamnation de Dreyfus, le 22 décembre.

1896 : *Les Trois Villes : Rome*. L'affaire Dreyfus éclate.

1897 : Zola prend position en faveur de la révision du procès, dans trois articles du *Figaro*.

1898 : « J'accuse » (*l'Aurore*, 13 janvier). Condamnation à un an de prison, le 23 février. Exil en Angleterre, du 18 juillet 1898 au 5 juin 1899. *Les Trois Villes : Paris*.

1899 : *Les Quatre Evangiles : Fécondité*.

1900 : Articles sur l'Affaire, dans *l'Aurore*. Loi d'amnistie pour tous les faits relatifs à l'Affaire, le 14 décembre.

1901 : *Les Quatre Evangiles : Travail*.
     La Vérité en marche (recueil des articles inspirés par l'Affaire).

1902 : Mort de Zola (29 septembre).

1903 : *Les Quatre Evangiles : Vérité* (le dernier volume, *Justice*, demeurera à l'état d'ébauche).

1906 : Réhabilitation de Dreyfus.

1908 : Transfert des cendres de Zola au Panthéon.

INTRODUCTION

On s'étonne un peu de découvrir qu'en 1923, trente ans après sa publication, *la Débâcle* était, de tous les volumes des *Rougon-Macquart*, celui qui avait connu le plus fort tirage — 265 000 exemplaires — précédant immédiatement *Nana* (256 000) et, *la Terre* (233 000) et, plus nettement, *l'Assommoir* (203 000) et *Germinal* (171 000). La guerre de 1870, sinon la Commune, a sans doute perdu un peu de son émouvante et durable actualité patriotique, et il est douteux que le public d'aujourd'hui accorde semblable faveur à ce roman. Le fait est là, pourtant, presque inexplicable, et indépendant du renouveau que connut ce genre d'écrits durant et après la guerre de 1914-1918 : en 1908, déjà, *la Débâcle* était en tête du palmarès commercial et dès 1893, 150 000 exemplaires avaient été publiés par Fasquelle, en moins de trois mois. Le livre répondait incontestablement à une attente.

Un peu isolé dans l'histoire des Rougon-Macquart, à laquelle il ne se rattache, bien arbitrairement, que par le personnage de Jean Macquart, le roman pourrait, à tout prendre, être l'habile opération d'un romancier arrivé. C'est à peu près ce que, méchamment, suggère G. Kahn dans un article, au demeurant fort pertinent : « M. Zola fait régulier et long; ses sujets sont toujours choisis pour l'heure du succès et c'est bien assez pour les larges ventes. » La guerre de 1870 a, dit-on, inspiré en quelque vingt années plus de mille cinq cents romans ou récits romancés. Le sujet, dont il n'est pas nécessaire de rappeler ici combien il traumatisa la conscience nationale française, n'a pourtant, vers 1890, rien perdu de son intérêt. Bien au contraire, d'historique, le problème est devenu politique et moral. La montée de l'esprit revanchard que symbolise Déroulède se combine avec l'essor du boulangisme.

L'affaire Dreyfus ne tardera pas à mettre en lumière, à
côté des clivages sociaux et idéologiques, la force d'un
idéal militaire et national, d'autant plus agressif que l'hu-
miliation avait été amère. Parallèlement, et par un jeu de
balance aisément prévisible, le militarisme des uns
engendre l'antimilitarisme des autres, ou vice versa. Au
mythe du « brav' général » correspond le mythe négatif
de la vie militaire : il n'y a qu'une différence de degré
entre *les Gaîtés de l'Escadron* (1886) et *le Cavalier Miserey*
(1887). Si Courteline fait sourire tandis qu'Hermant
scandalise, l'un et l'autre demeurent, en dépit des appa-
rences, sensibles à une certaine noblesse de l'Armée. La
contestation progresse et se teinte d'une critique politique
avec Descaves (*la Caserne*, 1887 ; *Sous-offs*, 1889) et plus
encore avec Darien (*Biribi*, 1888 ; *Bas les Cœurs*, 1889). Les
Naturalistes, de leur côté, ont tenu à porter, sur la réalité
sociale et humaine de l'armée et de la guerre, le même
regard objectif que sur les autres composantes de la
société contemporaine. Leur propos n'est pas de polé-
miquer mais de démystifier. Dès 1880, dans *les Soirées de
Médan*, Alexis, Hennique, Huysmans, Maupassant et
Zola (« l'Attaque du moulin ») ont pris pour sujet la guerre
de 1870, une guerre dérisoire ou cruelle, peinte sans complaisance ni emphase, telle qu'elle fut. Maupassant
résume assez bien, dans une lettre à Flaubert, le propos
des auteurs : « Nous n'avons eu, en faisant ce livre,
aucune intention antipatriotique, ni aucune intention
quelconque ; nous avons voulu seulement tâcher de donner
à nos récits une note juste sur la guerre, de les dépouiller
du chauvinisme à la Déroulède [...]. Cette bonne foi de
notre part dans l'appréciation des faits militaires donne
au volume entier une drôle de gueule, et notre désinté-
ressement voulu dans ces questions où chacun apporte
inconsciemment de la passion exaspèrera mille fois plus
les bourgeois que des attaques à fond de train. Ce ne sera
pas antipatriotique, mais simplement vrai. »

Zola, peintre de la société contemporaine, ne pouvait
demeurer indifférent à une interrogation qui, loin de
s'estomper à mesure que l'on s'éloignait des faits historiques, devenait au contraire de plus en plus préoccupante
et tendait à mettre en cause l'un des fondements de la
société bourgeoise. Si, en 1893, l'intérêt artistique de son
œuvre était généralement admis par la critique, le succès
public de ses derniers romans avait toujours été un peu
équivoque et teinté de scandale. Attendait-on de lui que

la mise en accusation d'une armée qui n'avait pas su éviter la défaite, et d'une société qui s'en était assez bien accommodée, fût scandaleuse ? La récente tradition de la littérature antimilitariste — promiscuité, vulgarité, sexualité gauloise des garnisons — pouvait inciter le romancier à aller dans le sens d'une complaisance qui était assurée d'un succès de mauvais aloi. Il n'en fut rien : son but n'était pas d'obtenir de gros tirages, ni même de ranimer l'intérêt un peu languissant pour la longue histoire des Rougon-Macquart en traitant un sujet plus que jamais d'actualité, mais bien d'adjoindre à son polyptyque un volet dont il avait senti la nécessité dès le début de son entreprise. Si ce roman chaste et fraternel suscita un scandale, ce fut bien celui que Zola avait souhaité provoquer : un scandale moral et social, dont l'importance, d'abord voilée par une étonnante convergence d'éloges esthétiques, allait se révéler, quelques années plus tard, lorsque l'écrivain s'engagea dans l'affaire Dreyfus.

Le projet d'un « roman militaire » était ancien, associé dès 1868 à une réalité historique, la guerre d'Italie. Dans le premier plan remis à Lacroix, en 1869, le sens général de l'œuvre se précise :

> « Un roman qui aura pour cadre le monde militaire et pour héros Paul, fils de Bergasse [1]. Un épisode de la guerre d'Italie. La guerre telle qu'elle est. Rapports de l'Empire avec l'armée. Ce que je désire surtout, c'est montrer de vrais champs de bataille, sans chauvinisme, et faire connaître les vraies souffrances du soldat. Un roman militaire est de toute nécessité dans la série. »

Mais l'histoire est intervenue, embarrassant et aidant en même temps l'imagination du romancier. Témoin d'une société en décomposition, peut-il se permettre d'ignorer la guerre et la révolution sur lesquelles s'achève le Second Empire ? Vers 1872, le « roman sur la guerre d'Italie » demeure en projet, mais plusieurs autres possibilités parallèles sont envisagées : « un roman sur la débâcle. L'étude sur les journaux à la fin de l'Empire », un « roman sur la guerre, le siège et la Commune », et

---

1. C'est seulement vers 1872 que Jean Macquart apparaît comme héros du roman sur la guerre d'Italie.

« un deuxième roman ouvrier — particulièrement politique. L'ouvrier de l'insurrection outil révolutionnaire, de
la Commune. Une photographie d'insurgé tué en 48.
Aboutissant à mai 71 ».

Zola n'était manifestement pas encore prêt à écrire le
livre où, tant bien que mal, l'expérience vécue, la philosophie de la guerre et les données de l'histoire se trou-
veraient associées. On ne saurait d'ailleurs parler exacte-
ment, à son propos, d'une véritable expérience de la
guerre, puisque, dispensé du service militaire et absent
de Paris entre septembre 1870 et mars 1871, il ignora la
réalité des combats et du siège. Seule la Commune trouva
en lui un témoin attentif et prudent, plus sensible aux
souffrances et aux illusions des Communards qu'à la
signification politique et sociale de leur Révolution. Il ne
demeura pourtant pas étranger, durant ces années douloureuses, aux préoccupations idéologiques et aux tourments matériels de ses contemporains; son activité de
journaliste, au *Rappel*, puis à *la Cloche* et au *Sémaphore de
Marseille*, lui permit, entre autres prises de position, de
faire entendre son horreur de la guerre. De façon rhétorique d'abord :

« Je voudrais aujourd'hui une voix [...] qui raconte la
panique des foules, les poussées féroces des soldats
grisés, l'horreur de la tuerie folle » (*la Cloche*,
18 juillet 1870).

En témoin bouleversé, ensuite :

« Non, jamais je n'oublierai l'affreux serrement de
cœur que j'ai éprouvé en face de cet amas de chair
humaine sanglant, jeté au hasard sur les chemins de
halage. Les têtes et les membres sont mêlés dans
d'horribles dislocations. Du tas émergent des faces
convulsées » (*le Sémaphore*, 31 mai 1871).

Le romancier de *la Débâcle* ne décrira pas en d'autres
termes les massacres que son imagination et sa documentation lui permettront de reconstituer. Néanmoins, le
journaliste, qu'il fût témoin ou non, eut pour préoccupation principale de réfléchir sur le sens des événements que
l'actualité l'amenait à rapporter. Le besoin d'expliquer
des faits, de les replacer dans une perspective d'ensemble,
voire de philosopher sur la guerre, tout ce qui donnera
souvent au roman un caractère didactique, trouve sa
source dans cette première approche par un journaliste
d'opinion.

Cette enquête sur la signification de la guerre en géné-

ral, sur les raisons de la défaite, sur la portée de l'action
révolutionnaire de 1871 ne cessera de l'occuper, à mesure
que l'œuvre romanesque s'élaborera, que les passions
s'apaiseront et que les témoignages des acteurs viendront
au jour. Le soldat sera toujours présent, en arrière-plan,
dans les *Rougon-Macquart*. Continuité significative d'un
cheminement sous-jacent, plus significative sans doute
que la publication, çà et là, de quelques souvenirs et
même de deux nouvelles, assez conventionnelles, ins-
pirées par la guerre (« l'Attaque du moulin », 1877,
reprise dans *les Soirées de Médan*) et par la Commune
(« Jacques Damour », 1880, reprise dans *Naïs Micoulin*).
Deux idées majeures se font jour, à travers cette réflexion
sur la guerre. Une explication d'abord : le patriotisme
n'est efficace que fondé sur une « formule scientifique » :
« l'esprit scientifique nous a battus, ayons l'esprit scientifique avec nous si nous voulons battre les autres »
(« Lettre à la jeunesse », *le Voltaire*, 17 mai 1879) — et
l'on sent, à ce propos, combien le pacifiste de 1871
s'éloigne de son timide engagement au côté des Communards. Une perception du sens de l'Histoire, d'autre part :
les meutes hurlantes qui, sous les fenêtres de Nana
agonisante, se ruent à l'inconnu, de même que les soldats
hébétés de fatigue et ivres, qui chantent dans le train fou
de *la Bête humaine*, ces forces aveugles incarnant le militarisme le plus bestial, vont « quand même à l'avenir »,
en dépit du sang qui sera répandu. Une sorte d'accepta-
tion de la guerre, mal nécessaire, commence à s'esquisser.

Parallèlement, la place qu'occupera le livre dans l'édifice se précise : abandonnant définitivement la guerre
d'Italie (à peine mentionnée comme une première expérience du caporal Jean Macquart), le romancier respec-
tera la chronologie et situera son « roman militaire » au
terme de son « histoire naturelle et sociale d'une famille
sous le Second Empire ». La multitude de faits vrais
témoignant de la misère et de la mort du soldat s'orga-
nisera, de façon symbolique, sur un arrière-plan historique : Sedan et la Commune, désormais associés dans
une perspective finaliste, seront beaucoup plus que de
tragiques épisodes de l'histoire militaire et de l'histoire
politique de la France. « [Le titre] dit très bien ce que
veut être mon œuvre. Ce n'est pas la guerre seulement,
c'est l'écroulement d'une dynastie, c'est l'effondrement
d'une époque » (lettre de Zola à Van Santen Kolff,
26 janvier 1892).

Le 30 janvier 1891, Zola termine la rédaction de *l'Argent*. Un mois plus tard, il est déjà en train de réunir les documents qui serviront à *la Débâcle*. S'il est vrai que l'idée directrice du roman était arrêtée depuis un certain temps — Desprez décrivait l'œuvre à venir, avec une relative précision dès 1884, dans *l'Evolution naturaliste* — un double problème se posait, en effet, au romancier : la recherche et l'exploitation d'une information particulièrement riche et complexe, et d'autre part l'articulation entre les idées directrices et la mise en œuvre romanesque.

En ce qui concerne le premier point, sa méthode lui donnait toute satisfaction : « Et puis, j'ai suivi mon éternelle méthode : des promenades sur les lieux que j'aurai à décrire; la lecture de tous les documents écrits, qui sont extraordinairement nombreux; enfin, de longues conversations avec les acteurs du drame, que j'ai pu approcher » (lettre du 4 septembre 1891 à Van Santen Kolff). Le résultat est spectaculaire : un « dossier préparatoire » de 1 244 pages, le plus important de tous ceux qui contribuèrent à la genèse des *Rougon-Macquart*. On y retrouve trois sortes de documents :

— des notes prises sur des ouvrages militaires, des rapports d'état-major, etc. Dans une masse de documents dont l'origine n'est pas toujours précisée, quelques livres essentiels apparaissent au premier plan : des travaux d'historiens ou d'officiers supérieurs, tels que *Froeschwiller, Châlons, Sedan* de Duquet (1880), *Campagne de 1870. Belfort, Reims, Sedan. Le 7ᵉ Corps de l'armée du Rhin*, du prince Bibesco (1872), *Guerre de 1870. Bazeilles-Sedan*, du général Lebrun (1884), *l'Histoire militaire contemporaine*, du colonel Canonge (1882), *Wissembourg au début de l'invasion de 1870, récit d'un sous-préfet*, d'E. Hepp (1887), etc. La documentation relative à la Commune est en majeure partie empruntée à l'*Histoire de quatre ans* de Th. Duret (1876).

— des observations personnelles rassemblées sous le titre « Mon voyage à Sedan ». Selon son habitude, Zola voulut, en effet, voir de ses propres yeux les lieux où devaient se passer les scènes capitales du roman. Entre le 15 et le 19 avril 1871, il reconstitua, de village en village, à travers champs et chemins tortueux, le trajet suivi par le 7ᵉ Corps, entre Courcelles, près de Reims, et Sedan.

Du 19 au 25, installé à Sedan, il consulta des témoins et visita les lieux où la bataille avait fait rage. La nature même du récit qu'il projetait lui imposait sinon de connaître parfaitement la topographie du champ de bataille, du moins de ne pas commettre d'erreur grossière. Il se défiait un peu de son « imagination de Méridional » et découvrit, par exemple, qu'elle aurait pu l'induire en erreur et l'amener à prêter au paysage le caractère tragique qui appartenait seulement à l'épisode guerrier. Sur l'instant, il confia au *Petit Ardennais* (26 avril 1891) que son bref voyage lui avait apporté documents et suggestions :

> « J'ai une masse de documents excellents. Voyez-vous, il y a deux façons de prendre des renseignements. La première consiste à se renseigner longuement, à visiter un pays par petites étapes, en s'installant même au milieu des habitants pour vivre leur propre vie. La seconde — c'est la mienne — consiste à passer dans un pays rapidement pour en emporter une impression rapide, logique, intense [...]. Ce n'était pas mon intention de faire jouer à la ville de Sedan un certain rôle dans *la Débâcle*. Mais après mon séjour, j'hésite, peut-être changerai-je mon plan et ferai-je de Sedan le point central. »

— des témoignages, enfin, qui, sollicités ou plus souvent spontanés, lui venaient de toutes parts. La presse d'information avait fait état du projet de Zola et de son voyage à Sedan. Le renom du romancier était tel que de nombreux inconnus, humbles acteurs de la bataille, vinrent lui apporter ce qui précisément lui faisait défaut : les petits détails inconnus de l'état-major et des historiens, que seuls les soldats, les médecins, les combattants anonymes avaient pu connaître. De nombreux épisodes, maints petits faits vrais, constituant l'arrière-plan de *la Débâcle*, trouvent leur origine dans ces lettres, ces carnets de notes ou ces plaquettes oubliées aussitôt que publiées. Zola admit d'ailleurs l'importance de sa dette à l'égard de tous ces informateurs bénévoles :

> « Ce qui avait surtout, dans ces carnets, de l'intérêt pour moi, c'est la vie, la chose vécue. Tous se ressemblaient. Il y avait là une généralité absolue d'impression. Tout cela, le fond même de *la Débâcle*, me fut donné par ces carnets » (lettre à Van Santen Kolff, s.d.).

L'exploitation de la masse de documents ainsi réunis fut loin d'être aisée, Zola éprouvant dans ce cas beaucoup de difficulté à associer la réflexion historique et la fiction romanesque. L'important était, pour lui, de comprendre et d'expliquer le sens de l'Histoire. Aussi chercha-t-il, dans les premières pages de son « ébauche », à préciser, pour lui-même, ce qui devait être l'idée directrice du livre : la France de Napoléon III s'est trompée de guerre, elle a pris pour une aventure — refrains de goguette, troupiers de tradition, mythologie de la valeur nationale, improvisation permanente — une guerre qui, en fait, était la manifestation d'une loi de la nature et correspondait à la nécessité scientifique de la lutte vitale mise en lumière par Darwin :

« Montrer là que notre écrasement était fatal, une nécessité historique, le va-et-vient de l'évolution et pourquoi [...]. Toute la première partie de mon livre sera pour bien poser les raisons de la défaite, poser les personnages, les types, tous ceux que j'aurai à faire agir. Puis la grande bataille. Et une conclusion pour en montrer les résultats, avec la fin d'un monde, l'incendie de Paris dominant tout. »

Cette conception finaliste de l'Histoire pesa lourdement sur la genèse et la définition des protagonistes. Décidé à refuser tout rôle important à une femme, même si l'intérêt romanesque doit s'en trouver réduit, Zola ne s'attarde guère, au début, que sur les deux amis, Paul (plus tard Maurice) et Jean, parce que leur destinée exemplaire se confond avec celle de la nation :

« Tout le symbole doit être là, c'est la mauvaise partie de la France qui est supprimée par elle-même, par Jean à la fin (avec combien de douleur pourtant!). De là tout le caractère de Paul, presque femme, nerveux, généreux et enthousiaste, mais sans fixité, accessible à toutes les idées qui passent, prompt à se passionner et à se désespérer : la France affolée par l'Empire, démoralisée, énervée au point d'en perdre la raison; et bien expliquer toute la guerre avec ce caractère, la Commune aussi, la saignée qui a été nécessaire, le fond raisonnable de la France, l'épargne, le travail, tout ce qui doit un jour reconstituer la patrie. »

C'est probablement à son retour de Sedan, et après examen de toute la documentation recueillie de part et d'autre, qu'il reprend l'ébauche initiale et que son ins-

tinct de romancier s'oppose sourdement à ses postulats
d'historien. Des personnages prennent consistance, sans
doute, mais ils demeurent isolés les uns des autres, représentatifs de types plus que vraiment individualisés.
Dialoguant avec lui-même, il nous fait participer à la
difficile genèse du roman. « L'important est de lier ces
personnages avec les autres et nouer une petite intrigue
romanesque ne gênant pas les faits. » Mais, premier
problème, « je n'ai pas d'histoire dramatique et bien
d'aplomb ». D'ailleurs, « c'est à voir s'il faut compliquer
la partie romanesque ou laisser une grande simplicité ».
La recherche du lien entre les divers personnages fictifs
ou entre ces personnages et la trame historique fut la
grande préoccupation de Zola, manifestement gêné par
le fait que la réalité spatio-temporelle de l'Histoire ne
lui permettait pas de façonner son récit au gré de son
imagination créatrice. Aussi l'ébauche de *la Débâcle* est-
elle beaucoup plus imprécise que ne l'avait été celle des
romans précédents, et les solutions imaginées pour assurer
un lien, trop riches en coïncidences artificielles. Tel n'est
pas le cas des deux plans, postérieurs à l'ébauche, que
Zola composa juste avant d'entreprendre la rédaction du
roman lui-même. La structure du récit est désormais
arrêtée, elle ne changera que par d'infimes détails. Trois
parties équilibrées comportent chacune huit chapitres et
suivent avec une grande précision le déroulement chronologique des événements, selon un rythme différent
pour chacune d'elles :
— la marche de Mulhouse à Sedan, du 6 au
30 août 1870 ;
— la bataille de Sedan, le 1er septembre, heure par
heure ;
— les lendemains de la capitulation, suivant une trame
chronologique de plus en plus lâche, du 3 septembre
à la « semaine sanglante » de mai 1871.
Les personnages dont les fiches d'identité ont enfin été
mises au point sont intégrés dans le récit historique qui
demeure presque constamment présent, comme une toile
de fond devant laquelle se profileront, symboliques, leurs
destinées individuelles. Le choix de Zola est fait, en
juin 1891 : le roman passera au second plan et ses épisodes ne serviront qu'à éclairer le sens de l'Histoire.

C'est le 18 juillet 1891, au terme de cette longue préparation, que Zola commença la rédaction proprement

dite. Mise à part une interruption durant l'été, la tâche
devait le retenir jusqu'au 12 mai 1892; elle fut écrasante,
de son aveu même :

> « Vous n'imaginez pas le travail acharné que m'a
> demandé mon dernier livre [...]. Je suis content, j'espère
> qu'on me tiendra compte de mon impartialité. Tout en
> ne cachant rien, j'ai voulu « expliquer » nos désastres.
> C'est l'attitude qui m'a paru la plus noble et la plus
> sage » (lettre à Van Santen Kolff, 8 juin 1892).

Dès le 21 février, la publication du roman avait commencé en feuilleton, dans *la Vie populaire*. Le volume
parut chez Charpentier-Fasquelle le 24 juin 1892.

Le livre était attendu comme un document d'histoire,
objectif et précis, et nul ne songea à reprocher à Zola
d'avoir conté une bataille à laquelle il n'avait pas pris
part. Livre pour anciens combattants, reconstituant pas
à pas, comme l'auteur l'avait fait d'une autre manière,
le cheminement de l'histoire et la progression des troupes
françaises vers le désastre. Jamais le lecteur, pour peu
qu'il prête attention aux indications topographiques et
chronologiques qui lui sont abondamment proposées, ne
se trouve abandonné au cœur de la bataille comme un
Fabrice à Waterloo même si les acteurs, eux, le sont. La
mécanique du récit fonctionne avec la précision technique d'un cours de stratégie à l'Ecole de Guerre. La
marche du 7e Corps, pris comme exemple, en raison de
l'absurdité même du mouvement qui l'amena à se faire
enfermer dans Sedan, est suivie dans les moindres détails.
Marche dont l'inéluctable incohérence s'explique aussitôt
que l'on en lit les étapes sur une carte d'état-major, en
associant les initiatives improvisées, au coup pour coup,
par l'état-major français et les coups de boutoir soigneusement préparés par une armée prussienne qui se contente
de faire sentir sa présence de loin (première partie). Même
précision lorsqu'il s'agit, dans la deuxième partie, d'évo-
quer, à l'avance d'abord, comme une menace, puis, en
cours de réalisation, la manœuvre d'encerclement prussienne. Facilitée par les tergiversations de l'état-major
français, par les ordres et contrordres qui en résultent,
elle avait été conçue préalablement à l'opération elle-
même, en fonction du site, et apparaît comme un succès
de la méthode scientifique allemande. Le regard de
myope de Zola avait, dans tout ce récit militaire, fait
merveille et donné du combat l'image que les témoins

avaient pu reconstruire, vingt ans après, en se fondant à la fois sur leur expérience aveugle et sur l'enseignement des historiens. C'est que, en effet, le regard de Zola n'est pas seulement celui d'un simple acteur : le document qu'il apporte dépasse la petite histoire, et même la seule histoire militaire. En arrière-plan, lointain mais non gratuit, Paris et les problèmes dynastiques, Berlin et l'imminente unification de l'Allemagne... Non un cours d'histoire, mais l'Histoire présente et vivante, lointaine et apprivoisée, agissant sur la vie et les souffrances des hommes, tributaire de leurs vies et de leurs souffrances. En contrepoint discret de l'épopée de la foule, la présence, menaçante ou protectrice de ceux qui mènent le jeu : le gouvernement de Paris, Mac-Mahon blessé, les rivalités entre les généraux, l'ombre de l'Empereur entrevue, Guillaume, souverain, sur les hauteurs dominant Sedan, et, plus tard, l'armée de la Loire, le gouvernement de la Commune, les Versaillais, les pétroleuses, tous les acteurs sont là, l'Histoire et sa légende sont présentes au rendez-vous. Tout cela évoqué parfois au moyen de digressions où l'auteur expose une question historique, mais aussi à travers des conversations, des « bruits » colportés, des rencontres imprévues, voire des journaux lus par le protagoniste. On s'aperçoit vite que Zola a voulu éviter le didactisme de l'historien de métier, tout en faisant œuvre d'historien. Le succès immédiat de *la Débâcle* tient justement au fait que le romancier apporta à ses lecteurs plus qu'aucun d'eux n'aurait pu en savoir sur le champ de bataille — satisfaction intellectuelle — tout en leur donnant à tout instant l'illusion et la satisfaction d'amour-propre qu'ils étaient pris comme témoins, sinon comme acteurs, seuls à découvrir, à savoir. Le procédé est très concerté :

« Faire la scène historique. Mais la faire surtout passer par les impressions et les explications de Maurice, ce qui me permet de l'élargir, de l'interpréter, de lui donner tout le sens et l'émotion que je veux lui donner. »

De même, le spectacle de Sedan sera « vu et décrit par Henriette » qui « mène le chapitre ». La technique du récit qui, aux grandes masses descriptives du roman historique traditionnel, préfère une sorte de découpage en plans cinématographiques, permit à Zola de proposer une vision dynamique des événements, subjective/objective. L'apport des témoignages individuels recueillis alla dans le même sens que le tempérament du romancier,

épris de la vie et attentif à l'humain. Rejetant résolument
les mythes exaltants et trompeurs aussi bien que les
reconstitutions désincarnées, décidant de voir la guerre
par les yeux des acteurs les plus exposés, il proposait une
œuvre originale et ouvrait la voie aux récits de démystification guerrière que suscita la guerre de 1914-1918
(Barbusse, Dorgelès, Duhamel, etc.).

La Débâcle est, en effet, le livre de la guerre vécue,
ressentie par les combattants, auxquels s'opposent souvent, en une facile antithèse, les chefs repus et médiocres.
Le triste héros de cette absurde épopée, c'est la foule des
soldats, mal informés, mal dirigés, mal nourris, qui voient
peu à peu leur naïf chauvinisme se perdre dans la boue,
la faim et l'incohérence. La légende, c'est « le troupier
français parcourant le monde, entre sa belle et une bouteille de bon vin », toujours glorieux et victorieux; la
réalité découverte jour après jour, c'est la « débandade de
troupeau mené à l'abattoir » (I, 1)[1]. Dans ce « piétinement
de troupeau pressé, harcelé par les chiens » (I, 6), les
hommes finissent par retrouver et assumer une animalité
originelle, une vérité profonde de l'être, différente selon
les individus. Manger, dormir, survivre est la préoccupation commune. Mais pour certains, l'appétit de vie
aboutira au vol, à la démission, à la lâcheté, au meurtre,
à une exécution sadique, et même... à la Révolution!
Pour d'autres, au contraire, cette confrontation avec la
réalité de la souffrance aidera à briser les cloisons sociales
et intellectuelles, elle permettra la résurgence de « la
fraternité des premiers jours du monde, l'amitié avant
toute culture et toutes classes » (ibid.). L'odyssée du
7e Corps est à l'image de la destinée humaine : menacés
par une fatalité, ici représentée par l'obsédante absence
de l'ennemi, qui les guette et se joue d'eux, les hommes ne
livreront leur combat, un combat qui les concerne bien
peu, qu'au moment où il sera déjà inéluctablement perdu.
La bataille, si longtemps attendue et qui pourrait donner
un sens à toutes les souffrances endurées, est, elle-même,
le triomphe de l'absurde : le sanglant va-et-vient de
Bazeilles, le sacrifice inutile du plateau d'Illy, l'atroce
ambulance du major Bouroche et le charnier voisin, le
dénuement et le désespoir des prisonniers de l'île d'Iges,

---

1. Les chiffres entre parenthèses renvoient, pour les chiffres
romains, à l'une des trois parties de La Débâcle, pour les chiffres
arabes, aux chapitres de chaque partie.

en portent l'inoubliable témoignage. Rarement, sans doute, romancier a su peindre avec autant d'intensité les souffrances des hommes et rendre plus sensible leur absurdité. La condamnation de la guerre, même si celle-ci est, ailleurs, présentée comme une loi naturelle, passe par la démystification de son prestige, et cette démystification se fonde moins sur des arguments moraux que sur le spectacle d'hommes meurtris et méprisés.

Le Sedan de Zola est, vu du côté français, un anti-Austerlitz : une bataille dont la préparation et le déroulement se fondent confusément sur les misères et les initiatives de chacun, et non sur la réalisation d'un programme admirablement exécuté de bout en bout. Lors de sa brève escapade à Courcelles (I, 3), grisé par le côté bon enfant de la guinguette, par le vin et par le sourire de la serveuse, par la présence exaltante de l'Empereur et « par tant de gloire évoquée », Maurice voit surgir dans sa mémoire « des souvenirs de classe, des leçons apprises », et les fastes de la légende impériale s'actualisent pour lui. Le rêve passe... Mais voici que, soudain, « son regard tomba sur deux soldats en loques couverts de boue, pareils à des bandits las de rouler les routes », qui en quelques mots lui dirent leur blessure, les crises de fièvre, le retard, la déchéance. Scène qui donne la clef du roman et de l'Histoire : « Maurice alors comprit. » Ce qu'il comprit, c'est, par-delà l'inéluctable certitude de la défaite, la réalité accablante de la guerre « qui changeait tout ce pauvre monde en bêtes féroces [...]. Des semences scélérates pour d'effroyables moissons » (III, 5). Le livre sera une illustration de la vision de Maurice, de la vision de Zola lui-même, sur le champ de bataille :

« Mon hallucination, en revenant le soir de Givonne, par un beau clair de lune. Les morts qui s'éveillent. Tout un immense cimetière. »

Mais entre le livre projeté — image du réel sous toutes ses formes — et le livre écrit s'insèrent la personnalité et la technique du romancier, et il faut bien reconnaître que ce roman de la réalité totale est, en fait, quelles que soient les intentions de Zola, celui d'une réalité reconstruite à partir de quelques stéréotypes. Si l'on songe à cet autre récit d'une débâcle qu'est *la Route des Flandres* de Claude Simon, on sent combien Zola est soumis aux exigences du récit traditionnel, au temps, à l'espace, à l'individualisation des personnages. Ses rares retours

en arrière ne parviennent qu'imparfaitement à rendre
compte de la simultanéité des faits; les déplacements de
l'armée ou de quelques comparses désireux de voir ce
qui se passe sont d'une précision topographique qui, en
quelque sorte, immobilise la dynamique de la bataille en
une succession de moments et de lieux. On a des vues
fixes, là où l'on attendrait un film sur plusieurs écrans.
Si quelques passages consacrés, justement, à la peinture
de lieux clos (l'ambulance, Sedan envahie par les soldats et les réfugiés, le camp des prisonniers, etc.)
échappent à cette critique, l'ensemble du récit de la
bataille est trop riche de « scènes à faire » pour que l'on
ne suspecte pas l'art du romancier derrière le regard
des « témoins », peut-être même des réminiscences artistiques : ce sont « les Dernières Cartouches » de Neuville
qu'il anime à Bazeilles, c'est la chute du Prince André,
dans *Guerre et Paix,* ou même des « chromos » patriotiques que l'on voit lorsque le lieutenant Rochas tombe
dans les plis du drapeau. Les destinées individuelles
prennent souvent le pas, pour des raisons narratives ou
artistiques, sur le fait collectif et seule la mort restitue à
chaque combattant cet anonymat qui est la loi d'une armée
au combat. Trop occupé par le désir de lier ses personnages à la fiction romanesque, Zola n'a pas vu qu'en
individualisant les combattants, il risquait de fausser le
ton du récit, de faire d'une épopée nationale une tragédie.
Il triche, en quelque sorte, avec la réalité lorsqu'il réduit,
peu s'en faut, le 7e Corps à une escouade dont il invite le
lecteur à suivre l'aventure. Six hommes bien différents les
uns des autres, le caporal Jean Macquart, Maurice
Levasseur, Lapoulle, Chouteau, Loubet et Pache : un
échantillonnage d'hommes que Zola a voulus représentatifs, liés par des liens d'amitié ou de parenté avec quelques
autres personnages, civils ou combattants, artilleurs ou
francs-tireurs; au-dessus d'eux, dans une hiérarchie liné-
aire qui, à aucun moment, ne rend compte de la structure
pyramidale d'une armée, un sergent, Sapin, un lieutenant,
Rochas, un capitaine, Beaudouin, un colonel, de Vineuil.
Zola « tient » son armée, sans doute, mais celle-ci se réduit,
en fait, à une poignée d'hommes que l'on va retrouver,
souvent, jouant chacun le rôle par lequel il se définit
dans l'esprit du romancier, tout au long de la marche et
de la bataille. Les « coïncidences » propres à Zola sont
ici peu aptes à rendre compte de la véritable nature de
la « société » des combattants, encore moins de l'unifor-

misation par la souffrance qu'apporte la guerre. Le phé-
nomène devient encore plus sensible lorsqu'on retrouve
à Paris, pendant la Commune, les trois survivants de
l'escouade, dans les situations toujours plus stéréotypées,
du profiteur, du révolutionnaire illuminé, du bon défenseur des valeurs nationales. Peignant avec une incontes-
table puissance la démesure de la guerre, aveugle broyeuse
de destins, Zola n'en a pas moins, en même temps qu'il
évoquait l'immense souffrance collective, tenté de façonner un destin sur mesure, pour chacun des protagonistes.
Qu'ils meurent ou survivent, ils auront trouvé dans la
guerre le catalyseur qui aura permis à leur existence de
se développer ou de s'achever selon une logique interne.
Logique de l'absurde, sans doute, mais logique quand
même. Destinée exemplaire, celle du lieutenant Rochas
qui meurt, « tel qu'un pauvre être borné, un insecte
joyeux, écrasé sous la nécessité de l'énorme et impassible nature », et à propos de qui Zola ajoute : « Avec lui
finissait une légende » (III, 7). Destinées toujours trop
riches en enseignements, exprimés ou non, du capitaine
Beaudouin et du colonel de Vineuil, d'Honoré et de son
équipe d'artilleurs, de Weiss aussi bien que du cheval
Zéphir, et, plus tard, de Maurice : tous meurent comme ils
devaient mourir pour demeurer fidèles à leur personnage,
et chaque trajectoire est signifiante.

La réalité vécue se restructure, en effet, en fonction
de l'intelligence de Zola et de sa volonté de comprendre
hommes et faits. L'absurde n'est qu'une première
approche du réel. Une réflexion politique et historique
tend à l'intégrer dans un univers cohérent, dont les lois
échappent peut-être à chaque individu, mais non au
romancier omniscient. De là « les panoramiques » que,
çà et là, Zola propose à ses lecteurs; de là surtout la
pénétration dont il dote certains personnages, comme
Maurice, au mépris de toute vraisemblance. Etrange
contradiction entre le tempérament fiévreux et inquiet
de ce garçon et cette « science » qui le reprend à chaque
instant et lui permet de raisonner en percevant l'ensemble des problèmes comme s'il était au carrefour de
toutes les informations.

Zola arrive, en effet, devant *la Débâcle*, avec son
bagage d'idées acquises au cours de vingt années de
réflexion et d'activités intellectuelles. Sedan, la Commune
ne sont pas seulement des faits bruts, susceptibles d'être
photographiés dans leur mouvante complexité, mais bien,

pour le romancier et pour ses contemporains, des problèmes complexes qui appellent une réponse. Une
démarche intellectuelle se superpose nécessairement à la
simple description objective. Démarche du romancier,
d'abord, astreint à créer des personnages qui se défi-
nissent comme des individus et comme des êtres compa-
rables à ceux qui ont animé les romans précédents, mais
surtout astreint par la conception d'ensemble de son
œuvre à donner de l'Histoire une conception finaliste.
Sedan et la Commune ayant marqué la fin de l'époque
impériale dont il a voulu être le chroniqueur sans
complaisance doivent constituer une conclusion, un
point d'aboutissement : « la fin d'un monde ». Si le schéma,
la mise en accusation de l'Empire et de la société qui l'a
suscité et soutenu s'adapte assez bien à la peinture du
désastre de Sedan, il fausse totalement la signification
historique de la Commune, et les historiens de notre
temps n'ont pas manqué de reprocher au romancier, à
juste titre, son aveuglement, voire sa partialité de classe.
Dès la première ébauche, l'opinion de Zola était faite et
il posait comme un postulat que l'incendie de Paris était
la conclusion de toute l'histoire. Aussi n'avait-il l'intention que de consacrer quelques pages à la Commune.
Dans son esprit, celle-ci se situe à un point final, en rela-
tion avec le passé et non dans la structure ouverte de
l'histoire en devenir. Greffon de la guerre de 1870, elle
lui apparaît comme un prolongement inquiétant de
l'Empire, dont elle a tous les défauts, incapacité des
chefs, incohérence politique et militaire, incompréhen-
sion des acteurs-victimes, influence des profiteurs et des
irresponsables, portés au paroxysme par les conditions
mêmes dans lesquelles cette révolution a éclaté. L'aveuglement de Maurice, naguère si perspicace, est significa-
tif : dans les derniers chapitres, lui qui était réconforté
par le mythe de Napoléon — « l'Empereur, je l'aimais,
au fond » — et qui a souffert de voir ce mythe s'effondrer sous les assauts d'une implacable réalité, n'a plus
comme refuge qu'un rêve sans consistance, un « paradis
terrestre des primitives légendes ». Le « révolutionnaire » n'est qu'un illuminé (mais y a-t-il un seul
véritable révolutionnaire dans ce récit ?), s'accrochant
désespérément, avant de sombrer dans un désespoir
suicidaire :

    « L'idée était folle, il le savait, et son cœur battit pour-
tant, devant cette obstination à vaincre. Quand tout

est fini, ne reste-t-il pas à tenter le miracle ? La nuit entière, il rêva de prodiges » (III, 7).

La mort acceptée (ou désirée ?), au terme du « rêve fou », est une liquidation de son passé, de même que la Commune est une liquidation du passé récent, atroce, malsaine, mais nécessaire, comme le dernier accès de fièvre qui précède la guérison. Que Zola ait eu, devant la Commune, des réactions de classe — d'une classe qui a eu peur — et que, sans se soucier de l'Histoire ni des motivations profondes des hommes, il ait adopté tous les lieux communs de la littérature anticommunarde, ce n'est que trop évident. Mais la raison première de cette erreur, historiquement impardonnable, se trouve peut-être dans cet esprit de système qui l'amena, reconstruisant l'histoire contemporaine en fonction de sa thèse, à oublier jusqu'aux sympathies qu'il avait pu avoir, en 1871, pour les révolutionnaires idéalistes, à négliger les témoignages qu'il avait reçus d'anciens communards, confiants en son honnêteté, et à proposer une interprétation des faits qui répondait à une certaine logique de l'Histoire, même si, confrontée à la réalité de l'Histoire, elle était sans fondement sérieux.

Au total, si la Débâcle peut être rangée, de fait, au nombre des écrits anticommunards, il serait excessif de faire de Zola un adversaire résolu et militant de la Commune. Disons plutôt, sans prétendre excuser pour autant son aveuglement, que le contenu de la littérature bourgeoise anticommunarde lui apporta la toile de fond et les scènes d'horreur qui convenaient à ses postulats de romancier et à sa philosophie de l'Histoire. Sans plus s'interroger sur la Commune (nous savons que son effort personnel de documentation porta presque uniquement sur la partie militaire du roman), il choisit d'en donner une image qui devait, a posteriori, justifier « la grande et rude besogne de toute une France à refaire ».

Mais Zola n'est pas seulement contraint par la conception d'ensemble de l'œuvre. La Débâcle apporte le témoignage d'autres préoccupations intellectuelles qui recoupent celles du romancier et qui viennent orienter le simple exposé des faits. Au nombre de celles-ci, la réflexion sur la guerre en général, et son interprétation darwinienne. Dans l'ébauche déjà, s'impose « la vision vraie de la guerre, abominable, la nécessité de la lutte vitale, toute l'idée haute et navrante de Darwin dominant le pauvre petit, un insecte écrasé dans la nécessité

de l'énorme et sombre nature ». De ce mal sortira un
bien, Zola n'en doute pas; encore faut-il l'accepter
comme une loi révoltante mais nécessaire. L'erreur des
révolutionnaires — et nous recoupons à ce sujet la critique de la Commune au nom du sens de l'Histoire —
est de vouloir changer le monde « parce qu'il y a trop
de souffrance, trop d'iniquité et de honte » (III, 7).
L'idéalisme de Maurice, Zola sait trop sur quoi il
débouche, et depuis le début de son œuvre, il se défie de
ces rêveurs, naïfs, dupes ou malhonnêtes, qui, « mêlant
des âneries révoltantes aux grands principes d'égalité et
de liberté » (I, 2), n'ont guère à proposer que le rêve
irréalisable d'une société universellement pacifiée, sans
classes, sans obligation de travail. Le principal reproche
que, sans même en avoir bien conscience, cet homme de
progrès et de travail fait à la Commune n'est-il pas
d'avoir mis fin, au prix de quelques sous par jour, à la
nécessité de travailler ? « On allait trop loin quand on
allait dans ces idées-là », songe, au chevet de Maurice,
le major Bouroche, que l'on a vu s'épuiser à la tâche.
La Commune n'est-elle pas, aussi, coupable d'avoir
détourné Maurice de la juste adhésion « aux idées évolutives, à toute cette théorie de l'évolution qui passionnait
dès lors la jeunesse lettrée » (I, 1), et à laquelle il adhérait
au début de la campagne ? d'avoir fait battre le cœur de
Paris, dans un accès de fièvre, pour une utopie dangereuse et gratuite ?
   La pensée de Zola transparaît à travers la destinée de
Maurice, être « d'une nervosité de femme, ébranlé par la
maladie de l'époque, subissant la crise historique et
sociale de la race » (I, 8) qui, après être passé par une
crise de démence, découvrira que la saignée, le Mal repré-
senté par la défaite et par la révolution, la démence
même étaient prévisibles, souhaitables, nécessaires. Folie
vengeresse d'abord, explosion de l'irrationnel :
   « Le sombre besoin de destruction montait en lui, à
mesure que la fin de son rêve approchait. Si l'idée justicière et vengeresse devait être écrasée dans le sang,
que s'entrouvrît donc la terre, transformée au milieu
de ces bouleversements cosmiques, qui ont renouvelé
la vie! » (III, 7).
   Mais lorsque le crime s'accomplit, que Paris brûle,
Zola intervient pour le replacer dans une continuité
logique, soudain découverte :
   « N'était-ce pas, en effet, l'acte dernier et fatal, la

folie du sang qui avait germé sur les champs de défaite
de Sedan et de Metz, l'épidémie de destruction née du
siège de Paris, le crime suprême d'une nation en danger de mort, au milieu des tueries et des écroulements ? »

tandis que Maurice, mourant, tire la leçon du drame :
« C'est peut-être nécessaire, cette saignée. La guerre,
c'est la vie qui ne peut pas être sans la mort » (III, 8).

En contrepoint, un certain nombre de scènes, disper-
sées dans le livre, prennent dès lors toute leur signification : ils attestent que la mort ne peut être sans la vie,
le paysan labourant sous la mitraille (II, 5), Prosper
songeant aux semailles prochaines (III, 3) et Jean, l'être
sain et équilibré, découvrant dans son cœur déchiré « le
renouveau promis à qui espère et travaille, l'arbre qui
jette une nouvelle tige puissante, quand on en a coupé
la branche pourrie, dont la sève empoisonnée jaunissait
les feuilles » (III, 8).

Darwinisme un peu simpliste qui, d'une vision apocalyptique de la guerre tire, paradoxalement, une justification
de celle-ci, et qui, peut-être, ne satisfait qu'imparfaitement le romancier. Il n'en est pas moins caractéris-
tique de sa démarche intellectuelle tout au long du
livre; il répond à un besoin de *comprendre*. Les analyses
de l'historien, du philosophe, du journaliste convergent,
en effet, vers ce but commun : expliquer ce qui s'est passé
en 1870 et 1871. Zola appartient à une génération qui,
brusquement, a vu la France chanceler et tout près de
se précipiter du désastre à l'abîme. Pourquoi et comment ? Les droits souverains de l'intelligence se sont
soudain révélés dérisoires devant l'anéantissement des
structures, sociales et morales, politiques et militaires.
Pourquoi ? L'interrogation de Zola est, à bien des
égards, celle de nombreux intellectuels d'aujourd'hui qui,
abasourdis, naguère, par une crise aussi brutale et aussi
spontanée, ne cessent depuis d'en chercher les explications susceptibles de rendre leurs droits et leur prestige
à l'intelligence et... à leur bonne conscience intellectuelle.

Une seule explication ne satisfait pas Zola : dix se suc-
cèdent, s'entrecoupent, se contredisent : dès le premier
chapitre, le « raisonnable » Weiss en expose certaines,
opposant, en une synthèse bien remarquable de la part
d'un modeste contremaître, le dynamisme d'une Allemagne enthousiaste et motivée, bien armée, bien commandée, à la lassitude de la France, mal préparée, affai-

blie par la routine, les ambitions des médiocres et par le vieillissement de l'Empereur (I, 1). Ces explications, on les retrouvera au hasard du récit : la tactique intelligente et scientifique des Prussiens (I, 3), la maladie de l'Empereur, emporté comme « un paquet inutile » *(ibid.)*, et accessoirement la blessure de Mac-Mahon, l'ignorance stupéfiante des généraux (« Comment voulez-vous qu'on se batte dans un pays qu'on ne connaît pas ! », I, 4), la lassitude, bientôt l'exaspération des hommes (I, 5), la trahison des généraux (I, 6 ; III, 3), la « crise historique et sociale de la race » qui, finalement, devient une raison parmi les autres (I, 8), l'entreprise de démoralisation systématique menée par les révolutionnaires « beaux parleurs » (II, 2), les résurgences d'un optimisme sans fondement *(ibid.)*, l'entêtement routinier d'officiers incapables de profiter « d'aucune leçon » (II, 2), l'infériorité numérique à chaque instant de la bataille, l'inadaptation d'une armée qui se croit encore en Algérie, l'espionnage de Goliath et de ses pareils, l' « épuisement de la race » (II, 8), le « mal de la défiance et du rêve » (III, 7), la responsabilité des mauvais ouvriers (« L'œuvre terrible pouvait donc être mauvaise, qu'un tel homme en était l'ouvrier », III, 7), l'oisiveté, la lâcheté, la fièvre collective, la fatalité, le hasard, l'égoïsme des classes possédantes, etc. Explications naïves, colportées par des combattants mal informés, ou bien reprises et développées par Zola au nom de la philosophie de l'Histoire, hypothèses parfois simplement suggérées comme thèmes éventuels de réflexion, elles témoignent d'un souci constant du romancier de cerner, de réduire le problème et contribuent à donner, paradoxalement, le caractère d'une thèse, d'une succession de thèses à ce livre qui voudrait être document brut, et n'apporter que la peinture objective de la réalité vécue.

Les procédés du romancier ne peuvent que confirmer cette impression. L'artiste apporte sa contribution, volontairement ou non, à l'entreprise d'explication. Songeons aux trajectoires exemplaires de Jean et de Maurice, fraternellement unis et séparés par la guerre, source de vie et de mort ; aux hallucinantes apparitions de l'Empereur, marionnette irresponsable dont l'ombre inquiétante et pathétique se profile, dont les gémissements résonnent à l'arrière-plan de toute la seconde partie ; à l'invisible présence des Prussiens qui, au cours d'une poursuite diabolique, jouent, dans la première partie, le rôle de la fatalité, avec Sedan au bout, et qui, « points noirs perdus au milieu de l'éternelle et souriante nature » (II, 1), semblent jouir d'étranges complicités. Le chassé-croisé entre les personnages, l'alternance constante entre le récit proprement militaire et la poursuite des trajectoires individuelles n'ont pas pour principal objet de faire progresser une fiction romanesque gratuite, parallèlement au témoignage historique, mais bien d'assurer de signifiantes mises en situation de révélateurs : il s'agit, avec les Delaherche, de confronter la société bourgeoise à la réalité de la guerre; d'étudier les origines multiples du patriotisme et du courage, avec Weiss, Henriette, les francs-tireurs; d'assister à la découverte de l'être profond et au réveil de la vie, après le déferlement de la mort, avec le « marché noir » du père Fouchard, le raidissement de la tendre Silvine, l'attente informulée du bonheur chez Jean, etc. En choisissant, sciemment, un échantillonnage d'êtres assez différents les uns des autres pour être vaguement représentatifs de la société qui a vécu les événements de 1870-1871 et de l'armée qui s'y est trouvée engagée (nous songeons à l'escouade et à la hiérarchie des sous-officiers et des officiers), en les rapprochant parfois au mépris de toute vraisemblance (tel est le cas du « cousin » Gunther, dont l'existence ne se justifie que dans la perspective d'une analyse explicative de l'âme allemande), en « manipulant » en fonction des nécessités de son enquête temps et espace, Zola procède confusément à la façon d'un sociologue. Le malaise relatif du lecteur tient au fait que le sociologue qui scrute cette petite société est, en même temps, le romancier qui lui a donné le jour, que les conclusions sont aussi des hypothèses. De ce fait les dés sont pipés.

Mais ce romancier-sociologue est en même temps un poète et un moraliste. Si son témoignage historique peut — et doit — être partiellement récusé en raison des postulats sur lesquels il se fonde et de l'ambiguïté de sa démarche interrogative/démonstrative, il n'en apporte pas moins, nous l'avons dit, une puissante recréation de la réalité. Sans doute Zola est-il, dans la Débâcle, moins « visionnaire » que dans bien d'autres romans, mais la réalité n'était-elle pas assez apocalyptique pour que, renonçant au grand souffle lyrique d'œuvres antérieures, le romancier pût se contenter de rendre sensible la grandeur associée à la souffrance ?

Sans pathétique inutile, dans un décor hostile, auquel s'oppose, en fugitives échappées, le rêve du bonheur tout simple et de la paix des champs, une armée marche, triste héros d'une dérisoire épopée. « Cette fois-ci, c'est *l'Iliade* », s'écria Gustave Kahn. Soit. Mais une *Iliade* sans Olympe ni héros surhumain, sans superbe déploiement de forces de part et d'autre, sans autre idéal que de manger et de dormir, puis, simplement, de vivre, sans autre exploit que de souffrir et de mourir. Une *Iliade* médiocre et douloureuse que préfigure ce premier et encore lointain contact avec l'ennemi, après l'incendie du camp de Châlons :

« ... à ce spectacle, devant ces tourbillons livides qui débordaient des collines lointaines, emplissant le ciel d'un irréparable deuil, l'armée, en marche par la grande plaine triste, était tombée dans un lourd silence. Sous le ciel, on n'entendait plus que la cadence des pas, tandis que les têtes, malgré elles, se tournaient toujours vers les fumées grandissantes, dont la nuée de désastre sembla suivre la colonne pendant toute une lieue encore » (I, 3).

Non, l'épopée de Zola n'a ni bouillant Achille ni sage Hector, mais un pauvre diable, myope et maladroit, qui soudain, pour sauver sa maison et, pourquoi pas ?, pour venger sa patrie abandonnée à l'incurie de ceux qui avaient pour mission de la défendre, se révèle, à Bazeilles, le type du héros absurde ; de pauvres diables qui, lorsqu'ils ont le regard lucide du major Bouroche jaugeant l'Empereur, savent, dès le premier instant, que pour eux aussi, c'est « foutu » (I, 3) et qui, néanmoins livreront, pour une cause douteuse, un combat sans merci ; des prisonniers acculés au désespoir par la faim, par le froid, par la promiscuité, et découvrant les tristes vilenies, en même temps que la générosité spontanée de leurs semblables (avait-on jamais, avant Zola, traité le thème du camp de prisonniers — appelé à une triste diffusion — avec ses résonances morales et son contexte de misères ?) ; la montée d'une hystérie collective où chacun tue son frère et détruit ce que, précisément, il entendait défendre, sans savoir pourquoi ni comment, dans un grand emportement de violence, résurgence, une fois de plus, de cet homme des temps anciens dans lequel s'incarne le Mal séculaire, le désir de tuer, inscrit de toute éternité au cœur trouble de l'homme et que l'on cherche vainement à justifier au nom de l'idéologie ou du patriotisme.

Tels sont, tout au long du roman, les moments où, ponctuellement, Zola propose une admirable anti-épopée de l'absurde, du médiocre, de l'humain.

Ce sont, probablement, de telles pages qui, indépendamment du contexte historique ou philosophique, assurent l'intérêt durable de *la Débâcle*, et c'est bien en se référant à elles que Zola défendit vigoureusement son livre, dans *le Figaro*, le 10 octobre 1892 :

« Ah! cette armée de Châlons que j'ai suivie dans son calvaire, avec une telle angoisse, avec une telle passion de tendresse souffrante! [...] Nier ma tendresse, nier ma pitié, nier mon culte en larmes pour tant d'inconnues et de sublimes victimes, c'est nier l'éclatante lumière du soleil.

« Qui donc a écrit que *la Débâcle* était l'épopée des humbles, des petits ? Oui, c'est bien cela. [...] les petits, les humbles, ceux qui ont marché pieds nus, qui se sont fait tuer le ventre vide, ah! ceux-là, je crois avoir dit assez leurs souffrances, leur héroïsme obscur, le monument d'éternel hommage que la nation leur doit, dans la défaite. »

L'erreur de Zola fut sans doute (et le début de l'article en témoigne, par son ton très historique) de vouloir traiter en poète ému et en historien objectif un sujet encore trop brûlant d'actualité. Aussi ne put-il réaliser qu'à de rares moments privilégiés la difficile association entre le regard du créateur et les interprétations du témoin. Son évidente volonté d'organiser et d'expliquer une masse de faits empruntés à l'Histoire incita finalement à lire *la Débâcle* d'une façon qui ne pouvait qu'être défavorable au roman. L'attention se porta sur le document et sur ses implications politico-sociales, beaucoup plus que sur la signification humaine et artistique que l'on se plaît, aujourd'hui, à reconnaître à toute son œuvre. La polémique fut celle que suscite un livre d'Histoire écrit par un écrivain engagé : si les observateurs inquiets s'accordèrent, en fin de compte, à quelques bévues près, sur l'exactitude documentaire du livre, sa signification politique donna lieu à maintes analyses contradictoires. Zola avait-il avili l'armée et la nation, escamoté l'étude des responsabilités de l'Allemagne et, finalement, proposé un ouvrage sciemment antipatriotique ? Les critiques du parti de l'ordre le donnèrent maintes fois à entendre, de Melchior de Vogüé dans *la Revue des Deux Mondes* (15 juillet 1892) au capitaine allemand Tanera dans *le*

Figaro du 19 septembre 1892. Ou bien avait-il délibéré-
ment embouché la trompette versaillaise de M. Thiers
pour donner une caricature de la Commune, comme le
lui reprochent de nombreux critiques d'aujourd'hui ?
Dans les deux cas, il est trop aisé de reprocher au romancier une mauvaise action. Plus équitable et répondant
mieux à la réalité de l'œuvre, sinon à toutes les intentions
de Zola, fut l'accueil réservé à *la Débâcle* par la critique
qui, prudente ou lucide, considéra l'œuvre comme un
fait littéraire, que, comme A. France (*le Temps*, 26 juin
1892) ou Faguet (*Revue politique et littéraire*, 25 juin 1892)
elle insistât sur la beauté formelle et la richesse humaine,
quitte à noter la maladresse de certains procédés, ou
bien que, comme G. Kahn (*Société nouvelle*, juin 1892),
après avoir reconnu les bonnes intentions du romancier,
elle mît en cause la « bâtardise » du livre.

　　Lectures divergentes, bien significatives de l'ambiguïté d'une œuvre dans laquelle se retrouvent, mal
dominées, toutes les contradictions de Zola romancier et
de Zola témoin passionné de son temps.

                                                                    R. A. JOUANNY

BIBLIOGRAPHIE

Manuscrits

Le manuscrit et le dossier préparatoire de *la Débâcle* sont conservés à la Bibliothèque nationale, département des manuscrits, « nouvelles acquisitions françaises », sous les cotes NAF 10 283, folio 1 à 340, NAF 10 284, folio 341 à 664 et NAF, folio 664 *bis* à 1033 pour le manuscrit, et NAF 10 286, folio 1 à 581 et NAF 10 287, folio 1 à 663, pour le dossier préparatoire. Le voyage à Sedan se trouve dans le Ms 10 287, folio 1 à 110. On trouve également sous la cote NAF 10 347, folio 1 à 518 un jeu de placards, avec corrections manuscrites de Zola.

Editions

Edition originale : E. Zola, *la Débâcle*, in-18°, Paris, Bibliothèque G. Charpentier et E. Fasquelle, 3,50 F, 1892. (C'est le texte de cette édition que nous reproduisons ici.)

Autres éditions

T. X et XI des *Œuvres complètes*, éd. Maurice Le Blond, Paris, Bernouard, 1927-1929.

T. XIX des *Œuvres complètes*, éd. Rencontre, présentées par H. Guillemin, Lausanne, 1961.

T. XIX des *Œuvres complètes*, éd. établie sous la direction de H. Guillemin, illustr. de Tim, Cercle du Bibliophile, Paris, 1966-1969.

T. VI des *Œuvres complètes*, éd. établie sous la direction de H. Mitterand, Cercle du livre précieux, Paris, 1967. Le roman est préfacé par Roger Ikor, annoté par H. Mitterand.

T. V de l'édition des *Rougon-Macquart*, édition intégrale
publiée sous la direction d'A. Lanoux, études, notes
et variantes par H. Mitterand, Paris, Gallimard,
Bibliothèque de la Pléiade, 1967.

T. V de l'édition des *Rougon-Macquart*, préface de
J.-C. Le Blond, *Zola*, présentation et notes de P. Cogny,
éd. du Seuil, coll. de l'Intégrale, Paris, 1970.

E. ZOLA, *les Rougon-Macquart, la Débâcle*, Paris, Fasquelle, 1958, 2 vol., 655 p.

E. ZOLA, *la Débâcle*, Livre de poche n° 316-317, Paris,
1967 (texte de l'édition Fasquelle).

Etudes critiques

● ETUDES GÉNÉRALES SUR ZOLA :

C. BECKER, *Les critiques de notre temps et Zola*, Paris,
Garnier, 1972.

A. DEZALAY, *Lectures de Zola*, Paris, A. Colin, 1973.

H. GUILLEMIN, *Présentation des « Rougon-Macquart »*,
Paris, Gallimard, 1964 (p. 369-392).

G. ROBERT, *Emile Zola, principes et caractères généraux
de son œuvre*, Paris, Belles Lettres, 1952.

ZOLA [actes du Colloque Zola des 2-3 février 1968],
Europe, avril-mai 1968.

ZOLA [ouvrage collectif], Paris, Hachette, coll. « Génies
et réalités », 1969.

● ETUDES PLUS PARTICULIÈREMENT CONSACRÉES A « LA
DÉBÂCLE » :

G. BOUTHOUL, « Actualité de *la Débâcle* », *Présence de
Zola*, Paris, Fasquelle, 1953.

J.-C. GOUDIN, « De l'histoire au roman. Temps historique et temps romanesque dans *la Débâcle* », *Les
Cahiers naturalistes*, n° 35, 1968.

La Guerre de 1870 et la Commune (Les Ecrivains devant),
actes du Colloque du 7 novembre 1970, Publ. de
la Société d'Histoire littéraire de la France, Paris,
A. Colin, 1972.

P. LIDSKY, *Les Ecrivains contre la Commune*, Paris,
Maspero, 1970.

H. MANCEAU, « Sur les chemins ardennais de *la Débâcle* »,
Europe, nov.-déc. 1952.

H. MITTERAND, « Zola devant la Commune », *Les Lettres
françaises*, 3 juillet 1958.

H. MITTERAND, *Zola journaliste*, Paris, A. Colin, « Kiosque », 1962.

H. B. RUFENER, *Biography of a war novel. Zola's « La Débâcle »*, New York, King's Crown Press, 1946.

E. ZOLA, *Letters to J. Van Santen Kolff*, ed. by R. J. Niess, Washington Univ. Studies, Language and Litterature, Saint Louis, 1940.

LES ROUGON-MACQUART

HISTOIRE NATURELLE ET SOCIALE
D'UNE FAMILLE SOUS LE SECOND EMPIRE

LA DÉBÂCLE

PREMIÈRE PARTIE

A deux kilomètres de Mulhouse, vers le Rhin, au milieu de la plaine fertile, le camp était dressé. Sous le jour finissant de cette soirée d'août, au ciel trouble, traversé de lourds nuages, les tentes-abris s'alignaient, les faisceaux luisaient, s'espaçaient régulièrement sur le front de bandière; tandis que, fusils chargés, les sentinelles les gardaient, immobiles, les yeux perdus, là-bas, dans les brumes violâtres du lointain horizon, qui montaient du grand fleuve.

On était arrivé de Belfort vers cinq heures. Il en était huit, et les hommes venaient seulement de toucher les vivres. Mais le bois devait s'être égaré, la distribution n'avait pu avoir lieu. Impossible d'allumer du feu et de faire la soupe. Il avait fallu se contenter de mâcher à froid le biscuit, qu'on arrosait de grands coups d'eau-de-vie, ce qui achevait de casser les jambes, déjà molles de fatigue. Deux soldats pourtant, en arrière des faisceaux, près de la cantine, s'entêtaient à vouloir enflammer un tas de bois vert, de jeunes troncs d'arbre qu'ils avaient coupés avec leurs sabres-baïonnettes, et qui refusaient obstinément de brûler. Une grosse fumée, noire et lente, montait dans l'air du soir, d'une infinie tristesse.

Il n'y avait là que douze mille hommes, tout ce que le général Félix Douay avait avec lui du 7e corps d'armée. La première division, appelée la veille, était partie pour Frœschwiller; la troisième se trouvait encore à Lyon; et il s'était décidé à quitter Belfort, à se porter ainsi en avant avec la deuxième division, l'artillerie de réserve et une division de cavalerie, incomplète. Des feux avaient été aperçus à Lorrach. Une dépêche du sous-préfet de Schelestadt annonçait que les Prussiens allaient passer le Rhin à Markolsheim. Le général, se sentant trop isolé à l'ex-

trême droite des autres corps, sans communication avec
eux, venait de hâter d'autant plus son mouvement vers la
frontière, que, la veille, la nouvelle était arrivée de la
surprise désastreuse de Wissembourg. D'une heure à
l'autre, s'il n'avait pas lui-même l'ennemi à repousser, il
pouvait craindre d'être appelé, pour soutenir le 1er corps.
Ce jour-là, ce samedi d'inquiète journée d'orage, le 6 août,
on devait s'être battu quelque part, du côté de Frœschwiller : cela était dans le ciel anxieux et accablant, de
grands frissons passaient, de brusques souffles de vent,
chargés d'angoisse. Et, depuis deux jours, la division
croyait marcher au combat, les soldats s'attendaient à
trouver les Prussiens devant eux, au bout de cette marche
forcée de Belfort à Mulhouse.

Le jour baissait, la retraite partit d'un coin éloigné du
camp, un roulement des tambours, une sonnerie des clairons, faibles encore, emportés par le grand air. Et Jean
Macquart, qui s'occupait à consolider la tente, en enfonçant les piquets davantage, se leva. Aux premiers bruits
de guerre, il avait quitté Rognes, tout saignant du drame
où il venait de perdre sa femme Françoise et les terres
qu'elle lui avait apportées ; il s'était réengagé à trente-neuf
ans, retrouvant ses galons de caporal, tout de suite incor-
poré au 106e régiment de ligne, dont on complétait les
cadres ; et, parfois, il s'étonnait encore, de se revoir avec
la capote aux épaules, lui qui, après Solférino, était si
joyeux de quitter le service, de n'être plus un traîneur de
sabre, un tueur de monde. Mais quoi faire ? quand on n'a
plus de métier, qu'on n'a plus ni femme ni bien au soleil,
que le cœur vous saute dans la gorge de tristesse et de
rage ? Autant vaut-il cogner sur les ennemis, s'ils vous
embêtent. Et il se rappelait son cri : ah ! bon sang ! puisqu'il n'avait plus de courage à la travailler, il la défendrait,
la vieille terre de France !

Jean, debout, jeta un coup d'œil dans le camp, où une
agitation dernière se produisait, au passage de la retraite.
Quelques hommes couraient. D'autres, assoupis déjà, se
soulevaient, s'étiraient d'un air de lassitude irritée. Lui,
patient, attendait l'appel, avec cette tranquillité d'humeur,
ce bel équilibre raisonnable, qui faisait de lui un excellent
soldat. Les camarades disaient qu'avec de l'instruction il
serait peut-être allé loin. Sachant tout juste lire et écrire,
il n'ambitionnait même pas le grade de sergent. Quand on
a été paysan, on reste paysan.

Mais la vue du feu de bois vert, qui fumait toujours,

l'intéressa, et il interpella les deux hommes en train de
s'acharner, Loubet et Lapoulle, tous deux de son
escouade.

— Lâchez donc ça! vous nous empoisonnez!

Loubet, maigre et vif, l'air farceur, ricanait.

— Ça prend, caporal, je vous assure... Souffle donc,
toi!

Et il poussait Lapoulle, un colosse, qui s'épuisait à
déchaîner une tempête, de ses joues enflées comme des
outres, la face congestionnée, les yeux rouges et pleins de
larmes.

Deux autres soldats de l'escouade, Chouteau et Pache,
le premier étalé sur le dos, en fainéant qui aimait ses
aises, l'autre accroupi, très occupé à recoudre soigneusement une déchirure de sa culotte, éclatèrent, égayés par
l'affreuse grimace de cette brute de Lapoulle.

— Tourne-toi, souffle de l'autre côté, ça ira mieux!
cria Chouteau.

Jean les laissa rire. On n'allait peut-être plus en trouver
si souvent l'occasion; et lui, avec son air de gros garçon
sérieux, à la figure pleine et régulière, n'était pourtant
pas pour la mélancolie, fermant les yeux volontiers quand
ses hommes prenaient du plaisir. Mais un autre groupe
l'occupa, un soldat de son escouade encore, Maurice
Levasseur, en train, depuis une heure bientôt, de causer
avec un civil, un monsieur roux d'environ trente-six ans,
une face de bon chien, éclairée de deux gros yeux bleus à
fleur de tête, des yeux de myope qui l'avaient fait réformer.
Un artilleur de la réserve, maréchal des logis, l'air crâne
et d'aplomb avec ses moustaches et sa barbiche brunes,
était venu les rejoindre; et tous les trois s'oubliaient là,
comme en famille.

Obligeamment, pour leur éviter quelque algarade, Jean
crut devoir intervenir.

— Vous feriez bien de partir, monsieur. Voici la
retraite, si le lieutenant vous voyait...

Maurice ne le laissa pas achever.

— Restez donc, Weiss.

Et, sèchement, au caporal :

— Monsieur est mon beau-frère. Il a une permission
du colonel, qu'il connaît.

De quoi se mêlait-il, ce paysan, dont les mains sentaient encore le fumier ? Lui, reçu avocat au dernier
automne, engagé volontaire que la protection du colonel
avait fait incorporer dans le 106e, sans passer par le dépôt,

consentait bien à porter le sac; mais, dès les premières
heures, une répugnance, une sourde révolte l'avait dressé
contre cet illettré, ce rustre qui le commandait.

— C'est bon, répondit Jean, de sa voix tranquille,
faites-vous empoigner, je m'en fiche.

Puis, il tourna le dos, en voyant bien que Maurice ne
mentait pas; car le colonel, M. de Vineuil, passait à ce
moment, de son grand air noble, sa longue face jaune
coupée de ses épaisses moustaches blanches; et il avait
salué Weiss et le soldat d'un sourire. Vivement, le colonel
se rendait à une ferme que l'on apercevait sur la droite,
à deux ou trois cents pas, parmi les pruniers, et où
l'état-major s'était installé pour la nuit. On ignorait si le
commandant du 7e corps se trouvait là, dans l'affreux
deuil dont venait de le frapper la mort de son frère, tué à
Wissembourg. Mais le général de brigade Bourgain-
Desfeuilles, qui avait sous ses ordres le 106e, y était sûrement, très braillard comme à l'ordinaire, roulant son gros
corps sur ses courtes jambes, avec son teint fleuri de bon
vivant que son peu de cervelle ne gênait point. Une agitation grandissait autour de la ferme, des estafettes partaient
et revenaient à chaque minute, toute l'attente fébrile des
dépêches, trop lentes, sur cette grande bataille que
chacun sentait fatale et voisine depuis le matin. Où donc
avait-elle été livrée, et quels en étaient à cette heure les
résultats ? A mesure que tombait la nuit, il semblait que,
sur le verger, sur les meules éparses autour des étables,
l'anxiété roulât, s'étalât en un lac d'ombre. Et l'on disait
encore qu'on venait d'arrêter un espion prussien rôdant
autour du camp, et qu'on l'avait conduit à la ferme, pour
que le général l'interrogeât. Peut-être le colonel de
Vineuil avait-il reçu quelque télégramme, qu'il courait si
fort.

Cependant, Maurice s'étais remis à causer avec son
beau-frère Weiss et son cousin Honoré Fouchard, le
maréchal des logis. La retraite, venue de loin, peu à peu
grossie, passa près d'eux, sonnante, battante, dans la paix
mélancolique du crépuscule; et ils ne semblèrent même
pas l'entendre. Petit-fils d'un héros de la Grande Armée,
le jeune homme était né, au Chêne-Populeux, d'un père
détourné de la gloire, tombé à un maigre emploi de percepteur. Sa mère, une paysanne, avait succombé en les
mettant au monde, lui et sa sœur jumelle Henriette, qui,
toute petite, l'avait élevé. Et, s'il se trouvait là, engagé
volontaire, c'était à la suite de grandes fautes, toute une

dissipation de tempérament faible et exalté, de l'argent qu'il avait jeté au jeu, aux femmes, aux sottises de Paris dévorateur, lorsqu'il y était venu terminer son droit et que la famille s'était saignée pour faire de lui un monsieur. Le père en était mort, la sœur, après s'être dépouillée, avait eu la chance de trouver un mari, cet honnête garçon de Weiss, un Alsacien de Mulhouse, longtemps comptable à la Raffinerie générale du Chêne-Populeux, aujourd'hui contremaître chez M. Delaherche, un des principaux fabricants de drap de Sedan. Et Maurice se croyait bien corrigé, dans sa nervosité prompte à l'espoir du bien comme au découragement du mal, généreux, enthousiaste, mais sans fixité aucune, soumis à toutes les sautes du vent qui passe. Blond, petit, avec un front très développé, un nez et un menton menus, le visage fin, il avait des yeux gris et caressants, un peu fous parfois.

Weiss était accouru à Mulhouse, à la veille des premières hostilités, dans le brusque désir d'y régler une affaire de famille; et, s'il s'était servi, pour serrer la main de son beau-frère, du bon vouloir du colonel de Vineuil, c'était que ce dernier se trouvait être l'oncle de la jeune madame Delaherche, une jolie veuve épousée l'année d'auparavant par le fabricant de drap, et que Maurice et Henriette avaient connue gamine, grâce à un hasard de voisinage. D'ailleurs, outre le colonel, Maurice venait de retrouver dans le capitaine de sa compagnie, le capitaine Beaudoin, une connaissance de Gilberte, la jeune madame Delaherche, un ami à elle, intime, disait-on, lorsqu'elle était à Mézières madame Maginot, femme de M. Maginot, inspecteur des forêts.

— Embrassez bien Henriette pour moi, répétait à Weiss le jeune homme, qui aimait passionnément sa sœur. Dites-lui qu'elle sera contente, que je veux la rendre enfin fière de moi.

Des larmes lui emplissaient les yeux, au souvenir de ses folies. Son beau-frère, ému lui-même, coupa court, en s'adressant à Honoré Fouchard, l'artilleur.

— Et, dès que je passerai à Remilly, je monterai dire à l'oncle Fouchard que je vous ai vu et que vous vous portez bien.

L'oncle Fouchard, un paysan, qui avait quelques terres et qui faisait le commerce de boucher ambulant, était un frère de la mère d'Henriette et de Maurice. Il habitait Remilly, en haut, sur le coteau, à six kilomètres de Sedan.

— Bon! répondit tranquillement Honoré, le père s'en fiche, mais allez-y tout de même, si ça vous fait plaisir.

A cette minute, une agitation se produisit, du côté de la ferme; et ils en virent sortir, libre, conduit par un seul officier, le rôdeur, l'homme qu'on avait accusé d'être un espion. Sans doute, il avait montré des papiers, conté une histoire, car on l'expulsait simplement du camp. De si loin, dans l'ombre naissante, on le distinguait mal, énorme, carré, avec une tête roussâtre.

Pourtant, Maurice eut un cri.

— Honoré, regarde donc... On dirait le Prussien, tu sais, Goliath!

Ce nom fit sursauter l'artilleur. Il braqua ses yeux ardents. Goliath Steinberg, le garçon de ferme, l'homme qui l'avait fâché avec son père, qui lui avait pris Silvine, toute la vilaine histoire, toute l'abominable saleté dont il souffrait encore! Il aurait couru, l'aurait étranglé. Mais déjà l'homme, au-delà des faisceaux, s'en allait, s'évanouissait dans la nuit.

— Oh! Goliath! murmura-t-il, pas possible! Il est là-bas, avec les autres... Si jamais je le rencontre!

D'un geste menaçant, il avait montré l'horizon envahi de ténèbres, tout cet Orient violâtre, qui pour lui était la Prusse. Il y eut un silence, on entendit de nouveau la retraite, mais très lointaine, qui se perdait à l'autre bout du camp, d'une douceur mourante au milieu des choses devenues indécises.

— Fichtre! reprit Honoré, je vais me faire pincer, moi, si je ne suis pas là pour l'appel... Bonsoir! adieu à tout le monde!

Et, ayant serré une dernière fois les deux mains de Weiss, il fila à grandes enjambées vers le monticule où était parquée l'artillerie de réserve, sans avoir reparlé de son père, sans rien avoir fait dire à Silvine, dont le nom lui brûlait les lèvres.

Des minutes encore se passèrent, et vers la gauche, du côté de la deuxième brigade, un clairon sonna l'appel. Plus près, un autre répondit. Puis, ce fut un troisième, très loin. De proche en proche, tous sonnaient à la fois, lorsque Gaude, le clairon de la compagnie, se décida, à toute volée des notes sonores. C'était un grand garçon, maigre et douloureux, sans un poil de barbe, toujours muet, et qui soufflait ses sonneries d'une haleine de tempête.

Alors, le sergent Sapin, un petit homme pincé et aux

grands yeux vagues, commença l'appel. Sa voix grêle
jetait les noms, tandis que les soldats qui s'étaient approchés, répondaient sur tous les tons, du violoncelle à la
flûte. Mais un arrêt se produisit.

— Lapoulle! répéta très haut le sergent.

Personne ne répondit encore. Et il fallut que Jean se
précipitât vers le tas de bois vert, que le fusilier Lapoulle,
excité par les camarades, s'obstinait à vouloir enflammer.
Maintenant, sur le ventre, le visage cuit, il chassait au ras
du sol la fumée du bois, qui noircissait.

— Mais, tonnerre de Dieu! lâchez donc ça! cria Jean.
Répondez à l'appel!

Lapoulle, ahuri, se souleva, parut comprendre, hurla
un : Présent! d'une telle voix de sauvage, que Loubet en
tomba sur le derrière, tant il le trouva farce. Pache, qui
avait fini sa couture, répondit, à peine distinct, d'un
marmottement de prière. Chouteau, dédaigneusement,
sans même se lever, jeta le mot et s'étala davantage.

Cependant, le lieutenant de service, Rochas, immobile,
attendait à quelques pas. Lorsque, l'appel fini, le sergent
Sapin vint lui dire qu'il ne manquait personne, il gronda
dans ses moustaches, en désignant du menton Weiss
toujours en train de causer avec Maurice :

— Il y en a même un de trop, qu'est-ce qu'il fiche, ce
particulier-là ?

— Permission du colonel, mon lieutenant, crut devoir
expliquer Jean, qui avait entendu.

Rochas haussa furieusement les épaules, et, sans un
mot, se remit à marcher le long des tentes, en attendant
l'extinction des feux; pendant que Jean, les jambes cassées
par l'étape de la journée, s'asseyait à quelques pas de
Maurice, dont les paroles lui arrivèrent, bourdonnantes
d'abord, sans qu'il les écoutât, envahi lui-même de
réflexions obscures, à peine formulées, au fond de son
épaisse et lente cervelle.

Maurice était pour la guerre, la croyait inévitable,
nécessaire à l'existence même des nations. Cela s'imposait à lui, depuis qu'il se donnait aux idées évolutives,
à toute cette théorie de l'évolution qui passionnait dès lors
la jeunesse lettrée. Est-ce que la vie n'est pas une guerre
de chaque seconde ? est-ce que la fondation même de la
nature n'est pas le combat continu, la victoire du plus
digne, la force entretenue et renouvelée par l'action,
la vie renaissant toujours jeune de la mort ? Et il se rappelait le grand élan qui l'avait soulevé, lorsque, pour

racheter ses fautes, cette pensée d'être soldat, d'aller se
battre à la frontière, lui était venue. Peut-être la France
du plébiscite, tout en se livrant à l'empereur, ne voulait-
elle pas la guerre. Lui-même, huit jours auparavant, la
déclarait coupable et imbécile. On discutait sur cette
candidature d'un prince allemand au trône d'Espagne;
dans la confusion qui, peu à peu, s'était faite, tout le
monde semblait avoir tort; si bien qu'on ne savait plus de
quel côté partait la provocation, et que, seul, debout,
l'inévitable demeurait, la loi fatale qui, à l'heure marquée,
jette un peuple sur un autre. Mais un grand frisson avait
traversé Paris, il revoyait la soirée ardente, les boulevards
charriant la foule, les bandes qui secouaient des torches,
en criant : A Berlin! à Berlin! Devant l'Hôtel de Ville, il
entendait encore, montée sur le siège d'un cocher, une
grande belle femme, au profil de reine, dans les plis d'un
drapeau et chantant *la Marseillaise*. Etait-ce donc men-
teur, le cœur de Paris n'avait-il pas battu ? Et puis, comme
toujours chez lui, après cette exaltation nerveuse, des
heures de doute affreux et de dégoût avaient suivi : son
arrivée à la caserne, l'adjudant qui l'avait reçu, le sergent
qui l'avait fait habiller, la chambrée empestée et d'une
crasse repoussante, la camaraderie grossière avec ses
nouveaux compagnons, l'exercice mécanique qui lui
cassait les membres et lui appesantissait le cerveau. En
moins d'une semaine pourtant, il s'était habitué, sans
répugnance désormais. Et l'enthousiasme l'avait repris,
lorsque le régiment était enfin parti pour Belfort.

Dès les premiers jours, Maurice avait eu l'absolue certitude de la victoire. Pour lui, le plan de l'empereur était
clair : jeter quatre cent mille hommes sur le Rhin, franchir le fleuve avant que les Prussiens fussent prêts,
séparer l'Allemagne du Nord de l'Allemagne du Sud par
une pointe vigoureuse; et, grâce à quelque succès
éclatant, forcer tout de suite l'Autriche et l'Italie à se
mettre avec la France. Le bruit n'avait-il pas couru, un
instant, que ce 7e corps, dont son régiment faisait partie,
devait prendre la mer à Brest, pour être débarqué en
Danemark et opérer une diversion qui obligerait la
Prusse à immobiliser une de ses armées ? Elle allait être
surprise, accablée de toutes parts, écrasée en quelques
semaines. Une simple promenade militaire, de Strasbourg à Berlin. Mais, depuis son attente à Belfort, des
inquiétudes le tourmentaient. Le 7e corps, chargé de surveiller la trouée de la Forêt-Noire, y était arrivé dans une

confusion inexprimable, incomplet, manquant de tout. On
attendait d'Italie la troisième division; la deuxième brigade de cavalerie restait à Lyon, par crainte d'un mouvement populaire; et trois batteries s'étaient égarées, on
ne savait où. Puis, c'était un dénuement extraordinaire,
les magasins de Belfort qui devaient tout fournir, étaient
vides : ni tentes, ni marmites, ni ceintures de flanelle, ni
cantines médicales, ni forges, ni entraves à chevaux. Pas
un infirmier et pas un ouvrier d'administration. Au dernier moment, on venait de s'apercevoir que trente mille
pièces de rechange manquaient, indispensables au service
des fusils; et il avait fallu envoyer à Paris un officier, qui
en avait rapporté cinq mille, arrachées avec peine. D'autre
part, ce qui l'angoissait, c'était l'inaction. Depuis deux
semaines qu'on se trouvait là, pourquoi ne marchait-on
pas en avant ? Il sentait bien que chaque jour de retard
était une irréparable faute, une chance perdue de victoire.
Et, devant le plan rêvé, se dressait la réalité de l'exécution,
ce qu'il devait savoir plus tard, dont il n'avait alors que
l'anxieuse et obscure conscience : les sept corps d'armée
échelonnés, disséminés le long de la frontière, de Metz
à Bitche et de Bitche à Belfort; les effectifs partout
incomplets, les quatre cent trente mille hommes se
réduisant à deux cent trente mille au plus; les généraux
se jalousant, bien décidés chacun à gagner son bâton de
maréchal, sans porter aide au voisin; la plus effroyable
imprévoyance, la mobilisation et la concentration faites
d'un seul coup pour gagner du temps, aboutissant à un
gâchis inextricable; la paralysie lente enfin, partie de
haut, de l'empereur malade, incapable d'une résolution
prompte, et qui allait envahir l'armée entière, la désor-
ganiser, l'annihiler, la jeter aux pires désastres, sans
qu'elle pût se défendre. Et, cependant, au-dessus du sourd
malaise de l'attente, dans le frisson instinctif de ce qui
allait venir, la certitude de victoire demeurait.

Brusquement, le 3 août, avait éclaté la nouvelle de
la victoire de Sarrebruck, remportée la veille. Grande
victoire, on ne savait. Mais les journaux débordaient
d'enthousiasme, c'était l'Allemagne envahie, le premier
pas dans la marche glorieuse; et le prince impérial,
qui avait ramassé froidement une balle sur le champ
de bataille, commençait sa légende. Puis, deux jours
plus tard, lorsqu'on avait su la surprise et l'écrasement
de Wissembourg, un cri de rage s'était échappé des poitrines. Cinq mille hommes pris dans un guet-apens, qui

avaient résisté pendant dix heures à trente-cinq mille
Prussiens, ce lâche massacre criait simplement vengeance!
Sans doute, les chefs étaient coupables de s'être mal
gardés et de n'avoir pu rien prévu. Mais tout cela allait être
réparé, Mac-Mahon avait appelé la première division du
7e corps, le 1er corps serait soutenu par le 5e, les Prussiens devaient, à cette heure, avoir repassé le Rhin,
avec les baïonnettes de nos fantassins dans le dos. Et
la pensée qu'on s'était furieusement battu ce jour-là,
l'attente de plus en plus enfiévrée des nouvelles, toute
l'anxiété épandue s'élargissait à chaque minute sous
le vaste ciel pâlissant.

C'était ce que Maurice répétait à Weiss.

— Ah! on leur a sûrement aujourd'hui allongé une
fameuse raclée!

Sans répondre, Weiss hocha la tête d'un air soucieux.
Lui aussi regardait du côté du Rhin, vers cet Orient où
la nuit s'était déjà complètement faite, un mur noir,
assombri de mystère. Depuis les dernières sonneries de
l'appel, un grand silence tombait sur le camp engourdi,
troublé à peine par les pas et les voix de quelques soldats attardés. Une lumière venait de s'allumer, une étoile
clignotante, dans la salle de la ferme où l'état-major
veillait, attendant les dépêches qui arrivaient d'heure en
heure, obscures encore. Et le feu de bois vert, enfin
abandonné, fumait toujours d'une grosse fumée triste,
qu'un léger vent poussait au-dessus de cette ferme
inquiète, salissant au ciel les premières étoiles.

— Une raclée, finit par répéter Weiss, Dieu vous
entende!

Jean, toujours assis à quelques pas, dressa l'oreille;
tandis que le lieutenant Rochas, ayant surpris ce vœu
tremblant de doute, s'arrêta net pour écouter.

— Comment! reprit Maurice, vous n'avez pas une
entière confiance, vous croyez une défaite possible!

D'un geste, son beau-frère l'arrêta, les mains frémis-
santes, sa bonne face tout d'un coup bouleversée et pâlie.

— Une défaite, le ciel nous en garde!... Vous savez,
je suis de ce pays, mon grand-père et ma grand-mère
ont été assassinés par les Cosaques, en 1814; et, quand
je songe à l'invasion, mes poings se serrent, je ferais
le coup de feu, avec ma redingote, comme un troupier!...
Une défaite, non, non! je ne veux pas la croire possible!

Il se calma, il eut un abandon d'épaules, plein d'accablement.

— Seulement, que voulez-vous! je ne suis pas tranquille... Je la connais bien, mon Alsace; je viens de la traverser encore, pour mes affaires; et nous avons vu, nous autres, ce qui crevait les yeux des généraux, et ce qu'ils ont refusé de voir... Ah! la guerre avec la Prusse, nous la désirions, il y avait longtemps que nous attendions paisiblement de régler cette vieille querelle. Mais ça n'empêchait pas nos relations de bon voisinage avec Bade et avec la Bavière, nous avons tous des parents ou des amis, de l'autre côté du Rhin. Nous pensions qu'ils rêvaient comme nous d'abattre l'orgueil insupportable des Prussiens.. Et nous, si calmes, si résolus, voilà plus de quinze jours que l'impatience et l'inquiétude nous prennent, à voir comment tout va de mal en pis. Dès la déclaration de guerre, on a laissé les cavaliers ennemis terrifier les villages, reconnaître le terrain, couper les fils télégraphiques. Bade et la Bavière se lèvent, d'énormes mouvements de troupes ont lieu dans le Palatinat, les renseignements venus de partout, des marchés, des foires, nous prouvent que la frontière est menacée; et, quand les habitants, les maires des communes, effrayés enfin, accourent dire cela aux officiers qui passent, ceux-ci haussent les épaules : des hallucinations de poltrons, l'ennemi est loin... Quoi? lorsqu'il n'aurait pas fallu perdre une heure, les jours et les jours se passent! Que peut-on attendre? que l'Allemagne tout entière nous tombe sur les reins!

Il parlait d'une voix basse et désolée, comme s'il se fût répété ces choses à lui-même, après les avoir pensées longtemps.

— Ah! l'Allemagne, je la connais bien aussi; et le terrible, c'est que vous autres, vous paraissez l'ignorer autant que la Chine... Vous vous souvenez, Maurice, de mon cousin Gunther, ce garçon qui est venu, le printemps dernier, me serrer la main à Sedan. Il est mon cousin par les femmes : sa mère, une sœur de la mienne, s'est mariée à Berlin; et il est bien de là-bas, il a la haine de la France. Il sert aujourd'hui comme capitaine dans la garde prussienne... Le soir où je l'ai reconduit à la gare, je l'entends encore me dire de sa voix coupante : « Si la France nous déclare la guerre, elle sera battue. »

Du coup, le lieutenant Rochas, qui s'était contenu jusque-là, s'avança, furieux. Agé de près de cinquante ans, c'était un grand diable maigre, avec une figure longue et creusée, tannée, enfumée. Le nez énorme, busqué, tom-

bait dans une large bouche violente et bonne, où se
hérissaient de rudes moustaches grisonnantes. Et il s'emportait, la voix tonnante.

— Ah çà! qu'est-ce que vous foutez là, vous, à décourager nos hommes!

Jean, sans se mêler de la querelle, trouva au fond qu'il
avait raison. Lui non plus, tout en commençant à s'étonner des longs retards et du désordre où l'on était, n'avait
jamais douté de la raclée formidable que l'on allait allonger aux Prussiens. C'était sûr, puisqu'on n'était venu que
pour ça.

— Mais, lieutenant, répondit Weiss interloqué, je ne
veux décourager personne... Au contraire, je voudrais que
tout le monde sût ce que je sais, parce que le mieux est
de savoir pour prévoir et pouvoir... Et, tenez! cette Allemagne...

Il continua, de son air raisonnable, il expliqua ses
craintes : la Prusse grandie après Sadowa, le mouvement
national qui la plaçait à la tête des autres Etats allemands,
tout ce vaste empire en formation, rajeuni, ayant l'enthousiasme et l'irrésistible élan de son unité à conquérir;
le système du service militaire obligatoire, qui mettait
debout la nation en armes, instruite, disciplinée, pourvue
d'un matériel puissant, rompue à la grande guerre, encore
glorieuse de son triomphe foudroyant sur l'Autriche;
l'intelligence, la force morale de cette armée, commandée
par des chefs presque tous jeunes, obéissant à un généra-
lissime qui semblait devoir renouveler l'art de se battre,
d'une prudence et d'une prévoyance parfaites, d'une netteté de vue merveilleuse. Et, en face de cette Allemagne,
il osa ensuite montrer la France : l'Empire vieilli, acclamé
encore au plébiscite, mais pourri à la base, ayant affaibli
l'idée de patrie en détruisant la liberté, redevenu libéral
trop tard et pour sa ruine, prêt à crouler dès qu'il ne
satisferait plus les appétits de jouissances déchaînés par
lui; l'armée, certes, d'une admirable bravoure de race,
toute chargée des lauriers de Crimée et d'Italie, seulement gâtée par le remplacement à prix d'argent, laissée
dans sa routine de l'école d'Afrique, trop certaine de la
victoire pour tenter le grand effort de la science nouvelle;
les généraux enfin, médiocres pour la plupart, dévorés de
rivalités, quelques-uns d'une ignorance stupéfiante, et
l'empereur à leur tête, souffrant et hésitant, trompé et se
trompant, dans l'effroyable aventure qui commençait, où
tous se jetaient en aveugles, sans préparation sérieuse, au

milieu d'un effarement, d'une débandade de troupeau
mené à l'abattoir.

Rochas, béant, les yeux arrondis, écoutait. Son terrible
nez s'était froncé. Puis, tout d'un coup, il prit le parti de
rire, d'un rire énorme qui lui fendait les mâchoires.

— Qu'est-ce que vous nous chantez là, vous ! qu'est-ce
que ça veut dire, toutes ces bêtises !... Mais ça n'a pas de
sens, c'est trop bête pour qu'on se casse la tête à comprendre... Allez conter ça à des recrues, mais pas à moi,
non ! pas à moi qui ai vingt-sept ans de service !

Et il se tapait la poitrine du poing. Fils d'un ouvrier
maçon, venu du Limousin, né à Paris et répugnant à l'état
de son père, il s'était engagé dès l'âge de dix-huit ans.
Soldat de fortune, il avait porté le sac, caporal en Afrique,
sergent à Sébastopol, lieutenant après Solférino, ayant
mis quinze années de dure existence et d'héroïque bravoure pour conquérir ce grade, d'un manque tel d'instruction, qu'il ne devait jamais passer capitaine.

— Mais, monsieur, vous qui savez tout, vous ne savez
pas ça... Oui, à Mazagran, j'avais dix-neuf ans à peine, et
nous étions cent vingt-trois hommes, pas un de plus, et
nous avons tenu quatre jours contre douze mille Arabes...
Ah ! oui, pendant des années et des années, là-bas, en
Afrique, à Mascara, à Biskra, à Dellys, plus tard dans la
grande Kabylie, plus tard à Laghouat, si vous aviez été
avec nous, monsieur, vous auriez vu tous ces sales mori-
cauds filer comme des lièvres, dès que nous paraissions...
Et à Sébastopol, monsieur, fichtre ! on ne peut pas dire
que ç'a été commode. Des tempêtes à vous déraciner les
cheveux, un froid de loup, toujours des alertes, puis ces
sauvages qui, à la fin, ont tout fait sauter ! N'empêche pas
que nous les avons fait sauter eux-mêmes, oh ! en musique
et dans la grande poêle à frire !... Et à Solférino, vous n'y
étiez pas, monsieur, alors pourquoi en parlez-vous ? Oui,
à Solférino, où il a fait si chaud, bien qu'il ait tombé ce
jour-là plus d'eau que vous n'en avez peut-être jamais
vu dans votre vie ! à Solférino, la grande brossée aux
Autrichiens, il fallait les voir, devant nos baïonnettes,
galoper, se culbuter, pour courir plus vite, comme s'ils
avaient eu le feu au derrière !

Il éclatait d'aise, toute la vieille gaieté militaire française sonnait dans son rire de triomphe. C'était la légende,
le troupier français parcourant le monde, entre sa belle
et une bouteille de bon vin, la conquête de la terre faite
en chantant des refrains de goguette. Un caporal et

quatre hommes, et des armées immenses mordaient la poussière.

Brusquement, sa voix gronda.

— Battue, la France battue!... Ces cochons de Prussiens nous battre, nous autres!

Il s'approcha, saisit violemment Weiss par un revers de sa redingote. Tout son grand corps maigre de chevalier errant exprimait l'absolu mépris de l'ennemi, quel qu'il fût, dans une insouciance complète du temps et des lieux.

— Ecoutez bien, monsieur... Si les Prussiens osent venir, nous les reconduirons chez eux à coups de pied dans le cul... Vous entendez, à coups de pied dans le cul, jusqu'à Berlin!

Et il eut un geste superbe, la sérénité d'un enfant, la conviction candide de l'innocent qui ne sait rien et ne craint rien.

— Parbleu! c'est comme ça, parce que c'est comme ça!

Weiss, étourdi, convaincu presque, se hâta de déclarer qu'il ne demandait pas mieux. Quant à Maurice, qui se taisait, n'osant intervenir devant son supérieur, il finit par éclater de rire avec lui : ce diable d'homme, que d'ailleurs il jugeait stupide, lui faisait chaud au cœur. De même, Jean, d'un hochement de tête, avait approuvé chaque parole du lieutenant. Lui aussi était à Solférino, où il avait tant plu. Et voilà qui était parler! Si tous les chefs avaient parlé comme ça, on ne se serait pas mal fichu qu'il manquât des marmites et des ceintures de flanelle!

La nuit était complètement venue depuis longtemps, et Rochas continuait d'agiter ses grands membres dans les ténèbres. Il n'avait jamais épelé qu'un volume des victoires de Napoléon, tombé au fond de son sac de la boîte d'un colporteur. Et il ne pouvait se calmer, et toute sa science sortit en un cri impétueux.

— L'Autriche rossée à Castiglione, à Marengo, à Austerlitz, à Wagram! la Prusse rossée à Eylau, à Iéna, à Lutzen! la Russie rossée à Friedland, à Smolensk, à la Moskowa! l'Espagne, l'Angleterre rossées partout! la terre entière rossée, rossée de haut en bas, de long en large!... Et, aujourd'hui, c'est nous qui serions rossés! Pourquoi? Comment? On aurait donc changé le monde?

Il se grandit encore, levant son bras comme la hampe d'un drapeau!

— Tenez! on s'est battu là-bas aujourd'hui, on attend des nouvelles. Eh bien! les nouvelles, je vais vous les donner, moi!... On a rossé les Prussiens, rossé à ne leur laisser ni ailes ni pattes, rossé à en balayer les miettes!

Sous le ciel sombre, à ce moment, un grand cri douloureux passa. Etait-ce la plainte d'un oiseau de nuit? Etait-ce une voix du mystère, venue de loin, chargée de larmes? Tout le camp, noyé de ténèbres, en frissonna, et l'anxiété épandue dans l'attente des dépêches si lentes à venir, s'en trouva enfiévrée, élargie encore. Au loin, dans la ferme, éclairant la veillée inquiète de l'état-major, la chandelle brûlait plus haute, d'une flamme droite et immobile de cierge.

Mais il était dix heures, Gaude surgit du sol noir, où il avait disparu, et le premier sonna le couvre-feu. Les autres clairons répondirent, s'éteignirent de proche en proche, dans une fanfare mourante, déjà comme engourdie de sommeil. Et Weiss, qui s'était oublié là si tard, serra tendrement Maurice entre ses bras : bon espoir et bon courage! il embrasserait Henriette pour son frère, il irait dire bien des choses à l'oncle Fouchard. Alors, comme il partait enfin, une rumeur courut, toute une agitation fébrile. C'était une grande victoire que le maréchal de Mac-Mahon venait de remporter : le prince royal de Prusse fait prisonnier avec vingt-cinq mille hommes, l'armée ennemie refoulée, détruite, laissant entre nos mains ses canons et ses bagages.

— Parbleu! cria simplement Rochas, de sa voix de tonnerre.

Puis, poursuivant Weiss, tout heureux, qui se hâtait de rentrer à Mulhouse :

— A coups de pied dans le cul, monsieur, à coups de pied dans le cul, jusqu'à Berlin!

Un quart d'heure plus tard, une autre dépêche disait que l'armée avait dû abandonner Wœrth et battait en retraite. Ah! quelle nuit! Rochas, foudroyé de sommeil, venait de s'envelopper dans son manteau et dormait sur la terre, insoucieux d'un abri, comme cela lui arrivait souvent. Maurice et Jean s'étaient glissés sous la tente, où déjà Loubet, Chouteau, Pache et Lapoulle se tassaient, la tête sur leur sac. On tenait six, à condition de replier les jambes. Loubet avait d'abord égayé leur faim à tous, en faisant croire à Lapoulle qu'il y aurait du poulet, le lendemain matin, à la distribution; mais ils étaient trop las, ils ronflaient, les Prussiens pouvaient venir. Un instant,

Jean resta sans bouger, serré contre Maurice; malgré sa grande fatigue, il tardait à s'endormir, tout ce qu'avait dit ce monsieur lui tournait dans la tête, l'Allemagne en armes, innombrable, dévorante; et il sentait bien que son compagnon non plus ne dormait pas, pensait aux mêmes choses. Puis, celui-ci eut une impatience, un mouvement de recul, et l'autre comprit qu'il le gênait. Entre le paysan et le lettré, l'inimitié d'instinct, la répugnance de classe et d'éducation étaient comme un malaise physique. Le premier pourtant en éprouvait une honte, une tristesse au fond, se faisant petit, tâchant d'échapper à ce mépris hostile qu'il devinait là. Si la nuit dehors devenait fraîche, on étouffait tellement sous la tente, parmi l'entassement des corps, que Maurice, exaspéré de fièvre, sortit d'un saut brusque, alla s'étendre à quelques pas. Jean, malheureux, roula dans un cauchemar, un demi-sommeil pénible, où se mêlaient le regret de ne pas être aimé et l'appréhension d'un immense malheur, dont il croyait entendre le galop, là-bas, au fond de l'inconnu.

Des heures durent se passer, tout le camp noir, immobile, semblait s'anéantir sous l'oppression de la vaste nuit mauvaise, où pesait ce quelque chose d'effroyable, sans nom encore. Des sursauts venaient d'un lac d'ombre, un râle subit sortait d'une tente invisible. Ensuite, c'étaient des bruits qu'on ne reconnaissait pas, l'ébrouement d'un cheval, le choc d'un sabre, la fuite d'un rôdeur attardé, toutes les ordinaires rumeurs qui prenaient des retentissements de menace. Mais, tout à coup, près des cantines, une grande lueur éclata. Le front de bandière en était vivement éclairé, on aperçut les faisceaux alignés, les canons des fusils réguliers et clairs, où filaient des reflets rouges, pareils à des coulures fraîches de sang; et les sentinelles, sombres et droites, apparurent dans ce brusque incendie. Etait-ce donc l'ennemi, que les chefs annonçaient depuis deux jours, et que l'on était venu chercher de Belfort à Mulhouse? Puis, au milieu d'un grand pétillement d'étincelles, la flamme s'éteignit. Ce n'était que le tas de bois vert, si longtemps tracassé par Lapoulle, qui, après avoir couvé pendant des heures, venait de flamber comme un feu de paille.

Jean, effrayé par cette clarté vive, sortit à son tour précipitamment de la tente; et il faillit buter dans Maurice, soulevé sur un coude, regardant. Déjà, la nuit était retombée plus opaque, les deux hommes restèrent allongés sur la terre nue, à quelques pas l'un de l'autre. Il n'y avait

plus, en face d'eux, au fond des ténèbres épaisses, que la
fenêtre toujours éclairée de la ferme, cette chandelle
perdue qui semblait veiller un mort. Quelle heure pouvait-il être ? deux heures, trois heures peut-être. Là-bas,
l'état-major ne s'était décidément pas couché. On entendait la voix braillarde du général Bourgain-Desfeuilles,
enragé de cette nuit de veille, pendant laquelle il n'avait
pu se soutenir qu'à l'aide de grogs et de cigares. De nouveaux télégrammes arrivaient, les choses devaient se
gâter, des ombres d'estafettes galopaient, affolées et
indistinctes. Il y eut des piétinements, des jurons, comme
un cri étouffé de mort, suivi d'un effrayant silence. Quoi
donc ? était-ce la fin ? Un souffle glacé avait couru sur le
camp, anéanti de sommeil et d'angoisse.

Et ce fut alors que Jean et Maurice reconnurent le
colonel de Vineuil, dans une ombre maigre et haute, qui
passait rapidement. Il devait être avec le major Bouroche,
un gros homme à tête de lion. Tous les deux échangeaient
des paroles sans suite, de ces paroles incomplètes, chu-
chotées, comme on en entend dans les mauvais rêves.

— Elle vient de Bâle... Notre première division détruite... Douze heures de combat, toute l'armée en
retraite...

L'ombre du colonel s'arrêta, appela une autre ombre
qui se hâtait, légère, fine et correcte.

— C'est vous, Beaudoin ?

— Oui, mon colonel.

— Ah! mon ami, Mac-Mahon battu à Frœschwiller,
Frossard battu à Spickeren, de Failly immobilisé, inutile
entre les deux... A Frœschwiller, un seul corps contre
toute une armée, des prodiges. Et tout emporté, la
déroute, la panique, la France ouverte...

Des larmes l'étranglaient, des paroles encore se perdirent, les trois ombres disparurent, noyées, fondues.

Dans un frémissement de tout son être, Maurice s'était
mis debout.

— Mon Dieu! bégaya-t-il.

Et il ne trouvait rien autre chose, tandis que Jean, le
cœur glacé, murmurait :

— Ah! fichu sort!... Ce monsieur, votre parent, avait
tout de même raison de dire qu'ils sont plus forts que
nous.

Hors de lui, Maurice l'aurait étranglé. Les Prussiens
plus forts que les Français! c'était de cela que saignait
son orgueil. Déjà, le paysan ajoutait, calme et têtu :

— Ça ne fait rien, voyez-vous. Ce n'est pas parce qu'on reçoit une tape, qu'on doit se rendre... Faudra cogner tout de même.

Mais, devant eux, une longue figure s'était dressée. Ils reconnurent Rochas, drapé encore de son manteau, et que les bruits errants, le souffle de la défaite peut-être venait de tirer de son dur sommeil. Il questionna, voulut savoir.

Quand il eut compris, à grand-peine, une immense stupeur se peignit dans ses yeux vides d'enfant.

A plus de dix reprises, il répéta :

— Battus ! comment battus ? pourquoi battus ?

Maintenant, à l'Orient, le jour blanchissait, un jour louche d'une infinie tristesse, sur les tentes endormies, dans l'une desquelles on commençait à distinguer les faces terreuses de Loubet et de Lapoulle, de Chouteau et de Pache, qui ronflaient toujours, la bouche ouverte. Une aube de deuil se levait, parmi les brumes couleur de suie qui étaient montées, là-bas, du fleuve lointain.

II

Vers huit heures, le soleil dissipa les nuées lourdes, et un ardent et pur dimanche d'août resplendit sur Mulhouse, au milieu de la vaste plaine fertile. Du camp, maintenant éveillé, bourdonnant de vie, on entendait les cloches de toutes les paroisses carillonner à la volée, dans l'air limpide. Ce beau dimanche d'effroyable désastre avait sa gaieté, son ciel éclatant des jours de fête.

Gaude, brusquement, sonna à la distribution, et Loubet s'étonna. Quoi ? qu'y avait-il ? était-ce le poulet qu'il avait promis la veille à Lapoulle ? Né dans les Halles, rue de la Cossonnerie, fils de hasard d'une marchande au petit tas, engagé « pour des sous », comme il le disait, après avoir fait tous les métiers, il était le fricoteur, le nez tourné continuellement à la friandise. Et il alla voir, pendant que Chouteau, l'artiste, le peintre en bâtiments de Mont- martre, bel homme et révolutionnaire, furieux d'avoir été rappelé après son temps fini, blaguait férocement Pache, qu'il venait de surprendre en train de faire sa prière, à genoux derrière la tente. En voilà un calotin! est-ce qu'il ne pouvait pas lui demander cent mille livres de rente, à son bon Dieu ? Mais Pache, arrivé d'un village perdu de la Picardie, chétif et la tête en pointe, se laissait plai- santer, avec la douceur muette des martyrs. Il était le souffre-douleur de l'escouade, en compagnie de Lapoulle, le colosse, la brute poussée dans les marais de la Sologne, si ignorant de tout, que, le jour de son arrivée au régi- ment, il avait demandé à voir le roi. Et, bien que la nou- velle désastreuse de Fræschwiller circulât depuis le lever, les quatre hommes riaient, faisaient avec leur indifférence de machine les besognes accoutumées.

Mais il y eut un grognement de surprise goguenarde. C'était Jean, le caporal, qui, accompagné de Maurice, revenait de la distribution, avec du bois à brûler. Enfin, on distribuait le bois, que les troupes avaient vainement attendu la veille, pour cuire la soupe. Douze heures de retard seulement.

— Bravo, l'intendance! cria Chouteau.

— N'importe, ça y est! dit Loubet. Ah! ce que je vais vous faire un chouette pot-au-feu!

D'habitude, il se chargeait volontiers de la popote; et on l'en remerciait, car il cuisinait à ravir. Mais il accablait alors Lapoulle de corvées extraordinaires.

— Va chercher le champagne, va chercher les truffes...

Puis, ce matin-là, une idée baroque de gamin de Paris se moquant d'un innocent, lui traversa la cervelle.

— Plus vite que ça! donne-moi le poulet.

— Où donc, le poulet?

— Mais là, par terre... Le poulet que je t'ai promis, le poulet que le caporal vient d'apporter!

Il lui désignait un gros caillou blanc, à leurs pieds. Lapoulle, interloqué, finit par le prendre et par le retourner entre ses doigts.

— Tonnerre de Dieu! veux-tu laver le poulet!... Encore! lave-lui les pattes, lave-lui le cou!... A grande eau, feignant!

Et, pour rien, pour la rigolade, parce que l'idée de la soupe le rendait gai et farceur, il flanqua la pierre avec la viande dans la marmite pleine d'eau.

— C'est ça qui va donner du goût au bouillon! Ah! tu ne savais pas ça, tu ne sais donc rien, sacrée andouille!... Tu auras le croupion, tu verras si c'est tendre!

L'escouade se tordait de la tête de Lapoulle, maintenant convaincu, se pourléchant. Cet animal de Loubet, pas moyen de s'ennuyer avec lui! Et, lorsque le feu crépita au soleil, lorsque la marmite se mit à chanter, tous, en dévotion, rangés autour, s'épanouirent, regardant danser la viande, humant la bonne odeur qui commençait à se répandre. Ils avaient une faim de chien depuis la veille, l'idée de manger emportait tout. On était rossé, mais ça n'empêchait pas qu'il fallait s'emplir. D'un bout à l'autre du camp, les feux des cuisines flambaient, les marmites bouillaient, et c'était une joie vorace et chantante, au milieu des claires volées de cloches qui continuaient à venir de toutes les paroisses de Mulhouse.

Mais, comme il allait être neuf heures, une agitation se propagea, des officiers coururent, et le lieutenant Rochas, à qui le capitaine Beaudoin avait donné un ordre, passa devant les tentes de sa section.

— Allons, pliez tout, emballez tout, on part !

— Mais la soupe ?

— Un autre jour, la soupe ! On part tout de suite !

Le clairon de Gaude sonnait, impérieux. Ce fut une consternation, une colère sourde. Eh quoi ! partir sans manger, ne pas attendre une heure que la soupe fût possible ! L'escouade voulut quand même boire le bouillon ; mais ce n'était encore que de l'eau chaude ; et la viande, pas cuite, résistait, pareille à du cuir sous les dents. Chouteau grogna des paroles rageuses. Jean dut intervenir, afin de hâter les préparatifs de ses hommes. Qu'y avait-il donc de si pressé, à filer ainsi, à bousculer les gens, sans leur laisser le temps de reprendre des forces ? Et, comme, devant Maurice, on disait qu'on marchait à la rencontre des Prussiens, pour la revanche, il haussa les épaules, incrédule. En moins d'un quart d'heure, le camp fut levé, les tentes pliées, rattachées sur les sacs, les faisceaux défaits, et il ne resta, sur la terre nue, que les feux des cuisines qui achevaient de s'éteindre.

C'étaient de graves raisons qui venaient de décider le général Douay à une retraite immédiate. La dépêche du sous-préfet de Schelestadt, vieille déjà de trois jours, se trouvait confirmée : on télégraphiait qu'on avait vu de nouveau les feux des Prussiens qui menaçaient Markolsheim ; et, d'autre part, un télégramme annonçait qu'un corps d'armée ennemi passait le Rhin à Huningue. Des détails arrivaient, abondants, précis : la cavalerie et l'artillerie aperçues, les troupes en marche, se rendant de toutes parts à leur point de ralliement. Si l'on s'attardait une heure, c'était sûrement la ligne de retraite sur Belfort coupée. Dans le contrecoup de la défaite, après Wissembourg et Frœschwiller, le général, isolé, perdu à l'avant-garde, n'avait qu'à se replier en hâte ; d'autant plus que les nouvelles, reçues le matin, aggravaient encore celles de la nuit.

En avant, était parti l'état-major, au grand trot, poussant de l'éperon les montures, dans la crainte d'être devancé et de trouver déjà les Prussiens à Altkirch. Le général Bourgain-Desfeuilles, qui prévoyait une étape dure, avait eu la précaution de traverser Mulhouse, pour y déjeuner copieusement, en maugréant de la bousculade. Et Mulhouse, sur le passage des officiers, était désolé ; les habitants, à l'annonce de la retraite, sortaient dans les rues, se lamentaient du brusque départ de ces troupes, dont ils avaient si instamment imploré la venue : on les

abandonnait donc, les richesses incalculables entassées
dans la gare allaient-elles être laissées à l'ennemi, leur
ville elle-même devait-elle, avant le soir, n'être plus
qu'une ville conquise ? Puis, le long des routes, au travers
des campagnes, les habitants des villages, des maisons iso-
lées, s'étaient eux aussi plantés devant leur porte, étonnés,
effarés. Eh quoi ! ces régiments qu'ils avaient vus passer
la veille, marchant au combat, se repliaient, fuyaient sans
avoir combattu ! Les chefs étaient sombres, hâtaient leurs
chevaux, sans vouloir répondre aux questions, comme si le
malheur eût galopé à leurs trousses. C'était donc vrai que
les Prussiens venaient d'écraser l'armée, qu'ils coulaient
de toutes parts en France, comme la crue d'un fleuve
débordé ? Et déjà, dans l'air muet, les populations, gagnées
par la panique montante, croyaient entendre le lointain
roulement de l'invasion, grondant plus haut de minute en
minute ; et déjà, des charrettes s'emplissaient de meubles,
des maisons se vidaient, des familles se sauvaient à la
file par les chemins, où passait le galop d'épouvante.

Dans la confusion de la retraite, le long du canal du
Rhône au Rhin, près du pont, le 106e dut s'arrêter, au
premier kilomètre de l'étape. Les ordres de marche, mal
donnés et plus mal exécutés encore, venaient d'accumuler
là toute la deuxième division ; le passage était si étroit,
un passage de cinq mètres à peine, que le défilé s'éternisait.

Deux heures s'écoulèrent, le 106e atttendait toujours,
immobile, devant l'interminable flot qui passait devant lui.
Les hommes debout, sous le soleil ardent, le sac au
dos, l'arme au pied, finissaient par se révolter d'impatience.

— Paraît que nous sommes de l'arrière-garde, dit la
voix blagueuse de Loubet.

Mais Chouteau s'emporta.

— C'est pour se foutre de nous qu'ils nous font cuire.
Nous étions là les premiers, nous aurions dû filer.

Et, comme, de l'autre côté du canal, par la vaste plaine
fertile, par les chemins plats, entre les houblonnières et
les blés mûrs, on se rendait bien compte du
mouvement de retraite des troupes, qui refaisaient en
sens inverse le chemin déjà fait la veille, des ricanements circulèrent, toute une moquerie furieuse.

— Ah ! nous nous cavalons ! reprit Chouteau ! Eh bien !
elle est rigolo, leur marche à l'ennemi, dont ils nous
bourrent les oreilles, depuis l'autre matin... Non, vrai,

c'est trop crâne! On arrive, et puis on refout le camp,
sans avoir seulement le temps d'avaler sa soupe!

L'enragement des rires augmenta, et Maurice, qui
était près de Chouteau, lui donnait raison. Puisqu'on restait là, comme des pieux, à attendre depuis deux heures,
pourquoi ne les avait-on pas laissé faire tranquillement
bouillir la soupe et la manger ? La faim les reprenait, ils
avaient une rancune noire de leur marmite renversée
trop tôt, sans qu'ils pussent comprendre la nécessité de
cette précipitation, qui leur paraissait imbécile et lâche.
De fameux lièvres, tout de même!

Mais le lieutenant Rochas rudoya le sergent Sapin, qu'il
accusait de la mauvaise tenue de ses hommes. Attiré par le
bruit, le capitaine Beaudoin s'était approché.

— Silence dans les rangs!

Jean, muet, en vieux soldat d'Italie, rompu à la discipline, regardait Maurice, que la blague mauvaise et
emportée de Chouteau semblait amuser; et il s'étonnait,
comment un monsieur, un garçon qui avait reçu tant
d'instruction, pouvait-il approuver des choses, peut-être
vraies tout de même, mais qui n'étaient pas à dire ? Si
chaque soldat se mettait à blâmer les chefs et à donner
son avis, on n'irait pas loin, pour sûr.

Enfin, après une heure encore d'attente, le 106e reçut
l'ordre d'avancer. Seulement le pont était toujours si
encombré par la queue de la division, que le plus fâcheux
désordre se produisit. Plusieurs régiments se mêlèrent,
des compagnies filèrent quand même, emportées; tandis
que d'autres, rejetées au bord de la route, durent mar-
quer le pas. Et, pour mettre le comble à la confusion, un
escadron de cavalerie s'entêta à passer, refoulant dans les
champs voisins les traînards que l'infanterie semait déjà.
Au bout de la première heure de marche, toute une
débandade traînait le pied, s'allongeait, attardée comme à
plaisir.

Ce fut ainsi que Jean se trouva en arrière, égaré au fond
d'un chemin creux, avec son escouade, qu'il n'avait pas
voulu lâcher. Le 106e avait disparu, plus un homme ni
même un officier de la compagnie. Il n'y avait là que des
soldats isolés, un pêle-mêle d'inconnus, éreintés dès le
commencement de l'étape, chacun marchant à son loisir,
au hasard des sentiers. Le soleil était accablant, il faisait
très chaud; et le sac, alourdi par la tente et le matériel
compliqué qui le gonflait, pesait terriblement aux épaules.
Beaucoup n'avaient point l'habitude de le porter, gênés

déjà dans l'épaisse capote de campagne, pareille à une chape de plomb. Brusquement, un petit soldat pâle, les yeux emplis d'eau, s'arrêta, jeta son sac dans un fossé, avec un grand soupir, le souffle fort de l'homme à l'agonie qui se reprend à l'existence.

— En voilà un qui est dans le vrai, murmura Chouteau.

Pourtant, il continuait de marcher, le dos arrondi sous le poids. Mais, deux autres s'étant débarrassés à leur tour, il ne put tenir.

— Ah! zut! cria-t-il.

Et, d'un coup d'épaule, il lança son sac contre un talus. Merci! vingt-cinq kilos sur l'échine, il en avait assez! On n'était pas des bêtes de somme, pour traîner ça.

Presque aussitôt, Loubet l'imita et força Lapoulle à en faire autant. Pache, qui se signait devant les croix de pierre rencontrées, défit les bretelles, posa tout le paquet soigneusement au pied d'un petit mur, comme s'il devait revenir le chercher. Et Maurice seul restait chargé, lorsque Jean, en se retournant, vit ses hommes les épaules libres.

— Reprenez vos sacs, on m'empoignerait, moi!

Mais les hommes, sans se révolter encore, la face mauvaise et muette, allaient toujours, poussant le caporal devant eux, dans le chemin étroit.

— Voulez-vous bien reprendre vos sacs, ou je ferai mon rapport!

Ce fut comme un coup de fouet en travers de la figure de Maurice. Son rapport! cette brute de paysan allait faire son rapport, parce que des malheureux, les muscles broyés, se soulageaient! Et, dans une fièvre d'aveugle colère, lui aussi fit sauter les bretelles, laissa tomber son sac au bord du chemin, en fixant sur Jean des yeux de défi.

— C'est bon, dit de son air sage ce dernier, qui ne pouvait engager une lutte. Nous réglerons ça ce soir.

Maurice souffrait abominablement des pieds. Ses gros et durs souliers, auxquels il n'était pas accoutumé, lui avaient mis la chair en sang. Il était de santé assez faible, il gardait à la colonne vertébrale comme une plaie vive, la meurtrissure intolérable du sac, bien qu'il en fût débarrassé; et le poids de son fusil, qu'il ne savait de quel bras porter, suffisait à lui faire perdre le souffle. Mais il était angoissé plus encore par son agonie morale, dans une de ces crises de désespérance auxquelles il était sujet. Tout d'un coup, sans résistance possible, il assistait à la ruine de sa volonté, il tombait aux mauvais instincts, à un abandon de lui-même, dont il sanglotait de honte ensuite. Ses fautes, à Paris, n'avaient jamais été que les folies de « l'autre », comme il disait, du garçon faible qu'il devenait aux heures lâches, capable des pires vilenies. Et, depuis qu'il traînait les pieds, sous l'écrasant soleil, dans cette retraite qui ressemblait à une déroute, il n'était plus qu'une bête de ce troupeau attardé, débandé, semant les chemins. C'était le choc en retour de la défaite, du tonnerre qui avait éclaté très loin, à des lieues, et dont l'écho perdu battait maintenant les talons de ces hommes, pris de panique, fuyant sans avoir vu un ennemi. Qu'espérer à cette heure ? Tout n'était-il pas fini ? On était battu, il n'y avait plus qu'à se coucher et à dormir.

— Ça ne fait rien, cria très haut Loubet, avec son rire d'enfant des Halles, ce n'est tout de même pas à Berlin que nous allons.

A Berlin ! à Berlin ! Maurice entendit ce cri hurlé par la foule grouillante des boulevards, pendant la nuit de fol enthousiasme, qui l'avait décidé à s'engager. Le vent venait de tourner, sous un coup de tempête; et il y avait une saute terrible, et tout le tempérament de la race était dans cette confiance exaltée, qui tombait brusquement, dès le premier revers, à la désespérance dont le galop l'emportait parmi ces soldats errants, vaincus et dispersés, avant d'avoir combattu.

— Ah ! ce qu'il me scie les pattes, le flingot ! reprit Loubet, en changeant une fois encore son fusil d'épaule. En voilà un mirliton, pour se promener !

Et, faisant allusion à la somme qu'il avait touchée comme remplaçant :

— N'importe ! quinze cents balles, pour ce métier-là, on est rudement volé !... Ce qu'il doit fumer de bonnes pipes, au coin de son feu, le richard à la place de qui je vas me faire casser la gueule !

— Moi, grogna Chouteau, j'avais fini mon temps, j'allais filer... Ah ! vrai, ce n'est pas de chance, de tomber dans une cochonnerie d'histoire pareille !

Il balançait son fusil, d'une main rageuse. Puis, violemment, il le lança aussi de l'autre côté d'une haie.

— Eh ! va donc, sale outil !

Le fusil tourn deux fois sur lui-même, alla s'abattre dans un sillon et resta là, très long, immobile, pareil à un mort. Déjà, d'autres volaient, le rejoignaient. Le champ bientôt fut plein d'armes gisantes, d'une tristesse raidie d'abandon, sous le lourd soleil. Ce fut une épidémique folie, la faim qui tordait les estomacs, les chaussures qui blessaient les pieds, cette marche dont on souffrait, cette défaite imprévue dont on entendait derrière soi la menace. Plus rien à espérer de bon, les chefs qui lâchaient pied, l'intendance qui ne les nourrissait seulement pas, la colère, l'embêtement, l'envie d'en finir tout de suite, avant d'avoir commencé. Alors, quoi ? le fusil pouvait aller rejoindre le sac. Et, dans une rage imbécile, au milieu de ricanements de fous qui s'amusent, les fusils volaient, le long de la queue sans fin des traînards, épars au loin dans la campagne.

Loubet, avant de se débarrasser du sien, lui fit exécuter un beau moulinet, comme à une canne de tambour-major. Lapoulle, en voyant tous les camarades jeter le leur, dut croire que cela rentrait dans la manœuvre; et il imita le geste. Mais Pache, dans la confuse conscience du devoir, qu'il devait à son éducation religieuse, refusa d'en faire autant, couvert d'injures par Chouteau, qui le traitait d'enfant de curé.

— En voilà un cafard !... Parce que sa vieille paysanne de mère lui a fait avaler le bon Dieu tous les dimanches !... Va donc servir la messe, c'est lâche de ne pas être avec les camarades !

Très sombre, Maurice marchait en silence, la tête penchée sous le ciel de feu. Il n'avançait plus que dans un cauchemar d'atroce lassitude, halluciné de fantômes, comme s'il allait à un gouffre, là-bas, devant lui; et c'était une dépression de toute sa culture d'homme instruit, un abaissement qui le tirait à la bassesse des misérables dont il était entouré.

— Tenez! dit-il brusquement à Chouteau, vous avez raison!

Et Maurice avait déjà posé son fusil sur un tas de pierres, lorsque Jean, qui tentait vainement de s'opposer à cet abandon abominable des armes, l'aperçut. Il se précipita.

— Reprenez votre fusil tout de suite, tout de suite, entendez-vous !

Un flot de terrible colère était monté soudain à la face de Jean. Lui, si calme d'habitude, toujours porté à la conciliation, avait des yeux de flamme, une voix tonnante d'autorité. Ses hommes, qui ne l'avaient jamais vu comme ça, s'arrêtèrent, surpris.

— Reprenez votre fusil tout de suite, ou vous aurez affaire à moi !

Maurice, frémissant, ne laissa tomber qu'un mot, qu'il voulait rendre outrageux.

— Paysan!

— Oui, c'est bien ça, je suis un paysan, tandis que vous êtes un monsieur, vous!... Et c'est pour ça que vous êtes un cochon, oui! un sale cochon. Je ne vous l'envoie pas dire.

Des huées s'élevaient, mais le caporal poursuivait avec une force extraordinaire.

— Quand on a de l'instruction, on le fait voir... Si nous sommes des paysans et des brutes, vous nous devriez l'exemple à tous, puisque vous en savez plus long que nous... Reprenez votre fusil, nom de Dieu! ou je vous fais fusiller en arrivant à l'étape.

Dompté, Maurice avait ramassé le fusil. Des larmes de rage lui voilaient les yeux. Il continua sa marche en chancelant comme un homme ivre, au milieu des camarades qui, à présent, ricanaient de ce qu'il avait cédé. Ah! ce Jean! il le haïssait d'une inextinguible haine, frappé au cœur de cette leçon si dure, qu'il sentait juste. Et, Chouteau ayant grogné, à son côté, que des caporaux de cette espèce, on attendait un jour de bataille pour leur loger une balle dans la tête, il vit rouge, il se vit nettement cassant le crâne de Jean, derrière un mur.

Mais il y eut une diversion. Loubet remarqua que Pache, pendant la querelle, avait, lui aussi, abandonné enfin son fusil, doucement, en le couchant au bas d'un talus. Pourquoi? Il n'essaya point de l'expliquer, riant en dessous, de la façon gourmande et un peu honteuse d'un garçon sage à qui on reproche son premier péché. Très gai, ragaillardi, il marcha les bras ballants. Et, par les longues routes ensoleillées, entre les blés mûrs et les houblonnières qui se succédaient toujours pareils, la débandade continuait, les traînards n'étaient plus, sans sacs et sans fusils, qu'une foule égarée, piétinante, un pêle-mêle de vauriens et de mendiants, à l'approche desquels les portes des villages épouvantés se fermaient.

A ce moment, une rencontre acheva d'enrager Maurice. Un sourd roulement arrivait de loin, c'était l'artillerie de réserve, partie la dernière, dont la tête, tout d'un coup, déboucha d'un coude de la route; et les traînards débandés n'eurent que le temps de se jeter dans les champs voisins. Elle marchait en colonne, elle défilait d'un trot superbe, dans un bel ordre correct, tout un régiment de six batteries, le colonel en dehors et au centre, les officiers à leur place. Les pièces passaient, sonores, à des intervalles égaux, strictement observés, accompagnées chacune de son caisson, de ses chevaux et de ses hommes. Et Maurice, dans la cinquième batterie, reconnut parfaitement la pièce de son cousin Honoré. Le maréchal des logis était là, campé fièrement sur son cheval, à la gauche du conducteur de devant, un bel homme blond, Adolphe, qui montait un porteur solide, une bête alezane, admirablement accouplée avec le sous-verge trottant près d'elle; tandis que, parmi les six servants, assis deux par deux sur les coffres de la pièce et du caisson, se trouvait à son rang le pointeur, Louis, un petit brun, le camarade d'Adolphe, la paire, comme on disait, selon la règle établie de marier un homme à cheval et un homme à pied. Ils apparurent grandis à Maurice, qui avait fait leur connaissance au camp; et la pièce, attelée de ses quatre chevaux, suivie du caisson que six autres chevaux tiraient, lui sembla éclatante ainsi qu'un soleil, soignée, astiquée, aimée de tout son monde, des bêtes et des gens, serrés autour d'elle, dans une discipline et une tendresse de famille brave; et surtout il souffrit affreusement du regard méprisant que le cousin Honoré jeta sur les traînards, stupéfait soudain de l'apercevoir parmi ce troupeau d'hommes désarmés. Déjà, le défilé se terminait, le matériel des batteries, les prolonges, les fourragères, les forges. Puis, dans un dernier flot de poussière, ce furent les haut-le-pied, les hommes et les chevaux de rechange, dont le trot se perdit à un autre coude de la route, au milieu du grondement peu à peu décroissant des sabots et des roues.

— Pardi! déclara Loubet, ce n'est pas malin de faire les crânes, quand on va en voiture!

L'état-major avait trouvé Altkirch libre. Pas de Prussiens encore. Et, toujours dans la crainte d'être talonné, de les voir paraître d'une minute à l'autre, le général Douay avait voulu qu'on poussât jusqu'à Dannemarie, où les têtes de colonne n'étaient entrées qu'à cinq heures du soir. Il était huit heures, la nuit se faisait, qu'on établissait à peine les bivouacs, dans la confusion des régiments réduits de moitié. Les hommes, exténués, tombaient de faim et de fatigue. Jusqu'à près de dix heures, on vit arriver, cherchant et ne retrouvant plus leurs compagnies, les soldats isolés, les petits groupes, toute cette lamentable et interminable queue des éclopés et des révoltés, semés le long des chemins.

Jean, dès qu'il put rejoindre son régiment, se mit en quête du lieutenant Rochas, pour faire son rapport. Il le trouva, ainsi que le capitaine Beaudoin, en conférence avec le colonel, tous les trois devant la porte d'une petite auberge, très préoccupés de l'appel, inquiets de savoir où étaient leurs hommes. Dès les premiers mots du caporal au lieutenant, le colonel de Vineuil qui entendit, le fit approcher, le força à tout dire. Sa longue face jaune, où les yeux étaient restés très noirs, dans la blancheur des épais cheveux de neige et des longues moustaches tombantes, exprima une désolation muette.

— Mon colonel, s'écria le capitaine Beaudoin, sans attendre l'avis de son chef, il faut fusiller une demi-douzaine de ces bandits.

Et le lieutenant Rochas approuvait du menton. Mais le colonel eut un geste d'impuissance.

— Ils sont trop... Comment voulez-vous ? près de sept cents ! Qui prendre là-dedans ?... Et puis, si vous saviez ! le général ne veut pas. Il est paternel, il dit qu'en Afrique il n'a jamais puni un homme... Non, non ! je ne puis rien. C'est terrible.

Le capitaine osa répéter :

— C'est terrible... C'est la fin de tout.

Et Jean se retirait, lorsqu'il entendit le major Bouroche, qu'il n'avait pas vu, debout sur le seuil de l'auberge, gronder de sourdes paroles : plus de discipline, plus de punitions, armée fichue ! Avant huit jours, les chefs recevraient des coups de pied au derrière; tandis que, si l'on avait tout de suite cassé la tête à quelques-uns de ces gaillards, les autres auraient réfléchi peut-être.

Personne ne fut puni. Des officiers, à l'arrière-garde, qui escortaient les voitures du convoi, avaient eu l'heureuse précaution de faire ramasser les sacs et les fusils, aux deux bords des chemins. Il n'en manqua qu'un petit nombre, les hommes furent réarmés à la pointe du jour, comme furtivement, pour étouffer l'affaire. Et l'ordre était de lever le camp à cinq heures; mais, dès quatre heures, on réveilla les soldats, on pressa la retraite sur Belfort, dans la certitude que les Prussiens n'étaient plus qu'à deux ou trois lieues. On avait dû encore se contenter de biscuit, les troupes restaient fourbues de cette nuit trop courte et fiévreuse, sans rien de chaud dans l'estomac. De nouveau, ce matin-là, la bonne conduite de la marche se trouva compromise par ce départ précipité.

Ce fut une journée pire, d'une infinie tristesse. L'aspect

du pays avait changé, on était entré dans une contrée montagneuse, les routes montaient, dévalaient par des pentes plantées de sapins ; et les étroites vallées, embroussaillées de genêts, étaient toutes fleuries d'or. Mais, au travers de cette campagne éclatante sous le grand soleil d'août, la panique soufflait plus affolée à chaque heure, depuis la veille. Une dépêche, recommandant aux maires d'avertir les habitants qu'ils feraient bien de mettre à l'abri ce qu'ils avaient de précieux, venait de porter l'épouvante à son comble. L'ennemi était donc là ? Aurait-on seulement le temps de se sauver ? Et tous croyaient entendre grossir le grondement de l'invasion, ce roulement sourd de fleuve débordé qui, maintenant, à chaque nouveau village, s'aggravait d'un nouvel effroi, au milieu des clameurs et des lamentations.

Maurice marchait d'un pas de somnambule, les pieds saignants, les épaules écrasées par le sac et le fusil. Il ne pensait plus, il avançait dans le cauchemar de ce qu'il voyait ; et, autour de lui, la conscience du piétinement des camarades s'en était allée, il ne sentait que Jean à sa gauche, exténué par la même fatigue et la même douleur. C'était lamentable, ces villages qu'on traversait, d'une pitié à serrer le cœur d'angoisse. Dès qu'apparaissaient les troupes en retraite, cette débandade des soldats éreintés, traînant la jambe, les habitants s'agitaient, hâtaient leur fuite. Eux si tranquilles quinze jours plus tôt, toute cette Alsace qui attendait la guerre avec un sourire, convaincue qu'on se battrait en Allemagne ! Et la France était envahie, et c'était chez eux, autour de leur maison, dans leurs champs, que la tempête crevait, comme un de ces terribles ouragans de grêle et de foudre qui anéantissent une province en deux heures ! Devant les portes, au milieu d'une furieuse confusion, les hommes chargeaient les voitures, entassaient les meubles, au risque de briser tout. En haut, par les fenêtres, les femmes jetaient un dernier matelas, passaient le berceau qu'on allait oublier. On sanglait le bébé dedans, on l'accrochait au sommet, parmi les pieds des chaises et des tables renversées. Sur une autre charrette, à l'arrière, on liait, contre une armoire, le vieux grand-père infirme, qu'on emportait comme une chose. Puis, c'étaient ceux qui n'avaient pas de voiture, qui empilaient leur ménage en travers d'une brouette ; et d'autres s'éloignaient avec une charge de hardes entre les bras, d'autres n'avaient songé qu'à sauver la pendule, qu'ils serraient sur leur

cœur, ainsi qu'un enfant. On ne pouvait tout prendre,
des meubles abandonnés, des paquets de linge trop lourds
restaient dans le ruisseau. Certains, avant le départ, fermaient tout, les maisons semblaient mortes, portes et
fenêtres closes; tandis que le plus grand nombre, dans
leur hâte, dans la certitude désespérée que tout serait
détruit, laissaient les vieilles demeures ouvertes, les
fenêtres et les portes béantes sur le vide des pièces démé-
nagées; et elles étaient les plus tristes, d'une tristesse
affreuse de ville prise, dépeuplée par la peur, ces pauvres
maisons ouvertes au vent, d'où les chats eux-mêmes
s'étaient enfuis, dans le frisson de ce qui allait venir.
A chaque village, le pitoyable spectacle s'assombrissait,
le nombre des déménageurs et des fuyards devenait plus
grand, parmi la bousculade croissante, les poings tendus,
les jurons et les larmes.

Mais Maurice, surtout, sentait l'angoisse l'étouffer, le
long de la grand-route, par la campagne libre. Là, à
mesure qu'on approchait de Belfort, la queue des fuyards
se resserrait, n'était plus qu'un cortège ininterrompu.
Ah! les pauvres gens qui croyaient trouver un asile sous
les murs de la place! L'homme tapait sur le cheval, la
femme suivait, traînant les enfants. Des familles se
hâtaient, écrasées de fardeaux, débandées, les petits ne
pouvant suivre, dans l'aveuglante blancheur du chemin
que chauffait le soleil de plomb. Beaucoup avaient retiré
leurs souliers, marchaient pieds nus, pour courir plus
vite; et des mères à moitié vêtues, sans cesse d'allonger le
pas, donnaient le sein à des marmots en larmes. Les faces
effarées se tournaient en arrière, les mains hagardes
faisaient de grands gestes, comme pour fermer l'horizon,
dans ce vent de panique qui échevelait les têtes et fouettait les vêtements attachés à la hâte. D'autres, des fer-
miers, avec tous leurs serviteurs, se jetaient à travers
champs, poussaient devant eux les troupeaux lâchés, les
moutons, les vaches, les bœufs, les chevaux, qu'on avait
fait sortir à coups de bâton des étables et des écuries.
Ceux-là gagnaient les gorges, les hauts plateaux, les
forêts désertes, soulevant la poussière des grandes
migrations, lorsque autrefois les peuples envahis cédaient
la place aux barbares conquérants. Ils allaient vivre sous
la tente, dans quelque cirque de rochers solitaires, si
loin de tout chemin, que pas un soldat ennemi n'oserait
s'y hasarder. Et les fumées volantes qui les enveloppaient, se perdaient derrière les bouquets de sapins, avec

le bruit décroissant des beuglements et des sabots du bétail, tandis que, sur la route, le flot des voitures et des piétons passait toujours, gênant la marche des troupes, si compact aux approches de Belfort, d'un tel courant irrésistible de torrent élargi, que des haltes, à plusieurs reprises, devinrent nécessaires.

Alors, ce fut pendant une de ces courtes haltes que Maurice assista à une scène, dont le souvenir lui resta comme celui d'un soufflet, reçu en plein visage.

Au bord du chemin, se trouvait une maison isolée, la demeure de quelque paysan pauvre, dont le maigre bien s'étendait derrière. Celui-là n'avait pas voulu quitter son champ, attaché au sol par des racines trop profondes; et il restait, ne pouvant s'éloigner, sans laisser là des lambeaux de sa chair. On l'apercevait dans une salle basse, écrasé sur un banc, regardant d'un œil vide défiler ces soldats, dont la retraite allait livrer son blé mûr à l'ennemi. Debout à son côté, sa femme, jeune encore, tenait un enfant, tandis qu'un autre se pendait à ses jupes; et tous les trois se lamentaient. Mais, tout d'un coup, dans le cadre de la porte violemment ouverte, parut la grand-mère, une très vieille femme, haute, maigre, avec des bras nus, pareils à des cordes noueuses, qu'elle agitait furieusement. Ses cheveux gris, échappés de son bonnet, s'envolaient autour de sa tête décharnée, et sa rage était si grande, que les paroles qu'elle criait, s'étranglaient dans sa gorge, indistinctes.

D'abord, les soldats s'étaient mis à rire. Elle avait une bonne tête, la vieille folle! Puis, des mots leur parvinrent, la vieille criait:

— Canailles! brigands! lâches! lâches!

D'une voix de plus en plus perçante, elle leur crachait l'insulte de lâcheté, à toute volée. Et les rires cessèrent, un grand froid avait passé dans les rangs. Les hommes baissaient la tête, regardaient ailleurs.

— Lâches! lâches! lâches!

Brusquement, elle parut encore grandir. Elle se soulevait, d'une maigreur tragique, dans son lambeau de robe, promenant son long bras de l'ouest à l'est, d'un tel geste immense, qu'il semblait emplir le ciel.

— Lâches, le Rhin n'est pas là... Le Rhin est là-bas, lâches, lâches!

Enfin, on se remettait en marche, et Maurice dont le regard, à ce moment, rencontra le visage de Jean, vit que les yeux de celui-ci étaient pleins de grosses larmes.

Il en eut un saisissement, son malheur en fut accru, à
l'idée que les brutes avaient elles-mêmes senti l'injure,
qu'on ne méritait pas et qu'il fallait subir. Tout s'effondrait dans sa pauvre tête endolorie, jamais il ne put se
rappeler comment il avait achevé l'étape.

Le 7ᵉ corps avait employé la journée entière, pour
franchir les vingt-trois kilomètres qui séparent Dannemarie de Belfort; et de nouveau la nuit tombait, il était
très tard, lorsque les troupes purent installer leurs
bivouacs sous les murs de la place, à l'endroit même d'où
elles étaient parties, quatre jours auparavant, pour marcher à l'ennemi. Malgré l'heure avancée et la fatigue
extrême, les soldats tinrent absolument à allumer les
feux de cuisine et à faire la soupe. Depuis le départ,
c'était enfin la première fois qu'ils avalaient quelque
chose de chaud. Et, autour des feux, sous la nuit fraîche,
les nez s'enfonçaient dans les écuelles, des grognements
d'aise commençaient à s'élever, lorsqu'une rumeur qui
courait, stupéfia le camp. Deux dépêches nouvelles étaient
arrivées coup sur coup : les Prussiens n'avaient point
passé le Rhin à Markolsheim, et il n'y avait plus un seul
Prussien à Huningue. Le passage du Rhin à Markolsheim,
le pont des bateaux établi à la clarté de grands foyers
électriques, tous ces récits alarmants étaient simplement
un cauchemar, une hallucination inexpliquée du sous-
préfet de Schelestadt. Et quant au corps d'armée qui
menaçait Huningue, le fameux corps d'armée de la Forêt-
Noire, devant lequel tremblait l'Alsace, il n'était composé que d'un infime détachement wurtembergeois, deux
bataillons et un escadron, dont la tactique habile, les
marches, les contremarches répétées, les apparitions
imprévues et soudaines, avaient fait croire à la présence
de trente à quarante mille hommes. Dire que, le matin
encore, on avait failli faire sauter le viaduc de Dannemarie !
Vingt lieues d'une riche contrée venaient d'être ravagées,
sans raison aucune, par la plus imbécile des paniques;
et, au souvenir de ce qu'ils avaient vu dans cette journée
lamentable, les habitants fuyant affolés, poussant leurs
bestiaux vers la montagne, le flot des voitures chargées
de meubles coulant vers la ville, parmi le troupeau des
enfants et des femmes, les soldats se fâchaient, s'excla-
maient, au milieu de ricanements exaspérés.

— Ah! non, elle est trop drôle! bégayait Loubet, la
bouche pleine, en agitant sa cuiller. Comment! c'est là
l'ennemi qu'on nous menait combattre? Il n'y avait per-

sonne !... Douze lieues en avant, douze lieues en arrière, et pas un chat devant nous ! Tout ça pour rien, pour le plaisir d'avoir eu peur !

Chouteau, qui torchait bruyamment l'écuelle, gueula alors contre les généraux, sans les nommer.

— Hein ? les cochons ! sont-ils assez crétins ! De fameux lièvres qu'on nous a donnés là ! S'ils se sont cavalés ainsi, quand il n'y avait personne, hein ? auraient-ils pris leurs jambes à leur cou, s'ils s'étaient trouvés en face d'une vraie armée !

On avait jeté une nouvelle brassée de bois dans le feu, pour la joie claire de la grande flamme qui montait, et Lapoulle, en train de se chauffer béatement les jambes, éclatait d'un rire idiot, sans comprendre, lorsque Jean, après avoir commencé par faire la sourde oreille, se permit de dire, paternellement :

— Taisez-vous donc !... Si l'on vous entendait, ça pourrait mal tourner.

Lui-même, dans son simple bon sens, était outré de la bêtise des chefs. Mais il fallait bien les faire respecter ; et, comme Chouteau grognait encore, il lui coupa la parole.

— Taisez-vous !... Voici le lieutenant, adressez-vous à lui, si vous avez des observations à faire.

Maurice, assis silencieusement à l'écart, avait baissé la tête. Ah ! c'était bien la fin de tout ! A peine avait-on commencé, et c'était fini. Cette indiscipline, cette révolte des hommes, au premier revers, faisaient déjà de l'armée une bande sans liens aucuns, démoralisée, mûre pour toutes les catastrophes. Là, sous Belfort, eux n'avaient pas vu un Prussien, et ils étaient battus.

Les jours qui suivirent, furent, dans leur monotonie, frissonnants d'attente et de malaise. Pour occuper ses troupes, le général Douay les fit travailler aux ouvrages de défense de la place, fort incomplets. On remuait la terre avec rage, on tranchait le roc. Et pas une nouvelle ! Où était l'armée de Mac-Mahon ? que faisait-on sous Metz ? Les rumeurs les plus extravagantes circulèrent, à peine quelques journaux de Paris venaient-ils augmenter par leurs contradictions les ténèbres anxieuses où l'on se débattait. Deux fois, le général avait écrit, demandé des ordres, sans même recevoir de réponse. Cependant, le 12 août enfin, le 7e corps se compléta par l'arrivée de la troisième division, qui débarquait d'Italie ; mais il n'y avait toujours là que deux divisions, car la première, battue à Frœschwiller, s'était trouvée emportée dans la déroute, sans qu'on sût encore à cette heure où le courant l'avait jetée. Puis, après une semaine de cet abandon, de cette séparation totale d'avec le reste de la France, un télégramme apporta l'ordre du départ. Ce fut une grande joie, on préférait tout à cette vie murée qu'on menait. Et, pendant les préparatifs, les suppositions recommencèrent, personne ne savait où l'on se rendait : les uns disaient qu'on allait défendre Strasbourg, tandis que d'autres parlaient même d'une pointe hardie dans la Forêt-Noire, pour couper la ligne de retraite des Prussiens.

Dès le lendemain matin, le 106e partit un des premiers, entassé dans des wagons à bestiaux. Le wagon où se trouvait l'escouade de Jean, fut particulièrement empli, à ce point que Loubet prétendait qu'il n'avait pas la place pour éternuer. Comme les distributions, une fois de plus, venaient d'avoir lieu dans le plus grand désordre, les soldats ayant reçu en eau-de-vie ce qu'ils auraient dû recevoir en vivres, presque tous étaient ivres, d'une ivresse violente et hurlante, qui se répandait en chansons obscènes. Le train roulait, on ne se voyait plus dans le wagon, que la fumée des pipes noyait d'un brouillard ; il y régnait une insupportable chaleur, la fermentation de ces corps empilés ; tandis que, de la voiture noire et fuyante, sortaient des vociférations, dominant le grondement des roues, allant s'éteindre au loin, dans les mornes campagnes. Et ce fut seulement à Langres que les troupes comprirent qu'on les ramenait vers Paris.

— Ah ! nom de Dieu ! répétait Chouteau, qui régnait déjà dans son coin, en maître indiscuté, par sa toute-puissance de beau parleur, c'est bien sûr qu'on va nous aligner à Charentonneau, pour empêcher Bismarck d'aller coucher aux Tuileries.

Les autres se tordaient, trouvaient ça très farce, sans savoir pourquoi. D'ailleurs, les moindres incidents du voyage soulevaient des huées, des cris et des rires assourdissants : les paysans plantés sur le bord de la voie, les groupes de gens anxieux qui attendaient le passage des trains, aux petites stations, avec l'espoir d'obtenir des nouvelles, toute cette France effarée et frissonnante devant l'invasion. Et les populations accourues ne recevaient ainsi au visage, dans le coup de vent de la locomotive et la vision rapide du train, noyé de vapeur et de bruit, que le hurlement de toute cette chair à canon, char-

riée à grande vitesse. Cependant, dans une gare où l'on
s'arrêta, trois dames bien mises, des bourgeoises riches de
la ville, qui distribuaient aux soldats des tasses de bouillon,
eurent un vrai succès. Les hommes pleuraient, en les
remerciant et en leur baisant les mains.

Mais, plus loin, les abominables chansons, les cris sauvages recommencèrent. Et il arriva ainsi, un peu après
Chaumont, que le train en croisa un autre, chargé d'artilleurs, que l'on devait conduire à Metz. La marche venait
d'être ralentie, les soldats des deux trains fraternisèrent
dans une effroyable clameur. Du reste, ce furent les artilleurs, plus ivres sans doute, debout, les poings hors des
wagons, qui l'emportèrent, en jetant ce cri, avec une
telle violence désespérée, qu'il couvrait tout :

— A la boucherie! à la boucherie! à la boucherie!

Il sembla qu'un grand froid, un vent glacial de charnier passait. Il se fit un brusque silence, dans lequel on
entendit le ricanement de Loubet.

— Pas gais, les camarades!

— Mais ils ont raison, reprit Chouteau, de sa voix
d'orateur de cabaret, c'est dégoûtant d'envoyer un tas de
braves garçons se faire casser la gueule, pour de sales
histoires dont ils ne savent pas le premier mot.

Et il continua. C'était le pervertisseur, le mauvais
ouvrier de Montmartre, le peintre en bâtiments flâneur et
noceur, ayant mal digéré les bouts de discours entendus
dans les réunions publiques, mêlant des âneries révoltantes aux grands principes d'égalité et de liberté. Il
savait tout, il endoctrinait les camarades, surtout Lapoulle,
dont il avait promis de faire un gaillard.

— Hein ? vieux, c'est bien simple!... Si Badinguet et
Bismarck ont une dispute, qu'ils règlent ça entre eux, à
coups de poing, sans déranger des centaines de mille
hommes qui ne se connaissent seulement pas et qui n'ont
pas envie de se battre.

Tout le wagon riait, amusé, conquis, et Lapoulle, sans
savoir qui était Badinguet, incapable de dire même s'il se
battait pour un empereur ou pour un roi, répétait, de son
air de colosse enfant :

— Bien sûr, à coups de poing, et on trinque après!

Mais Chouteau avait tourné la tête vers Pache, qu'il
entreprenait à son tour.

— C'est comme toi qui crois au bon Dieu... Il a
défendu de se battre, ton bon Dieu. Alors, espèce de
serin, pourquoi es-tu ici ?

— Dame! répondit Pache interloqué, je n'y suis pas pour mon plaisir... Seulement, les gendarmes...

— Les gendarmes! ah, ouiche! on s'en fout, des gendarmes!... Vous ne savez pas, vous tous, ce que nous ferions, si nous étions de bons bougres ?... Tout à l'heure, quand on nous débarquera, nous filerions, oui! nous filerions tranquillement, en laissant ce gros cochon de Badinguet et toute sa clique de généraux de quatre sous se débarbouiller comme ils l'entendraient avec leurs sales Prussiens!

Des bravos éclatèrent, la perversion agissait, et Chouteau alors triompha, en sortant ses théories, où roulaient dans un flot trouble la République, les droits de l'homme, la pourriture de l'Empire qu'il fallait jeter bas, la trahison de tous les chefs qui les commandaient, vendus chacun pour un million, ainsi que cela était prouvé. Lui se proclamait révolutionnaire, les autres ne savaient seulement pas s'ils étaient républicains, ni même de quelle façon on pouvait l'être, excepté Loubet, le fricoteur, qui, lui aussi, connaissait son opinion, n'ayant jamais été que pour la soupe; mais, tous, entraînés, n'en criaient pas moins contre l'empereur, les officiers, la sacrée boutique qu'ils lâcheraient, et raide! au premier embêtement. Et, soufflant sur leur ivresse montante, Chouteau guettait de l'œil Maurice, le monsieur, qu'il égayait, qu'il était fier d'avoir avec lui; si bien que, pour le passionner à son tour, il eut l'idée de tomber sur Jean, immobile et comme endormi jusque-là, au milieu du vacarme, les yeux demi-clos. Depuis la dure leçon donnée par le caporal à l'engagé volontaire, qu'il avait forcé à reprendre son fusil, si celui-ci gardait quelque rancune contre son chef, c'était bien le cas de jeter les deux hommes l'un sur l'autre.

— C'est comme j'en connais qui ont parlé de nous faire fusiller, reprit Chouteau menaçant. Des salauds qui nous traitent pire que des bêtes, qui ne comprennent pas que, lorsqu'on a assez du sac et du flingot, aïe donc! on foute tout ça dans les champs, pour voir s'il en poussera d'autres!... Hein? les camarades, qu'est-ce qu'ils diraient, ceux-là, si, à cette heure que nous les tenons dans un petit coin, nous les jetions à leur tour sur la voie?... Ça y est-il, hein? faut un exemple, pour qu'on ne nous embête plus avec cette sale guerre! A mort les punaises à Badinguet! à mort les salauds qui veulent qu'on se batte!

Jean était devenu très rouge, sous le flot du sang de

colère qui parfois lui montait au visage, dans ses rares coups de passion. Bien qu'il fût serré par ses voisins comme dans un étau vivant, il se leva, avança ses poings tendus et sa face enflammée, d'un air si terrible, que l'autre blêmit.

— Tonnerre de Dieu! veux-tu te taire à la fin, cochon!... Voilà des heures que je ne dis rien, puisqu'il n'y a plus de chefs et que je ne puis seulement pas vous faire coller au bloc. Bien sûr, oui! j'aurais rendu un fier service au régiment, en le débarrassant d'une fichue crapule de ton espèce... Mais écoute, du moment où les punitions sont de la blague, c'est à moi que tu auras affaire. Il n'y a plus de caporal, il y a un bon bougre que tu embêtes et qui va te fermer le bec... Ah! sacré lâche, tu ne veux pas te battre et tu cherches à empêcher les autres de se battre! Répète un peu voir, que je cogne!

Déjà, tout le wagon, retourné, soulevé par la belle crânerie de Jean, abandonnait Chouteau, qui bégayait, reculant devant les gros poings de son adversaire.

— Et je me fiche de Badinguet, comme de toi, entends-tu?... Moi, la politique, la République ou l'Empire, je m'en suis toujours fichu; et, aujourd'hui comme autrefois, lorsque je cultivais mon champ, je n'ai jamais désiré qu'une chose, c'est le bonheur de tous, le bon ordre, les bonnes affaires... Certainement que ça embête tout le monde, de se battre. Mais ça n'empêche qu'on devrait les coller au mur, les canailles qui viennent vous décourager, quand on a déjà tant de peine à se conduire proprement. Nom de Dieu! les amis, votre sang ne fait donc pas qu'un tour, lorsqu'on vous dit que les Prussiens sont chez vous et qu'il faut les foutre dehors!

Alors, avec cette facilité des foules à changer de passion, les soldats acclamèrent le caporal, qui répétait son serment de casser la gueule au premier de son escouade qui parlerait de ne pas se battre. Bravo, le caporal! on allait vite régler son affaire à Bismarck!

Et, au milieu de la sauvage ovation, Jean, calme, dit poliment à Maurice, comme s'il ne se fût pas adressé à un de ses hommes :

— Monsieur, vous ne pouvez pas être avec les lâches... Allez, nous ne sommes pas encore battus, c'est nous qui finirons bien par les rosser un jour, les Prussiens!

A cette minute, Maurice sentit un chaud rayon de soleil lui couler jusqu'au cœur. Il restait troublé, humilié. Quoi? cet homme n'était donc pas qu'un rustre? Et il se rappelait l'affreuse haine dont il avait brûlé, en ramassant son fusil, jeté dans une minute d'inconscience. Mais il se rappelait aussi son saisissement, à la vue des deux grosses larmes du caporal, lorsque la vieille grand-mère, ses cheveux gris au vent, les insultait, en montrant le Rhin, là-bas, derrière l'horizon. Etait-ce la fraternité des mêmes fatigues et des mêmes douleurs, subies ensemble, qui emportait ainsi sa rancune ? Lui, de famille bonapartiste, n'avait jamais rêvé la République qu'à l'état théorique ; et il se sentait plutôt tendre pour la personne de l'empereur, il était pour la guerre, la vie même des peuples. Tout d'un coup, l'espoir lui revenait, dans une de ces sautes d'imagination qui lui étaient familières ; tandis que l'enthousiasme qui l'avait, un soir, poussé à s'engager, battait de nouveau en lui, gonflant son cœur d'une certitude de victoire.

— Mais c'est certain, caporal, dit-il gaiement, nous les rosserons !

Le wagon roulait, roulait toujours, emportant sa charge d'hommes, dans l'épaisse fumée des pipes et l'étouffante chaleur des corps entassés, jetant aux stations anxieuses qu'on traversait, aux paysans hagards, plantés le long des haies, ses obscènes chansons en une clameur d'ivresse. Le 20 août on était à Paris, à la gare de Pantin, et le soir même on repartait, on débarquait le lendemain à Reims, en route pour le camp de Châlons.

III

A sa grande surprise, Maurice vit que le 106e descendait à Reims et recevait l'ordre d'y camper. On n'allait donc pas à Châlons rejoindre l'armée ? Et, lorsque, deux heures plus tard, son régiment eut formé les faisceaux, à une lieue de la ville, du côté de Courcelles, dans la vaste plaine qui s'étend le long du canal de l'Aisne à la Marne, son étonnement grandit encore, en apprenant que toute l'armée de Châlons se repliait depuis le matin et venait bivouaquer en cet endroit. En effet, d'un bout de l'horizon à l'autre, jusqu'à Saint-Thierry et à la Neuvillette, au-delà de la même route de Laon, des tentes se dressaient, les feux de quatre corps d'armée flamberaient là le soir. Évidemment, le plan qui avait prévalu était d'aller prendre position sous Paris, pour y attendre les Prussiens. Et il en fut très heureux. N'était-ce pas le plus sage ?

Cette après-midi du 21, Maurice la passa à flâner au travers du camp, en quête de nouvelles. On était très libre, la discipline semblait s'être relâchée encore, les hommes s'écartaient, rentraient à leur fantaisie. Lui, tranquillement, finit par retourner à Reims, où il voulait toucher un bon de cent francs, qu'il avait reçu de sa sœur Henriette. Dans un café, il entendit un sergent parler du mauvais esprit des dix-huit bataillons de la garde mobile de la Seine, qu'on venait de renvoyer à Paris : le 6e bataillon surtout avait failli tuer ses chefs. Là-bas, au camp, journellement, les généraux étaient insultés, et les soldats ne saluaient même plus le maréchal de Mac-Mahon, depuis Frœschwiller. Le café s'emplissait de voix, une violente discussion éclata entre deux bourgeois paisibles, au sujet du nombre d'hommes que le maréchal allait avoir sous ses ordres. L'un parlait de trois cent mille, c'était fou. L'autre, plus raisonnable, énumérait les quatre corps : le 12ᵉ, péniblement complété au camp, à l'aide de régiments de marche et d'une division d'infanterie de marine ; le 1ᵉʳ, dont les débris arrivaient débandés depuis le 14, et dont on reformait tant bien que mal les cadres ; enfin, le 5ᵉ, défait sans avoir combattu, emporté, disloqué dans la déroute, et le 7ᵉ qui débarquait, démoralisé lui aussi, amoindri de sa première division, qu'il venait seulement de retrouver à Reims, en pièces ; au plus, cent vingt mille hommes, en comptant la cavalerie de réserve, les divisions Bonnemain et Margueritte. Mais le sergent s'étant mêlé à la querelle, en traitant avec un mépris furieux cette armée, un ramassis d'hommes sans cohésion, un troupeau d'innocents menés au massacre par des imbéciles, les deux bourgeois, pris d'inquiétude, craignant d'être compromis, filèrent.

Dehors, Maurice tâcha de se procurer des journaux. Il se bourra les poches de tous les numéros qu'il put acheter ; et il les lisait en marchant, sous les grands arbres des magnifiques promenades qui bordent la ville. Où étaient donc les armées allemandes ? Il semblait qu'on les eût perdues. Deux sans doute se trouvaient du côté de Metz : la première, celle que le général Steinmetz commandait, surveillant la place ; la seconde, celle du prince Frédéric-Charles, tâchant de remonter la rive droite de la Moselle, pour couper à Bazaine la route de Paris. Mais la troisième armée, celle du prince royal de Prusse, l'armée victorieuse à Wissembourg et Frœschwiller, et qui poursuivait le 1ᵉʳ corps et le 5ᵉ, où était-elle réellement, au milieu du gâchis des informations contradictoires ? Campait-elle encore à Nancy ? Arrivait-elle devant Châlons, pour qu'on eût quitté le camp avec une telle hâte, en incendiant les magasins, des objets d'équipement, des fourrages, des provisions de toutes sortes ? Et la confusion, les hypothèses les plus contraires recommençaient d'ailleurs, à propos des plans qu'on prêtait aux généraux. Maurice, comme séparé du monde, apprit seulement alors les événements de Paris : le coup de foudre de la défaite sur tout un peuple certain de la victoire, l'émotion terrible des rues, la convocation des Chambres, la chute du ministère libéral qui avait fait le plébiscite, l'empereur déchu de son titre de général en chef, forcé de passer le commandement suprême au maréchal Bazaine. Depuis le 16, l'empereur était au camp de Châlons, et tous les journaux parlaient d'un grand conseil, tenu le 17, où avaient assisté le prince Napoléon et des généraux ; mais

ils ne s'accordaient guère entre eux sur les véritables
décisions prises, en dehors des faits qui en résultaient : le
général Trochu nommé gouverneur de Paris, le maréchal
de Mac-Mahon mis à la tête de l'armée de Châlons, ce qui
impliquait le complet effacement de l'empereur. On sentait un effarement, une irrésolution immenses, des plans
opposés, qui se combattaient, qui se succédaient d'heure
en heure. Et toujours cette question : où donc étaient les
armées allemandes ? Qui avait raison, de ceux qui prétendaient Bazaine libre, en train d'opérer sa retraite par
les places du Nord, ou de ceux qui le disaient déjà bloqué sous Metz ? Un bruit persistant courait de gigantesques batailles, de luttes héroïques soutenues du 14 au
20, pendant toute une semaine, sans qu'il s'en dégageât
autre chose qu'un formidable retentissement d'armes,
lointain et perdu.

Alors, Maurice, les jambes cassées de fatigue, s'assit
sur un banc. La ville, autour de lui, semblait vivre de sa
vie quotidienne, et des bonnes, sous les beaux arbres,
surveillaient des enfants, tandis que les petits rentiers
faisaient d'un pas ralenti leur habituelle promenade. Il
avait repris ses journaux, lorsqu'il tomba sur un article
qui lui avait échappé, l'article d'une feuille ardente de
l'opposition républicaine. Brusquement, tout s'éclaira. Le
journal affirmait que, dans le conseil du 17, tenu au camp
de Châlons, la retraite de l'armée sur Paris avait été
décidée, et que la nomination du général Trochu n'était
faite que pour préparer la rentrée de l'empereur. Mais il
ajoutait que ces résolutions venaient de se briser devant
l'attitude de l'impératrice-régente et du nouveau ministère. Pour l'impératrice, une révolution était certaine, si
l'empereur reparaissait. On lui prêtait ce mot : « Il n'arriverait pas vivant aux Tuileries. » Aussi voulait-elle, de
toute son entêtée volonté, la marche en avant, la jonction
quand même avec l'armée de Metz, soutenue d'ailleurs
par le général de Palikao, le nouveau ministre de la Guerre,
qui avait un plan de marche foudroyante et victorieuse,
pour donner la main à Bazaine. Et, le journal glissé sur
les genoux, Maurice maintenant, les regards perdus,
croyait tout comprendre : les deux plans qui se combattaient, les hésitations du maréchal de Mac-Mahon à
entreprendre cette marche de flanc si dangereuse avec des
troupes peu solides, les ordres impatients, de plus en
plus irrités, qui lui arrivaient de Paris, qui le poussaient
à la témérité folle de cette aventure. Puis, au milieu de cette

lutte tragique, il eut tout d'un coup la vision nette de
l'empereur démis de son autorité impériale qu'il avait
confiée aux mains de l'impératrice-régente, dépouillé de
son commandement de général en chef dont il venait d'investir le maréchal Bazaine, n'étant plus absolument rien,
une ombre d'empereur, indéfinie et vague, une inutilité
sans nom et encombrante, dont on ne savait quoi faire, que
Paris repoussait et qui n'avait plus de place dans l'armée,
depuis qu'il s'était engagé à ne pas même donner un ordre.

Cependant, le lendemain matin, après une nuit
orageuse, qu'il dormit hors de la tente, roulé dans sa
couverture, ce fut un soulagement, pour Maurice, d'apprendre que, décidément la retraite sur Paris l'emportait. On parlait d'un nouveau conseil, tenu la veille au
soir, auquel assistait l'ancien vice-empereur, M. Rouher,
envoyé par l'impératrice pour hâter la marche sur Verdun, et que le maréchal semblait avoir convaincu du danger d'un pareil mouvement. Avait-on reçu de mauvaises
nouvelles de Bazaine ? on n'osait l'affirmer. Mais l'absence de nouvelles même était significative, tous les
officiers de quelque bon sens se prononçaient pour l'attente sous Paris, dont on allait être ainsi l'armée de
secours. Et, convaincu qu'on se replierait dès le lendemain, puisqu'on disait les ordres donnés, Maurice,
heureux, voulut satisfaire une envie d'enfant qui le tourmentait : celle d'échapper pour une fois à la gamelle, de
déjeuner quelque part sur une nappe, d'avoir devant
lui une bouteille, un verre, une assiette, toutes ces choses
dont il lui semblait être privé depuis des mois. Il avait de
l'argent, il fila le cœur battant, comme pour une fredaine,
cherchant une auberge.

Ce fut, au-delà du canal, à l'entrée du village de Courcelles, qu'il trouva le déjeuner rêvé. La veille, on lui
avait dit que l'empereur était descendu dans une maison
bourgeoise de ce village ; et il y était venu flâner par
curiosité, il se souvenait d'avoir vu, à l'angle de deux
routes, ce cabaret avec sa tonnelle, d'où pendaient de
belles grappes de raisin, déjà dorées et mûres. Sous la
vigne grimpante, il y avait des tables peintes en vert,
tandis que, dans la vaste cuisine, par la porte grande
ouverte, on apercevait l'horloge sonore, les images d'Epinal collées parmi les faïences, l'hôtesse énorme activant
le tournebroche. Derrière, s'étendait un jeu de boules.
Et c'était bon enfant, gai et joli, toute la vieille guinguette
française.

Une belle fille, de poitrine solide, vint lui demander, en montrant ses dents blanches :

— Est-ce que monsieur déjeune ?

— Mais oui, je déjeune !... Donnez-moi des œufs, une côtelette, du fromage !... Et du vin blanc !

Il la rappela.

— Dites, n'est-ce pas dans une de ces maisons que l'empereur est descendu ?

— Tenez ! monsieur, dans celle qui est là devant nous... Vous ne voyez pas la maison, elle est derrière ce grand mur que des arbres dépassent.

Alors, il s'installa sous la tonnelle, déboucla son ceinturon pour être plus à l'aise, choisit sa table, sur laquelle le soleil, filant à travers les pampres, jetait des palets d'or. Et il revenait toujours à ce grand mur jaune, qui abritait l'empereur. C'était en effet une maison cachée, mystérieuse, dont on ne voyait pas même les tuiles du dehors. L'entrée donnait de l'autre côté, sur la rue du village, une rue étroite, sans une boutique, ni même une fenêtre, qui tournait entre des murailles mornes. Derrière, le petit parc faisait comme un îlot d'épaisse verdure, parmi les quelques constructions voisines. Et là, il remarqua, à l'autre bord de la route, encombrant une large cour, entourée de remises et d'écuries, tout un matériel de voitures et de fourgons, au milieu d'un va-et-vient continu d'hommes et de chevaux.

— Est-ce que c'est pour l'empereur, tout ça ? demandat-il, croyant plaisanter, à la servante, qui étalait sur la table une nappe très blanche.

— Pour l'empereur tout seul, justement ! répondit-elle de son bel air de gaieté, heureuse de montrer ses dents fraîches.

Et, renseignée sans doute par les palefreniers, qui, depuis la veille, venaient boire, elle énuméra : l'état-major composé de vingt-cinq officiers, les soixante cent-gardes et le peloton de guides du service d'escorte, les six gendarmes du service de la prévôté ; puis, la maison, comprenant soixante-treize personnes, des chambellans, des valets de chambre et de bouche, des cuisiniers, des marmitons ; puis, quatre chevaux de selle et deux voitures pour l'empereur, dix chevaux pour les écuyers, huit pour les piqueurs et les grooms, sans compter quarante-sept chevaux de poste ; puis, un char à bancs, douze fourgons à bagages, dont deux, réservés aux cuisiniers, avaient fait son admiration par la quantité d'ustensiles, d'assiettes et de bouteilles qu'on y apercevait, en bel ordre.

— Oh! monsieur, on n'a pas idée de ces casseroles! Ça luit comme des soleils... Et toutes sortes de plats, de vases, de machines qui servent je ne peux pas même vous dire à quoi!... Et une cave, oui! du bordeaux, du bourgogne, du champagne, de quoi donner une fameuse noce!

Dans la joie de la nappe très blanche, ravi du vin blanc qui étincelait dans son verre, Maurice mangea deux œufs à la coque, avec une gourmandise qu'il ne se connaissait pas. A gauche, lorsqu'il tournait la tête, il avait, par une des portes de la tonnelle, la vue de la vaste plaine, plantée de tentes, toute une ville grouillante qui venait de pousser parmi les chaumes, entre le canal et Reims. A peine quelques maigres bouquets d'arbres tachaient-ils de vert la grise étendue. Trois moulins dressaient leurs bras maigres. Mais, au-dessus des confuses toitures de Reims, que noyaient des cimes de marronniers, le colossal vaisseau de la cathédrale se profilait dans l'air bleu, géant malgré la distance, à côté des maisons basses. Et des souvenirs de classe, des leçons apprises, ânonnées, revenaient dans sa mémoire : le sacre de nos rois, la sainte ampoule, Clovis, Jeanne d'Arc, toute la glorieuse vieille France.

Puis, comme Maurice, envahi de nouveau par l'idée de l'empereur, dans cette modeste maison bourgeoise, si discrètement close, ramenait les yeux sur le grand mur jaune, il fut surpris d'y lire, charbonné en énormes lettres, ce cri : Vive Napoléon! à côté d'obscénités maladroites, démesurément grossies. La pluie avait lavé les lettres, l'inscription, évidemment, était ancienne. Quelle singulière chose, sur cette muraille, ce cri du vieil enthousiasme guerrier, qui acclamait sans doute l'oncle, le conquérant, et non le neveu! Déjà, toute son enfance renaissait, chantait dans ses souvenirs, lorsque, là-bas, au Chêne-Populeux, dès le berceau, il écoutait les histoires de son grand-père, un des soldats de la Grande Armée. Sa mère était morte, son père avait dû accepter un emploi de percepteur, dans cette faillite de la gloire qui avait frappé les fils des héros, après la chute de l'Empire; et le grand-père vivait là, d'une infime pension, retombé à la médiocrité de cet intérieur de bureaucrate, n'ayant d'autre consolation que de conter ses campagnes à ses petits-enfants, les deux jumeaux, le garçon et la fille, aux mêmes cheveux blonds, dont il était un peu la mère.

Il installait Henriette sur son genou gauche, Maurice sur son genou droit, et c'était pendant des heures des récits homériques de batailles.

Les temps se confondaient, cela semblait se passer en dehors de l'histoire, dans un choc effroyable de tous les peuples. Les Anglais, les Autrichiens, les Prussiens, les Russes, défilaient tour à tour et ensemble, au petit bonheur des alliances, sans qu'il fût toujours possible de savoir pourquoi les uns étaient battus plutôt que les autres. Mais, en fin de compte, tous étaient battus, inévitablement battus à l'avance, dans une poussée d'héroïsme et de génie qui balayait les armées comme de la paille. C'était Marengo, la bataille en plaine, avec ses grandes lignes savamment développées, son impeccable retraite en échiquier, par bataillons, silencieux et impassibles sous le feu, la légendaire bataille perdue à trois heures, gagnée à six, où les huit cents grenadiers de la garde consulaire brisèrent l'élan de toute la cavalerie autrichienne, où Desaix arriva pour mourir et pour changer la déroute commençante en une immortelle victoire. C'était Austerlitz, avec son beau soleil de gloire dans la brume d'hiver, Austerlitz débutant par la prise du plateau de Pratzen, se terminant par la terrifiante débâcle des étangs glacés, tout un corps d'armée russe s'effondrant sous la glace, les hommes, les bêtes, dans un affreux craquement, tandis que le dieu Napoléon, qui avait naturellement tout prévu, hâtait le désastre à coups de boulets. C'était Iéna, le tombeau de la puissance prussienne, d'abord des feux de tirailleurs à travers le brouillard d'octobre, l'impatience de Ney qui manque de tout compromettre, puis l'entrée en ligne d'Augereau qui le dégage, le grand choc dont la violence emporte le centre ennemi, enfin la panique, le sauve-qui-peut d'une cavalerie trop vantée, que nos hussards sabrent ainsi que des avoines mûres, semant la vallée romantique d'hommes et de chevaux moissonnés. C'était Eylau, l'abominable Eylau, la plus sanglante, la boucherie entassant les corps hideusement défigurés, Eylau rouge de sang sous sa tempête de neige, avec son morne et héroïque cimetière, Eylau encore tout retentissant de sa foudroyante charge des quatre-vingts escadrons de Murat, qui traversèrent de part en part l'armée russe, jonchant le sol d'une telle épaisseur de cadavres, que Napoléon lui-même en pleura. C'était Friedland, le grand piège effroyable où les Russes de nouveau vinrent tomber comme une bande

de moineaux étourdis, le chef-d'œuvre de stratégie de
l'empereur qui savait tout et pouvait tout, notre gauche
immobile, imperturbable, tandis que Ney, ayant pris la
ville, rue par rue, détruisait les ponts, puis notre gauche
alors se ruant sur la droite ennemie, la poussant à la
rivière, l'écrasant dans cette impasse, une telle besogne
de massacre, qu'on tuait encore à dix heures du soir.
C'était Wagram, les Autrichiens voulant nous couper du
Danube, renforçant toujours leur aile droite pour battre
Masséna, qui, blessé, commandait en calèche découverte,
et Napoléon, malin et titanique, les laissant faire, et tout
d'un coup cent pièces de canon enfonçant d'un feu terrible leur centre dégarni, le rejetant à plus d'une lieue,
pendant que la droite, épouvantée de son isolement,
lâchant pied devant Masséna redevenu victorieux,
emporte le reste de l'armée dans une dévastation de
digue rompue. C'était enfin la Moskowa, où le clair soleil
d'Austerlitz reparut pour la dernière fois, une terrifiante
mêlée d'hommes, la confusion du nombre et du courage
entêté, des mamelons enlevés sous l'incessante fusillade,
des redoutes prises d'assaut à l'arme blanche, de continuels retours offensifs disputant chaque pouce de terrain,
un tel acharnement de bravoure de la garde russe, qu'il
fallut pour la victoire les furieuses charges de Murat, le
tonnerre de trois cents canons tirant ensemble et la
valeur de Ney, le triomphal prince de la journée. Et,
quelle que fût la bataille, les drapeaux flottaient avec le
même frisson glorieux dans l'air du soir, les mêmes cris
de : Vive Napoléon! retentissaient à l'heure où les feux
de bivouac s'allumaient sur les positions conquises, la
France était partout chez elle, en conquérante qui promenait ses aigles invincibles d'un bout de l'Europe à
l'autre, n'ayant qu'à poser le pied dans les royaumes pour
faire rentrer en terre les peuples domptés.

Maurice achevait sa côtelette, grisé moins par le vin
blanc qui pétillait au fond de son verre, que par tant de
gloire évoquée, chantant dans sa mémoire, lorsque son
regard tomba sur deux soldats en loques, couverts de
boue, pareils à des bandits las de rouler les routes; et il
les entendit demander à la servante des renseignements
sur l'exacte position des régiments campés le long du
canal.

Alors, il les appela.

— Eh! camarades, par ici!... Mais vous êtes du
7e corps, vous!

— Bien sûr, de la première division!... Ah! foutre! je vous le promets, que j'en suis! A preuve que j'étais à Frœschwiller, où il ne faisait pas froid, je vous en réponds... Et, tenez! le camarade, lui, est du 1er corps, et il était à Wissembourg, encore un sale endroit!

Ils dirent leur histoire, roulés dans la panique et dans la déroute, restés à demi morts de fatigue au fond d'un fossé, blessés même légèrement l'un et l'autre, et dès lors traînant la jambe à la queue de l'armée, forcés de s'arrêter dans des villes par des crises épuisantes de fièvre, si en retard enfin, qu'ils arrivaient seulement, un peu remis, en quête de leur escouade.

Le cœur serré, Maurice, qui allait attaquer un morceau de gruyère, remarqua leurs yeux voraces, fixés sur son assiette.

— Dites donc, mademoiselle! encore du fromage, et du pain, et du vin!... N'est-ce pas, camarades, vous allez faire comme moi ? Je régale. A votre santé!

Ils s'attablèrent, ravis. Et lui, envahi d'un froid grandissant, les regardait, dans leur déchéance lamentable de soldats sans armes, vêtus de pantalons rouges et de capotes si rattachés de ficelles, rapiécés de tant de lambeaux différents, qu'ils ressemblaient à des pillards, à des bohémiens achevant d'user la défroque de quelque champ de bataille.

— Ah! foutre, oui! reprit le plus grand, la bouche pleine, ce n'était pas drôle, là-bas!... Faut avoir vu, raconte donc, Coutard.

Et le petit raconta, avec des gestes, agitant son pain.

— Moi, je lavais ma chemise, tandis qu'on faisait la soupe... Imaginez-vous un sale trou, un vrai entonnoir, avec des bois tout autour, qui avaient permis à ces cochons de Prussiens de s'approcher à quatre pattes, sans qu'on s'en doute seulement... Alors, à sept heures, voilà que les obus se mettent à tomber dans nos marmites. Nom de Dieu! ça n'a pas traîné, nous avons sauté sur nos flingots et jusqu'à onze heures, vrai! on a cru qu'on leur allongeait une raclée dans les grands prix... Mais faut que vous sachiez que nous n'étions pas cinq mille et que ces cochons arrivaient, arrivaient toujours. J'étais, moi, sur un petit coteau, couché derrière un buisson, et j'en voyais déboucher en face, à droite, à gauche, oh! de vraies fourmilières, des files de fourmis noires, si bien que, quand il n'y en avait plus, il y en avait encore. Ce n'est pas pour dire, mais nous pensions tous que les chefs étaient de rudes serins, de nous avoir fourrés dans un pareil guêpier, loin des camarades, et de nous y laisser aplatir, sans venir à notre aide... Pour lors, voilà notre général, le pauvre bougre de général Douay, pas une bête ni un capon, celui-là, qui gobe une prune et qui s'étale, les quatre fers en l'air. Nettoyé, plus personne! Ça ne fait rien, on tient tout de même. Pourtant, ils étaient trop, il fallait bien déguerpir. On se bat dans un enclos, on défend la gare, au milieu d'un tel train, qu'il y avait de quoi rester sourd... Et puis, je ne sais plus, la ville devait être prise, nous nous sommes trouvés sur une montagne, le Geissberg, comme ils disent, je crois; et alors, là, retranchés dans une espèce de château, ce que nous en avons tué, de ces cochons! Ils sautaient en l'air, ça faisait plaisir de les voir retomber sur le nez... Et puis, que voulez-vous? il en arrivait, il en arrivait toujours, dix hommes contre un, et du canon tant qu'on en demandait. Le courage, dans ces histoires-là, ça ne sert qu'à rester sur le carreau. Enfin, une telle marmelade, que nous avons dû foutre le camp... N'empêche que, pour des serins, nos officiers se sont montrés de fameux serins, n'est-ce pas, Picot?

Il y eut un silence. Picot, le plus grand, avala un verre de vin blanc; et, se torchant d'un revers de main :

— Bien sûr... C'est comme à Frœschwiller, fallait être bête à manger du foin pour se battre dans des conditions pareilles. Mon capitaine, un petit malin, le disait... La vérité est qu'on ne devait pas savoir. Toute une armée de ces salauds nous est tombée sur le dos, quand nous étions à peine quarante mille, nous autres. Et on ne s'attendait pas à se battre ce jour-là, la bataille s'est engagée peu à peu, sans que les chefs le veuillent, paraît-il... Bref! moi, je n'ai pas tout vu, naturellement. Mais ce que je sais bien, c'est que la danse a recommencé d'un bout à l'autre de la journée, et que, lorsqu'on croyait que c'était fini, pas du tout! les violons reprenaient de plus belle... D'abord, à Wœrth, un gentil village, avec un clocher drôle, qui a l'air d'un poêle, à cause des carreaux de faïence qu'on a mis dessus. Je ne sais foutre pas pourquoi on nous l'avait fait quitter le matin, car nous nous sommes usé les dents et les ongles pour le réoccuper, sans y parvenir. Oh! mes enfants, ce qu'on s'est bûché là, ce qu'il y a eu de ventres ouverts et de cervelles écrabouillées, c'est à ne pas croire!... Ensuite, ç'a été autour d'un autre village qu'on s'est cogné : Elsasshaussen, un nom à cou-

cher à la porte. Nous étions canardés par un tas de
canons, qui tiraient à leur aise du haut d'une sacrée colline, que nous avions lâchée aussi le matin. Et c'est alors
que j'ai vu, oui! moi qui vous parle, j'ai vu la charge des
cuirassiers. Ce qu'ils se sont fait tuer, les pauvres bougres!
Une vraie pitié de lancer des chevaux et des hommes sur
un terrain pareil, une pente couverte de broussailles,
coupée de fossés! D'autant plus, nom de Dieu! que ça ne
pouvait servir à rien du tout. N'importe! c'était crâne, ça
vous réchauffait le cœur... Ensuite, n'est-ce pas ? il semblait que le mieux était de s'en aller souffler plus loin.
Le village flambait comme une allumette, les Badois, les
Wurtembergeois, les Prussiens, toute la clique, plus de
cent vingt mille de ces salauds, à ce qu'on a compté plus
tard, avaient fini par nous envelopper. Et pas du tout,
voilà la musique qui repart plus fort, autour de Frœschwiller! Car, c'est la vérité pure, Mac-Mahon est peut-être
un serin, mais il est brave. Fallait le voir sur son grand
cheval, au milieu des obus! Un autre aurait filé dès le
commencement, jugeant qu'il n'y a pas de honte à refuser
de se battre, quand on n'est pas de force. Lui, puisque
c'était commencé, a voulu se faire casser la gueule jusqu'au bout. Et ce qu'il y a réussi!... Dans Frœschwiller,
voyez-vous! ce n'étaient plus des hommes, c'étaient des
bêtes qui se mangeaient. Pendant près de deux heures,
les ruisseaux ont roulé du sang... Ensuite, ensuite, dame!
il a tout de même fallu décamper. Et dire qu'on est venu
nous raconter qu'à la gauche nous avions culbuté les
Bavarois! Tonnerre de bon Dieu! si nous avions été cent
vingt mille, nous aussi! si nous avions eu assez de canons
et des chefs un peu moins serins!

Et violents, exaspérés encore, dans leurs uniformes en
guenilles, gris de poussière, Coutard et Picot se coupaient
du pain, avalaient de gros morceaux de fromage, en jetant
le cauchemar de leurs souvenirs, sous la jolie treille, aux
grappes mûres, criblées par les flèches d'or du soleil.
Maintenant, ils en étaient à l'effroyable déroute qui avait
suivi, les régiments débandés, démoralisés, affamés,
fuyant à travers champs, les grands chemins roulant une
affreuse confusion d'hommes, de chevaux, de voitures, de
canons, toute la débâcle d'une armée détruite, fouettée du
vent fou de la panique. Puisqu'on n'avait point su se
replier sagement et défendre les passages des Vosges, où
dix mille hommes en auraient arrêté cent mille, on aurait
dû au moins faire sauter les ponts, combler les tunnels.

Mais les généraux galopaient, dans l'effarement, et une telle tempête de stupeur soufflait, emportant à la fois les vaincus et les vainqueurs, qu'un instant les deux armées s'étaient perdues, dans cette poursuite à tâtons sous le grand jour, Mac-Mahon filant vers Lunéville, tandis que le prince royal de Prusse le cherchait du côté des Vosges. Le 7, les débris du 1er corps traversaient Saverne, ainsi qu'un fleuve limoneux et débordé, charriant des épaves. Le 8, à Sarrebourg, le 5e corps venait de tomber dans le 1er, comme un torrent démonté dans un autre, en fuite lui aussi, battu sans avoir combattu, entraînant son chef, le général de Failly, éperdu, affolé de ce qu'on faisait remonter à son inaction la responsabilité de la défaite. Le 9, le 10, la galopade continuait, un sauve-qui-peut enragé qui ne regardait même pas en arrière. Le 11, sous une pluie battante, on descendait vers Bayon, pour éviter Nancy, à la suite d'une rumeur fausse qui disait cette ville au pouvoir de l'ennemi. Le 12, on campait à Haroué, le 13, à Vicherey ; et, le 14, on était à Neufchâteau, où le chemin de fer, enfin, recueillit cette masse roulante d'hommes qu'il chargea à la pelle dans des trains, pendant trois jours, pour les transporter à Châlons. Vingt-quatre heures après le départ du dernier train, les Prussiens arrivaient.

— Ah ! foutu sort ! conclut Picot, ce qu'il a fallu jouer des jambes !... Et nous qu'on avait laissés à l'hôpital !

Coutard achevait de vider la bouteille dans son verre et dans celui du camarade.

— Oui, nous avons pris nos cliques et nos claques, et nous courons encore... Bah ! ça va mieux tout de même, puisqu'on peut boire un coup à la santé de ceux qui n'ont pas eu la gueule cassée.

Maurice, alors, comprit. Après la surprise imbécile de Wissembourg, l'écrasement de Frœschwiller était le coup de foudre, dont la lueur sinistre venait d'éclairer nettement la terrible vérité. Nous étions mal préparés, une artillerie médiocre, des effectifs menteurs, des généraux incapables ; et l'ennemi, tant dédaigné, apparaissait fort et solide, innombrable, avec une discipline et une tactique parfaites. Le faible rideau de nos sept corps, disséminés de Metz à Strasbourg, venait d'être enfoncé par les trois armées allemandes, comme par des coins puissants. Du coup, nous restions seuls, ni l'Autriche, ni l'Italie ne viendraient, le plan de l'empereur s'était effondré dans la lenteur des opérations et dans l'incapacité des chefs. Et jusqu'à la fatalité qui travaillait contre nous, accumulant les contretemps, les coïncidences fâcheuses, réalisant le plan secret des Prussiens, qui était de couper en deux nos armées, d'en rejeter une partie sous Metz, pour l'isoler de la France, tandis qu'ils marcheraient sur Paris, après avoir anéanti le reste. Dès maintenant, cela apparaissait mathématique, nous devions être vaincus pour toutes les causes dont l'inévitable résultat éclatait, c'était le choc de la bravoure inintelligente contre le grand nombre et la froide méthode. On aurait beau disputer plus tard, la défaite, malgré tout, était fatale, comme la loi des forces qui mènent le monde.

Brusquement, Maurice, les yeux rêveurs et perdus, relut là-bas, devant lui, le cri : Vive Napoléon! charbonné sur le grand mur jaune. Et il eut une sensation d'intolérable malaise, un élancement dont la brûlure lui trouait le cœur. C'était donc vrai que cette France, aux victoires légendaires, et qui s'était promenée, tambours battants, au travers de l'Europe, venant d'être culbutée du premier coup par un petit peuple dédaigné ? Cinquante ans avaient suffi, le monde était changé, la défaite s'abattait effroyable sur les éternels vainqueurs. Et il se souvenait de tout ce que Weiss, son beau-frère, avait dit, pendant la nuit d'angoisse, devant Mulhouse. Oui, lui seul alors était clairvoyant, devinait les causes lentes et cachées de notre affaiblissement, sentait le vent nouveau de jeunesse et de force qui soufflait d'Allemagne. N'était-ce pas un âge guerrier qui finissait, un autre qui commençait ? Malheur à qui s'arrête dans l'effort continu des nations, la victoire est à ceux qui marchent à l'avant-garde, aux plus savants, aux plus sains, aux plus forts!

Mais, à ce moment, il y eut des rires, des cris de fille qu'on force et qui plaisante. C'était le lieutenant Rochas, qui, dans la vieille cuisine enfumée, égayée d'images d'Epinal, tenait entre ses bras la jolie servante, en troupier conquérant. Il parut sous la tonnelle, où il se fit servir un café; et, comme il avait entendu les dernières paroles de Coutard et de Picot, il intervint gaiement :

— Bah! mes enfants, ce n'est rien, tout ça! C'est le commencement de la danse, vous allez voir la sacrée revanche, à cette heure!... Pardi! jusqu'à présent, ils se sont mis cinq contre un. Mais ça va changer, c'est moi qui vous en fiche mon billet!... Nous sommes trois cent mille, ici. Tous les mouvements que nous faisons et qu'on ne comprend pas, c'est pour attirer les Prussiens sur nous, tandis que Bazaine, qui les surveille, va les prendre en queue... Alors, nous les aplatissons, crac! comme cette mouche!

D'une claque sonore, entre ses mains, il avait écrasé une mouche au vol; et il s'égayait plus haut, et il croyait de toute son innocence à ce plan si aisé, retombé d'aplomb dans sa foi au courage invincible. Obligeamment, il indiqua aux deux soldats la place exacte de leur régiment; puis, heureux, un cigare aux dents, il s'installa devant sa demi-tasse.

— Le plaisir a été pour moi, camarades! répondit Maurice à Coutard et à Picot qui s'en allaient, en le remerciant de son fromage et de sa bouteille de vin.

Il s'était fait également servir une tasse de café, et il regardait le lieutenant, gagné par sa belle humeur, un peu surpris pourtant des trois cent mille hommes, lorsqu'on n'était guère plus de cent mille, et de sa singulière facilité à écraser les Prussiens entre l'armée de Châlons et l'armée de Metz. Mais il avait, lui aussi, un tel besoin d'illusion! Pourquoi ne pas espérer encore, lorsque le passé glorieux chantait si haut dans sa mémoire? La vieille guinguette était si joyeuse, avec sa treille d'où pendait le clair raisin de France, doré de soleil! De nouveau, il eut une heure de confiance, au-dessus de la grande tristesse sourde amassée peu à peu en lui.

Maurice avait un instant suivi des yeux un officier de chasseurs d'Afrique, accompagné d'une ordonnance, qui tous deux venaient de disparaître au grand trot, à l'angle de la maison silencieuse, occupée par l'empereur. Puis, comme l'ordonnance reparaissait seule et s'arrêtait avec les deux chevaux, à la porte du cabaret, il eut un cri de surprise.

— Prosper!... Moi qui vous croyais à Metz!

C'était un homme de Remilly, un simple valet de ferme, qu'il avait connu enfant, lorsqu'il allait passer les vacances chez l'oncle Fouchard. Tombé au sort, il était depuis trois ans en Afrique, lorsque la guerre avait éclaté; et il avait bon air sous la veste bleu ciel, le large pantalon rouge à bandes bleues et la ceinture de laine rouge, avec sa longue face sèche, ses membres souples et forts, d'une adresse extraordinaire.

— Tiens! cette rencontre!... Monsieur Maurice!

Mais il ne se pressait pas, conduisait à l'écurie les chevaux fumants, donnait surtout au sien un coup d'œil paternel. L'amour du cheval, pris sans doute dès l'en-

fance, quand il menait les bêtes au labour, lui avait fait
choisir la cavalerie.

— C'est que nous arrivons de Monthois, plus de dix
lieues d'une traite, reprit-il quand il revint; et Zéphir va
prendre volontiers quelque chose.

Zéphir, c'était son cheval. Lui, refusa de manger,
accepta un café seulement. Il attendait son officier, qui
attendait l'empereur. Ça pouvait durer cinq minutes, ça
pouvait durer deux heures. Alors, son officier lui avait dit
de mettre les chevaux à l'ombre. Et, comme Maurice,
la curiosité éveillée, tâchait de savoir, il eut un geste
vague.

— Sais pas... Une commission bien sûr... Des papiers
à remettre.

Mais Rochas, d'un œil attendri, regardait le chasseur,
dont l'uniforme éveillait ses souvenirs d'Afrique.

— Eh! mon garçon, où étiez-vous, là-bas ?

— A Médéah, mon lieutenant.

Médéah! Et ils causèrent, rapprochés, malgré la
hiérarchie. Prosper s'était fait à cette vie de continuelle
alerte, toujours à cheval, partant pour la bataille comme
on part pour la chasse, quelque grande battue d'Arabes.
On avait une seule gamelle par six hommes, par tribu; et
chaque tribu était une famille, l'un faisant la cuisine,
l'autre lavant le linge, les autres plantant la tente, soignant
les bêtes, nettoyant les armes. On chevauchait le matin
et l'après-midi, chargé d'un paquetage énorme, par des
soleils de plomb. On allumait le soir, pour chasser les
moustiques, de grands feux, autour desquels on chantait
des chansons de France. Souvent, sous la nuit claire,
criblée d'étoiles, il fallait se relever et mettre la paix parmi
les chevaux, qui, fouettés de vent tiède, se mordaient
tout d'un coup, arrachaient les piquets, avec de furieux
hennissements. Puis, c'était le café, le délicieux café,
la grande affaire, qu'on écrasait au fond d'une gamelle
et qu'on passait au travers d'une ceinture rouge d'ordonnance. Mais il y avait aussi les jours noirs, loin de tout
centre habité, en face de l'ennemi. Alors, plus de feux,
plus de chants, plus de noces. On souffrait parfois
horriblement de la privation de sommeil, de la soif et de
la faim. N'importe! on l'aimait, cette existence d'imprévu
et d'aventures, cette guerre d'escarmouches, si propre à
l'éclat de la bravoure personnelle, amusante comme la
conquête d'une île sauvage, égayée par les razzias, le vol
en grand, et par le maraudage, les petits vols des cha-

pardeurs, dont les bons tours légendaires faisaient rire
jusqu'aux généraux.

— Ah! dit Prosper, devenu grave, ce n'est pas ici
comme là-bas, on se bat autrement.

Et, sur une nouvelle question de Maurice, il dit leur
débarquement à Toulon, leur long et pénible voyage jusqu'à Lunéville. C'était là qu'ils avaient appris Wissembourg et Frœschwiller. Ensuite, il ne savait plus, confondait les villes : de Nancy à Saint-Mihiel, de Saint-Mihiel
à Metz. Le 14, il devait y avoir eu une grande bataille,
l'horizon était en feu; mais lui n'avait vu que quatre
uhlans, derrière une haie. Le 16, on s'était battu encore, le
canon faisait rage dès six heures du matin; et on lui avait
dit que, le 18, la danse avait recommencé, plus terrible.
Seulement, les chasseurs n'étaient plus là, parce que, le
16, à Gravelotte, comme ils attendaient d'entrer en ligne,
le long d'une route, l'empereur, qui filait dans une calèche,
les avait pris en passant, pour l'accompagner à Verdun. Une
jolie trotte, quarante-deux kilomètres au galop, avec la
peur, à chaque instant, d'être coupés par les Prussiens!

— Et Bazaine ? demanda Rochas.

— Bazaine ? on dit qu'il a été rudement content que
l'empereur lui fiche la paix.

Mais le lieutenant voulait savoir si Bazaine arrivait. Et
Prosper eut un geste vague : est-ce qu'on pouvait dire ?
Eux, depuis le 16, avaient passé les journées en marches
et contremarches sous la pluie, en reconnaissances, en
grand-gardes, sans voir un ennemi. Maintenant, ils faisaient partie de l'armée de Châlons. Son régiment, deux
autres de chasseurs de France et un de hussards, formaient
l'une des divisions de la cavalerie de réserve, la 1re division, commandée par le général Margueritte, dont il
parlait avec une tendresse enthousiaste.

— Ah! le bougre! en voilà un rude lapin! Mais à quoi
bon ? puisqu'on n'a encore su que nous faire patauger
dans la boue!

Il y eut un silence. Puis, Maurice causa un instant de
Remilly, de l'oncle Fouchard, et Prosper regretta de ne
pouvoir aller serrer la main d'Honoré, le maréchal des
logis, dont la batterie devait camper à plus d'une lieue de
là, de l'autre côté du chemin de Laon. Mais un ébrouement de cheval lui fit dresser l'oreille, il se leva, disparut
pour s'assurer que Zéphir ne manquait de rien. Peu à peu,
des soldats de toute arme et de tous grades envahissaient
la guinguette, à cette heure de la demi-tasse et du pousse-

café. Pas une des tables ne restait libre, c'était une gaieté
éclatante d'uniformes dans la verdure des pampres
éclaboussés de soleil. Le major Bouroche venait de s'asseoir près de Rochas, lorsque Jean se présenta, porteur
d'un ordre.

— Mon lieutenant, c'est le capitaine qui vous attendra
à trois heures, pour un règlement de service.

D'un signe de tête, Rochas dit qu'il serait exact; et
Jean ne partit pas tout de suite, sourit à Maurice, qui
allumait une cigarette. Depuis la scène du wagon, il y
avait entre les deux hommes une trêve tacite, comme une
étude réciproque, de plus en plus bienveillante.

Prosper était revenu, pris d'impatience.

— Je vas manger, moi, si mon chef ne sort pas de cette
baraque... C'est fichu, l'empereur est capable de ne pas
rentrer avant ce soir.

— Dites donc, demanda Maurice, dont la curiosité se
réveillait, c'est peut-être bien des nouvelles de Bazaine
que vous apportez ?

— Possible! on en causait là-bas, à Monthois.

Mais il y eut un brusque mouvement. Et Jean, qui était
resté à une des portes de la tonnelle, se retourna, en
disant :

— L'empereur!

Tous furent aussitôt debout. Entre les peupliers, par la
grande route blanche, un peloton de cent-gardes apparaissait, d'un luxe d'uniformes correct encore et resplen-
dissant, avec le grand soleil doré de leur cuirasse. Puis,
tout de suite, venait l'empereur à cheval, dans un large
espace libre, accompagné de son état-major, que suivait
un second peloton de cent-gardes.

Les fronts s'étaient découverts, quelques acclamations
retentirent. Et l'empereur, au passage, leva la tête, très
pâle, la face déjà tirée, les yeux vacillants, comme troubles et pleins d'eau. Il parut s'éveiller d'une somnolence,
il eut un faible sourire à la vue de ce cabaret ensoleillé,
et salua.

Alors, Jean et Maurice entendirent distinctement, derrière eux, Bouroche qui grognait, après avoir sondé à
fond l'empereur de son coup d'œil de praticien :

— Décidément, il a une sale pierre dans son sac.

Puis, d'un mot, il arrêta son diagnostic :

— Foutu!

Jean, dans son étroit bon sens, avait eu un hochement
de tête : une sacrée malchance pour une armée, un pareil

chef! Et, dix minutes plus tard, après avoir serré la main
de Prosper, lorsque Maurice, heureux de son fin déjeuner,
s'en alla fumer en flânant d'autres cigarettes, il emporta
cette image de l'empereur, si blême et si vague, passant
au petit trot de son cheval. C'était le conspirateur, le
rêveur à qui l'énergie manque au moment de l'action. On
le disait très bon, très capable d'une grande et généreuse
pensée, très tenace d'ailleurs en son vouloir d'homme
silencieux; et il était aussi très brave, méprisant le dan-
fer en fataliste prêt toujours à subir le destin. Mais il
semblait frappé de stupeur dans les grandes crises, comme
paralysé devant l'accomplissement des faits, impuissant
dès lors à réagir contre la fortune, si elle lui devenait
adverse. Et Maurice se demandait s'il n'y avait pas là un
état physiologique spécial, aggravé par la souffrance, si
la maladie dont l'empereur souffrait visiblement n'était
pas la cause de cette indécision, de cette incapacité grandissantes qu'il montrait depuis le commencement de la
campagne. Cela aurait tout expliqué. Un gravier dans
la chair d'un homme, et les empires s'écroulent.

Le soir, dans le camp, après l'appel, il y eut une soudaine agitation, des officiers courant, transmettant des
ordres, réglant le départ du lendemain matin, à cinq
heures. Et ce fut, pour Maurice, un sursaut de surprise
et d'inquiétude, quand il comprit que tout, une fois
encore, était changé : on ne se repliait plus sur Paris, on
allait marcher sur Verdun, à la rencontre de Bazaine. Le
bruit circulait d'une dépêche de ce dernier, arrivée dans
la journée, annonçant qu'il opérait son mouvement de
retraite; et le jeune homme se rappela Prosper, avec
l'officier de chasseurs, venus de Monthois, peut-être
bien pour apporter une copie de cette dépêche. C'était
donc l'impératrice-régente et le Conseil des ministres qui
triomphaient, grâce à la continuelle incertitude du maréchal de Mac-Mahon, dans leur épouvante de voir l'empereur rentrer à Paris, dans leur volonté têtue de pousser
malgré tout l'armée en avant, pour tenter le suprême
sauvetage de la dynastie. Et cet empereur misérable, ce
pauvre homme qui n'avait plus de place dans son empire,
allait être emporté comme un paquet inutile et encombrant, parmi les bagages de ses troupes, condamné à
traîner derrière lui l'ironie de sa maison impériale, ses
cent-gardes, ses voitures, ses chevaux, ses cuisiniers, ses
fourgons de casseroles d'argent et de vin de Champagne,
toute la pompe de son manteau de cour, semé d'abeilles,

balayant le sang et la boue des grandes routes de la
défaite.

A minuit, Maurice ne dormait pas encore. Une insomnie fiévreuse, traversée de mauvais rêves, le faisait se
retourner sous la tente. Il finit par en sortir, soulagé d'être
debout, de respirer l'air froid, fouetté de vent. Le ciel
s'était couvert de gros nuages, la nuit devenait très sombre,
un infini morne de ténèbres, que les derniers feux mourants des fronts de bandière éclairaient de rares étoiles.
Et, dans cette paix noire, comme écrasée de silence, on
sentait la respiration lente des cent mille hommes qui
étaient couchés là. Alors, les angoisses de Maurice s'apai-
sèrent, une fraternité lui vint, pleine de tendresse indul-
gente pour tous ces vivants endormis, dont bientôt des
milliers dormiraient du sommeil de la mort. Braves gens
tout de même! Ils n'étaient guère disciplinés, ils volaient
et buvaient. Mais que de souffrances déjà, et que
d'excuses, dans l'effondrement de la nation entière! Les
vétérans glorieux de Sébastopol et de Solférino n'étaient
déjà plus que le petit nombre, encadrés parmi des troupes
trop jeunes, incapables d'une longue résistance. Ces
quatre corps, formés et reconstitués à la hâte, sans liens
solides entre eux, c'était l'armée de la désespérance, le
troupeau expiatoire qu'on envoyait au sacrifice, pour tenter de fléchir la colère du destin. Elle allait monter son
calvaire jusqu'au bout, payant les fautes de tous du flot
rouge de son sang, grandie dans l'horreur même du
désastre.

Et Maurice, à ce moment, au fond de l'ombre frissonnante, eut la conscience d'un grand devoir. Il ne cédait
plus à l'espérance vantarde de remporter les victoires
légendaires. Cette marche sur Verdun, c'était une marche
à la mort, et il l'acceptait avec une résignation allègre et
forte, puisqu'il fallait mourir.

Le 23 août, un mardi, à six heures du matin, le camp
fut levé, les cent mille hommes de l'armée de Châlons
s'ébranlèrent, coulèrent bientôt en un ruissellement
immense, comme un fleuve d'hommes, un instant épandu
en lac, qui reprend son cours; et, malgré les rumeurs
qui avaient couru la veille, ce fut une grande surprise
pour beaucoup, de voir qu'au lieu de continuer le mouvement de retraite, on tournait le dos à Paris, allant
là-bas, vers l'est, à l'inconnu.

A cinq heures du matin, le 7ᵉ corps n'avait pas encore
de cartouches. Depuis deux jours, les artilleurs s'épuisaient, pour débarquer les chevaux et le matériel, dans
la gare encombrée des approvisionnements qui refluaient
de Metz. Et ce fut au dernier moment que des wagons
chargés de cartouches furent découverts parmi l'inextricable pêle-mêle des trains, et qu'une compagnie de corvée,
dont Jean faisait partie, put en rapporter deux cent quarante mille, sur des voitures réquisitionnées à la hâte.
Jean distribua les cent cartouches réglementaires à chacun
des hommes de son escouade, au moment même où
Gaude, le clairon de la compagnie, sonnait le départ.

Le 106ᵉ ne devait pas traverser Reims, l'ordre de marche
était de tourner la ville, pour rejoindre la grande route
de Châlons. Mais, cette fois encore, on avait négligé
d'échelonner les heures, de sorte que les quatre corps
d'armée étant partis ensemble, il se produisit une extrême
confusion, à l'entrée des premiers tronçons de routes
communes. L'artillerie, la cavalerie, à chaque instant,
coupaient et arrêtaient les lignes de fantassins. Des bri-
gades entières durent attendre pendant une heure, l'arme
au pied. Et le pis, ce fut qu'un épouvantable orage éclata,
dix minutes à peine après le départ, une pluie dilu-

vienne qui trempa les hommes jusqu'aux os, alourdissant sur leurs épaules le sac et la capote. Le 106ᵉ, pourtant, avait pu se remettre en marche, comme la pluie cessait; tandis que, dans un champ voisin, des zouaves, forcés d'attendre encore, avaient trouvé, pour prendre patience, le petit jeu de se battre à coups de boules de terre, des paquets de boue dont l'éclaboussement, sur les uniformes, soulevait des tempêtes de rire.

Presque aussitôt, le soleil reparut, un soleil triomphal, dans la chaude matinée d'août. Et la gaieté revint, les hommes fumaient comme une lessive, étendue au grand air : très vite ils furent secs, pareils à des chiens crottés, retirés d'une mare, plaisantant des sonnettes de fange durcie qu'ils emportaient à leurs pantalons rouges. A chaque carrefour, il fallait s'arrêter encore. Tout au bout d'un faubourg de Reims, il y eut une dernière halte, devant un débit de boissons qui ne désemplissait pas.

Alors, Maurice eut l'idée de régaler l'escouade, comme souhait de bonne chance à tous.

— Caporal, si vous le permettez...

Jean, après une courte hésitation, accepta un petit verre. Et il y avait là Loubet et Chouteau, ce dernier sournoisement respectueux, depuis que le caporal faisait sentir sa poigne; et il y avait également Pache et Lapoulle, deux braves garçons, lorsqu'on ne leur montait pas la tête.

— A votre santé, caporal! dit Chouteau d'une voix de bon apôtre.

— A la vôtre, et que chacun tâche de rapporter sa tête et ses pieds! répondit Jean avec politesse, au milieu d'un rire approbateur.

Mais on partait, le capitaine Beaudoin s'était approché d'un air choqué, pendant que le lieutenant Rochas affectait de tourner la tête, indulgent à la soif de ses hommes. Déjà, l'on filait sur la route de Châlons, un interminable ruban, bordé d'arbres, allant d'un trait, tout droit, parmi l'immense plaine, des chaumes à l'infini, que bossuaient çà et là de hautes meules et des moulins de bois, agitant leurs ailes. Plus au nord, des files de poteaux télégraphiques indiquaient d'autres routes, où l'on reconnaissait les lignes sombres d'autres régiments en marche. Beaucoup même coupaient à travers champs, en masses profondes. Une brigade de cavalerie, en avant, sur la gauche, trottait dans un éblouissement de soleil. Et tout l'horizon désert, d'un vide triste et sans bornes, s'animait, se peuplait ainsi de ces ruisseaux d'hommes débordant

de partout, de ces coulées intarissables de fourmilière
géante.

Vers neuf heures, le 106e quitta la route de Châlons,
pour prendre, à gauche, celle de Suippe, une autre ruban
tout droit, à l'infini. On marchait par deux files espacées,
laissant le milieu de la route libre. Les officiers s'y avançaient à l'aise, seuls; et Maurice avait remarqué leur air
soucieux, qui contrastait avec la belle humeur, la satisfaction gaillarde des soldats, heureux comme des enfants
de marcher enfin. Même, l'escouade se trouvant presque
en tête, il apercevait de loin le colonel, M. de Vineuil,
dont l'allure sombre, la grande taille raidie, balancée au
pas du cheval, le frappait. On avait relégué la musique à
l'arrière, avec les cantines du régiment. Puis, accompa-
gnant la division, venaient les ambulances et le train des
équipages, que suivait le convoi du corps tout entier, un
immense convoi, des fourragères, des fourgons fermés
pour les provisions, des chariots pour les bagages, un
défilé de voitures de toutes sortes, qui tenait plus de
cinq kilomètres, et dont, aux rares coudes de la route, on
apercevait l'interminable queue. Enfin, à l'extrême bout,
des troupeaux fermaient la colonne, une débandade de
grands bœufs piétinant dans un flot de poussière, la viande
encore sur pied, poussée à coups de fouet, d'une peu-
plade guerrière en migration.

Cependant, Lapoulle, de temps à autre, remontait son
sac, d'un haussement d'épaule. Sous le prétexte qu'il
était le plus fort, on le chargeait des ustensiles communs
à toute l'escouade, la grande marmite et le bidon, pour
la provision d'eau. Cette fois même, on lui avait confié la
pelle de la compagnie, en lui persuadant que c'était un
honneur. Et il ne se plaignait pas, il riait d'une chanson
dont Loubet, le ténor de l'escouade, charmait la longueur
de la route. Loubet, lui, avait un sac célèbre, dans lequel
on trouvait de tout : du linge, des souliers de rechange,
de la mercerie, des brosses, du chocolat, un couvert et
une timbale, sans compter les vivres réglementaires, des
biscuits, du café; et, bien que les cartouches y fussent
aussi, qu'il y eût encore, sur le sac, la couverture roulée,
la tente-abri et ses piquets, tout cela paraissait léger,
tellement il savait, selon son mot, bien faire sa malle.

— Foutu pays tout de même! répétait de loin en loin
Chouteau, en jetant un regard de mépris sur ces plaines
mornes de la Champagne pouilleuse.

Les vastes étendues de terre crayeuse continuaient, se

succédaient sans fin. Pas une ferme, pas une âme, rien
que des vols de corbeaux tachant de noir l'immensité
grise. A gauche, très loin, des bois de pin, d'une verdure
sombre, couronnaient les lentes ondulations qui bornaient
le ciel, tandis que, sur la droite, on devinait le cours de
la Vesle, à une ligne d'arbres continue. Et là, derrière les
coteaux, on voyait, depuis une lieue, monter une fumée
énorme, dont les flots amassés finissaient par barrer l'horizon d'une effrayante nuée d'incendie.

— Qu'est-ce qui brûle donc, là-bas ? demandaient des
voix de tous côtés.

Mais l'explication courut d'un bout à l'autre de la
colonne. C'était le camp de Châlons qui flambait depuis
deux jours, incendié par ordre de l'empereur, pour sauver
des mains des Prussiens les richesses entassées. La cavalerie d'arrière-garde avait, disait-on, été chargée de
mettre le feu à un grand baraquement, appelé le magasin
jaune, plein de tentes, de piquets, de nattes, et au magasin
neuf, un immense hanger fermé, où s'empilaient des
gamelles, des souliers, des couvertures, de quoi équiper
cent autres mille hommes. Des meules de fourrage,
allumées elles aussi, fumaient comme des torches
gigantesques. Et, à ce spectacle, devant ces tourbillons
livides qui débordaient des collines lointaines, emplissant le ciel d'un irréparable deuil, l'armée, en marche
par la grande plaine triste, était tombée dans un lourd
silence. Sous le soleil, on n'entendait plus que la cadence
des pas, tandis que les têtes, malgré elles, se tournaient toujours vers les fumées grossissantes, dont la nuée de désastre
sembla suivre la colonne pendant toute une lieue encore.

La gaieté revint à la grande halte, dans un chaume, où
les soldats purent s'asseoir sur leurs sacs, pour manger
un morceau. Les gros biscuits, carrés, servaient à tremper
la soupe ; mais les petits, ronds, croquants et légers, étaient
une vraie friandise, qui avait le seul défaut de donner
une soif terrible. Invité, Pache à son tour chanta un can-
tique, que toute l'escouade reprit en chœur. Jean, bon
enfant, souriait, laissait faire, tandis que Maurice reprenait confiance, à voir l'entrain de tous, le bel ordre et la
belle humeur de cette première journée de marche. Et le
reste de l'étape fut franchi du même pas gaillard. Pourtant, les huit derniers kilomètres semblèrent durs. On
venait de laisser à droite le village de Prosnes, on avait
quitté la grand-route pour couper à travers des terrains
incultes, des landes sablonneuses plantées de petits bois

de pins; et la division entière, suivie de l'interminable convoi, tournait au milieu de ces bois, dans ce sable où l'on enfonçait jusqu'à la cheville. Le désert s'était encore élargi, on ne rencontra qu'un maigre troupeau de moutons, gardé par un grand chien noir.

Enfin, vers quatre heures, le 106ᵉ s'arrêta à Dontrien, un village bâti au bord de la Suippe. La petite rivière court parmi des bouquets d'arbres, la vieille église est au milieu du cimetière, qu'un marronnier immense couvre tout entier de son ombre. Et ce fut sur la rive gauche, dans un pré en pente, que le régiment dressa ses tentes. Les officiers disaient que les quatre corps d'armée, ce soir-là, allaient bivouaquer sur la ligne de la Suippe, d'Auberive à Heutrégiville, en passant par Dontrien, Béthiniville et Pont-Faverger, un front de bandière qui avait près de cinq lieues.

Tout de suite, Gaude sonna à la distribution, et Jean dut courir, car le caporal était le grand pourvoyeur, toujours en alerte. Il avait emmené Lapoulle, ils revinrent au bout d'une demi-heure, chargés d'une côté de bœuf saignante et d'un fagot de bois. On avait déjà, sous un chêne, abattu et dépecé trois bêtes du troupeau qui suivait. Lapoulle dut retourner chercher le pain, qu'on cuisait à Dontrien même, depuis midi, dans les fours du village. Et, ce premier jour, tout fut vraiment en abondance, sauf le vin et le tabac, dont jamais d'ailleurs aucune distribution ne devait être faite.

Comme Jean était de retour, il trouva Chouteau en train de dresser la tente, aidé de Pache. Il les regarda un instant, en ancien soldat d'expérience, qui n'aurait pas donné quatre sous de leur besogne.

— Ça va bien qu'il fera beau cette nuit, dit-il enfin. Autrement, s'il ventait, nous irions nous promener dans la rivière... Faudra que je vous apprenne.

Et il voulut envoyer Maurice à la provision d'eau, avec le grand bidon. Mais celui-ci, assis dans l'herbe, s'était déchaussé, pour examiner son pied droit.

— Tiens! qu'est-ce que vous avez donc?

— C'est le contrefort qui m'a écorché le talon... Mes autres souliers s'en allaient, et j'ai eu la bêtise, à Reims, d'acheter ceux-ci, qui me chaussaient bien. J'aurais dû choisir des bateaux.

Jean s'était mis à genoux et avait pris le pied, qu'il retournait avec précaution, comme un pied d'enfant, en hochant la tête.

— Vous savez, ce n'est pas drôle, ça... Faites attention. Un soldat qui n'a plus ses pieds, ça n'est bon qu'à
être fichu au tas de cailloux. Mon capitaine, en Italie,
disait toujours qu'on gagne les batailles avec ses jambes.

Aussi commanda-t-il à Pache d'aller chercher l'eau.
Du reste, la rivière coulait à cinquante mètres. Et Loubet, pendant ce temps, ayant allumé le bois au fond du
trou qu'il venait de creuser en terre, put tout de suite
installer le pot-au-feu, la grande marmite remplie d'eau,
dans laquelle il plongea la viande artistement ficelée. Dès
lors, ce fut une béatitude, à regarder bouillir la soupe.
L'escouade entière, libérée des corvées, s'était allongée
sur l'herbe, autour du feu, en famille, pleine d'une sollicitude attendrie pour cette viande qui cuisait; tandis que
Loubet, gravement, avec sa cuiller, écumait le pot. Ainsi
que les enfants et les sauvages, ils n'avaient d'autre instinct que de manger et de dormir, dans cette course à
l'inconnu, sans lendemain.

Mais Maurice venait de trouver dans son sac un journal acheté à Reims, et Chouteau demanda :

— Y a-t-il des nouvelles des Prussiens ? Faut nous
lire ça !

On faisait bon ménage, sous l'autorité grandissante de
Jean. Maurice, complaisamment, lut les nouvelles inté-
ressantes, pendant que Pache, la couturière de l'escouade,
lui raccommodait sa capote, et que Lapoulle nettoyait
son fusil. D'abord, ce fut une grande victoire de Bazaine,
qui avait culbuté tout un corps prussien dans les carrières
de Jaumont; et ce récit imaginaire était accompagné de
circonstances dramatiques, les hommes et les chevaux
s'écrasant parmi les roches, un anéantissement complet,
pas même des cadavres entiers à mettre en terre. Ensuite,
c'étaient des détails copieux sur le pitoyable état des
armées allemandes, depuis qu'elles se trouvaient en
France : les soldats, mal nourris, mal équipés, tombés à
l'absolu dénuement, mouraient en masse, le long des chemins, frappés d'affreuses maladies. Un autre article disait
que le roi de Prusse avait la diarrhée et que Bismarck
s'était cassé la jambe, en sautant par la fenêtre d'une
auberge, dans laquelle des zouaves avaient failli le
prendre. Bon, tout cela ! Lapoulle en riait à se fendre les
mâchoires, pendant que Chouteau et les autres, sans
émettre l'ombre d'un doute, crânaient à l'idée de ramasser bientôt les Prussiens, comme des moineaux dans un
champ, après la grêle. Et surtout on se tordait de la

culbute de Bismarck. Oh! les zouaves et les turcos, c'en
étaient des braves, ceux-là! Toutes sortes de légendes
circulaient, l'Allemagne tremblait et se fâchait, en disant
qu'il était indigne d'une nation civilisée de se faire
défendre ainsi par des sauvages. Bien que décimés déjà
à Frœschwiller, ils semblaient encore intacts et invincibles.

Six heures sonnèrent au petit clocher de Dontrien, et
Loubet cria :

— A la soupe!

L'escouade, religieusement, fit le rond. Au dernier
moment, Loubet avait découvert des légumes, chez un
paysan voisin. Régal complet, une soupe qui embaumait
la carotte et le poireau, quelque chose de doux à l'estomac
comme du velours. Les cuillers tapaient dur dans les
petites gamelles. Puis, Jean, qui distribuait les portions,
dut partager le bœuf, ce jour-là, avec la justice la plus
stricte, car les yeux s'étaient allumés, il y aurait eu des
grognements, si un morceau avait paru plus gros que
l'autre. On torcha tout, on s'en mit jusqu'aux yeux.

— Ah! nom de Dieu! déclara Chouteau, en se renversant sur le dos, quand il eut fini, ça vaut tout de même
mieux qu'un coup de pied au derrière!

Et Maurice était très plein et très heureux, lui aussi, ne
songeant plus à son pied dont la cuisson se calmait. Il
acceptait maintenant ce compagnonnage brutal, redescendu à une égalité bon enfant, devant les besoins physiques de la vie en commun. La nuit, également, il dormit
du profond sommeil de ses cinq camarades de tente, tous
en tas, contents d'avoir chaud, sous l'abondante rosée
qui tombait. Il faut dire que, poussé par Loubet, Lapoulle
était allé prendre, à une meule voisine, de grandes bras-
sées de paille, dans lesquelles les six gaillards ronflèrent
comme dans de la plume. Et, sous la nuit claire, d'Auberive à Heutrégiville, le long des rives aimables de la
Suippe, lente parmi les saules, les feux des cent mille
hommes endormis éclairaient les cinq lieues de plaine,
comme une traînée d'étoiles.

Au soleil levant, on fit le café, les grains pilés dans une
gamelle avec la crosse du fusil, et jetés dans l'eau bouil-
lante, puis le marc précipité au fond; à l'aide d'une goutte
d'eau froide. Ce matin-là, le lever de l'astre était d'une
magnificence royale, au milieu de grandes nuées de
pourpre et d'or; mais Maurice lui-même ne voyait plus
ces spectacles des horizons et du ciel, et Jean seul, en

paysan réfléchi, regardait d'un air inquiet l'aube rouge
qui annonçait de la pluie. Aussi, avant le départ, comme
on venait de distribuer le pain cuit la veille, et que l'escouade avait reçu trois pains longs, il blâma fortement
Loubet et Pache de les avoir attachés sur leurs sacs. Les
tentes étaient pliées, les sacs ficelés, on ne l'écouta point.
Six heures sonnaient à tous les clochers des villages,
lorsque l'armée entière s'ébranla, reprenant gaillardement sa marche en avant, dans l'espoir matinal de cette
journée nouvelle.

Le 106e, pour aller rejoindre la route de Reims à
Vouziers, coupa presque tout de suite par des chemins
de traverse, monta à travers des chaumes, pendant plus
d'une heure. En bas, vers le nord, on apercevait parmi
des arbres Béthiniville, où l'on disait que l'empereur
avait couché. Et, lorsqu'on fut sur la route de Vouziers,
les plaines de la veille recommencèrent, la Champagne
pouilleuse acheva de dérouler ses champs pauvres, d'une
désespérante monotonie. Maintenant, c'était l'Arne, un
maigre ruisseau, qui coulait à gauche, tandis que les
terres nues s'étendaient à droite, à l'infini, prolongeant
l'horizon de leurs lignes plates. On traversa des villages,
Saint-Clément, dont l'unique rue serpente aux deux
bords de la route, Saint-Pierre, gros bourg de richards
qui avaient barricadé leurs portes et leurs fenêtres. La
grande halte eut lieu, vers dix heures, près d'un autre
village, Saint-Étienne, où les soldats eurent la joie de
trouver encore du tabac. Le 7e corps s'était divisé en
plusieurs colonnes, le 106e marchait seul, n'ayant derrière
lui qu'un bataillon de chasseurs et que l'artillerie de
réserve; et, vainement, Maurice se retournait, aux coudes
des routes, pour revoir l'immense convoi qui l'avait
intéressé la veille : les troupeaux s'en étaient allés, il n'y
avait plus que des canons roulant, grandis par ces
plaines rases, comme des sauterelles sombres et hautes
sur pattes.

Mais, après Saint-Etienne, le chemin devint abominable, un chemin qui montait par ondulations lentes, au
milieu de vastes champs stériles, dans lesquels ne poussaient que les éternels bois de pins, à la verdure noire, si
triste au milieu des terres blanches. On n'avait pas encore
traversé une pareille désolation. Mal empierré, détrempé
par les dernières pluies, le chemin était un véritable lit
de boue, de l'argile grise délayée, où les pieds se collaient
comme dans de la poix. La fatigue fut extrême, les

hommes n'avançaient plus, épuisés. Et, pour comble
d'ennui, des averses brusques se mirent à tomber, d'une
violence terrible. L'artillerie, embourbée, faillit rester en
route.

Chouteau, qui portait le riz de l'escouade, hors d'haleine, furieux de la charge dont il était écrasé, jeta le
paquet, croyant n'être vu de personne. Loubet l'avait
aperçu.

— T'as tort, c'est pas à faire, ces coups-là, parce qu'ensuite les camarades se brossent le ventre.

— Ah! ouiche! répondit Chouteau, puisqu'on a de
tout, on nous en donnera d'autre, à l'étape.

Et Loubet, qui portait le lard, convaincu par le raisonnement, se débarrassa à son tour.

Maurice, lui, souffrait de plus en plus de son pied,
dont le talon devait s'être enflammé de nouveau. Il traînait la jambe, si douloureusement, que Jean céda à une
sollicitude grandissante.

— Hein! ça ne va pas, ça recommence?

Puis, comme on faisait une courte halte pour laisser
souffler les hommes, il lui donna un bon conseil.

— Déchaussez-vous, marchez le pied nu, la boue
fraîche calmera la brûlure.

En effet, Maurice put de cette façon continuer à
suivre, sans trop de peine; et un profond sentiment de
reconnaissance l'envahit. C'était une véritable chance,
pour une escouade, d'avoir un caporal pareil, ayant servi,
sachant les tours du métier : un paysan mal dégrossi,
évidemment; mais tout de même un brave homme.

On n'arriva que tard à Contreuve, où l'on devait
bivouaquer, après avoir traversé la route de Châlons à
Vouziers et être descendu, par une côte raide, dans le
ravin de Semide. Le pays changeait, c'étaient déjà les
Ardennes. Et, des vastes coteaux nus, choisis pour le
campement du 7e corps, dominant le village, on apercevait au loin la vallée de l'Aisne, perdue dans la fumée
pâle des averses.

A six heures, Gaude n'avait pas encore sonné à la distribution. Alors, Jean, pour s'occuper, inquiet d'ailleurs
du grand vent qui se levait, voulut en personne planter
la tente. Il montra à ses hommes comment il fallait choisir un terrain en pente légère, enfoncer les piquets de
biais, creuser une rigole autour de la toile, pour l'écoulement des eaux. Maurice, à cause de son pied, se trouvait exempté de toute corvée; et il regardait, surpris de

l'adresse intelligente de ce gros garçon, d'allure si lourde.
Lui, était brisé de fatigue, mais soutenu par l'espoir qui
rentrait dans tous les cœurs. On avait rudement marché
depuis Reims, soixante kilomètres en deux étapes. Si l'on
continuait de ce train, et toujours droit devant soi, nul
doute qu'on ne culbutât la deuxième armée allemande,
pour donner la main à Bazaine, avant que la troisième,
celle du prince royal de Prusse, qu'on disait à Vitry-le-
Français, eût trouvé le temps de remonter sur Verdun.

— Ah çà! est-ce qu'on va nous laisser crever de faim?
demanda Chouteau, en constatant, à sept heures, qu'aucune distribution n'était encore faite.

Prudemment, Jean avait toujours commandé à Loubet
d'allumer du feu, puis de mettre dessus la marmite
pleine d'eau; et, comme on n'avait pas de bois, il avait
dû fermer les yeux, lorsque celui-ci, pour s'en procurer,
s'était contenté d'arracher les treillages d'un jardin voisin. Mais, quand il parla de faire du riz au lard, il fallut
bien lui avouer que le riz et le lard étaient restés dans la
boue du chemin de Saint-Etienne. Chouteau mentait
effrontément, jurait que le paquet devait s'être détaché
de son sac, sans qu'il s'en aperçût.

— Vous êtes des cochons! cria Jean, furieux. Jeter du
manger, quand il y a tant de pauvres bougres qui ont le
ventre vide!

C'était comme pour les trois pains, attachés sur les
sacs : on ne l'avait pas écouté, les averses venaient de les
détremper, à tel point qu'ils s'étaient fondus, une vraie
bouillie, impossible à se mettre sous la dent.

— Nous sommes propres! répétait-il. Nous qui avions
de tout, nous voilà sans une croûte... Ah! vous êtes de
rudes cochons!

Justement, on sonnait au sergent, pour un service
d'ordre, et le sergent Sapin, de son air mélancolique,
vint avertir les hommes de sa section que, toute distribution étant impossible, ils eussent à se suffire avec leurs
vivres de campagne. Le convoi, disait-il, était resté en
route, à cause du mauvais temps. Quant au troupeau, il
devait s'être égaré, à la suite d'ordres contraires. Plus
tard, on sut que le 5e et le 12e corps étant remontés, ce
jour-là, du côté de Rethel, où allait s'installer le quartier
général, toutes les provisions des villages avaient reflué
vers cette ville, ainsi que les populations, enfiévrées du
désir de voir l'empereur; de sorte que, devant le 7e corps,
le pays s'était vidé : plus de viande, plus de pain, plus

même d'habitants. Et, pour comble de misère, un malentendu avait envoyé les approvisionnements de l'intendance sur le Chêne-Populeux. Pendant la campagne entière, ce fut le continuel désespoir des misérables intendants, contre lesquels tous les soldats criaient, et dont la faute n'était souvent que d'être exacts à des rendez-vous donnés, où les troupes n'arrivaient pas.

— Sales cochons, répéta Jean hors de lui, c'est bien fait pour vous! et vous ne méritez pas la peine que je vais avoir à vous déterrer quelque chose, parce que, tout de même, mon devoir est de ne pas vous laisser claquer en route!

Il partit à la découverte, comme tout bon caporal devait le faire, emmenant avec lui Pache, qu'il aimait pour sa douceur, bien qu'il le trouvât trop enfoncé dans les curés.

Mais, depuis un instant, Loubet avait avisé, à deux ou trois cents mètres, une petite ferme, une des dernières habitations de Contreuve, où il lui avait semblé distinguer tout un gros commerce. Il appela Chouteau et Lapoulle, en disant :

— Filons de notre côté. J'ai idée qu'il y a du fourbi, là-bas.

Et Maurice fut laissé à la garde de la marmite d'eau qui bouillait, avec l'ordre d'entretenir le feu. Il s'était assis sur sa couverture, le pied déchaussé, pour que la plaie séchât. La vue du camp l'intéressait, toutes les escouades en l'air, depuis qu'elles n'attendaient plus les distributions. Cette vérité se faisait en lui que certaines manquaient toujours de tout, tandis que d'autres vivaient dans une continuelle abondance, selon la prévoyance et l'adresse du caporal et des hommes. Au milieu de l'énorme agitation qui l'entourait, à travers les faisceaux et les tentes, il en remarquait qui n'avaient pas même pu allumer leur feu, d'autres résignées déjà, couchées pour la nuit, d'autres, au contraire, en train de manger de grand appétit, on ne savait quoi, de bonnes choses. Et ce qui le frappait d'autre part, c'était le bel ordre de l'artillerie de réserve, campée au-dessus de lui, sur le coteau. A son coucher, le soleil parut entre deux nuages, embrasa les canons, que les artilleurs avaient déjà lavés de la boue des chemins.

Cependant, dans la petite ferme que Loubet et les camarades guignaient, le chef de leur brigade, le général Bourgain-Desfeuilles, venait de s'installer commodé-

ment. Il avait trouvé un lit possible, il était attablé
devant une omelette et un poulet rôti, ce qui le rendait
d'une humeur charmante; et, comme le colonel de Vineuil
s'était trouvé là, pour un détail de service, il l'avait invité
à dîner. Tous deux mangeaient donc, servis par un grand
diable blond, au service du fermier depuis trois jours seulement, et qui se disait Alsacien, un expatrié emporté
dans la débâcle de Frœschwiller. Le général parlait
librement devant cet homme, commentait la marche de
l'armée, puis l'interrogeait sur la route et les distances,
oubliant qu'il n'était point des Ardennes. L'ignorance
absolue que montraient les questions, finit par émou-
voir le colonel. Lui, avait habité Mézières. Il donna
quelques indications précises, qui arrachèrent ce cri au
général :

— C'est idiot tout de même! Comment voulez-vous
qu'on se batte dans un pays qu'on ne connaît pas !

Le colonel eut un vague geste désespéré. Il savait que,
dès la déclaration de guerre, on avait distribué à tous les
officiers des cartes d'Allemagne, tandis que pas un, certainement, ne possédait une carte de France. Depuis un
mois, ce qu'il voyait et ce qu'il entendait l'anéantissait.
Il ne lui restait que son courage, dans son autorité de
chef un peu faible et borné, qui le faisait aimer plutôt
que craindre de son régiment.

— On ne peut pas manger tranquille! cria brusquement
le général. Qu'est-ce qu'ils ont à brailler comme ça ?...
Allez donc voir, l'Alsacien!

Mais le fermier parut, exaspéré, gesticulant, sanglotant.
On le pillait, des chasseurs et des zouaves mettaient sa
maison à sac. D'abord, il avait eu la faiblesse d'ouvrir
boutique, étant le seul du village qui eût des œufs, des
pommes de terre, des lapins. Il vendait sans trop voler,
empochait l'argent, livrait la marchandise; si bien que les
acheteurs, toujours plus nombreux, le débordant, l'étourdissant, avaient fini par le bousculer et par tout prendre,
en ne payant plus. Pendant la campagne, si bien des
paysans cachèrent tout, refusèrent un verre d'eau, ce fut
dans cette peur des poussées lentes et irrésistibles de la
marée d'hommes qui les jetait hors de chez eux et emportait la maison.

— Eh! mon brave, fichez-moi la paix! répondit le
général contrarié. Il faudrait en fusiller une douzaine par
jour, de ces coquins! Est-ce qu'on peut ?

Et il fit fermer la porte, pour ne pas être obligé de

sévir, pendant que le colonel expliquait qu'il n'y avait pas eu de distributions et que les hommes avaient faim.

Dehors, Loubet venait d'apercevoir un champ de pommes de terre, et il s'y était rué avec Lapoulle, fouillant des deux mains, arrachant, s'emplissant les poches. Mais Chouteau, en train de regarder par-dessus un petit mur, eut un sifflement d'appel, qui les fit accourir et s'exclamer : c'était un troupeau d'oies, une dizaine d'oies magnifiques, se promenant majestueusement dans une étroite cour. Tout de suite, il y eut conseil, et l'on poussa Lapoulle, on le décida à enjamber la muraille. Le combat fut terrible, l'oie qu'il avait prise faillit lui couper le nez dans la dure cisaille de son bec. Alors, il lui empoigna le cou, voulut l'étrangler, tandis qu'elle lui labourait les bras et le ventre de ses fortes pattes. Il dut lui écraser la tête du poing, et elle se débattait encore, et il se hâta de filer, poursuivi par le reste du troupeau, qui lui déchirait les jambes.

Lorsque tous les trois revinrent, cachant la bête dans un sac, avec les pommes de terre, ils trouvèrent Jean et Pache, qui rentraient, heureux également de leur expédition, chargés de quatre pains frais et d'un fromage, achetés chez une vieille brave femme.

— L'eau bout, nous allons faire du café, dit le caporal. Nous avons du fromage et du pain, c'est une vraie noce !

Mais, brusquement, il aperçut l'oie, étalée à ses pieds, et il ne put s'empêcher de rire. Il la tâta, en connaisseur, saisi d'admiration.

— Ah ! nom de Dieu, la belle bête ! Ça pèse dans les vingt livres.

— C'est un oiseau que nous avons rencontré, expliqua Loubet de sa voix de loustic, et qui a voulu faire notre connaissance.

Jean, d'un geste, déclara qu'il ne demandait pas à en savoir davantage. Il fallait bien vivre. Et puis, mon Dieu ! pourquoi pas ce régal à de pauvres bougres qui avaient perdu le goût de la volaille ?

Déjà, Loubet allumait un brasier. Pache et Lapoulle plumaient l'oie, violemment. Chouteau qui était allé, chercher en courant un bout de ficelle chez les artilleurs, revint la pendre entre deux baïonnettes, devant le grand feu ; et Maurice fut chargé de la faire tourner de temps à autre, d'une pichenette. En dessous, la graisse tombait dans la gamelle de l'escouade. Ce fut le triomphe du rôtis-

sage à la ficelle. Tout le régiment, attiré par la bonne
odeur, vint faire le cercle. Et quel festin! De l'oie rôtie, des
pommes de terre bouillies, du pain, du fromage! Lorsque
Jean eut découpé l'oie, l'escouade s'en mit jusqu'aux
yeux. Il n'y avait plus de portions, chacun s'en fourrait
tant qu'il pouvait en contenir. Même, on en porta un
morceau à l'artillerie qui avait donné la ficelle.

Or, ce soir-là, les officiers du régiment jeûnaient. Par
une erreur de direction, le fourgon du cantinier s'était
égaré, à la suite du grand convoi sans doute. Si les soldats souffraient, quand les distributions n'avaient pas lieu,
ils finissaient le plus souvent par trouver quelque nourriture, ils s'entraidaient, les hommes de chaque escouade
mettaient en commun leurs ressources; tandis que l'officier, livré à lui-même, isolé, crevait de faim, sans lutte
possible, dès que la cantine faisait défaut.

Aussi Chouteau, qui avait entendu le capitaine Beaudoin s'emporter contre la disparition du fourgon des
vivres, ricana-t-il, enfoncé dans la carcasse de l'oie, en le
voyant passer de son air raide et fier. Et il le montrait du
coin de l'œil.

— Regardez-le donc! son nez remue... Il donnerait
cent sous du croupion.

Tous rigolèrent de la faim du capitaine, qui n'avait
pas su se faire aimer de ses hommes, trop jeune et trop
dur, un pète-sec, comme ils l'appelaient. Un instant, il
parut sur le point d'interpeller l'escouade, au sujet du
scandale qu'elle soulevait, avec sa volaille. Mais la crainte
de montrer sa faim, sans doute, le fit s'éloigner, la tête
haute, comme s'il n'avait rien vu.

Quant au lieutenant Rochas, galopé également d'une
terrible fringale, il tournait, avec un rire de brave homme,
autour de la bienheureuse escouade. Lui, ses hommes
l'adoraient, d'abord parce qu'il exécrait le capitaine, ce
freluquet sorti de Saint-Cyr, et ensuite parce qu'il avait
porté le sac, comme eux tous. Il n'était pas toujours
commode pourtant, d'une grossièreté parfois à lui ficher
des gifles.

Jean, qui, d'un coup d'œil, avait consulté les camarades, se leva, se fit suivre par Rochas derrière la tente.

— Dites donc, mon lieutenant, sans vous offenser, si
ça pouvait vous être agréable...

Et il lui passa un quartier de pain et une gamelle, où il
y avait une cuisse de l'oie, sur six grosses pommes de
terre.

La nuit, de nouveau, on n'eut pas besoin de les bercer. Les six digérèrent la bête, à poings fermés. Et ils eurent à remercier le caporal de la façon solide dont il avait planté la tente, car ils ne s'aperçurent même pas d'un violent coup de vent qui souffla vers deux heures, accompagné d'une rafale de pluie : des tentes furent emportées, des hommes réveillés en sursaut, trempés, forcés de courir au milieu des ténèbres; tandis que la leur résistait et qu'ils étaient bien à couvert, sans une goutte d'eau, grâce aux rigoles où ruisselait l'averse.

Au jour, Maurice se réveilla, et comme on ne devait se remettre en marche qu'à huit heures, il eut l'idée de monter sur le coteau, jusqu'au campement de l'artillerie de réserve, pour serrer la main du cousin Honoré. Son pied, reposé par la bonne nuit de sommeil, le faisait moins souffrir. C'était encore pour lui un émerveillement, le parc si bien dressé, les six pièces d'une batterie correctement en ligne, suivies des caissons, des prolonges, des fourragères, des forges. Plus loin, les chevaux, à la corde, hennissaient, les naseaux tournés vers le soleil levant. Et, tout de suite, il trouva la tente d'Honoré, grâce à l'ordre parfait qui assigne à tous les hommes d'une même pièce une file de tentes, de sorte que l'aspect seul d'un camp indique le nombre des canons.

Quand Maurice arriva, les artilleurs, déjà debout, prenaient le café; et il y avait une querelle entre le conducteur de devant Adolphe, et le pointeur, Louis, son compagnon. Depuis trois ans qu'ils étaient mariés ensemble, selon l'usage qui appareillait un conducteur et un servant, ils faisaient bon ménage, sauf quand on mangeait. Louis, plus instruit, fort intelligent, acceptait la dépendance où tout homme de cheval tient l'homme à pied, dressait la tente, allait à la corvée, soignait la soupe, pendant qu'Adolphe s'occupait de ses deux chevaux, d'un air d'absolue supériorité. Seulement, le premier, noir et maigre, affligé d'un appétit excessif, se révoltait, quand l'autre, très grand, avec ses grosses moustaches blondes, voulait se servir en maître. Ce matin-là, la querelle venait de ce que Louis, qui avait fait le café, accusait Adolphe de tout boire. Il fallut les réconcilier.

Dès le réveil, chaque matin, Honoré allait voir sa pièce, la faisait, sous ses yeux, essuyer de la rosée de la nuit, comme s'il eût bouchonné une bête aimée, par crainte des rhumes qu'elle pourrait prendre. Et il était là, paternellement, à la regarder luire dans l'air frais de l'aube, lorsqu'il reconnut Maurice.

— Tiens! je savais le 106e dans le voisinage, j'ai reçu une lettre de Remilly, hier, et je voulais descendre... Allons donc boire le vin blanc.

Pour être seuls tous deux, il l'emmena vers la petite ferme, que les soldats avaient pillée la veille, et où le paysan, incorrigible, âpre au gain quand même, venait d'installer une sorte de buvette, en mettant en perce un tonneau de vin blanc. Devant la porte, sur une planche, il distribuait sa marchandise, à quatre sous le verre, aidé par le garçon qu'il avait engagé depuis trois jours, le colosse blond, l'Alsacien.

Déjà, Honoré trinquait avec Maurice, lorsque ses yeux tombèrent sur cet homme. Il le dévisagea un instant, stupéfait. Puis, il eut un juron terrible.

— Tonnerre de Dieu! Goliath!

Et il s'élança, il voulut le prendre à la gorge. Mais le paysan, s'imaginant qu'on allait de nouveau mettre sa maison à sac, sauta en arrière, se barricada. Il y eut un moment de confusion, tous les soldats présents se ruaient, pendant que le maréchal des logis, furieux, s'étranglait à crier :

— Ouvrez donc, ouvrez donc, foutue bête!... C'est un espion, je vous dis que c'est un espion!

Maintenant, Maurice n'en doutait plus. Il venait de reconnaître parfaitement l'homme qu'on avait relâché au camp de Mulhouse, faute de preuves; et cet homme, c'était Goliath, l'ancien garçon de ferme du père Fouchard, à Remilly. Lorsque le paysan, enfin, consentit à ouvrir sa porte, on eut beau fouiller partout, l'Alsacien avait disparu, le colosse blond, à la bonne figure, que le général Bourgain-Desfeuilles avait inutilement interrogé la veille, et devant lequel, en dînant, il s'était confessé lui-même, en toute insouciance. Sans doute, le gaillard avait sauté par une fenêtre de derrière, qu'on trouva ouverte; mais on battit vainement les environs, lui si grand s'était évanoui, ainsi qu'une fumée.

Maurice dut emmener à l'écart Honoré, dont le désespoir allait en dire trop long aux camarades, qui n'avaient pas besoin d'entrer dans ces tristes affaires de famille.

— Tonnerre de Dieu! je l'aurais étranglé de si bon cœur!... Justement, ça m'avait enragé contre lui, cette lettre que j'ai reçue!

Et, comme tous deux venaient, à quelques pas de la

ferme, de s'asseoir contre une meule, il remit la lettre à son cousin.

La commune histoire, que cet amour contrarié d'Honoré Fouchard et de Silvine Morange. Elle, une fille brune aux beaux yeux de soumission, avait perdu toute jeune sa mère, une ouvrière séduite, qui travaillait dans une usine de Raucourt; et c'était le docteur Dalichamp, son parrain d'occasion, un brave homme toujours prêt à adopter les enfants des malheureuses qu'il accouchait, qui avait eu l'idée de la placer comme petite servante chez le père Fouchard. Certes, le vieux paysan, devenu boucher par un besoin de lucre, promenant sa viande dans vingt communes des environs, était d'une avarice noire, d'une impitoyable dureté; mais il surveillerait la petite, elle aurait un sort, si elle travaillait. En tout cas, elle serait sauvée de la débauche de l'usine. Et il arriva naturellement que, chez le père Fouchard, le fils de la maison et la petite servante s'aimèrent. Honoré avait eu seize ans, quand Silvine en avait douze, et comme elle en avait seize, il en eut vingt, il tira au sort, ravi d'amener un bon numéro, résolu à l'épouser. Par une honnêteté rare, qui tenait à la nature réfléchie et calme du garçon, rien ne s'était passé entre eux que de grandes embrassades dans la grange. Mais, quand il parla de ce mariage au père, celui-ci exaspéré, têtu, déclara qu'il faudrait le tuer d'abord; et il garda la fille, tranquillement, espérant qu'ils se contenteraient ensemble, que ça se passerait. Pendant près de dix-huit mois encore, les jeunes gens s'adorèrent, se voulurent, sans se toucher. Puis, à la suite d'une scène abominable entre les deux hommes, le fils, ne pouvant rester davantage, s'engagea, fut envoyé en Afrique, pendant que le vieux s'obstinait à garder sa servante, dont il était content. Alors, ce fut l'affreuse chose : Silvine, qui avait juré d'attendre, se trouva un soir, quinze jours plus tard, dans les bras d'un garçon de ferme engagé depuis quelques mois, ce Goliath Steinberg, le Prussien comme on le nommait, un grand bon enfant aux petits cheveux blonds, à la large face rose toujours souriante, qui était le camarade, le confident d'Honoré. Le père Fouchard, sournoisement, avait-il poussé à cette aventure ? Silvine s'était-elle donnée dans une minute d'inconscience ou avait-elle été à demi violentée, malade de chagrin, affaiblie encore par les larmes de la séparation ? Elle ne savait plus elle-même, comme foudroyée, devenue enceinte, acceptant maintenant la nécessité d'un

mariage avec Goliath. Lui, d'ailleurs, toujours souriant,
ne disait pas non, reculait simplement la formalité jusqu'à la naissance du petit. Puis, brusquement, à la veille
des couches, il disparut. On raconta plus tard qu'il était
allé servir dans une autre ferme, du côté de Beaumont. Il
y avait trois ans de cela, et personne à cette heure ne
doutait que ce Goliath si bon homme, qui faisait si à
l'aise des enfants aux filles, était un de ces espions dont
l'Allemagne peuplait nos provinces de l'Est. En Afrique,
lorsque Honoré avait su cette histoire, il était resté trois
mois à l'hôpital, comme si le grand soleil de là-bas l'avait
assommé, d'un coup de tison à la nuque; et jamais il
n'avait voulu profiter d'un congé pour revenir au pays, de
crainte d'y revoir Silvine et l'enfant.

Tandis que Maurice lisait la lettre, les mains de l'artilleur tremblaient. C'était une lettre de Silvine, la première, la seule qu'elle lui eût jamais écrite. A quel sentiment avait-elle obéi, cette soumise, cette silencieuse, dont
les beaux yeux noirs prenaient parfois une fixité de résolution extraordinaire, dans son continuel servage? Elle
disait simplement qu'elle le savait à la guerre et que, si
elle ne devait pas le revoir, cela lui faisait trop de peine
de penser qu'il pouvait mourir, en croyant qu'elle ne
l'aimait plus. Elle l'aimait toujours, jamais elle n'avait
aimé que lui; et elle répétait cela pendant quatre pages,
en phrases qui revenaient pareilles, sans chercher d'excuses, sans tâcher même d'expliquer ce qui s'était passé.
Et pas un mot de l'enfant, et rien qu'un adieu d'une infinie tendresse.

Cette lettre toucha beaucoup Maurice, que son cousin,
autrefois, avait pris pour confident. Il leva les yeux, le vit
en larmes, l'embrassa fraternellement.

— Mon pauvre Honoré!

Mais déjà le maréchal des logis renfonçait son émotion.
Il remit soigneusement la lettre sur sa poitrine, rebou-
tonna sa veste.

— Oui, ce sont des choses qui vous retournent... Ah!
le bandit, si j'avais pu l'étrangler!... Enfin, on verra.

Les clairons sonnaient la levée du camp, et ils durent
courir pour regagner chacun sa tente. D'ailleurs, les préparatifs du départ traînèrent, les troupes, sac au dos,
attendirent jusqu'à près de neuf heures. Une incertitude
semblait avoir pris les chefs, ce n'était déjà plus la belle
résolution des deux premiers jours, ces soixante kilomètres que le 7e corps avait franchis en deux étapes. Et

une nouvelle singulière, inquiétante, circulait depuis le
matin : la marche vers le nord des trois autres corps d'armée, le 1er à Juniville, le 5e et le 12e à Rethel, marche
illogique, que l'on expliquait par des besoins d'approvisionnements. On ne se dirigeait donc plus sur Verdun ?
pourquoi cette journée perdue ? Le pis était que les Prussiens ne devaient pas être loin, maintenant, car les officiers venaient d'avertir leurs hommes de ne pas s'attarder,
tout traînard pouvant être enlevé par les reconnaissances
de la cavalerie ennemie.

On était au 25 août, et Maurice, plus tard, en se rappelant la disparition de Goliath, demeura convaincu que cet
homme était un de ceux qui renseignèrent le grand
état-major allemand sur la marche exacte de l'armée de
Châlons, et qui décidèrent le changement de front de la
troisième armée. Dès le lendemain, le prince royal de
Prusse quittait Revigny, l'évolution commençait, cette
attaque de flanc, cet enveloppement gigantesque à
marches forcées et dans un ordre admirable, au travers
de la Champagne et des Ardennes. Pendant que les
Français allaient hésiter et osciller sur place, comme frappés de paralysie brusque, les Prussiens faisaient jusqu'à
quarante kilomètres par jour, dans leur cercle immense de
rabatteurs, poussant le troupeau d'hommes qu'ils tra-
quaient, vers les forêts de la frontière.

Enfin, on partit, et ce jour-là, en effet, l'armée pivota
sur sa gauche, le 7e corps ne parcourut que les deux petites
lieues qui séparent Contreuve de Vouziers, tandis que
le 5e et le 12e corps restaient immobiles à Rethel, et que
le 1er s'arrêtait à Attigny. De Contreuve à la vallée de
l'Aisne, les plaines recommençaient, se dénudaient
encore; la route, en approchant de Vouziers, tournait
parmi des terres grises, des mamelons désolés, sans un
arbre, sans une maison, d'une mélancolie de désert; et
l'étape, si courte, fut franchie d'un pas de fatigue et
d'ennui, qui sembla l'allonger terriblement. Dès midi, on
fit halte sur la rive gauche de l'Aisne, bivouaquant parmi
les terres nues dont les derniers épaulements dominaient
la vallée, surveillant de là la route de Monthois qui longe
la rivière et par laquelle on attendait l'ennemi.

Et ce fut, pour Maurice, une véritable stupéfaction,
lorsqu'il vit arriver, par cette route de Monthois, la division Margueritte, toute cette cavalerie de réserve, chargée de soutenir le 7e corps et d'éclairer le flanc gauche de
l'armée. Le bruit courut qu'elle remontait vers le Chêne-

Populeux. Pourquoi dégarnissait-on ainsi l'aile qui seule
était menacée ? Pourquoi faisait-on passer au centre, où
ils devaient être d'une inutilité absolue, ces deux mille
cavaliers, qu'on aurait dû lancer en éclaireurs, à des
lieues de distance ? Le pis était que, tombant au milieu
des mouvements du 7e corps, ils avaient failli en couper
les colonnes, dans un inextricable embarras d'hommes,
de canons et de chevaux. Des chasseurs d'Afrique durent
attendre pendant près de deux heures, à la porte de Vouziers.

Un hasard fit alors que Maurice reconnut Prosper, qui
avait poussé son cheval au bord d'une mare ; et ils purent
causer un instant. Le chasseur paraissait étourdi, hébété,
ne sachant rien, n'ayant rien vu depuis Reims : si pourtant, il avait vu deux uhlans encore, des bougres qui
apparaissaient, qui disparaissaient, sans qu'on sût d'où
ils sortaient ni où ils rentraient. Déjà, on contait des histoires, quatre uhlans entrant au galop dans une ville, le
revolver au poing, la traversant, la conquérant, à vingt
kilomètres de leur corps d'armée. Ils étaient partout, ils
précédaient les colonnes d'un bourdonnement d'abeilles,
mouvant rideau derrière lequel l'infanterie dissimulait
ses mouvements, marchait en toute sécurité, comme en
temps de paix. Et Maurice eut un grand serrement au
cœur, en regardant la route encombrée de chasseurs et
de hussards, qu'on utilisait si mal.

— Allons, au revoir, dit-il en serrant la main de Prosper. Peut-être tout de même qu'on a besoin de vous,
là-haut.

Mais le chasseur paraissait exaspéré du métier qu'on
lui faisait faire. Il caressait Zéphir d'une main désolée,
et il répondit :

— Ah ! ouiche ! on tue les bêtes, on ne fait rien des
hommes... C'est dégoûtant !

Le soir, quand Maurice voulut enlever son soulier pour
voir son talon qui battait d'une grosse fièvre, il arracha la
peau. Le sang jaillit, il eut un cri de douleur. Et, comme
Jean se trouvait là, il parut pris d'une grande pitié
inquiète.

— Dites donc, ça devient grave, vous allez rester sur
le flanc... Faut soigner ça. Laissez-moi faire.

Agenouillé, il lava lui-même la plaie, la pansa avec du
linge propre qu'il prit dans son sac. Et il avait des gestes
maternels, toute une douceur d'homme expérimenté,
dont les gros doigts savent être délicats à l'occasion.

Un attendrissement invincible envahissait Maurice, ses yeux se troublaient, le tutoiement monta de son cœur à ses lèvres, dans un besoin immense d'affection, comme s'il retrouvait son frère chez ce paysan exécré autrefois, dédaigné encore la veille.

— Tu es un brave homme, toi... Merci, mon vieux.

Et Jean, l'air très heureux, le tutoya aussi, avec son tranquille sourire.

— Maintenant, mon petit, j'ai encore du tabac, veux-tu une cigarette ?

V

Le lendemain, le 26, Maurice se leva courbaturé, les épaules brisées, de sa nuit sous la tente. Il ne s'était pas habitué encore à la terre dure; et, comme, la veille, on avait défendu aux hommes d'ôter leurs souliers, et que les sergents étaient passés, tâtant dans l'ombre, s'assurant que tous étaient bien chaussés et guêtrés, son pied n'allait guère mieux, endolori, brûlant de fièvre; sans compter qu'il devait avoir pris un coup de froid aux jambes, ayant eu l'imprudence de les allonger hors des toiles, pour les détendre.

Jean lui dit tout de suite :

— Mon petit, si l'on doit marcher aujourd'hui, tu ferais bien de voir le major et de te faire coller dans une voiture.

Mais on ne savait rien, les bruits les plus contraires circulaient. On crut un moment qu'on se remettait en route, le camp fut levé, tout le corps d'armée s'ébranla et traversa Vouziers, en ne laissant sur la rive gauche de l'Aisne qu'une brigade de la deuxième division, pour continuer à surveiller la route de Monthois. Puis, brusquement, de l'autre côté de la ville, sur la rive droite, on s'arrêta, les faisceaux furent formés dans les champs et dans les prairies qui s'étendent aux deux bords de la route de Grand-Pré. Et, à ce moment, le départ du 4e hussards, s'éloignant au grand trot par cette route, fit faire toutes sortes de conjectures.

— Si l'on attend ici, je reste, déclara Maurice, à qui répugnait l'idée du major et de la voiture d'ambulance.

Bientôt, en effet, on sut qu'on camperait là, jusqu'à ce que le général Douay se fût procuré des renseignements certains sur la marche de l'ennemi. Depuis la veille, depuis le moment où il avait vu la division Margueritte

remonter vers le Chêne, il était dans une anxiété grandissante, sachant qu'il ne se trouvait plus couvert, que
plus un homme ne gardait les défilés de l'Argonne, si
bien qu'il pouvait être attaqué d'un instant à l'autre. Et
il venait d'envoyer le 4ᵉ hussards en reconnaissance, jusqu'aux défilés de Grand-Pré et de la Croix-aux-Bois, avec
l'ordre de lui rapporter des nouvelles à tout prix.

La veille, grâce à l'activité du maire de Vouziers, il y
avait eu une distribution de pain, de viande et de fourrage; et, vers dix heures, ce matin-là, on venait d'autoriser les hommes à faire la soupe, dans la crainte qu'ils
n'en eussent ensuite plus le temps, lorsqu'un second
départ de troupes, le départ de la brigade Bordas, qui
prenait le chemin suivi par les hussards, occupa de nouveau toutes les têtes. Quoi donc ? est-ce qu'on partait ?
est-ce qu'on n'allait pas les laisser manger tranquilles,
maintenant que la marmite était au feu ? Mais les officiers
expliquèrent que la brigade Bordas avait la mission d'occuper Buzancy, à quelques kilomètres de là. D'autres, à
la vérité, disaient que les hussards s'étaient heurtés à un
grand nombre d'escadrons ennemis, et qu'on envoyait la
brigade, afin de les dégager.

Ce furent quelques heures délicieuses de repos pour
Maurice. Il s'était allongé dans le champ à mi-côte, où
bivouaquait le régiment; et, engourdi de fatigue, il regardait cette verte vallée de l'Aisne, ces prairies plantées de
bouquets d'arbres, au milieu desquels la rivière coule,
paresseuse. Devant lui, fermant la vallée, Vouziers se
dressait en amphithéâtre, étageant ses toits, que dominait
l'église avec sa flèche mince et sa tour coiffée d'un
dôme. En bas, près du pont, les cheminées hautes des
tanneries fumaient; tandis que, à l'autre bout, les bâtiments d'un grand moulin se montraient, enfarinés, parmi
les verdures du bord de l'eau. Et cet horizon de petite
ville, perdu dans les herbes, lui apparaissait plein d'un
charme doux, comme s'il eût retrouvé ses yeux de sensi-
tif et de rêveur. C'était sa jeunesse qui revenait, les
voyages qu'il avait faits autrefois à Vouziers, quand il
habitait le Chêne, son bourg natal. Pendant une heure, il
oublia tout.

Depuis longtemps, la soupe était mangée, l'attente
continuait, lorsque, vers deux heures et demie, une
sourde agitation, peu à peu croissante, gagna le camp
entier. Des ordres coururent, on fit évacuer les prairies,
toutes les troupes montèrent, se rangèrent sur les coteaux,

entre deux villages, Chestres et Falaise, distants de quatre
à cinq kilomètres. Déjà, le génie creusait des tranchées,
établissait des épaulements; pendant que, sur la gauche,
l'artillerie de réserve couronnait un mamelon. Et le bruit
se répandit que le général Bordas venait d'envoyer une
estafette pour dire qu'ayant rencontré à Grand-Pré des
forces supérieures, il était forcé de se replier sur Buzancy,
ce qui faisait craindre que sa ligne de retraite sur Vouziers ne fût bientôt coupée. Aussi, le commandant du
7e corps, croyant à une attaque immédiate, avait-il fait
prendre à ses hommes des positions de combat, afin de
soutenir le premier choc, en attendant que le reste de
l'armée vînt le soutenir; et un de ses aides de camp était
parti avec une lettre pour le maréchal, l'avertissant de la
situation, demandant du secours. Enfin, comme il redoutait l'embarras de l'interminable convoi de vivres, qui
avait rallié le corps pendant la nuit, et qu'il traînait de
nouveau à sa suite, il le fit remettre en branle sur-le-
champ, il le dirigea au petit bonheur, du côté de Chagny.
C'était la bataille.

— Alors, mon lieutenant, c'est sérieux, ce coup-ci ? se
permit de demander Maurice à Rochas.

— Ah! oui, foutre! répondit le lieutenant en agitant
ses grands bras. Vous verrez s'il fait chaud, tout à
l'heure!

Tous les soldats en étaient enchantés. Depuis que la
ligne de bataille se formait, de Chestres à Falaise, l'animation du camp avait grandi encore, une fièvre d'impatience s'emparait des hommes. Enfin, on allait donc les
voir, ces Prussiens que les journaux disaient si éreintés
de marches, si épuisés de maladies, affamés et vêtus de
haillons! Et l'espoir de les culbuter au premier heurt,
relevait tous les courages.

— Ce n'est pas malheureux qu'on se retrouve, déclarait Jean. Il y a assez longtemps qu'on joue à cache-cache,
depuis qu'on s'est perdu, là-bas, à la frontière, après leur
bataille... Seulement, est-ce que ce sont ceux-là qui ont
battu Mac-Mahon ?

Maurice ne put lui répondre, hésitant. D'après ce qu'il
avait lu à Reims, il lui semblait difficile que la IIIe armée,
commandée par le prince royal de Prusse, fût à Vouziers,
lorsque, l'avant-veille encore, elle devait camper à peine
du côté de Vitry-le-François. On avait bien parlé d'une
IVe armée, mise sous les ordres du prince de Saxe, qui
allait opérer sur la Meuse : c'était celle-ci sans doute,

quoique l'occupation si prompte de Grand-Pré l'étonnât, à cause des distances. Mais ce qui acheva de brouiller ses idées, ce fut sa stupeur d'entendre le général Bourgain-Desfeuilles questionner un paysan de Falaise pour savoir si la Meuse ne passait pas à Buzancy et s'il n'y avait pas là des ponts solides. D'ailleurs, dans la sérénité de son ignorance, le général déclarait qu'on allait être attaqué par une colonne de cent mille hommes venant de Grand-Pré, tandis qu'une autre de soixante mille arrivait par Sainte-Menehould.

— Et ton pied ? demanda Jean à Maurice.

— Je ne le sens plus, répondit celui-ci en riant. Si l'on se bat, ça ira toujours.

C'était vrai, une telle excitation nerveuse le tenait debout, qu'il était comme soulevé de terre. Dire que, de toute la campagne, il n'avait pas encore brûlé une cartouche ! Il était allé à la frontière, il avait passé devant Mulhouse la terrible nuit d'angoisse, sans voir un Prussien, sans lâcher un coup de fusil ; et il avait dû battre en retraite jusqu'à Belfort, jusqu'à Reims, et de nouveau il marchait à l'ennemi depuis cinq jours, son chassepot toujours vierge, inutile. Un besoin grandissant, une rage lente le prenait d'épauler, de tirer au moins, pour soulager ses nerfs. Depuis six semaines bientôt qu'il s'était engagé, dans une crise d'enthousiasme, rêvant de combat pour le lendemain, il n'avait fait qu'user ses pauvres pieds d'homme délicat à fuir et à piétiner, loin des champs de bataille. Aussi, dans l'attente fébrile de tous, était-il un de ceux qui interrogeaient avec le plus d'impatience cette route de Grand-Pré, filant toute droite, à l'infini, entre de beaux arbres. Au-dessous de lui, la vallée se déroulait, l'Aisne mettait comme un ruban d'argent parmi les saules et les peupliers ; et ses regards revenaient invinciblement à la route, là-bas.

Vers quatre heures, on eut une alerte. Le 4e hussards rentrait, après un long détour ; et, grossies de proche en proche, des histoires de combats avec les uhlans circulèrent, ce qui confirma tout le monde dans la certitude où l'on était d'une attaque imminente. Deux heures plus tard, une nouvelle estafette arriva, effarée, expliquant que le général Bordas n'osait plus quitter Grand-Pré, convaincu que la route de Vouziers était coupée. Il n'en était rien encore, puisque l'estafette venait de passer librement. Mais, d'une minute à l'autre, le fait pouvait se produire, et le général Dumont, commandant la division, partit tout de suite, avec la brigade qui lui restait, pour dégager son autre brigade, demeurée en détresse. Le soleil se couchait derrière Vouziers, dont la ligne des toits se détachait en noir, sur un grand nuage rouge. Longtemps, entre la double rangée des arbres, on put suivre la brigade, qui finit par se perdre dans l'ombre naissante.

Le colonel de Vineuil vint s'assurer de la bonne position de son régiment, pour la nuit. Il s'étonna de ne pas trouver à son poste le capitaine Beaudoin ; et, comme celui-ci rentrait de Vouziers à cette minute même, donnant l'excuse qu'il y avait déjeuné, chez la baronne de Ladicourt, il reçut une rude réprimande, qu'il écouta d'ailleurs en silence, de son air correct de bel officier.

— Mes enfants, répétait le colonel en passant parmi ses hommes, nous serons sans doute attaqués cette nuit, ou sûrement demain matin à la pointe du jour... Tenez-vous prêts et rappelez-vous que le 106e n'a jamais reculé.

Tous l'acclamaient, tous préféraient un « coup de torchon », pour en finir, dans la fatigue et le découragement qui les envahissaient depuis le départ. On visita les fusils, on changea les aiguilles. Comme on avait mangé la soupe le matin, on se contenta de café et de biscuit. Ordre était donné de ne pas se coucher. Des grand-gardes furent envoyées à quinze cents mètres, des sentinelles furent détachées jusqu'au bord de l'Aisne. Tous les officiers veillèrent autour des feux de bivouac. Et, contre un petit mur, on distinguait pas moments, aux lueurs dansantes d'un de ces feux, les uniformes chamarrés du général en chef et de son état-major, dont les ombres s'agitaient anxieuses, courant vers la route, guettant le pas des chevaux, dans la mortelle inquiétude où l'on était du sort de la troisième division.

Vers une heure du matin, Maurice fut posé en sentinelle perdue, à la lisière d'un champ de pruniers, entre la route et la rivière. La nuit était d'un noir d'encre. Dès qu'il se trouva seul, dans l'écrasant silence de la campagne endormie, il se sentit envahir par un sentiment de peur, d'une affreuse peur qu'il ne connaissait pas, qu'il ne pouvait vaincre, pris d'un tremblement de colère et de honte. Il s'était retourné, pour se rassurer en voyant les feux du camp ; mais un petit bois devait les lui cacher, il n'avait derrière lui qu'une mer de ténèbres ; seules, très lointaines, quelques lumières brûlaient toujours à Vouziers, dont les habitants, prévenus sans doute, frissonnant à l'idée de la bataille, ne se couchaient pas. Ce

qui acheva de le glacer, ce fut, en épaulant, de constater
qu'il n'apercevait même pas la mire de son fusil. Alors
commença l'attente la plus cruelle, toutes les forces de
son être bandées dans l'ouïe seule, les oreilles ouvertes
aux bruits imperceptibles, finissant par s'emplir d'une
rumeur de tonnerre. Un ruissellement d'eau lointaine,
un remuement léger de feuilles, le saut d'un insecte,
devenaient énormes de retentissement. N'était-ce point un
galop de chevaux, un roulement sans fin d'artillerie, qui
arrivait de là-bas, droit à lui ? Sur sa gauche, n'avait-il
pas entendu un chuchotement discret, des voix étouffées,
une avant-garde rampant dans l'ombre, préparant une
surprise ? Trois fois, il fut sur le point de lâcher son coup
de feu, pour donner l'alarme. La crainte de se tromper,
d'être ridicule, augmentait son malaise. Il s'était agenouillé, l'épaule gauche contre un arbre ; il lui semblait
qu'il était ainsi depuis des heures, qu'on l'avait oublié là,
que l'armée devait s'en être allée sans lui. Et, brusquement, il n'eut plus peur, il distingua très nettement, sur
la route qu'il savait à deux cents mètres, le pas cadencé
de soldats en marche. Tout de suite, il avait eu la certitude que c'étaient les troupes en détresse, si impatiemment
attendues, le général Dumont ramenant la brigade Bordas.
A ce moment, on venait le relever, sa faction avait à peine
duré l'heure réglementaire.

C'était bien la troisième division qui rentrait au camp.
Le soulagement fut immense. Mais on redoubla de précautions, car les renseignements rapportés confirmaient
tout ce qu'on croyait savoir sur l'approche de l'ennemi.
Quelques prisonniers qu'on ramenait, des uhlans sombres,
drapés de leurs grands manteaux, refusèrent de parler.
Et le petit jour, une aube livide de matinée pluvieuse, se
leva, dans l'attente qui continuait, énervée d'impatience.
Depuis quatorze heures bientôt, les hommes n'osaient
dormir. Vers sept heures, le lieutenant Rochas raconta
que Mac-Mahon arrivait avec toute l'armée. La vérité
était que le général Douay avait reçu, en réponse à sa
dépêche de la veille annonçant la lutte inévitable sous
Vouziers, une lettre du maréchal qui lui disait de tenir
bon, jusqu'à ce qu'il pût le faire soutenir : le mouvement
en avant était arrêté, le 1er corps se portait sur Terron, le
5e sur Buzancy, tandis que le 12e resterait au Chêne, en
seconde ligne. Alors, l'attente s'élargit encore, ce n'était
plus un simple combat qu'on allait livrer, mais une grande
bataille, où donnerait toute cette armée, détournée de la

Meuse, en marche désormais vers le sud, dans la vallée
de l'Aisne. Et l'on n'osa toujours pas faire la soupe, on dut
se contenter encore de café et de biscuits, car le « coup
de torchon » était pour midi, tous le répétaient, sans
savoir pourquoi. Un aide de camp venait d'être envoyé au
maréchal, afin de hâter l'arrivée des secours, l'approche
des deux armées ennemies devenant de plus en plus certaine. Trois heures plus tard, un second officier partit
au galop pour le Chêne, où se trouvait le grand quartier
général, dont il devait rapporter les ordres immédiats,
tellement l'inquiétude avait grandi, à la suite des nouvelles
données par un maire de campagne, qui prétendait avoir
vu cent mille hommes à Grand-Pré, tandis que cent autres
mille montaient par Buzancy.

A midi, toujours pas un seul Prussien. A une heure, à
deux heures, rien encore. Et la lassitude arrivait, le
doute aussi. Des voix goguenardes commençaient à bla-
guer les généraux. Peut-être bien qu'ils avaient vu leur
ombre sur le mur. On leur votait des lunettes. De jolis
farceurs, si rien ne venait, d'avoir ainsi dérangé tout le
monde! Un loustic cria :

— C'est donc comme là-bas, à Mulhouse ?

A cette parole, le cœur de Maurice s'était serré, dans
l'angoisse du souvenir. Il se rappelait cette fuite imbécile,
cette panique qui avait emporté le 7e corps, sans qu'un
Allemand eût paru, à dix lieues de là. Et l'aventure
recommençait, il en avait maintenant la sensation nette,
la certitude. Pour que l'ennemi ne les eût pas attaqués,
vingt-quatre heures après l'escarmouche de Grand-Pré,
il fallait que le 4e hussards s'y fût heurté simplement à
quelque reconnaissance de cavalerie. Les colonnes
devaient être loin encore, peut-être à deux journées de
marche. Tout d'un coup, cette pensée le terrifia, lorsqu'il
réfléchit au temps qu'on venait de perdre. En trois jours,
on n'avait pas fait deux lieues de Contreuve à Vouziers.
Le 25 et le 26, les autres corps d'armée étaient montés
au nord, sous prétexte de se ravitailler; tandis que, maintenant, le 27, les voilà qui descendaient au midi, pour
accepter une bataille que personne ne leur offrait. A la
suite du 4e hussards, vers les défilés de l'Argonne abandonnés, la brigade Bordas, s'était crue perdue, entraînant
à son secours toute la division, puis le 7e corps, puis
l'armée entière, inutilement. Et Maurice, songeait au
prix inestimable de chaque heure, dans ce projet fou de
donner la main à Bazaine, un plan que, seul, un général

de génie aurait pu exécuter, avec des soldats solides, à la
condition d'aller en tempête, droit devant lui, au travers
des obstacles.

— Nous sommes fichus! dit-il à Jean, pris de désespoir,
dans une soudaine et courte lucidité.

Puis, comme ce dernier élargissait les yeux, ne pouvant comprendre, il continua à demi-voix, pour lui, parlant des chefs :

— Plus bêtes que méchants, c'est certain, et pas de
chance! Ils ne savent rien, ils ne prévoient rien, ils
n'ont ni plan, ni idées, ni hasards heureux... Allons, tout
est contre nous, nous sommes fichus!

Et ce découragement, que Maurice raisonnait en garçon
intelligent et instruit, il grandissait, il pesait peu à peu
sur toutes les troupes, immobilisées sans raison, dévorées
par l'attente. Obscurément, le doute, le pressentiment de
la situation vraie faisaient leur travail, dans ces cervelles épaisses; et il n'était plus un homme, si borné fût-
il, qui n'éprouvât le malaise d'être mal conduit, attardé à
tort, poussé au hasard dans la plus désastreuse des aventures. Qu'est-ce qu'on fichait là, bon Dieu! puisque les
Prussiens ne venaient pas ? Ou se battre tout de suite, ou
s'en aller quelque part dormir tranquille. Ils en avaient
assez. Depuis que le dernier aide de camp était parti
pour rapporter des ordres, l'anxiété croissait ainsi de
minute en minute, des groupes s'étaient formés, parlant
haut, discutant. Les officiers, gagnés par cette agitation,
ne savaient que répondre aux soldats qui osaient les interroger. Aussi, à cinq heures, lorsque le bruit se répandit
que l'aide de camp était de retour et qu'on allait se
replier, y eut-il un allègement dans toutes les poitrines, un
soupir de profonde joie.

Enfin, c'était donc le parti de la sagesse qui l'emportait!
L'empereur et le maréchal, qui n'avaient jamais été pour
cette marche sur Verdun, inquiets d'apprendre qu'ils
étaient de nouveau gagnés de vitesse et qu'ils allaient
avoir contre eux l'armée du prince royal de Saxe et
celle du prince royal de Prusse, renonçaient à l'impro-
bable jonction avec Bazaine, pour battre en retraite par
les places fortes du Nord, de façon à se replier ensuite
sur Paris. Le 7e corps recevait l'ordre de remonter sur
Chagny, par le Chêne, tandis que le 5e corps devait marcher sur Poix, le 1er et le 12e, sur Vendresse. Alors,
puisqu'on reculait, pourquoi s'être avancé jusqu'à l'Aisne,
pourquoi tant de journées perdues et tant de fatigues,

lorsque, de Reims, il était si facile, si logique d'aller prendre tout de suite de fortes positions dans la vallée de la Marne ? Il n'y avait donc ni direction, ni talent militaire, ni simple bon sens. Mais on ne s'interrogeait plus, on pardonnait, dans l'allégresse de cette décision si raisonnable, la seule bonne pour se tirer du guêpier où l'on s'était mis. Des généraux aux simples soldats, tous avaient cette sensation qu'on redeviendrait fort, qu'on serait invincible sous Paris, et que c'était là, nécessairement, qu'on battrait les Prussiens. Mais il fallait évacuer Vouziers dès la pointe du jour, de façon à être en marche vers le Chêne, avant d'avoir été attaqué; et, immédiatement, le camp s'emplit d'une animation extraordinaire, les clairons sonnaient, des ordres se croisaient; tandis que, déjà, les bagages et le convoi d'administration partaient en avant, pour ne pas alourdir l'arrière-garde.

Maurice était ravi. Puis, comme il tâchait d'expliquer à Jean le mouvement de retraite qu'on allait exécuter, un cri de douleur lui échappa : son excitation était tombée, il retrouvait son pied, lourd comme du plomb, au bout de sa jambe.

— Quoi donc ? ça recommence ? demanda le caporal, désolé.

Et ce fut lui, avec son esprit pratique, qui eut une idée.

— Ecoute, mon petit, tu m'as dit hier que tu connaissais du monde, là, dans la ville. Tu devrais obtenir la permission du major et te faire conduire en voiture au Chêne, où tu passerais une bonne nuit dans un bon lit. Demain, si tu marches mieux, nous te reprendrons, en passant... Hein ? ça va-t-il ?

Dans Falaise même, le village près duquel on était campé, Maurice venait de retrouver un ancien ami de son père, un petit fermier, qui justement allait conduire sa fille au Chêne, près d'une tante, et dont le cheval, attelé à une légère carriole, attendait.

Mais, avec le major Bouroche, dès les premiers mots, les choses faillirent mal tourner.

— C'est mon pied qui s'est écorché, monsieur le docteur...

Du coup, Bouroche, secouant sa tête puissante, au mufle de lion, rugit :

— Je ne suis pas monsieur le docteur... Qui est-ce qui m'a foutu un soldat pareil ?

Et, comme Maurice, effaré, bégayait une excuse, il reprit :

— Je suis le major, entendez-vous, brute!

Puis, s'apercevant à qui il avait affaire, il dut éprouver quelque honte, il s'emporta davantage.

— Votre pied, la belle histoire!... Oui, oui, je vous autorise. Montez en voiture, montez en ballon. Nous avons assez de traîne-la-patte et de fricoteurs!

Lorsque Jean aida Maurice à se hisser dans la carriole, ce dernier se retourna pour le remercier; et les deux hommes tombèrent aux bras l'un de l'autre, comme s'ils n'avaient jamais dû se revoir. Est-ce qu'on savait, au milieu du branle de la retraite, avec ces Prussiens qui étaient là? Maurice resta surpris de la grande tendresse qui l'attachait déjà à ce garçon. Et, deux fois encore, il se retourna, pour lui dire au revoir de la main; et il quitta le camp, où l'on se préparait à allumer de grands feux, afin de tromper l'ennemi, pendant que l'on partirait, dans le plus grand silence, avant la pointe du jour.

En chemin, le petit fermier ne cessa de gémir sur l'abomination des temps. Il n'avait pas eu le courage de rester à Falaise; et il regrettait déjà de ne plus y être, répétant qu'il était ruiné, si l'ennemi brûlait sa maison. Sa fille, une grande créature pâle, pleurait. Mais, ivre de fatigue, Maurice n'entendait pas, dormait assis, bercé par le trot vif du petit cheval, qui, en moins d'une heure et demie, franchit les quatre lieues, de Vouziers au Chêne. Il n'était pas sept heures, le crépuscule tombait à peine, lorsque le jeune homme, étonné et frissonnant, descendit au pont du canal, sur la place, en face de l'étroite maison jaune où il était né, où il avait passé vingt ans de son existence. C'était là qu'il se rendait machinalement, bien que la maison, depuis dix-huit mois, fût vendue à un vétérinaire. Et, au fermier qui le questionnait, il répondit qu'il savait parfaitement où il allait, il le remercia mille fois de son obligeance.

Cependant, au centre de la petite place triangulaire, près du puits, il demeurait immobile, étourdi, la mémoire vide. Où donc allait-il? Brusquement, il se souvint que c'était chez le notaire, dont la maison touchait celle où il avait grandi, et dont la mère, la très vieille et très bonne madame Desroches, à titre de voisine, le gâtait, lorsqu'il était enfant. Mais il reconnaissait à peine le Chêne, au milieu de l'extraordinaire agitation que causait, dans cette petite ville morte d'habitude, la présence d'un corps d'armée, campé aux portes, emplissant les rues d'officiers, d'estafettes, de gens à la suite, de rôdeurs et de traînards de toute espèce. Il retrouvait bien le canal traversant la ville de bout en bout, coupant la place centrale, dont l'étroit pont de pierre réunissait les deux triangles; et c'était toujours bien, là-bas, sur l'autre rive, le marché avec sa toiture moussue, la rue Berond qui s'enfonçait à gauche, la route de Sedan qui filait à droite. Seulement, du côté où il était, il lui fallait lever les yeux, reconnaître le clocher ardoisé, au-dessus de la maison du notaire, pour être certain que c'était là le coin désert où il avait joué à la marelle, tellement la rue de Vouziers, en face de lui, jusqu'à l'Hôtel de Ville, bourdonnait d'un flot compact de foule. Sur la place, il semblait qu'on faisait le vide, que des hommes écartaient les curieux. Et là, occupant un large espace, derrière le puits, il fut étonné d'apercevoir comme un parc de voitures, de fourgons, de chariots, tout un campement de bagages qu'il avait certainement vus déjà.

Le soleil venait de disparaître dans l'eau toute droite et sanglante du canal, et Maurice se décidait, lorsqu'une femme, près de lui, qui le dévisageait depuis un instant, s'écria:

— Mais ce n'est pas Dieu possible! vous êtes bien le fils Levasseur?

Alors, lui-même reconnut madame Combette, la femme du pharmacien, dont la boutique était sur la place. Comme il lui expliquait qu'il allait demander un lit à la bonne madame Desroches, elle l'entraîna, agitée.

— Non, non, venez jusque chez nous. Je vais vous dire...

Puis, dans la pharmacie, quand elle eut soigneusement refermé la porte:

— Vous ne savez donc pas, mon cher garçon, que l'empereur est descendu chez les Desroches... On a réquisitionné la maison pour lui, et ils ne sont guère satisfaits du grand honneur, je vous assure. Quand on pense qu'on a forcé la pauvre vieille maman, une femme de soixante-dix ans passés, à donner sa chambre et à monter se coucher sous les toits, dans un lit de bonne!... Tenez, tout ce que vous voyez là, sur la place, c'est à l'empereur, ce sont ses malles enfin, vous comprenez!

En effet, Maurice se les rappela alors, ces voitures et ces fourgons, tout ce train superbe de la maison impériale, qu'il avait vu à Reims.

— Ah! mon cher garçon, si vous saviez ce qu'on a tiré de là-dedans, et de la vaisselle d'argent, et des bou-

teilles de vin, et des paniers de provisions et du beau
linge, et de tout! Pendant deux heures, ça n'a pas arrêté.
Je me demande où ils ont pu fourrer tant de choses, car
la maison n'est pas grande... Regardez, regardez! en ont-
ils allumé, un feu, dans la cuisine!

Il regardait la petite maison blanche, à deux étages,
qui faisait l'angle de la place et de la rue de Vouziers,
une maison d'aspect bourgeois et calme, dont il évoquait
l'intérieur, l'allée centrale en bas, les quatre pièces de
chaque étage, comme s'il y était entré la veille encore.
En haut, vers l'angle, la fenêtre du premier, ouvrant sur
la place, se trouvait éclairée déjà; et la femme du pharmacien lui expliquait que cette chambre était celle de
l'empereur. Mais, comme elle l'avait dit, ce qui flambait
surtout, c'était la cuisine, dont la fenêtre, au rez-de-chaussée, donnait sur la rue de Vouziers. Jamais les habitants
du Chêne n'avaient eu un pareil spectacle. Un flot de
curieux, sans cesse renouvelé, barrait la rue, béant devant
cette fournaise, où rôtissait et bouillait le dîner d'un
empereur. Pour avoir un peu d'air, les cuisiniers avaient
ouvert les vitres toutes grandes. Ils étaient trois, en vestes
blanches éblouissantes, s'agitant devant des poulets enfi-
lés dans une immense broche, remuant des sauces au
fond d'énormes casseroles, dont le cuivre luisait comme
de l'or. Et les vieillards ne se souvenaient pas d'avoir vu,
au Lion d'Argent, même pour les plus grandes noces,
autant de feu brûlant et autant de nourriture cuisant à la
fois.

Combette, le pharmacien, un petit homme sec et
remuant, rentra chez lui, très excité par tout ce qu'il venait
de voir et d'entendre. Il semblait être dans le secret des
choses, étant adjoint au maire. C'était vers trois heures
et demie que Mac-Mahon avait télégraphié à Bazaine que
l'arrivée du prince royal de Prusse à Châlons le forçait à
se replier sur les places du Nord; et une autre dépêche
allait partir pour le ministre de la Guerre, l'avertissant
également de la retraite, lui expliquant le danger terrible
où se trouvait l'armée d'être coupée et écrasée. La
dépêche à Bazaine pouvait courir, si elle avait de bonnes
jambes, car toutes les communications semblaient inter-
rompues avec Metz depuis plusieurs jours. Mais, l'autre
dépêche, c'était plus grave; et, baissant la voix, le pharmacien raconta qu'il avait entendu un officier supérieur
dire : « S'ils sont prévenus à Paris! nous sommes foutus ! » Personne n'ignorait avec quelle âpreté l'impératrice-

régente et le Conseil des ministres poussaient à la marche
en avant. D'ailleurs, la confusion augmentait d'heure en
heure, les renseignements les plus extraordinaires arrivaient sur l'approche des armées allemandes. Le prince
royal de Prusse à Châlons, était-ce possible ? Et contre
quelles troupes venait donc de se heurter le 7e corps,
dans les défilés de l'Argonne ?

— A l'état-major, ils ne savent rien, continua le pharmacien en agitant désespérément les bras. Ah! quel
gâchis!... Enfin, tout va bien, si demain l'armée est en
retraite.

Puis, brave homme au fond :

— Dites donc, mon jeune ami, je vais vous panser le
pied, vous dînerez avec nous, et vous coucherez là-haut,
dans la petite chambre de mon élève, qui a filé.

Mais, tourmenté du besoin de voir et de savoir, Maurice, avant tout, voulut absolument suivre sa première
idée, en allant, en face, rendre visite à la vieille madame
Desroches. Il fut surpris de ne pas être arrêté, à la porte,
qui, dans le tumulte de la place, restait ouverte, sans
même être gardée. Continuellement, du monde entrait et
sortait, des officiers, des gens de service; et il semblait
que le branle de la cuisine flambante agitât la maison
entière. Pourtant, il n'y avait pas une lumière dans l'escalier, il dut monter à tâtons. Au premier étage, il s'arrêta quelques secondes, le cœur battant, devant la porte
de la pièce où il savait que se trouvait l'empereur; mais,
là, dans cette pièce, pas un bruit, un silence de mort. Et,
en haut, au seuil de la chambre de bonne où elle avait dû
se réfugier, la vieille madame Desroches eut d'abord
peur de lui. Ensuite, quand elle l'eut reconnu :

— Ah! mon enfant, dans quel affreux moment faut-il
qu'on se retrouve!... Je la lui aurais donnée bien volontiers, ma maison, à l'empereur; mais il a, avec lui, des
gens trop mal élevés! Si vous saviez comme ils ont tout
pris, et ils vont tout brûler, tant ils font du feu!... Lui, le
pauvre homme, a la mine d'un déterré et l'air si triste...

Puis, lorsque le jeune homme s'en alla, en la rassurant,
elle l'accompagna, se pencha au-dessus de la rampe.

— Tenez! murmura-t-elle, on le voit d'ici... Ah! nous
sommes bien tous perdus. Adieu, mon enfant!

Et Maurice resta planté sur une marche, dans les
ténèbres de l'escalier. Le cou tordu, il apercevait, par
une imposte vitrée, un spectacle dont il emporta l'inoubliable souvenir.

L'empereur était là, au fond de la pièce bourgeoise et
froide, assis devant une petite table, sur laquelle son couvert était mis, éclairée à chaque bout d'un flambeau.
Dans le fond, deux aides de camp se tenaient silencieux.
Un maître d'hôtel, debout près de la table, attendait. Et
le verre n'avait pas servi, le pain n'avait pas été touché,
un blanc de poulet refroidissait au milieu de l'assiette.
L'empereur, immobile, regardait la nappe, de ces yeux
vacillants, troubles et pleins d'eau, qu'il avait déjà à
Reims. Mais il semblait plus las, et, lorsque, se décidant,
d'un air d'immense effort, il eut porté à ses lèvres deux
bouchées, il repoussa tout le reste de la main. Il avait
dîné. Une expression de souffrance, endurée secrètement,
blêmit encore son pâle visage.

En bas, comme Maurice passait devant la salle à manger, la porte en fut brusquement ouverte, et il aperçut,
dans le braisillement des bougies et la fumée des plats,
une tablée d'écuyers, d'aides de camp, de chambellans,
en train de vider les bouteilles des fourgons, d'engloutir
les volailles et de torcher les sauces, au milieu de grands
éclats de voix. La certitude de la retraite enchantait tout
ce monde, depuis que la dépêche du maréchal était
partie. Dans huit jours, à Paris, on aurait enfin des lits
propres.

Maurice, alors, tout d'un coup, sentit la terrible fatigue
qui l'accablait : c'était certain, l'armée entière se repliait,
et il n'avait plus qu'à dormir, en attendant le passage du
7e corps. Il retraversa la place, se retrouva chez le pharmacien Combette, où, comme dans un rêve, il mangea.
Puis, il lui sembla bien qu'on lui pansait le pied, qu'on
le montait dans une chambre. Et ce fut la nuit noire,
l'anéantissement. Il dormait, écrasé, sans un souffle. Mais,
après un temps indéterminé, des heures ou des siècles,
un frisson agita son sommeil, le souleva sur son séant,
au milieu des ténèbres. Où était-il donc ? quel était ce
roulement continu de tonnerre qui l'avait réveillé ? Tout
de suite il se souvint, courut à la fenêtre, pour voir. En
bas, dans l'obscurité, sur cette place aux nuits si calmes
d'ordinaire, c'était de l'artillerie qui défilait, un trot sans
fin d'hommes, de chevaux et de canons, dont les petites
maisons mortes tremblaient. Une inquiétude irraisonnée
le saisit, devant ce brusque départ. Quelle heure pouvait-il
être ? Quatre heures sonnèrent à l'Hôtel de Ville. Et il
s'efforçait de se rassurer, en se disant que c'était tout
simplement là un commencement d'exécution des ordres

de retraite donnés la veille, lorsqu'un spectacle, comme il tournait la tête, acheva de l'angoisser : la fenêtre du coin, chez le notaire, était toujours éclairée; et l'ombre de l'empereur, à des intervalles égaux, s'y dessinait nettement, en un profil sombre.

Vivement, Maurice enfila son pantalon, pour descendre. Mais Combette parut, un bougeoir à la main, gesticulant.

— Je vous ai aperçu d'en bas, en revenant de la mairie, et je suis monté vous dire... Imaginez-vous qu'ils ne m'ont pas laissé coucher, voici deux heures que nous nous occupons de nouvelles réquisitions, le maire et moi... Oui, tout est changé, une fois encore. Ah! il avait bougrement raison, l'officier qui ne voulait pas qu'on envoyât la dépêche à Paris !

Et il continua longtemps, en phrases coupées, sans ordre, et le jeune homme finit par comprendre, muet, le cœur serré. Vers minuit, une dépêche du ministre de la Guerre à l'empereur était arrivée, en réponse à celle du maréchal. On n'en connaissait pas le texte exact; mais un aide de camp avait dit tout haut, à l'Hôtel de Ville, que l'impératrice et le Conseil des ministres craignaient une révolution à Paris, si, abandonnant Bazaine, l'empereur rentrait. La dépêche, mal renseignée sur les positions véritables des Allemands, ayant l'air de croire à une avance que l'armée de Châlons n'avait plus, exigeait la marche en avant, malgré tout, avec une fièvre de passion extraordinaire.

— L'empereur a fait appeler le maréchal, ajouta le pharmacien, et ils sont restés enfermés ensemble pendant près d'une heure. Naturellement, je ne sais pas ce qu'ils ont pu se dire, mais ce que tous les officiers m'ont répété, c'est qu'on ne bat plus en retraite et que la marche sur la Meuse est reprise... Nous venons de réquisitionner tous les fours de la ville pour le 1er corps, qui remplacera ici, demain matin, le 12e, dont l'artillerie, comme vous le voyez, part en ce moment pour la Besace... Cette fois, c'est bien fini, vous voilà en route pour la bataille!

Il s'arrêta. Lui aussi regardait la fenêtre éclairée, chez le notaire. Puis, à demi-voix, d'un air de curiosité songeuse :

— Hein! qu'ont-ils pu se dire ?... C'est drôle tout de même, de se replier à six heures du soir, devant la menace d'un danger, et d'aller à minuit tête baissée dans ce danger, lorsque la situation reste identiquement la même!

Maurice écoutait toujours le roulement des canons, en

bas, dans la petite ville noire, ce trot ininterrompu, ce flot
d'hommes qui s'écoulait vers la Meuse, à l'inconnu terrible du lendemain. Et, sur les minces rideaux bourgeois
de la fenêtre, il revoyait passer régulièrement l'ombre de
l'empereur, le va-et-vient de ce malade que l'insomnie
tenait debout, pris d'un besoin de mouvement, malgré sa
souffrance, l'oreille emplie du bruit de ces chevaux et de
ces soldats qu'il laissait envoyer à la mort. Ainsi, quelques
heures avaient suffi, c'était maintenant le désastre
décidé, accepté. Qu'avaient-ils pu se dire, en effet, cet
empereur et ce maréchal, tous les deux avertis du malheur
auquel on marchait, convaincus le soir de la défaite, dans
les effroyables conditions où l'armée allait se trouver,
ne pouvant le matin avoir changé d'avis, lorsque le péril
grandissait à chaque heure ? Le plan du général de Palikao, la marche foudroyante sur Montmédy, déjà téméraire
le 23, possible peut-être encore le 25, avec des soldats
solides et un capitaine de génie, devenait, le 27, un acte
de pure démence, au milieu des hésitations continuelles
du commandement et de la démoralisation croissante des
troupes. Si tous deux le savaient, pourquoi cédaient-ils
aux impitoyables voix fouettant leur indécision ? Le maréchal, peut-être, n'était qu'une âme bornée et obéissante de
soldat, grande dans son abnégation. Et l'empereur, qui ne
commandait plus, attendait le destin. On leur demandait
leur vie et la vie de l'armée : ils les donnaient. Ce fut la
nuit du crime, la nuit abominable d'un assassinat de
nation; car l'armée dès lors se trouvait en détresse, cent
mille hommes étaient envoyés au massacre.

En songeant à ces choses, désespéré et frémissant,
Maurice suivait l'ombre, sur la mousseline légère de la
bonne madame Desroches, l'ombre fiévreuse, piétinante,
que semblait pousser l'impitoyable voix, venue de Paris.
Cette nuit-là, l'impératrice n'avait-elle pas souhaité la
mort du père, pour que le fils régnât ? Marche! marche!
sans regarder en arrière, sous la pluie, dans la boue, à
l'extermination, afin que cette partie suprême de l'Empire
à l'agonie soit jouée jusqu'à la dernière carte. Marche!
marche! meurs en héros sur les cadavres entassés de ton
peuple, frappe le monde entier d'une admiration émue,
si tu veux qu'il pardonne à ta descendance! Et sans
doute l'empereur marchait à la mort. En bas, la cuisine ne
flambait plus, les écuyers, les aides de camp, les chambellans dormaient, toute la maison était noire; tandis
que, seule, l'ombre allait et revenait sans cesse, résignée

à la fatalité du sacrifice, au milieu de l'assourdissant
vacarme du 12e corps, qui continuait de défiler, dans les
ténèbres.

Soudain, Maurice songea que, si la marche en avant
était reprise, le 7e corps ne remonterait pas par le Chêne;
et il se vit en arrière, séparé de son régiment, ayant
déserté son poste. Il ne sentait plus la brûlure de son
pied : un pansement habile, quelques heures d'absolu
repos en avaient calmé la fièvre. Lorsque Combette lui eut
donné des souliers à lui, de larges souliers où il était à
l'aise, il voulut partir, partir à l'instant, espérant rencontrer
encore le 106e sur la route du Chêne à Vouziers. Vainement, le pharmacien tâcha de le retenir, et il allait se
décider à le reconduire en personne dans son cabriolet, battant la route au petit bonheur, quand son élève, Fernand,
reparut, en expliquant qu'il revenait d'embrasser sa cou-
sine. Ce fut ce grand garçon blême, l'air poltron, qui
attela et qui emmena Maurice. Il n'était pas quatre heures,
une pluie diluvienne ruisselait du ciel d'encre, les lanternes de la voiture pâlissaient, éclairant à peine le chemin, au milieu de la vaste campagne noyée, toute pleine
de rumeurs immenses, qui, à chaque kilomètre, les
faisaient s'arrêter, croyant au passage d'une armée.

Cependant, là-bas, devant Vouziers, Jean n'avait point
dormi. Depuis que Maurice lui avait expliqué comment
cette retraite allait tout sauver, il veillait, empêchant ses
hommes de s'écarter, attendant l'ordre de départ, que
les officiers pouvaient donner d'une minute à l'autre.
Vers deux heures, dans l'obscurité profonde, que les
feux étoilaient de rouge, un grand bruit de chevaux
traversa le camp : c'était la cavalerie qui partait en avant-
garde, vers Ballay et Quatre-Champs, afin de surveiller
les routes de Boult-aux-Bois et de la Croix-aux-Bois.
Une heure plus tard, l'infanterie et l'artillerie se mirent
à leur tour en branle, quittant enfin ces positions de
Falaise et de Chestres, que depuis deux grands jours elles
s'entêtaient à défendre contre un ennemi qui ne venait
point. Le ciel s'était couvert, la nuit restait profonde, et
chaque régiment s'éloignait dans le plus grand silence,
un défilé d'ombres se dérobant au fond des ténèbres. Mais
tous les cœurs battaient d'allégresse, comme si l'on eût
échappé à un guet-apens. On se voyait déjà sous les murs
de Paris, à la veille de la revanche.

Dans l'épaisse nuit, Jean regardait. La route était
bordée d'arbres, et il lui semblait bien qu'elle traversait

de vastes prairies. Puis, des montées, des descentes se
produisirent. On arrivait à un village, qui devait être
Ballay, lorsque la lourde nuée dont le ciel était obscurci,
creva en une pluie violente. Les hommes avaient déjà reçu
tant d'eau, qu'ils ne se fâchaient même plus, enflant les
épaules. Mais Ballay était dépassé; et, à mesure qu'ils
s'approchaient de Quatre-Champs, se levaient des
rafales de vent furieux. Au-delà, quand ils eurent monté
sur le vaste plateau dont les terres nues vont jusqu'à Noir-
val, l'ouragan fit rage, ils furent battus par un effroyable
déluge. Et ce fut au milieu de ces vastes terres, qu'un
ordre de halte arrêta, un à un, tous les régiments. Le
7ᵉ corps entier, trente et quelques mille hommes, s'y
trouva réuni, comme le jour naissait, un jour boueux dans
un ruissellement d'eau grise. Que se passait-il ? pourquoi
cette halte ? Une inquiétude courait déjà dans les rangs,
certains prétendaient que les ordres de marche venaient
d'être changés. On leur avait fait mettre l'arme au pied,
avec défense de rompre les rangs et de s'asseoir. Par
instants, le vent balayait le haut plateau avec une violence
telle, qu'ils devaient se serrer les uns contre les autres,
pour n'être pas emportés. La pluie les aveuglait, leur
lardait la peau, une pluie glaciale qui coulait sous leurs
vêtements. Et deux heures s'écoulèrent, une interminable
attente, on ne savait pourquoi, au milieu de l'angoisse
qui de nouveau serrait tous les cœurs.

Jean, à mesure que le jour grandissait, tâchait de
s'orienter. On lui avait montré, au nord-ouest, de l'autre
côté de Quatre-Champs, le chemin du Chêne, qui filait
sur un coteau. Alors, pourquoi avait-on tourné à droite,
au lieu de tourner à gauche ? Puis, ce qui l'intéressait,
c'était l'état-major installé à la Converserie, une ferme
plantée au bord du plateau. On y semblait très effaré,
des officiers couraient, discutaient, avec de grands gestes.
Et rien ne venait, que pouvaient-ils attendre ? Le plateau
était une sorte de cirque, des chaumes à l'infini, que
dominaient, au nord et à l'est, des hauteurs boisées;
vers le sud, s'étendaient des bois épais; tandis que, par
une échappée, à l'ouest, on apercevait la vallée de
l'Aisne, avec les petites maisons blanches de Vouziers.
En dessous de la Converserie, pointait le clocher d'ardoises de Quatre-Champs, noyé dans l'averse enragée,
sous laquelle semblaient se fondre les quelques pauvres
toits moussus du village. Et, comme Jean enfilait du
regard la rue montante, il distingua très bien un cabrio-

let arrivant au grand trot, par la chaussée caillouteuse, changée en torrent.

C'était Maurice, qui, enfin, du coteau d'en face, à un coude de la route, venait d'apercevoir le 7ᵉ corps. Depuis deux heures, il battait le pays, trompé par les renseignements d'un paysan, égaré par la mauvaise volonté sournoise de son conducteur, à qui la peur des Prussiens donnait la fièvre. Dès qu'il atteignit la ferme, il sauta de voiture, trouva tout de suite son régiment.

Jean, stupéfait, lui cria :

— Comment, c'est toi! Pourquoi donc ? puisque nous allions te reprendre!

D'un geste, Maurice conta sa colère et sa peine.

— Ah! oui... On ne remonte plus par là, c'est par là-bas qu'on va, pour y crever tous!

— Bon! dit l'autre, tout pâle, après un silence. On se fera au moins casser la gueule ensemble.

Et, comme ils s'étaient quittés, les deux hommes se retrouvèrent, en s'embrassant. Sous la pluie battante qui continuait, le simple soldat rentra dans le rang, tandis que le caporal donnait l'exemple, ruisselant, sans une plainte.

Mais la nouvelle, maintenant, courait, certaine. On ne se repliait plus sur Paris, on marchait de nouveau vers la Meuse. Un aide de camp du maréchal venait d'apporter au 7ᵉ corps l'ordre d'aller camper à Nouart; tandis que le 5ᵉ, se dirigeant sur Beauclair, prendrait la droite de l'armée, et que le 1ᵉʳ remplacerait au Chêne le 12ᵉ, en marche sur la Besace, à l'aile gauche. Et, si, depuis près de trois heures, trente et quelques mille hommes restaient là, l'arme au pied, à attendre, sous les furieuses rafales, c'était que le général Douay, au milieu de la confusion déplorable de ce nouveau changement de front, éprouvait l'inquiétude la plus vive sur le sort du convoi envoyé en avant, la veille, vers Chagny. Il fallait bien attendre qu'il eût rallié le corps. On racontait que ce convoi avait été coupé par celui du 12ᵉ corps, au Chêne. D'autre part, une partie du matériel, toutes les forges d'artillerie, s'étant trompées de route, revenaient de Terron par la route de Vouziers, où elles allaient sûrement tomber entre les mains des Allemands. Jamais désordre ne fut plus grand, et jamais anxiété plus vive.

Alors, parmi les soldats, il y eut un véritable désespoir. Beaucoup voulaient s'asseoir sur leurs sacs, dans la boue de ce plateau détrempé, et attendre la mort, sous la pluie.

Ils ricanaient, ils insultaient les chefs : ah! de fameux chefs, sans cervelle, défaisant le soir ce qu'ils avaient fait le matin, flânant quand l'ennemi n'était pas là, filant dès qu'il apparaissait! Une démoralisation dernière achevait de faire de cette armée un troupeau sans foi, sans discipline, qu'on menait à la boucherie, par les hasards de la route. Là-bas, vers Vouziers, une fusillade venait d'éclater, des coups de feu échangés entre l'arrière-garde du 7e corps et l'avant-garde des troupes allemandes; et, depuis un instant, tous les regards se tournaient vers la vallée de l'Aisne, où, dans une éclaircie du ciel, montaient les tourbillons d'une épaisse fumée noire : on sut que c'était le village de Falaise qui brûlait, incendié par les uhlans. Une rage s'emparait des hommes. Quoi donc ? les Prussiens étaient là, maintenant! On les avait attendus deux jours, pour leur donner le temps d'arriver. Puis, on décampait. Obscurément, au fond des plus bornés, montait la colère de l'irréparable faute commise, cette attente imbécile, ce piège dans lequel on était tombé : les éclaireurs de la IVe armée amusant la brigade Bordas, arrêtant, immobilisant un à un tous les corps de l'armée de Châlons, pour permettre au prince royal de Prusse d'accourir avec la IIIe armée. Et, à cette heure, grâce à l'ignorance du maréchal, qui ne savait encore quelles troupes il avait devant lui, la jonction se faisait, le 7e corps et le 5e allaient être harcelés, sous la continuelle menace d'un désastre.

Maurice, à l'horizon, regardait flamber Falaise. Mais il y eut un soulagement : le convoi qu'on avait cru perdu, débocha du chemin du Chêne. Tout de suite, pendant que la 1re division restait à Quatre-Champs, pour attendre et protéger l'interminable défilé des bagages, la 2e se remettait en branle et gagnait Boult-aux-Bois par la forêt, pendant que la 3e se postait, à gauche, sur les hauteurs de Belleville, afin d'assurer les communications. Et, comme le 106e enfin, au moment où redoublait la pluie, quittait le plateau, reprenant la marche scélérate vers la Meuse, à l'inconnu, Maurice revit l'ombre de l'empereur, allant et revenant d'un train morne, sur les petits rideaux de la vieille madame Desroches. Ah! cette armée de la désespérance, cette armée en perdition qu'on envoyait à un écrasement certain, pour le salut d'une dynastie! Marche, marche, sans regarder en arrière, sous la pluie, dans la boue, à l'extermination!

VI

— Tonnerre de Dieu! dit le lendemain matin Chouteau en s'éveillant, rompu et glacé sous la tente, je prendrais bien un bouillon, avec beaucoup de viande autour.

A Boult-aux-Bois, où l'on avait campé, il n'y avait eu, le soir, qu'une maigre distribution de pommes de terre, l'intendance étant de plus en plus ahurie et désorganisée par les marches et les contremarches continuelles, n'arrivant jamais à rencontrer les troupes aux rendez-vous donnés. On ne savait plus où prendre, par le désordre des chemins, les troupeaux migrateurs, et c'était la disette prochaine.

Loubet, en s'étirant, eut un ricanement désespéré.

— Ah! fichtre, oui! c'est fini, les oies à la ficelle!

L'escouade était maussade, assombrie. Quand on ne mangeait pas, ça n'allait pas. Et il y avait, en outre, cette pluie incessante, cette boue dans laquelle on venait de dormir.

Ayant vu Pache qui se signait, après avoir fait sa prière du matin, lèvres closes, Chouteau reprit furieusement :

— Demande-lui donc, à ton bon Dieu, qu'il nous envoie une paire de saucisses et une chopine à chacun.

— Ah! si l'on avait seulement une miche, du pain tant qu'on en voudrait! soupira Lapoulle qui souffrait de la faim plus que les autres, torturé par son gros appétit.

Mais le lieutenant Rochas les fit taire. Ce n'était pas une honte, de ne toujours songer qu'à son ventre! Lui, bonnement, serrait la ceinture de son pantalon. Depuis que les choses tournaient décidément mal, et que, par moments, au loin, on entendait la fusillade, il avait retrouvé toute son entêtée confiance. Puisqu'ils étaient là, maintenant, les Prussiens, c'était si simple : on allait les battre! Et il haussait les épaules, derrière le capitaine

Beaudoin, ce jeune homme, comme il le nommait, que la perte définitive de ses bagages désolait, les lèvres pincées, le visage pâle, ne dérageait pas. Ne point manger, passe encore! ce qui l'indignait, c'était de ne pouvoir changer de chemise.

Maurice venait d'avoir un réveil accablé et frissonnant. Son pied, grâce aux larges chaussures, ne s'était pourtant plus enflammé. Mais le déluge de la veille, dont sa capote restait lourde, lui avait laissé une courbature dans tous les membres. Et, envoyé à la corvée de l'eau, pour le café, il regardait la plaine, à un bord de laquelle Boult-aux-Bois est situé : des forêts montent à l'ouest et au nord, une côte s'élève jusqu'au village de Belleville; tandis que, vers Buzancy, à l'est, de vastes terrains plats s'étendent, avec de lentes ondulations, où se cachent des hameaux. Etait-ce par là qu'on attendait l'ennemi ? Comme il revenait du ruisseau, rapportant le bidon plein, une famille de paysans éplorée, sur le seuil d'une petite ferme, l'appela, lui demanda si les soldats allaient rester enfin, pour les défendre. Déjà, à trois reprises, dans le va-et-vient des ordres contraires, le 5e corps avait traversé le pays. La veille, on avait entendu le canon, du côté de Bar. Certainement, les Prussiens n'étaient pas à plus de deux lieues. Et, lorsque Maurice eut répondu à ces pauvres gens que le 7e corps allait sans doute repartir, lui aussi, ils se lamentèrent. On les abandonnait, les soldats ne venaient donc pas pour se battre, qu'ils les voyaient reparaître et disparaître, toujours fuyants ?

— Ceux qui voudront du sucre, dit Loubet en servant le café, n'ont qu'à tremper leur pouce et attendre qu'il fonde.

Pas un homme ne rigola. C'était vexant tout de même, du café sans sucre; et encore si l'on avait eu du biscuit! La veille, sur le plateau de Quatre-Champs, presque tous, pour tromper l'attente, avaient achevé les provisions de leurs sacs, croquant jusqu'aux miettes. Mais l'escouade, heureusement, retrouva une douzaine de pommes de terre, qu'elle se partagea.

Maurice, l'estomac délabré, eut un cri de regret.

— Si j'avais su, au Chêne, j'aurais acheté du pain!

Jean écoutait, demeurait silencieux. Au lever, il avait eu une querelle avec Chouteau, qu'il voulait envoyer à la corvée du bois, et qui s'y était refusé insolemment, disant que ce n'était pas son tour. Depuis que tout allait de mal en pis, l'indiscipline augmentait, les chefs finissaient par ne plus oser faire une réprimande. Et Jean, avec son beau calme, avait compris qu'il devait effacer son autorité de caporal, s'il ne voulait pas provoquer des révoltes ouvertes. Il s'était fait bon diable, il semblait n'être que le camarade de ses hommes, auxquels son expérience continuait à rendre de grands services. Si son escouade n'était plus si bien nourrie, elle ne crevait tout de même pas encore de faim, comme tant d'autres. Mais la souffrance de Maurice, surtout, l'attendrissait. Il le sentait s'affaiblir, il le regardait d'un œil inquiet, en se demandant comment ce garçon frêle ferait pour aller jusqu'au bout.

Lorsque Jean entendit Maurice se plaindre de n'avoir pas de pain, il se leva, disparut un instant, revint après avoir fouillé dans son sac. Et, en lui glissant un biscuit :

— Tiens! cache ça, je n'en ai pas pour tout le monde.

— Mais toi ? demanda le jeune homme, très touché.

— Oh! moi, n'aie pas peur... J'en ai encore deux.

C'était vrai, il avait gardé précieusement trois biscuits, pour le cas où l'on se battrait, sachant qu'on a très faim sur les champs de bataille. D'ailleurs, il venait de manger une pomme de terre. Ça lui suffisait. On verrait plus tard.

Vers dix heures, de nouveau, le 7e corps s'ébranla. L'intention première du maréchal avait dû être de le diriger par Buzancy sur Stenay, où il aurait passé la Meuse. Mais les Prussiens, gagnant de vitesse l'armée de Châlons, devaient être déjà à Stenay, et on les disait même à Buzancy. Aussi, refoulé de la sorte vers le nord, le 7e corps venait-il de recevoir l'ordre de se rendre à la Besace, à vingt et quelques kilomètres de Boult-aux-Bois, pour aller de là, le lendemain, passer la Meuse à Mouzon. Le départ fut maussade, les hommes grognaient, l'estomac mal rempli, les membres mal reposés, exténués par les fatigues et les attentes des jours précédents; et les officiers assombris, cédant au malaise de la catastrophe à laquelle on marchait, se plaignaient de l'inaction, s'irritaient de ce qu'on n'était pas allé, devant Buzancy, soutenir le 5e corps, dont on avait entendu le canon. Ce corps devait, lui aussi, battre en retraite, remonter vers Nouart; tandis que le 12e corps partait de la Besace pour Mouzon, et que le 1er prenait la direction de Raucourt. C'était un piétinement de troupeau pressé, harcelé par les chiens, se bousculant vers cette Meuse tant désirée, après des retards et des flâneries sans fin.

Lorsque le 106e quitta Boult-aux-Bois, à la suite de la

cavalerie et de l'artillerie, dans le vaste ruissellement des trois divisions qui rayaient la plaine d'hommes en marche, le ciel de nouveau se couvrit, de lentes nuées livides, dont le deuil acheva d'attrister les soldats. Lui, suivait la grande route de Buzancy, bordée de peupliers magnifiques. A Germond, un village dont les tas de fumier, devant les portes, fumaient, alignés aux deux côtés du chemin, les femmes sanglotaient, prenaient leurs enfants, les tendaient aux troupes qui passaient, comme pour qu'on les emmenât. Il n'y avait plus là une bouchée de pain ni même une pomme de terre. Puis, au lieu de continuer vers Buzancy, le 106e tourna à gauche, remontant vers Authe; et les hommes, en revoyant de l'autre côté de la plaine, sur le coteau, Belleville, qu'ils avaient traversée la veille, eurent alors la nette conscience qu'ils revenaient sur leurs pas.

— Tonnerre de Dieu! gronda Chouteau, est-ce qu'ils nous prennent pour des toupies ?

Et Loubet ajouta :

— En voilà des généraux de quatre sous qui vont à hue et à dia! On voit bien que nos jambes ne leur coûtent pas cher.

Tous se fâchaient. On ne fatiguait pas des hommes de la sorte, pour le plaisir de les promener. Et, par la plaine nue, entre les larges plis de terrain, ils avançaient en colonne, sur deux files, une à chaque bord, entre lesquelles circulaient les officiers; mais ce n'était plus, ainsi qu'au lendemain de Reims, en Champagne, une marche égayée de plaisanteries et de chansons, le sac porté gaillardement, les épaules allégées par l'espoir de devancer les Prussiens et de les battre : maintenant, silencieux, irrités, ils traînaient la jambe, avec la haine du fusil qui leur meurtrissait l'épaule, du sac dont ils étaient écrasés, ayant cessé de croire à leurs chefs, se laissant envahir par une telle désespérance, qu'ils ne marchaient plus en avant que comme un bétail, sous la fatalité du fouet. La misérable armée commençait à monter son calvaire.

Maurice, cependant, depuis quelques minutes, était très intéressé. Sur la gauche, s'étageaient des vallonnements, et il venait de voir, d'un petit bois lointain, sortir un cavalier. Presque aussitôt, un autre parut, puis un autre encore. Tous les trois restaient immobiles, pas plus gros que le poing, ayant des lignes précises et fines de joujoux. Il pensait que ce devait être un poste détaché de hussards, quelque reconnaissance qui revenait, lorsque

des points brillants, aux épaules, sans doute les reflets
d'épaulettes de cuivre, l'étonnèrent.

— Là-bas, regarde! dit-il en poussant le coude de
Jean, qu'il avait à côté de lui. Des uhlans.

Le caporal écarquilla les yeux.

— Ça!

C'étaient, en effet, des uhlans, les premiers Prussiens
que le 106ᵉ apercevait. Depuis bientôt six semaines qu'il
faisait campagne, non seulement il n'avait pas brûlé une
cartouche, mais il en était encore à voir un ennemi. Le
mot courut, toutes les têtes se tournèrent, au milieu
d'une curiosité grandissante. Ils semblaient très bien, ces
uhlans.

— Il y en a un qui a l'air joliment gras, fit remarquer
Loubet.

Mais, à gauche du petit bois, sur un plateau, tout un
escadron se montra. Et, devant cette apparition menaçante, un arrêt se fit dans la colonne. Des ordres arrivèrent, le 106ᵉ alla prendre position derrière des arbres,
au bord d'un ruisseau. Déjà, de l'artillerie rebroussait
chemin au galop, s'établissait sur un mamelon. Puis, pendant près de deux heures, on demeura là, en bataille, on
s'attarda, sans que rien de nouveau se produisît. A l'horizon, la masse de cavalerie ennemie restait immobile. Et,
comprenant enfin qu'on perdait un temps précieux, on
repartit.

— Allons, murmura Jean avec regret, ce ne sera pas
encore pour cette fois.

Maurice, lui aussi, avait les mains brûlantes du désir
de lâcher au moins un coup de feu. Et il revenait sur la
faute qu'on avait commise, la veille, en n'allant pas soutenir le 5ᵉ corps. Si les Prussiens n'attaquaient point,
ce devait être qu'ils n'avaient pas encore assez d'infanterie à leur disposition; de sorte que leurs démonstrations
de cavalerie, à distance, ne pouvaient avoir d'autre but
que d'attarder les corps en marche. De nouveau, on
venait de tomber dans le piège. Et, en effet, à partir de
ce moment, le 106ᵉ vit sans cesse les uhlans, sur sa
gauche, à chaque accident de terrain : ils le suivaient, le
surveillaient, disparaissaient derrière une ferme pour
reparaître à la corne d'un bois.

Peu à peu, les soldats s'énervaient de se voir ainsi
envelopper à distance, comme dans les mailles d'un filet
invisible.

— Ils nous embêtent à la fin! répétaient Pache et

Lapoulle eux-mêmes. Ça soulagerait de leur envoyer des pruneaux !

Mais on marchait, on marchait toujours, péniblement, d'un pas déjà alourdi qui se fatiguait vite. Dans le malaise de cette étape, on sentait de partout l'ennemi approcher, de même qu'on sent monter l'orage, avant qu'il se montre au-dessus de l'horizon. Des ordres sévères étaient donnés pour la bonne conduite de l'arrière-garde, et il n'y avait plus de traînards, dans la certitude où l'on était que les Prussiens, derrière le corps, ramassaient tout. Leur infanterie arrivait, d'une marche foudroyante, tandis que les régiments français, harassés, paralysés, piétinaient sur place.

A Authe, le ciel s'éclaircit, et Maurice, qui se dirigeait sur la position du soleil, remarqua qu'au lieu de remonter davantage vers le Chêne, à trois grandes lieues de là, on tournait pour marcher droit à l'est. Il était deux heures, on souffrit alors de la chaleur accablante, après avoir grelotté sous la pluie, pendant deux jours. Le chemin, avec de longs circuits, montait au travers de plaines désertes. Pas une maison, pas une âme, à peine de loin en loin un petit bois triste, au milieu de la mélancolie des terres nues ; et le morne silence de cette solitude avait gagné les soldats, qui, la tête basse, en sueur, traînaient les pieds. Enfin, Saint-Pierremont apparut, quelques maisons vides sur un monticule. On ne traversa pas le village, Maurice constata qu'on tournait tout de suite à gauche, reprenant la direction du nord, vers la Besace. Cette fois, il comprit la route adoptée pour s'efforcer d'atteindre Mouzon, avant les Prussiens. Mais pourrait-on y réussir, avec des troupes si lasses, si démoralisées ? A Saint-Pierremont, les trois uhlans avaient reparu, au loin, au coude d'une route qui venait de Buzancy ; et, comme l'arrière-garde quittait le village, une batterie fut démasquée, quelques obus tombèrent, sans faire aucun mal. On ne répondit pas, la marche continuait, de plus en plus pénible.

De Saint-Pierremont à la Besace, il y a trois grandes lieues, et Jean, à qui Maurice disait cela, eut un geste désespéré : jamais les hommes ne feraient douze kilomètres, il le voyait à des signes certains, leur essoufflement, l'égarement de leur visage. La route montait toujours, entre deux coteaux qui se resserraient peu à peu. On dut faire une halte. Mais ce repos avait achevé d'engourdir les membres ; et, quand il fallut repartir, ce fut

pis encore : les régiments n'avançaient plus, des hommes
tombaient. Jean, en voyant Maurice pâlir, les yeux chavirés de lassitude, causait contre son habitude, tâchait de
l'étourdir d'un flux de paroles, pour le tenir éveillé, dans
le mouvement mécanique de la marche, devenu inconscient.

— Alors, ta sœur habite Sedan, nous y passerons peut-
être.

— A Sedan, jamais ! Ce n'est pas notre chemin, il faudrait être fou.

— Et elle est jeune, ta sœur ?

— Mais elle a mon âge, je t'ai dit que nous étions
jumeaux.

— Elle te ressemble ?

— Oui, elle est blonde aussi, oh ! des cheveux frisés,
si doux !... Toute petite, une figure mince, et pas bruyante,
ah ! non !... Ma chère Henriette !

— Vous vous aimez bien ?

— Oui, oui...

Il y eut un silence, et Jean, ayant regardé Maurice,
remarqua que ses yeux se fermaient et qu'il allait tomber.

— Hé ! mon pauvre petit... Tiens-toi, tonnerre de
Dieu !... Donne-moi ton flingot un instant, ça te repo-
sera... Nous allons laisser la moitié des hommes en
route, ce n'est pas Dieu possible qu'on aille plus loin
aujourd'hui !

En face, il venait d'apercevoir Oches, dont les quelques
masures s'étagent sur un coteau. L'église, toute jaune,
haut perchée, domine, parmi des arbres.

— C'est là que nous allons coucher, bien sûr.

Et il avait deviné. Le général Douay, qui voyait l'extrême fatigue des troupes, désespérait de jamais atteindre
la Besace, ce jour-là. Mais ce qui le décida surtout, ce
fut l'arrivée du convoi, de ce fâcheux convoi qu'il traînait
depuis Reims, et dont les trois lieues de voitures et de
bêtes alourdissaient si terriblement sa marche. De Quatre-
Champs, il avait donné l'ordre de le diriger directement
sur Saint-Pierremont; et c'était seulement à Oches que
les attelages ralliaient le corps, dans un tel état d'épuisement, que les chevaux refusaient d'avancer. Il était déjà
cinq heures. Le général, craignant de s'engager dans le
défilé de Stonne, crut devoir renoncer à achever l'étape
indiquée par le maréchal. On s'arrêta, on campa, le
convoi en bas, dans les prairies, gardé par une division,
tandis que l'artillerie s'établissait en arrière, sur les

coteaux, et que la brigade qui devait servir d'arrière-garde le lendemain, restait sur une hauteur, en face de Saint-Pierremont. Une autre division, dont faisait partie la brigade Bourgain-Desfeuilles, bivouaqua, derrière l'église, sur un large plateau, que bordait un bois de chênes.

La nuit tombait déjà, lorsque le 106ᵉ, à la lisière de ce bois, put enfin s'installer, tellement il y avait eu de confusion dans le choix et dans la désignation des emplacements.

— Zut! dit furieusement Chouteau, je ne mange pas, je dors!

C'était le cri de tous les hommes. Beaucoup n'avaient pas la force de dresser leurs tentes, s'endormaient où ils tombaient, comme des masses. D'ailleurs, pour manger, il aurait fallu une distribution de l'intendance; et l'intendance, qui attendait le 7ᵉ corps à la Besace, n'était pas à Oches. Dans l'abandon et le relâchement de tout, on ne sonnait même plus au caporal. Se ravitaillait qui pouvait. A partir de ce moment, il n'y eut plus de distributions, les soldats durent vivre sur les provisions qu'ils étaient censés avoir dans leurs sacs; et les sacs étaient vides, bien peu y trouvèrent une croûte, les miettes de l'abondance où ils avaient fini par vivre à Vouziers. On avait du café, les moins las le burent encore du café sans sucre.

Lorsque Jean voulut partager, manger l'un de ses biscuits et donner l'autre à Maurice, il s'aperçut que celui-ci dormait profondément. Un instant, il songea à le réveiller; puis, stoïquement, il remit les biscuits au fond de son sac, avec des soins infinis, comme s'il eût caché de l'or : lui, se contenta de café, ainsi que les camarades. Il avait exigé que la tente fût dressée, tous s'y étaient allongés, quand Loubet revint d'expédition, rapportant des carottes d'un champ voisin. Dans l'impossibilité de les faire cuire, ils les croquèrent crues; mais elles exaspéraient leur faim, Pache en fut malade.

— Non, non, laissez-le dormir, dit Jean à Chouteau, qui secouait Maurice pour lui donner sa part.

— Ah! dit Lapoulle, demain, quand nous serons à Angoulême, nous aurons du pain... J'ai eu un cousin militaire, à Angoulême. Bonne garnison.

On s'étonnait, Chouteau cria :

— Comment, à Angoulême ?... En voilà un bougre de serin qui se croit à Angoulême!

Et il fut impossible de tirer une explication de Lapoulle.

Il croyait qu'on allait à Angoulême. C'était lui qui, le matin, à la vue des uhlans, avait soutenu que c'étaient des soldats à Bazaine.

Alors, le camp tomba dans une nuit d'encre, dans un silence de mort. Malgré la fraîcheur de la nuit, on avait défendu d'allumer des feux. On savait les Prussiens à quelques kilomètres, les bruits eux-mêmes s'assourdissaient, de crainte de leur donner l'éveil. Déjà, les officiers avaient averti leurs hommes qu'on partirait vers quatre heures du matin, pour rattraper le temps perdu; et tous, en hâte, dormaient gloutonnement, anéantis. Au-dessus des campements dispersés, la respiration forte de ces foules montait dans les ténèbres, comme l'haleine même de la terre.

Brusquement, un coup de feu réveilla l'escouade. La nuit était encore profonde, il pouvait être trois heures. Tous furent sur pied, l'alerte gagna de proche en proche, on crut à une attaque de l'ennemi. Et ce n'était que Loubet, qui, ne dormant plus, avait eu l'idée de s'enfoncer dans le bois de chênes, où il devait y avoir du lapin : quelle noce, si, dès le petit jour, il rapportait une paire de lapins aux camarades! Mais, comme il cherchait un bon poste d'affût, il entendit des hommes venir à lui, causant, cassant les branches, et il s'effara, il lâcha son coup de feu, croyant avoir affaire à des Prussiens.

Déjà, Maurice, Jean, d'autres arrivaient, lorsqu'une voix enrouée s'éleva :

— Ne tirez pas, nom de Dieu!

C'était, à la lisière du bois, un homme grand et maigre, dont on distinguait mal l'épaisse barbe en broussaille. Il portait une blouse grise, serrée à la taille par une ceinture rouge, et avait un fusil en bandoulière. Tout de suite, il expliqua qu'il était Français, franc-tireur, sergent, et qu'il venait, avec deux de ses hommes, des bois de Dieulet, pour donner des renseignements au général.

— Eh! Cabasse! Ducat! cria-t-il en se retournant, eh! bougres de feignants, arrivez donc!

Sans doute, les deux hommes avaient eu peur, et ils s'approchèrent pourtant, Ducat petit et gros, blême, les cheveux rares, Cabasse grand et sec, la face noire, avec un long nez en lame de couteau.

Cependant, Maurice qui examinait de près le sergent, avec surprise, finit par lui demander :

— Dites donc, est-ce que vous n'êtes pas Guillaume Sambuc, de Remilly?

Et, comme celui-ci, après une hésitation, l'air inquiet,
disait oui, le jeune homme eut un léger mouvement de
recul, car ce Sambuc passait pour être un terrible chena-
pan, digne fils d'une famille de bûcherons qui avait mal
tourné, le père ivrogne, trouvé un soir la gorge coupée,
au coin d'un bois, la mère et la fille mendiantes et
voleuses, disparues, tombées à quelque maison de tolé-
rance. Lui, Guillaume, braconnait, faisait la contrebande;
et un seul petit de cette portée de loups avait grandi
honnête, Prosper, le chasseur d'Afrique, qui, avant d'avoir
la chance d'être soldat, s'était fait garçon de ferme, en
haine de la forêt.

— J'ai vu votre frère à Reims et à Vouziers, reprit
Maurice. Il se porte bien.

Sambuc ne répondit pas. Puis, pour couper court :

— Menez-moi au général. Dites-lui que ce sont les
francs-tireurs des bois de Dieulet, qui ont une communication importante à lui faire.

Alors, pendant qu'on revenait vers le camp, Maurice
songea à ces compagnies franches, sur lesquelles on avait
fondé tant d'espérances, et qui déjà, de partout, soulevaient des plaintes. Elles devaient faire la guerre d'embuscade, attendre l'ennemi derrière les haies, le harceler,
lui tuer ses sentinelles, tenir les bois d'où pas un Prussien
ne sortirait. Et, à la vérité, elles étaient en train de devenir la terreur des paysans, qu'elles défendaient mal et
dont elles ravageaient les champs. Par exécration du
service militaire régulier, tous les déclassés se hâtaient
d'en faire partie, heureux d'échapper à la discipline, de
battre les buissons comme des bandits en goguette, dormant et godaillant au hasard des routes. Dans certaines
de ces compagnies, le recrutement fut vraiment déplorable.

— Eh! Cabasse, eh! Ducat, continuait à répéter Sambuc, en se retournant à chaque pas, arrivez donc, feignants!

Ces deux-là aussi, Maurice les sentait terribles.
Cabasse, le grand sec, né à Toulon, ancien garçon de café
à Marseille, échoué à Sedan comme placier de produits
du Midi, avait failli tâter de la police correctionnelle,
toute une histoire de vol restée obscure. Ducat, le petit
gros, un ancien huissier de Blainville, forcé de vendre sa
charge après des aventures malpropres avec des petites
filles, venait encore de risquer la cour d'assises, pour les
mêmes ordures, à Raucourt, où il était comptable, dans

une fabrique. Ce dernier citait du latin, tandis que l'autre savait à peine lire; mais tous les deux faisaient la paire, une paire inquiétante de louches figures.

Déjà, le camp s'éveillait. Jean et Maurice conduisirent les francs-tireurs au capitaine Beaudoin, qui les mena au colonel de Vineuil. Celui-ci les interrogea; mais Sambuc, conscient de son importance, voulait absolument parler au général; et, comme le général Bourgain-Desfeuilles, qui avait couché chez le curé d'Oches, venait de paraître sur le seuil du presbytère, maussade de ce réveil en pleine nuit, pour une journée nouvelle de famine et de fatigue, il fit à ces hommes qu'on lui amenait un accueil furieux.

— D'où viennent-ils? Qu'est-ce qu'ils veulent?... Ah! c'est vous, les francs-tireurs! Encore des traîne-la-patte, hein!

— Mon général, expliqua Sambuc, sans se déconcerter, nous tenons avec les camarades les bois de Dieulet...

— Où ça, les bois de Dieulet?

— Entre Stenay et Mouzon, mon général.

— Stenay, Mouzon, connais pas, moi! Comment voulez-vous que je me retrouve, avec tous ces noms nouveaux?

Gêné, le colonel de Vineuil intervint discrètement, pour lui rappeler que Stenay et Mouzon étaient sur la Meuse, et que, les Allemands ayant occupé la première de ces villes, on allait tenter, par le pont de la seconde, plus au nord, le passage du fleuve.

— Enfin, mon général, reprit Sambuc, nous sommes venus pour vous avertir que les bois de Dieulet, à cette heure, sont pleins de Prussiens... Hier, comme le 5e corps quittait Bois-les-Dames, il a eu un engagement, du côté de Nouart...

— Comment! hier, on s'est battu?

— Mais oui, mon général, le 5e corps s'est battu en se repliant, et il doit être, cette nuit, à Beaumont... Alors, pendant que des camarades sont allés le renseigner sur les mouvements de l'ennemi, nous autres, nous avons eu l'idée de venir vous dire la situation, pour que vous lui portiez secours, car il va avoir sûrement soixante mille hommes sur les bras, demain matin.

Le général Bourgain-Desfeuilles, à ce chiffre, haussa les épaules.

— Soixante mille hommes, fichtre! pourquoi pas cent mille?... Vous rêvez, mon garçon. La peur vous a fait voir double. Il ne peut y avoir si près de nous soixante mille hommes, nous le saurions.

Et il s'entêta. Vainement Sambuc appela à son aide les témoignages de Ducat et de Cabasse.

— Nous avons vu les canons, affirma le Provençal. Et il faut que ces bougres-là soient des enragés, pour les risquer dans les chemins de la forêt, où l'on enfonce jusqu'au mollet, à cause de la pluie de ces derniers jours.

— Quelqu'un les guide, c'est sûr, déclara l'ancien huissier.

Mais le général, depuis Vouziers, ne croyait plus à la concentration des deux armées allemandes, dont on lui avait, disait-il, rebattu les oreilles. Et il ne jugea même pas à propos de faire conduire les francs-tireurs au chef du 7e corps, à qui du reste ceux-ci croyaient avoir parlé en sa personne. Si l'on avait écouté tous les paysans, tous les rôdeurs, qui apportaient de prétendus renseignements, on n'aurait plus fait un pas, sans être jeté à droite ou à gauche, dans des aventures impossibles. Cependant, il ordonna aux trois hommes de rester et d'accompagner la colonne, puisqu'ils connaissaient le pays.

— Tout de même, dit Jean à Maurice, comme ils revenaient plier la tente, ce sont trois bons bougres, d'avoir fait quatre lieues à travers champs pour nous prévenir.

Le jeune homme en convint, et il leur donnait raison, connaissant le pays, lui aussi, tourmenté d'une mortelle inquiétude, à l'idée de savoir les Prussiens dans les bois de Dieulet, en branle vers Sommauthe et Beaumont. Il s'était assis, harassé, avant d'avoir marché, l'estomac vide, le cœur serré d'angoisse, à l'aube de cette journée qu'il sentait devoir être affreuse.

Désespéré de le voir si pâle, le caporal lui demanda paternellement :

— Ça ne va toujours pas, hein ? Est-ce que c'est ton pied encore ?

Maurice dit non, de la tête. Son pied allait tout à fait mieux, dans les larges souliers.

— Alors, tu as faim ?

Et Jean, voyant qu'il ne répondait pas, tira, sans être vu, l'un des deux biscuits de son sac; puis, mentant avec simplicité :

— Tiens, je t'ai gardé ta part... Moi, j'ai mangé l'autre tout à l'heure.

Le jour naissait, lorsque le 7ᵉ corps quitta Oches, en
marche pour Mouzon, par la Besace, où il aurait dû coucher. D'abord, le terrible convoi était parti, accompagné
par la 1ʳᵉ division; et, si les voitures du train, bien attelées, filaient d'un bon pas, les autres, les voitures de
réquisition, vides pour la plupart et inutiles, s'attardaient
singulièrement dans les côtes du défilé de Stonne. La
route monte, surtout après le hameau de la Berlière,
entre les mamelons boisés qui la dominent. Vers huit
heures, au moment où les deux autres divisions s'ébran-
laient enfin, le maréchal de Mac-Mahon parut, exaspéré
de trouver encore là des troupes qu'il croyait parties de la
Besace, le matin, n'ayant à faire que quelques kilomètres
pour être rendues à Mouzon. Aussi eut-il une explication
vive avec le général Douay. Il fut décidé qu'on laisserait
la 1ʳᵉ division et le convoi continuer leur marche vers
Mouzon; mais que les deux autres divisions, pour ne pas
être retardées davantage, par cette lourde avant-garde, si
lente, prendraient la route de Raucourt et d'Autrecourt,
afin d'aller passer la Meuse à Villers. C'était, de nouveau,
remonter vers le nord, dans la hâte que le maréchal avait
de mettre le fleuve entre son armée et l'ennemi. Coûte que
coûte, il fallait être sur la rive droite le soir. Et l'arrière-
garde était encore à Oches, quand une batterie prussienne,
d'un sommet lointain, du côté de Saint-Pierremont, tira,
recommençant le jeu de la veille. D'abord, on eut le tort
de répondre; puis, les dernières troupes se replièrent.

Jusque vers onze heures, le 106ᵉ suivit lentement la
route qui serpente au fond du défilé de Stonne, entre les
hauts mamelons. Sur la gauche, les crêtes s'élèvent, dénu-
dées, escarpées, tandis que des bois, à droite, descendent
les pentes plus douces. Le soleil avait reparu, il faisait
très chaud, dans cette vallée étroite, d'une solitude
lourde. Après la Berlière, que domine un calvaire grand
et triste, il n'y a plus une ferme, plus une âme, plus une
bête paissant dans les prés. Et les hommes, si las déjà et
si affamés la veille, ayant à peine dormi et n'ayant rien
mangé, tiraient déjà la jambe, sans courage, débordant
d'une colère sourde.

Puis, brusquement, comme on faisait halte, au bord de
la route, le canon tonna, vers la droite. Les coups étaient
si nets, si profonds, que le combat ne devait pas être à
plus de deux lieues. Sur ces hommes las de se replier,
énervés par l'attente, l'effet fut extraordinaire. Tous,
debout, frémissaient, oubliant leur fatigue : pourquoi ne

marchait-on pas ? ils voulaient se battre, se faire casser la tête, plutôt que de continuer à fuir ainsi à la débandade, sans savoir où, ni pourquoi.

Le général Bourgain-Desfeuilles venait précisément de monter, à droite, sur un mamelon, emmenant avec lui le colonel de Vineuil, afin de reconnaître le pays. On les voyait là-haut, entre deux petits bois, leurs lorgnettes braquées ; et, tout de suite, ils dépêchèrent un aide de camp qui se trouvait avec eux, pour dire qu'on leur envoyât les francs-tireurs, s'ils étaient là encore. Quelques hommes, Jean, Maurice, d'autres, accompagnèrent ceux-ci, dans le cas où l'on aurait besoin d'une aide quelconque.

Dès que le général aperçut Sambuc, il cria :

— Quel fichu pays, avec ces côtes et ces bois continuels !... Vous entendez, où est-ce, où se bat-on ?

Sambuc, que Ducat et Cabasse ne lâchaient pas d'une semelle, écouta, examina un instant sans répondre le vaste horizon. Et Maurice, près de lui, regardait également, saisi de l'immense déroulement des vallons et des bois. On aurait dit une mer sans fin, aux vagues énormes et lentes. Les forêts tachaient de vert sombre les terres jaunes, tandis que les coteaux lointains, sous l'ardent soleil, se noyaient dans une vapeur rousse. Et, sans qu'on aperçût rien, pas même une petite fumée au fond du ciel clair, le canon tonnait toujours, tout un fracas d'orage éloigné et grandissant.

— Voici Sommauthe à droite, finit par dire Sambuc, en désignant un haut sommet, couronné de verdure. Yoncq est là, sur la gauche... C'est à Beaumont qu'on se bat, mon général.

— Oui, à Varniforêt ou à Beaumont, confirma Ducat.

Le général mâchait de sourdes paroles.

— Beaumont, Beaumont, on ne sait jamais dans ce sacré pays...

Puis, tout haut :

— Et à combien ce Beaumont est-il d'ici ?

— A une dizaine de kilomètres, en allant prendre la route du Chêne à Stenay, qui passe là-bas.

Le canon ne cessait pas, semblait avancer de l'ouest à l'est, dans un roulement ininterrompu de foudre. Et Sambuc ajouta :

— Bigre ! ça chauffe... Je m'y attendais, je vous avais prévenu ce matin, mon général : c'est sûrement les batteries que nous avons vues dans les bois de Dieulet.

A cette heure, le 5ᵉ corps doit avoir sur les bras toute cette armée qui arrivait par Buzancy et par Beauclair.

Un silence se fit, pendant lequel la bataille, au loin, grondait plus haut. Et Maurice serrait les dents, pris d'une furieuse envie de crier. Pourquoi ne marchait-on pas au canon, tout de suite, sans tant de paroles ? Jamais il n'avait éprouvé une excitation pareille. Chaque coup lui répondait dans la poitrine, le soulevait, le jetait au besoin immédiat d'être là-bas, d'en être, d'en finir. Est-ce qu'ils allaient encore longer cette bataille, la toucher du coude, sans brûler une cartouche ? C'était une gageure, de les traîner ainsi depuis la déclaration de guerre, toujours fuyant! A Vouziers, ils n'avaient entendu que les coups de feu de l'arrière-garde. A Oches, l'ennemi venait seulement de les canonner un instant, de dos. Et ils fileraient, ils n'iraient pas cette fois soutenir les camarades, au pas de course! Maurice regarda Jean qui était, comme lui, très pâle, les yeux luisants de fièvre. Tous les cœurs sautaient dans les poitrines, à cet appel violent du canon.

Mais une nouvelle attente se fit, un état-major montait par l'étroit sentier du mamelon. C'était le général Douay, le visage anxieux, accourant. Et, lorsqu'il eut en personne interrogé les francs-tireurs, un cri de désespoir lui échappa. Même averti le matin, qu'aurait-il pu faire ? La volonté du maréchal était formelle, il fallait traverser la Meuse avant le soir, à n'importe quel prix. Puis, maintenant, comment réunir les troupes échelonnées, en marche vers Raucourt, pour les porter rapidement sur Beaumont ? N'arriverait-on pas sûrement trop tard ? Déjà, le 5ᵉ corps devait battre en retraite, du côté de Mouzon; et, nettement, le canon l'indiquait, allait de plus en plus vers l'est, tel qu'un ouragan de grêle et de désastre, qui marche et s'éloigne. Le général Douay leva les deux bras au-dessus de l'immense horizon de vallées et de coteaux, de terres et de forêts, dans un geste de furieuse impuissance; et l'ordre fut donné de continuer la marche vers Raucourt.

Ah! cette marche au fond du défilé de Stonne, entre les hautes crêtes, tandis qu'à droite, derrière les bois, le canon continuait de tonner! A la tête du 106ᵉ, le colonel de Vineuil se tenait raidi sur son cheval, la face blême et droite, les paupières battantes, comme pour contenir des larmes. Muet, le capitaine Beaudoin mordait ses moustaches, tandis que le lieutenant Rochas, sourdement,

mâchait des gros mots, des injures contre tous et contre
lui-même. Et, même parmi les soldats qui n'avaient pas
envie de se battre, parmi les moins braves, un besoin de
hurler et de cogner montait, la colère de la continuelle
défaite, la rage de s'en aller encore à pas lourds et
vacillants, pendant que ces sacrés Prussiens égorgeaient
là-bas des camarades.

Au pied de Stonne, dont le chemin en lacet descend
parmi les monticules, la route s'était élargie, les troupes
traversaient de vastes terres, coupées de petits bois.
A chaque instant, depuis Oches, le 106e, qui se trouvait
maintenant à l'arrière-garde, s'attendait à être attaqué;
car l'ennemi suivait la colonne pas à pas, la surveillant,
guettant sans doute la minute favorable pour la prendre
en queue. De la cavalerie, profitant des moindres plis de
terrain, tentait de gagner sur les flancs. On vit plusieurs
escadrons de la garde prussienne déboucher derrière un
bois; mais ils s'arrêtèrent, devant la démonstration d'un
régiment de hussards, qui s'avança, balayant la route. Et,
grâce à ce répit, la retraite continuait à s'effectuer en
assez bon ordre, on approchait de Raucourt, lorsqu'un
spectacle vint redoubler les angoisses, en achevant de
démoraliser les soldats. Tout d'un coup, par un chemin
de traverse, on aperçut une cohue qui se précipitait, des
officiers blessés, des soldats débandés et sans armes, des
voitures du train galopant, les hommes et les bêtes fuyant,
affolés sous un vent de désastre. C'étaient les débris d'une
brigade de la 1re division, qui escortait le convoi, parti le
matin vers Mouzon, par la Besace. Une erreur de route,
une malchance effroyable venait de faire tomber cette
brigade et une partie du convoi, à Varniforêt, près de
Beaumont, en pleine déroute du 5e corps. Surpris,
attaqués de flanc, succombant sous le nombre, ils avaient
fui, et la panique les ramenait, ensanglantés, hagards, à
demi fous, bouleversant leurs camarades de leur épouvante. Leurs récits semaient l'effroi, ils étaient comme
apportés par le tonnerre grondant de ce canon que l'on
entendait depuis midi, sans relâche.

Alors, en traversant Raucourt, ce fut l'anxiété, la
bousculade éperdue. Devait-on tourner à droite, vers
Autrecourt, pour aller passer la Meuse à Villers, ainsi
que cela était décidé ? Troublé, hésitant, le général
Douay craignit d'y trouver le pont encombré, peut-être
déjà au pouvoir des Prussiens. Et il préféra continuer
tout droit, par le défilé d'Haraucourt, afin d'atteindre

Remilly avant la nuit. Après Mouzon, Villers, et après
Villers, Remilly : on remontait toujours, avec le galop
des uhlans derrière soi. Il n'y avait plus que six kilomètres
à franchir, mais il était déjà cinq heures, et quelle écrasante fatigue ! Depuis l'aube, on était sur pied, on avait
mis douze heures pour faire à peine trois lieues, piétinant, s'épuisant dans des attentes sans fin, au milieu des
émotions et des craintes les plus vives. Les deux nuits
dernières, les hommes avaient à peine dormi, et ils
n'avaient pas mangé à leur faim, depuis Vouziers. Ils
tombaient d'inanition. Dans Raucourt, ce fut pitoyable.

La petite ville est riche, avec ses nombreuses fabriques,
sa grande rue bien bâtie aux deux bords de la route, son
église et sa mairie coquettes. Seulement, la nuit qu'y
avaient passée l'empereur et le maréchal de Mac-Mahon,
dans l'encombrement de l'état-major et de la maison
impériale, et le passage ensuite du 1er corps entier, qui,
toute la matinée, avait coulé par la route comme un
fleuve, venaient d'y épuiser les ressources, vidant les
boulangeries et les épiceries, balayant jusqu'aux miettes
des maisons bourgeoises. On ne trouvait plus de pain,
plus de vin, plus de sucre, plus rien de ce qui se boit et
de ce qui se mange. On avait vu des dames, devant leurs
portes, distribuant des verres de vin et des tasses de
bouillon, jusqu'à la dernière goutte des tonneaux et des
marmites. Et c'était fini, et, lorsque les premiers régiments du 7e corps, vers trois heures, se mirent à défiler,
ce fut un désespoir. Quoi donc ? ça recommençait, il y en
avait toujours ! De nouveau, la grande rue charriait des
hommes exténués, couverts de poussière, mourants de
faim, sans qu'on eût une bouchée à leur donner. Beaucoup s'arrêtaient, frappaient aux portes, tendaient les
mains vers les fenêtres, suppliant qu'on leur jetât un
morceau de pain. Et il y avait des femmes qui sanglotaient,
en leur faisant signe qu'elles ne pouvaient pas, qu'elles
n'avaient plus rien.

Au coin de la rue des Dix-Potiers, Maurice, pris d'un
éblouissement, chancela. Et, comme Jean s'empressait :

— Non, laisse-moi, c'est la fin... J'aime mieux crever
ici.

Il s'était laissé tomber sur une borne. Le caporal
affecta la rudesse d'un chef mécontent.

— Nom de Dieu ! qui est-ce qui m'a foutu un soldat
pareil ?... Est-ce que tu veux te faire ramasser par les
Prussiens ? Allons, debout !

Puis, voyant que le jeune homme ne répondait plus, livide, les yeux fermés, à demi évanoui, il jura encore, mais sur un ton d'infinie pitié.

— Nom de Dieu! nom de Dieu!

Et, courant à une fontaine voisine, il emplit sa gamelle d'eau, il revint lui en baigner le visage. Ensuite, sans se cacher cette fois, ayant tiré de son sac le dernier biscuit, si précieusement gardé, il se mit à le briser en petits morceaux, qu'il lui introduisait entre les dents. L'affamé ouvrit les yeux, dévora.

— Mais toi, demanda-t-il tout à coup, se souvenant, tu ne l'as donc pas mangé?

— Oh! moi, dit Jean, j'ai la peau plus dure, je puis attendre... Un bon coup de sirop de grenouille, et me voilà d'aplomb!

Il était allé remplir de nouveau sa gamelle, il la vida d'un trait, en faisant claquer sa langue. Et il avait, lui aussi, le visage d'une pâleur terreuse, si dévoré de faim, que ses mains en tremblaient.

— En route! Mon petit, faut rejoindre les camarades.

Maurice s'abandonna à son bras, se laissa emporter comme un enfant. Jamais bras de femme ne lui avait tenu aussi chaud au cœur. Dans l'écroulement de tout, au milieu de cette misère extrême, avec la mort en face, cela était pour lui un réconfort délicieux, de sentir un être l'aimer et le soigner; et peut-être l'idée que ce cœur tout à lui était celui d'un simple, d'un paysan resté près de la terre, dont il avait eu d'abord la répugnance, ajoutait-elle maintenant à sa gratitude une douceur infinie. N'était-ce point la fraternité des premiers jours du monde, l'amitié avant toute culture et toutes classes, cette amitié de deux hommes unis et confondus, dans leur commun besoin d'assistance devant la menace de la nature ennemie? Il entendait battre son humanité dans la poitrine de Jean, et il était fier pour lui-même de le sentir plus fort, le secourant, se dévouant; tandis que Jean, sans analyser sa sensation, goûtait une joie à protéger chez son ami cette grâce, cette intelligence, restées en lui rudimentaires. Depuis la mort violente de sa femme, emportée dans un affreux drame, il se croyait sans cœur, il avait juré de ne plus jamais en voir, de ces créatures dont on souffre tant, même quand elles ne sont pas mauvaises. Et l'amitié leur devenait à tous deux comme un élargissement : on avait beau ne pas s'embrasser, on se touchait à fond, on était l'un dans l'autre, si différent que l'on fût, sur cette terrible route de Remilly, l'un soutenant l'autre, ne faisant plus qu'un être de pitié et de souffrance.

Comme l'arrière-garde quittait Raucourt, les Allemands, à l'autre bout, y entraient; et deux de leurs batteries, tout de suite installées, à gauche, sur les hauteurs, tirèrent. A ce moment, le 106ᵉ, filant par la route qui descend, le long de l'Emmane, se trouvait dans la ligne du tir. Un obus coupa un peuplier, au bord de la rivière; un autre s'enterra dans un pré, à côté du capitaine Beaudoin, sans éclater. Mais le défilé, jusqu'à Haraucourt, allait en se rétrécissant, et l'on s'enfonçait là, dans un couloir étroit, dominé des deux côtés par des crêtes couvertes d'arbres : si une poignée de Prussiens s'était embusquée en haut, un désastre était certain. Canonnées en queue, ayant à droite et à gauche la menace d'une attaque possible, les troupes n'avançaient plus que dans une anxiété croissante, ayant la hâte de sortir de ce passage dangereux. Aussi une flambée dernière d'énergie était-elle revenue aux plus las. Les soldats qui, tout à l'heure, se traînaient dans Raucourt, de porte en porte, allongeaient maintenant le pas, gaillards, ranimés, sous l'éperon cuisant du péril. Il semblait que les chevaux eux-mêmes eussent conscience qu'une minute perdue pouvait être payée chèrement. Et la tête de la colonne devait être à Remilly, lorsque, tout d'un coup, il y eut un arrêt dans la marche.

— Foutre! dit Chouteau, est-ce qu'ils vont nous laisser là ?

Le 106ᵉ n'avait pas encore atteint Haraucourt, et les obus continuaient de pleuvoir.

Comme le régiment marquait le pas, attendant de repartir, il en éclata un sur la droite, qui heureusement, ne blessa personne. Cinq minutes s'écoulèrent, infinies, effroyables. On ne bougeait toujours point, il y avait là-bas un obstacle qui barrait la route, quelque brusque muraille qui s'était bâtie. Et le colonel, droit sur les étriers, regardait, frémissant, sentant derrière lui monter la panique de ses hommes.

— Tout le monde sait que nous sommes vendus, reprit violemment Chouteau.

Alors, des murmures éclatèrent, un grondement croissant d'exaspération, sous le fouet de la peur. Oui, oui! on les avait amenés là pour les vendre, pour les livrer aux Prussiens. Dans l'acharnement de la malchance et dans l'excès des fautes commises, il n'y avait plus, au fond de

ces cerveaux bornés, que l'idée de la trahison qui pût
expliquer une telle série de désastres.

— Nous sommes vendus! répétaient des voix affolées.
Et Loubet eut une imagination.

— C'est ce cochon d'empereur qui est, là-bas, en travers de la route, avec ses bagages, pour nous arrêter.

Tout de suite, la nouvelle circula. On affirmait que
l'embarras venait du passage de la maison impériale, qui
coupait la colonne. Et ce fut une exécration, des mots
abominables, toute la haine que soulevait l'insolence des
gens de l'empereur, s'emparant des villes où l'on couchait,
déballant leurs provisions, leurs paniers de vin, leur vaisselle d'argent, devant les soldats dénués de tout, faisant
flamber les cuisines, lorsque les pauvres bougres se serraient le ventre. Ah! ce misérable empereur, à cette
heure sans trône et sans commandement, pareil à
un enfant perdu dans son empire, qu'on emportait
comme un inutile paquet, parmi les bagages des troupes,
condamné à traîner avec lui l'ironie de sa maison de gala,
ses cent-gardes, ses voitures, ses chevaux, ses cuisiniers,
ses fourgons, toute la pompe de son manteau de cour,
semé d'abeilles, balayant le sang et la boue des grandes
routes de la défaite!

Coup sur coup, deux autres obus tombèrent. Le lieutenant Rochas eut son képi enlevé par un éclat. Et les rangs
se serrèrent, il y eut une poussée, une vague subite dont
le refoulement se propagea au loin. Des voix s'étranglaient,
Lapoulle criait rageusement d'avancer. Encore une
minute peut-être, et une épouvantable catastrophe allait
se produire, un sauve-qui-peut qui aurait écrasé les
hommes au fond de ce couloir étroit, dans une mêlée
furieuse.

Le colonel se retourna, très pâle.

— Mes enfants, mes enfants, un peu de patience. J'ai
envoyé quelqu'un voir... On marche...

On ne marchait pas, et les secondes étaient des siècles.
Jean, déjà, avait repris Maurice par la main, plein d'un
beau sang-froid, lui expliquant à l'oreille, que, si les camarades poussaient, eux deux sauteraient à gauche, pour
grimper ensuite parmi les bois, de l'autre côté de la
rivière. D'un regard, il cherchait les francs-tireurs, avec
l'idée qu'ils devaient connaître les chemins; mais on lui
dit qu'ils avaient disparu, en traversant Raucourt. Et, tout
d'un coup, la marche reprit, on tourna un coude de la
route, dès lors à l'abri des batteries allemandes. Plus tard,

on sut que, dans le désarroi de cette malheureuse journée,
c'était la division Bonnemain, quatre régiments de cuirassiers, qui avaient ainsi coupé et arrêté le 7e corps.

La nuit venait, quand le 106e traversa Angecourt. Les
crêtes continuaient à droite; mais le défilé s'élargissait
sur la gauche, une vallée bleuâtre apparaissait au loin.
Enfin, des hauteurs de Remilly, on aperçut dans les
brumes du soir, un ruban d'argent pâle, parmi le déroulement immense des prés et des terres. C'était la Meuse,
cette Meuse si désirée, où il semblait que serait la victoire.

Et Maurice, le bras tendu vers de petites lumières lointaines qui s'allumaient gaiement dans les verdures, au
fond de cette vallée féconde, d'un charme délicieux sous
la douceur du crépuscule, dit à Jean, avec le soulagement
joyeux d'un homme qui retrouve un pays aimé :

— Tiens! regarde là-bas... Voilà Sedan!

VII

Dans Remilly, une effrayante confusion d'hommes, de chevaux et de voitures, encombrait la rue en pente, dont les lacets descendent à la Meuse. Devant l'église, à mi-côte, des canons, aux roues enchevêtrées, ne pouvaient plus avancer, malgré les jurons et les coups. En bas, près de la filature, où gronde une chute de l'Emmane, c'était toute une queue de fourgons échoués, barrant la route; tandis qu'un flot sans cesse accru de soldats se battait à l'auberge de la Croix de Malte, sans même obtenir un verre de vin.

Et cette poussée furieuse allait s'écraser plus loin, à l'extrémité méridionale du village, qu'un bouquet d'arbres sépare du fleuve, et où le génie avait, le matin, jeté un pont de bateaux. Un bac se trouvait à droite, la maison du passeur blanchissait, solitaire, dans les hautes herbes. Sur les deux rives, on avait allumé de grands feux, dont les flammes, activées par moments, incendiaient la nuit, éclairant l'eau et les berges d'une lumière de plein jour. Alors apparaissait l'énorme entassement de troupes qui attendaient, pendant que la passerelle ne permettait que le passage de deux hommes à la fois, et que, sur le pont, large au plus de trois mètres, la cavalerie, l'artillerie, les bagages, défilaient au pas, d'une lenteur mortelle. On disait qu'il y avait encore là une brigade du 1er corps, un convoi de munitions, sans compter les quatre régiments de cuirassiers de la division Bonnemain. Et, derrière, arrivait tout le 7e corps, trente et quelques mille hommes, croyant avoir l'ennemi sur les talons, ayant la hâte fébrile de se mettre à l'abri, sur l'autre rive.

Un moment, ce fut du désespoir. Eh quoi! on marchait depuis le matin sans manger, on venait encore de se tirer, à force de jambes, du terrible défilé d'Haraucourt, tout

cela pour buter, dans ce désarroi, dans cet effarement,
contre un mur infranchissable! Avant des heures peut-
être, le tour des derniers venus n'arriverait pas; et chacun sentait bien que, si les Prussiens n'osaient continuer
de nuit leur poursuite, ils seraient là dès la pointe du
jour. Pourtant, l'ordre de former les faisceaux fut donné,
on campa sur les vastes coteaux nus dont les pentes, lon-
gées par la route de Mouzon, descendent jusqu'aux prairies de la Meuse. En arrière, couronnant un plateau, l'artillerie de réserve s'établit en bataille, braqua ses pièces
vers le défilé, pour en battre la sortie, au besoin. Et, de
nouveau, l'attente commença, pleine de révolte et d'angoisse.

Cependant, le 106ᵉ se trouvait installé, au-dessus de
la route, dans un chaume qui dominait la vaste plaine.
C'était à regret que les hommes avaient lâché leurs fusils,
jetant des regards en arrière, hantés de la crainte d'une
attaque. Tous, le visage dur et fermé, se taisaient, ne grognaient par instants que de sourdes paroles de colère.
Neuf heures allaient sonner, il y avait deux heures qu'on
était là; et beaucoup, malgré l'atroce fatigue, ne pouvaient
dormir, allongés par terre, tressaillant, prêtant l'oreille
aux moindres bruits lointains. Ils ne luttaient plus contre
la faim qui les dévorait : on mangerait là-bas, de l'autre
côté de l'eau, et l'on mangerait de l'herbe, si l'on ne trouvait pas autre chose. Mais l'encombrement ne semblait
que s'accroître, les officiers que le général Douay avait
postés près du pont, revenaient de vingt minutes en vingt
minutes, avec la même et irritante nouvelle que des
heures, des heures encore seraient nécessaires. Enfin, le
général s'était décidé à se frayer lui-même un passage,
jusqu'au pont. On le voyait dans le flot, se débattant,
activant la marche.

Maurice, assis contre un talus avec Jean, répéta, vers
le nord, le geste qu'il avait eu déjà.

— Sedan est au fond... Et, tiens! Bazeilles est là... Et
puis Douzy, et puis Carignan, sur la droite... C'est à Carignan sans doute que nous allons nous concentrer... Ah!
s'il faisait jour, tu verrais, il y a de la place!

Et son geste embrassait l'immense vallée, pleine
d'ombre. Le ciel n'était pas si obscur, qu'on ne pût distinguer, dans le déroulement des prés noirs, le cours
pâle du fleuve. Les bouquets d'arbres faisaient des masses
plus lourdes, une rangée de peupliers surtout, à gauche,
qui barrait l'horizon d'une digue fantastique. Puis, dans

les fonds, derrière Sedan, piqueté de petites clartés vives,
c'était un entassement de ténèbres, comme si toutes les
forêts des Ardennes eussent jeté là le rideau de leurs
chênes centenaires.

Jean avait ramené ses regards sur le pont de bateaux,
au-dessous d'eux.

— Regarde donc!... Tout va fiche le camp. Jamais
nous ne passerons.

Les feux, sur les deux rives, brûlaient plus haut, et
leur clarté en ce moment devenait si vive, que la scène,
dans son effroi, s'évoquait avec une netteté d'apparition.
Sous le poids de la cavalerie et de l'artillerie défilant
depuis le matin, les bacs qui supportaient les madriers,
avaient fini par s'enfoncer, de sorte que le tablier se trouvait dans l'eau, à quelques centimètres. C'étaient maintenant les cuirassiers qui passaient, deux par deux, d'une
file ininterrompue, sortant de l'ombre de l'une des
berges pour rentrer dans l'ombre de l'autre; et l'on ne
voyait plus le pont, ils semblaient marcher sur l'eau, sur
cette eau violemment éclairée, où dansait un incendie.
Les chevaux hennissants, les crins effarés, les jambes
raidies, s'avançaient dans la terreur de ce terrain mouvant, qu'ils sentaient fuir. Debout sur les étriers, serrant
les guides, les cuirassiers passaient, passaient toujours,
drapés dans leurs grands manteaux blancs, ne montrant
que leurs casques tout allumés de reflets rouges. Et l'on
aurait cru des cavaliers fantômes allant à la guerre des
ténèbres, avec des chevelures de flammes.

Une plainte profonde s'exhala de la gorge serrée de
Jean.

— Oh! j'ai faim!

Autour d'eux, cependant, les hommes s'étaient endormis, malgré les tiraillements des estomacs. La fatigue,
trop grande, emportait la peur, les terrassait tous sur le
dos, la bouche ouverte, anéantis sous le ciel sans lune.
L'attente, d'un bout à l'autre des coteaux nus, était tombée à un silence de mort.

— Oh! j'ai faim, j'ai faim à manger de la terre!

C'était le cri que Jean, si dur au mal et si muet, ne
pouvait plus retenir, qu'il jetait malgré lui, dans le délire
de sa faim, n'ayant rien mangé depuis près de trente-
six heures. Alors, Maurice se décida, en voyant que, de
deux ou trois heures peut-être, leur régiment ne passerait
pas la Meuse.

— Ecoute, j'ai un oncle par ici, tu sais, l'oncle Fou-

chard, dont je t'ai parlé... C'est là-haut, à cinq ou six
cents mètres, et j'hésitais; mais, puisque tu as si faim...
L'oncle nous donnera bien du pain, que diable!

Et il emmena son compagnon, qui s'abandonnait. La
petite ferme du père Fouchard se trouvait au sortir du
défilé d'Haraucourt, près du plateau où l'artillerie de
réserve avait pris position. C'était une maison basse, avec
d'assez grandes dépendances, une grange, une étable, une
écurie; et, de l'autre côté de la route, dans une sorte de
remise, le paysan avait installé son commerce de boucher
ambulant, son abattoir où il tuait lui-même les bêtes,
qu'il promenait ensuite au travers des villages, dans sa
carriole.

Maurice, en approchant, restait surpris de n'apercevoir
aucune lumière.

— Ah! le vieil avare, il aura tout barricadé, il n'ou-
vrira pas.

Mais un spectacle l'arrêta sur la route. Devant la ferme,
s'agitaient une douzaine de soldats, des maraudeurs, sans
doute des affamés qui cherchaient fortune. D'abord, ils
avaient appelé, puis frappé; et maintenant, voyant la maison noire et silencieuse, ils tapaient dans la porte à coups
de crosse, pour en faire sauter la serrure. De grosses voix
grondaient.

— Nom de Dieu! va donc! fous-moi ça par terre,
puisqu'il n'y a personne!

Brusquement, le volet d'une lucarne de grenier se
rabattit, un grand vieillard en blouse, tête nue, apparut,
une chandelle dans une main, un fusil dans l'autre. Sous
sa rude chevelure blanche, sa face se carrait, coupée de
larges plis, le nez fort, les yeux gros et pâles, le menton
volontaire.

— Vous êtes donc des voleurs que vous cassez tout!
cria-t-il d'une voix dure. Qu'est-ce que vous voulez?

Les soldats, un peu interdits, se reculaient.

— Nous crevons de faim, nous voulons à manger.

— Je n'ai rien, pas une croûte... Est-ce que vous
croyez, comme ça, qu'on en a pour nourrir des cent
mille hommes... Ce matin, il y en a d'autres, oui! de ceux
au général Ducrot, qui ont passé et qui m'ont tout pris.

Un à un, les soldats se rapprochaient.

— Ouvrez toujours, nous nous reposerons, vous trou-
verez bien quelque chose...

Et déjà ils tapaient de nouveau, lorsque le vieux,
posant le chandelier sur l'appui, épaula son arme.

— Aussi vrai qu'il y a là une chandelle, je casse la tête au premier qui touche à ma porte!

Alors, la bataille faillit s'engager. Des imprécations montaient, une voix cria qu'il fallait faire son affaire à ce cochon de paysan, qui, comme tous les autres, aurait noyé son pain, plutôt que d'en donner une bouchée au soldat. Et les canons des chassepots se braquaient, on allait le fusiller presque à bout portant; tandis qu'il ne se retirait même pas, rageur et têtu, en plein dans la clarté de la chandelle.

— Rien du tout! pas une croûte!... On m'a tout pris!

Effrayé, Maurice s'élança, suivi de Jean.

— Camarades, camarades...

Il abattait les fusils des soldats; et, levant la tête, suppliant:

— Voyons, soyez raisonnable... Vous ne me reconnaissez pas? C'est moi.

— Qui, toi?

— Maurice Levasseur, votre neveu.

Le père Fouchard avait repris la chandelle. Sans doute, il le reconnut. Mais il s'obstinait, dans sa volonté de ne pas même donner un verre d'eau.

— Neveu ou non, est-ce qu'on sait, dans ce noir de gueux?... Foutez-moi tous le camp, ou je tire!

Et, au milieu des vociférations, des menaces de le descendre et de mettre le feu à sa cambuse, il n'eut plus que ce cri, il le répéta à vingt reprises:

— Foutez-moi tous le camp, ou je tire!

— Même sur moi, père? demanda tout d'un coup une voix forte, qui domina le bruit.

Les autres s'étant écartés, un maréchal des logis parut, dans la clarté dansante de la chandelle. C'était Honoré, dont la batterie se trouvait à moins de deux cents mètres, et qui, depuis deux heures, luttait contre l'irrésistible envie de venir frapper à cette porte. Il s'était juré de ne jamais en refranchir le seuil, il n'avait pas échangé une seule lettre, depuis quatre ans qu'il était au service, avec ce père qu'il interpellait, d'un ton si bref. Déjà, les soldats maraudeurs causaient vivement, se concertaient. Le fils du vieux et un gradé! rien à faire, ça tournait mal, valait mieux chercher plus loin! Et ils filèrent, s'évanouirent dans l'épaisse nuit.

Lorsque Fouchard comprit qu'il était sauvé du pillage, il dit simplement, sans émotion aucune, comme s'il avait vu son fils la veille:

— C'est toi... Bon! je descends.

Ce fut long. On entendit, à l'intérieur, ouvrir et fermer des serrures, tout un ménage d'homme qui s'assure que rien ne traîne. Puis, enfin, la porte s'ouvrit, mais entrebâillée à peine, tenue d'un poing vigoureux.

— Entre, toi! et personne autre!

Pourtant, il ne put refuser asile à son neveu, malgré sa visible répugnance.

— Allons, toi aussi!

Et il repoussait impitoyablement la porte sur Jean, il fallut que Maurice le suppliât. Mais il s'entêtait : non, non! il n'avait pas besoin d'inconnus, de voleurs chez lui, qui casseraient ses meubles! Enfin, Honoré, d'un coup d'épaule, fit entrer le camarade, et le vieux dut céder, grognant de sourdes menaces. Il n'avait pas lâché son fusil. Puis, quand il les eut conduits à la salle commune, et qu'il eut posé le fusil contre le buffet, la chandelle sur la table, il tomba dans un obstiné silence.

— Dites donc, père, nous crevons de faim. Vous nous donnerez bien du pain et du fromage, à nous autres!

Il ne répondait pas, semblait ne pas entendre, retournait sans cesse pour écouter, devant la fenêtre, si quelque autre bande ne venait pas faire le siège de sa maison.

— L'oncle, voyons, Jean est un frère. Il s'est arraché pour moi les morceaux de la bouche. Et nous avons tant souffert ensemble!

Il tournait, s'assurait que rien ne manquait, ne les regardait même pas. Et, enfin, il se décida, toujours sans une parole. Brusquement, il reprit la chandelle, les laissa dans l'obscurité, en ayant le soin de refermer derrière lui la porte à clef, pour que personne ne le suivît. On l'entendit qui descendait l'escalier de la cave. Ce fut encore très long. Et, lorsqu'il revint, barricadant tout de nouveau, il posa au milieu de la table un gros pain et un fromage, dans ce silence, qui, la colère passée, n'était plus que de la politique, car on ne sait jamais où cela mène, de parler. D'ailleurs, les trois hommes se jetaient sur la nourriture, dévorant. Et il n'y eut plus que le bruit furieux de leurs mâchoires.

Honoré se leva, alla chercher, près du buffet, une cruche d'eau.

— Père, vous auriez bien pu nous donner du vin.

Alors, calmé et sûr de lui, Fouchard retrouva sa langue.

— Du vin! je n'en ai plus, plus une goutte!... Les

autres, ceux de Ducrot, m'ont tout bu, tout mangé, tout pillé!

Il mentait, et cela, malgré son effort, était visible dans le clignotement de ses gros yeux pâles. Depuis deux jours, il avait fait disparaître son bétail, les quelques bêtes à son service, ainsi que les bêtes réservées à sa boucherie, les emmenant de nuit, les cachant on ne savait où, au fond de quel bois, de quelle carrière abandonnée. Et il venait de passer des heures à tout enfouir chez lui, le vin, le pain, les moindres provisions, jusqu'à la farine et au sel, de sorte qu'on aurait, en effet, vainement fouillé les armoires. La maison était nette. Il avait même refusé de vendre aux premiers soldats qui s'étaient présentés. On ne savait pas, il y aurait peut-être de meilleures occasions; et des idées vagues de commerce s'ébauchaient dans son crâne d'avare patient et rusé.

Maurice, qui se rassasiait, causa le premier.

— Et ma sœur Henriette, y a-t-il longtemps que vous l'avez vue?

Le vieux continuait de marcher, avec des coups d'œil sur Jean, en train d'engloutir d'énormes bouchées de pain; et, sans se presser, comme après une longue réflexion :

— Henriette, oui, l'autre mois, à Sedan... Mais j'ai aperçu Weiss, son mari, ce matin. Il accompagnait son patron, monsieur Delaherche, qui l'avait pris avec lui dans sa voiture, pour aller voir passer l'armée à Mouzon, histoire simplement de s'amuser...

Une ironie profonde passa sur le visage fermé du paysan.

— Peut-être bien tout de même qu'ils l'auront trop vue, l'armée, et qu'ils ne se sont pas amusés beaucoup; car, dès trois heures, on ne pouvait plus circuler sur les routes, tant elles étaient encombrées de soldats qui fuyaient.

De la même voix tranquille et comme indifférente, il donna quelques détails sur la défaite du 5e corps, surpris à Beaumont au moment de faire la soupe, forcé de se replier, culbuté jusqu'à Mouzon par les Bavarois. Des soldats débandés, fous de panique, qui traversaient Remilly, lui avaient crié que de Failly venait encore de les vendre à Bismarck. Et Maurice songeait à ces marches affolées des deux derniers jours, à ces ordres du maréchal de Mac-Mahon hâtant la retraite, voulant passer la Meuse à tout prix, lorsqu'on avait perdu en incompré-

hensibles hésitations tant de journées précieuses. Il était
trop tard. Sans doute le maréchal, qui s'était emporté en
trouvant à Oches le 7e corps, qu'il croyait à la Besace,
avait dû être convaincu que le 5e corps campait déjà à
Mouzon, lorsque celui-ci, s'attardant à Beaumont, s'y
laissait écraser. Mais qu'exiger de troupes mal comman-
dées, démoralisées par l'attente et la fuite, mourantes de
faim et de fatigue ?

Fouchard avait fini par se planter derrière Jean, étonné
de voir les bouchées disparaître. Et, froidement goguenard :

— Hein! ça va mieux ?

Le caporal leva la tête, répondit avec sa même carrure
de paysan :

— Ça commence, merci bien!

Honoré, depuis qu'il était là, malgré sa grosse faim,
s'arrêtait parfois, tournait la tête, à un bruit qu'il croyait
entendre. Si, après tout un combat, il avait manqué à son
serment de ne plus jamais remettre les pieds dans cette
maison, c'était poussé par l'irrésistible désir de revoir
Silvine. Il gardait sous sa chemine, contre sa peau même,
la lettre qu'il avait reçue d'elle à Reims, cette lettre si
tendre où elle lui disait qu'elle l'aimait toujours, qu'elle
n'aimerait jamais que lui, malgré le cruel passé, malgré
Goliath et le petit Charlot qu'elle avait eu de cet homme.
Et il ne pensait plus qu'à elle, et il s'inquiétait de ne pas
l'avoir encore vue, tout en se raidissant, pour ne pas montrer son anxiété à son père. Mais la passion l'emporta,
il demanda, d'une voix qu'il s'efforçait de rendre naturelle :

— Et Silvine, elle n'est donc plus ici ?

Fouchard eut, sur son fils, un regard oblique, luisant
d'un rire intérieur.

— Si, si.

Puis, il se tut, cracha longuement; et l'artilleur dut
reprendre, après un silence :

— Alors, elle est couchée ?

— Non, non.

Enfin, le vieux daigna expliquer qu'il était tout de
même allé, le matin, au marché de Raucourt, avec sa
carriole, en emmenant sa servante. Ce n'était pas une
raison, parce qu'il passait des soldats, pour que le monde
cessât de manger de la viande et pour qu'on ne fît plus ses
affaires. Il avait donc, comme tous les mardis, emporté
là-bas un mouton et un quartier de bœuf; et il achevait

sa vente, lorsque l'arrivée du 7e corps l'avait jeté au
milieu d'une bagarre épouvantable. On courait, on se
bousculait. Alors, il avait eu peur qu'on ne lui prît sa voiture et son cheval, il était parti, en abandonnant Silvine,
qui faisait justement des commissions dans le bourg.

— Oh! elle va revenir, conclut-il de sa voix tranquille.
Elle a dû se réfugier chez le docteur Dalichamp, son parrain... C'est une fille tout de même courageuse, avec son
air de ne savoir qu'obéir... Sûrement, elle a bien des
qualités.

Raillait-il ? Voulait-il expliquer pourquoi il la gardait,
cette fille qui l'avait fâché avec son fils, et malgré l'enfant du Prussien dont elle refusait de se séparer ? De
nouveau, il eut son coup d'œil oblique, son rire muet.

— Charlot est là qui dort, dans sa chambre, et bien sûr
qu'elle ne va pas tarder.

Honoré, les lèvres tremblantes, regarda son père si fixement, que celui-ci reprit sa marche. Et le silence recommença, infini, tandis que, machinalement, il se recoupait
du pain, mangeant toujours. Jean continuait, lui aussi,
sans éprouver le besoin de dire une parole. Rassasié,
les coudes sur la table, Maurice examinait les meubles,
le vieux buffet, la vieille horloge, rêvait à des journées de
vacances qu'il avait passées à Remilly autrefois, avec sa
sœur Henriette. Les minutes s'écoulaient, l'horloge sonna
onze heures.

— Diable! murmura-t-il, il ne faut pas laisser partir les
autres.

Et, sans que Fouchard s'y opposât, il alla ouvrir la
fenêtre. Toute la vallée noire se creusa, roulant sa mer
de ténèbres. Pourtant, lorsque les yeux s'étaient habitués,
on distinguait très nettement le pont, éclairé par les feux
des deux berges. Des cuirassiers passaient toujours, dans
leurs grands manteaux blancs, pareils à des cavaliers
fantômes, dont les chevaux, fouettés d'un vent de terreur,
marchaient sur l'eau. Et cela sans fin, interminable, toujours du même train de vision lente. Vers la droite, les
coteaux nus, où dormait l'armée, restaient dans une immobilité, un silence de mort.

— Ah bien! reprit Maurice, avec un geste désespéré,
ce sera pour demain matin.

Il avait laissé la fenêtre grande ouverte, et le père
Fouchard, saisissant son fusil, enjamba l'appui, sauta
dehors, avec l'agilité d'un jeune homme. On l'entendit
marcher un instant d'un pas régulier de factionnaire;

puis, il n'y eut plus que la grande rumeur lointaine du pont encombré : sans doute il s'était assis au bord de la route, plus tranquille d'être là, voyant venir le danger, tout prêt à rentrer d'un saut et à défendre sa maison.

Maintenant, à chaque minute, Honoré regardait l'horloge. Son inquiétude croissait. Il n'y avait que six kilomètres de Raucourt à Remilly ; ce n'était guère plus d'une heure de marche, pour une fille jeune et solide comme Silvine. Pourquoi n'était-elle pas là, depuis des heures que le vieux l'avait perdue, dans la confusion de tout un corps d'armée, noyant le pays, bouchant les routes ? Certainement, quelque catastrophe s'était produite ; et il la voyait dans de mauvaises histoires, éperdue en pleins champs, piétinée par les chevaux.

Mais, soudain, tous trois se levèrent. Un galop descendait la route, et ils venaient d'entendre le vieux qui armait son fusil.

— Qui va là ? cria rudement ce dernier. C'est toi, Silvine ?

On ne répondit pas. Il menaça de tirer, répétant sa question. Alors, une voix haletante, oppressée, parvint à dire :

— Oui, oui, c'est moi, père Fouchard.

Puis, tout de suite elle demanda :

— Et Charlot ?

— Il est couché, il dort.

— Ah ! bon, merci !

Du coup, elle ne se hâta plus, poussant un gros soupir, où toute son angoisse et toute sa fatigue s'exhalaient.

— Entre par la fenêtre, reprit Fouchard. Il y a du monde.

Et, comme elle sautait dans la salle, elle resta saisie devant les trois hommes. Sous la lumière vacillante de la chandelle, elle apparaissait, très brune, avec ses épais cheveux noirs, ses grands beaux yeux, qui suffisaient à sa beauté, dans son visage ovale, d'une tranquillité forte de soumission. Mais, en ce moment, la vue brusque d'Honoré avait jeté tout le sang de son cœur à ses joues ; et elle n'était pas étonnée pourtant de le trouver là, elle avait songé à lui, en galopant depuis Raucourt.

Lui, étranglé, défaillant, affectait le plus grand calme.

— Bonsoir, Silvine.

— Bonsoir, Honoré.

Alors, pour ne pas éclater en sanglots, elle tourna la tête, elle sourit à Maurice, qu'elle venait de reconnaître.

Jean la gênait. Elle étouffait, elle ôta le foulard qu'elle avait au cou.

Honoré reprit, ne la tutoyant plus, comme autrefois :

— Nous étions inquiets de vous, Silvine, à cause de tous ces Prussiens qui arrivent.

Elle redevint subitement pâle, la face bouleversée ; et, avec un regard involontaire vers la chambre où dormait Charlot, agitant la main, comme pour chasser une vision abominable, elle murmura :

— Les Prussiens, oh ! oui, oui, je les ai vus.

A bout de force, tombée sur une chaise, elle raconta que, lorsque le 7ᵉ corps avait envahi Raucourt, elle s'était réfugiée chez son parrain, le docteur Dalichamp, espérant que le père Fouchard aurait l'idée de venir l'y prendre, avant de repartir. La Grande-Rue était encombrée d'une telle bousculade, qu'un chien ne s'y serait pas risqué. Et, jusque vers quatre heures, elle avait patienté, assez tranquille, faisant de la charpie avec des dames ; car le docteur, dans la pensée qu'on enverrait peut-être des blessés de Metz et de Verdun, si l'on se battait par là, s'occupait depuis quinze jours à installer une ambulance dans la grande salle de la mairie. Du monde arrivait, qui disait qu'on pourrait bien se servir tout de suite de cette ambulance ; et, en effet, dès midi, on avait entendu le canon, du côté de Beaumont. Mais ça se passait loin encore, on n'avait pas peur, lorsque, tout d'un coup, comme les derniers soldats français quittaient Raucourt, un obus était venu, avec un bruit effroyable, défoncer le toit d'une maison voisine. Deux autres suivirent, c'était une batterie allemande qui canonnait l'arrière-garde du 7ᵉ corps. Déjà, des blessés de Beaumont se trouvaient à la mairie, on craignit qu'un obus ne les achevât sur la paille, où ils attendaient que le docteur vînt les opérer. Fous d'épouvante, les blessés se levaient, voulaient descendre dans les caves, malgré leurs membres fracassés, qui leur arrachaient des cris de douleur.

— Et alors, continua Silvine, je ne sais pas comment ça s'est fait, il y eut un brusque silence... J'étais montée à une fenêtre qui donne sur la rue et sur la campagne. Je ne voyais plus personne, pas un seul pantalon rouge, quand j'ai entendu des gros pas lourds ; et une voix a crié quelque chose, et toutes les crosses des fusils sont tombées en même temps par terre... C'étaient, en bas, dans la rue, des hommes noirs, petits, l'air sale, avec de grosses têtes vilaines, coiffées de casques, pareils à ceux de nos

pompiers. On m'a dit que c'étaient des Bavarois... Puis,
comme je levais les yeux, j'en ai vu, oh! j'en ai vu des
milliers et des milliers, qui arrivaient par les routes, par
les champs, par les bois, en colonnes serrées, sans fin.
Tout de suite, le pays en a été noir. Une invasion noire,
des sauterelles noires, encore et encore, si bien qu'en un
rien de temps, on n'a plus vu la terre.

Elle frémissait, elle répéta son geste, chassant de la
main l'affreux souvenir.

— Et alors, on n'a pas idée de ce qui s'est passé... Il
paraît que ces gens-là marchaient depuis trois jours, et
qu'ils venaient de se battre à Beaumont, comme des enragés. Aussi crevaient-ils de faim, les yeux hors de la tête,
à moitié fous... Les officiers n'ont pas même essayé de
les retenir, tous se sont jetés dans les maisons, dans les
boutiques, enfonçant les portes et les fenêtres, cassant les
meubles, cherchant à manger et à boire, avalant n'importe
quoi, ce qui leur tombait sous la main... Chez monsieur
Simonnot, l'épicier, j'en ai aperçu un qui puisait avec son
casque, au fond d'un tonneau de mélasse. D'autres mordaient dans des morceaux de lard cru. D'autres mâchaient
de la farine. Déjà, disait-on, il ne restait plus rien, depuis
quarante-huit heures que des soldats passaient; et ils
trouvaient quand même, sans doute des provisions
cachées; de sorte qu'ils s'acharnaient à tout démolir,
croyant qu'on leur refusait la nourriture. En moins d'une
heure, les épiceries, les boulangeries, les boucheries,
les maisons bourgeoises elles-mêmes, ont eu leurs vitrines
fracassées, leurs armoires pillées, leurs caves envahies et
vidées... Chez le docteur, on ne s'imagine pas une chose
pareille, j'en ai surpris un gros qui a mangé tout le savon.
Mais c'est dans la cave surtout qu'ils ont fait du ravage.
On les entendait d'en haut hurler comme des bêtes,
briser les bouteilles, ouvrir les cannelles des tonneaux,
dont le vin coulait avec un bruit de fontaine. Ils remon-
taient les mains rouges, d'avoir pataugé dans tout ce
vin répandu... Et, voyez ce que c'est, quand on rede-
vient ainsi des sauvages, M. Dalichamp a voulu vainement empêcher un soldat de boire un litre de sirop
d'opium, qu'il avait découvert. Pour sûr, le malheureux
est mort à l'heure qu'il est, tant il souffrait, quand je suis
partie.

Prise d'un grand frisson, elle se mit les deux mains sur
les yeux, afin de ne plus voir.

— Non, non! j'en ai trop vu, ça m'étouffe!

Le père Fouchard, toujours sur la route, s'était approché, debout devant la fenêtre, pour écouter ; et le récit de ce pillage le rendait soucieux : on lui avait dit que les Prussiens payaient tout, est-ce qu'ils allaient se mettre à être des voleurs, maintenant ? Maurice et Jean, eux aussi, se passionnaient, à ces détails sur un ennemi que cette fille venait de voir, et qu'eux n'avaient pu rencontrer, depuis un mois qu'on se battait ; tandis que, pensif, la bouche souffrante, Honoré ne s'intéressait qu'à elle, ne songeait qu'au malheur ancien qui les avait séparés.

Mais, à ce moment, la porte de la chambre voisine s'ouvrit, et le petit Charlot parut. Il devait avoir entendu la voix de sa mère, il accourait en chemise, pour l'embrasser. Rose et blond, très fort, il avait une tignasse pâle frisée et de gros yeux bleus.

Silvine frémit, de le revoir si brusquement, comme surprise de l'image qu'il lui apportait. Ne le connaissait-elle donc plus, cet enfant adoré, qu'elle le regardait effrayée, ainsi qu'une évocation même de son cauchemar ? Puis, elle éclata en larmes.

— Mon pauvre petit !

Et elle le serra éperdument dans ses bras, à son cou, tandis qu'Honoré, livide, constatait l'extraordinaire ressemblance de Charlot avec Goliath : c'était la même tête carrée et blonde, toute la race germanique, dans une belle santé d'enfance, souriante et fraîche. Le fils du Prussien, le Prussien, comme les farceurs de Remilly le nommaient ! Et cette mère française qui était là, à l'étreindre sur son cœur encore toute bouleversée, toute saignante du spectacle de l'invasion !

— Mon pauvre petit, sois sage, viens te recoucher !... Fais dodo, mon pauvre petit !

Elle l'emporta. Puis, quand elle revint de la pièce voisine, elle ne pleurait plus, elle avait retrouvé sa calme figure de docilité et de courage.

Ce fut Honoré qui reprit, d'une voix tremblante :

— Et alors les Prussiens... ?

— Ah ! oui, les Prussiens... Eh bien ! Ils avaient tout cassé, tout pillé, tout mangé et tout bu. Ils volaient aussi le linge, les serviettes, les draps, jusqu'aux rideaux, qu'ils déchiraient en longues bandes, pour se panser les pieds. J'en ai vu dont les pieds n'étaient plus qu'une plaie, tant ils avaient marché. Devant chez le docteur, au bord du ruisseau, il y en avait une troupe, qui s'étaient déchaussés et qui s'enveloppaient les talons avec des chemises de

femme garnies de dentelle, volées sans doute à la belle
Mme Lefèvre, la femme du fabricant... Jusqu'à la nuit,
le pillage a duré. Les maisons n'avaient plus de portes,
elles bâillaient sur la rue par toutes les ouvertures des
rez-de-chaussée, et l'on apercevait les débris des meubles
à l'intérieur, un vrai massacre qui mettait en colère les
gens calmes... Moi, j'étais comme folle, je ne pouvais
rester davantage. On a eu beau vouloir me retenir, en me
disant que les routes étaient barrées, qu'on me tuerait
pour sûr, je suis partie, je me suis jetée tout de suite dans
les champs, à droite, en sortant de Raucourt. Des chariots
de Français et de Prussiens, en tas, arrivaient de Beaumont. Deux ont passé près de moi, dans l'obscurité, avec
des cris, des gémissements, et j'ai couru, oh! j'ai couru
à travers les terres, à travers les bois, je ne sais plus par
où, en faisant un grand détour, du côté de Villers...
Trois fois, je me suis cachée, en croyant entendre des
soldats. Mais je n'ai rencontré qu'une autre femme
qui courait aussi, qui se sauvait de Beaumont, elle, et
qui m'a dit des choses à faire dresser les cheveux...
Enfin, je suis ici, bien malheureuse, oh! bien malheureuse!

Des larmes, de nouveau, la suffoquèrent. Une hantise
la ramenait à ces choses, elle répéta ce que lui avait conté
la femme de Beaumont. Cette femme, qui habitait la
grande rue du village, venait d'y voir passer l'artillerie
allemande, depuis la tombée du jour. Aux deux bords,
une haie de soldats portaient des torches de résine,
éclairant la chaussée d'une lueur rouge d'incendie. Et,
au milieu, coulait le fleuve des chevaux, des canons, des
caissons, menés d'un train d'enfer, en un galop furieux.
C'était la hâte enragée de la victoire, la diabolique poursuite des troupes françaises, à achever, à écraser, là-bas,
dans quelque basse fosse. Rien n'était respecté, on cassait
tout, on passait quand même. Les chevaux qui tombaient,
et dont on coupait les traits tout de suite, étaient roulés,
broyés, rejetés comme des épaves sanglantes. Des hommes,
qui voulurent traverser, furent renversés à leur tour,
hachés par les roues. Dans cet ouragan, les conducteurs
mourant de faim ne s'arrêtaient même pas, attrapaient
au vol des pains qu'on leur jetait; tandis que les porteurs
de torches, du bout de leurs baïonnettes, leur tendaient
des quartiers de viande. Puis, du même fer, ils piquaient
les chevaux, qui ruaient, affolés, galopant plus fort. Et la
nuit s'avançait, et de l'artillerie passait toujours, sous

cette violence accrue de tempête, au milieu de hourras frénétiques.

Malgré l'attention qu'il donnait à ce récit, Maurice, foudroyé par la fatigue, après le repas goulu qu'il avait fait, venait de laisser tomber sa tête sur la table, entre ses deux bras. Un instant encore, Jean lutta, et il fut vaincu à son tour, il s'endormit, à l'autre bout. Le père Fouchard était redescendu sur la route, Honoré se trouva seul avec Silvine, assise, immobile maintenant, en face de la fenêtre toujours grande ouverte.

Alors, le maréchal des logis se leva, s'approcha de la fenêtre. La nuit restait immense et noire, gonflée du souffle pénible des troupes. Mais des bruits plus sonores, des chocs et des craquements, montaient. En bas, maintenant, c'était de l'artillerie qui défilait, sur le pont à demi submergé. Des chevaux se cabraient, dans l'effroi de cette eau mouvante. Des caissons glissaient à demi, qu'il fallait jeter complètement au fleuve. Et, en voyant cette retraite sur l'autre rive, si pénible, si lente, qui durait depuis la veille et qui ne serait certainement pas achevée au jour, le jeune homme songeait à l'autre artillerie, à celle dont le torrent sauvage se ruait au travers de Beaumont, renversant tout, broyant bêtes et gens, pour aller plus vite.

Honoré s'approcha de Silvine, et doucement, en face de ces ténèbres, où passaient des frissons farouches :

— Vous êtes malheureuse ?

— Oh! oui, malheureuse!

Elle sentit qu'il allait parler de la chose, de l'abominable chose, et elle baissait la tête.

— Dites, comment est-ce arrivé ?... Je voudrais savoir...

Mais elle ne pouvait répondre.

— Est-ce qu'il vous a forcée ?... Est-ce que vous avez consenti ?

Alors, elle bégaya, la voix étranglée :

— Mon Dieu! je ne sais pas, je vous jure que je ne sais pas moi-même... Mais, voyez-vous, ce serait si mal de mentir! et je ne puis m'excuser, non! je ne puis dire qu'il m'ait battue... Vous étiez parti, j'étais folle, et la chose est arrivée, je ne sais pas, je ne sais pas comment!

Des sanglots l'étouffèrent, et lui, blême, la gorge également serrée, attendit une minute. Cette idée qu'elle ne voulait pas mentir, le calmait pourtant. Il continua à l'interroger, la tête travaillée de tout ce qu'il n'avait pu comprendre encore.

— Mon père vous a donc gardée ici ?

Elle ne leva même pas les yeux, s'apaisant, reprenant son air de résignation courageuse.

— Je fais son ouvrage, je n'ai jamais coûté gros à nourrir, et comme il y a une bouche de plus avec moi, il en a profité pour diminuer mes gages... Maintenant, il est bien sûr que, ce qu'il commande, je suis forcée de le faire.

— Mais, vous, pourquoi êtes-vous restée ?

Du coup, elle fut si surprise, qu'elle le regarda.

— Moi, où donc voulez-vous que j'aille ? Au moins, ici, mon petit et moi, nous mangeons, nous sommes tranquilles.

Le silence recommença, tous les deux à présent avaient les yeux dans les yeux; et, au loin, par la vallée obscure, les souffles de foule montaient plus larges, tandis que le roulement des canons, sur le pont de bateaux, se prolongeait sans fin. Il y eut un grand cri, un cri perdu d'homme ou de bête, qui traversa les ténèbres, avec une infinie pitié.

— Ecoutez, Silvine, reprit Honoré lentement, vous m'avez envoyé une lettre qui m'a fait bien de la joie... Jamais je ne serais revenu. Mais cette lettre, je l'ai encore relue ce soir, et elle dit des choses qu'on ne pouvait pas mieux dire...

Elle avait d'abord pâli, en l'entendant parler de cela. Peut-être était-il fâché, de ce qu'elle avait osé lui écrire, comme une effrontée. Puis, à mesure qu'il s'expliquait, elle devenait toute rouge.

— Je sais bien que vous ne voulez pas mentir, et c'est pour ça que je crois ce qu'il y a sur le papier... Oui, maintenant, je le crois tout à fait... Vous avez eu raison de penser que, si j'étais mort à la guerre, sans vous revoir, ça m'aurait fait une grosse peine, de m'en aller ainsi, en me disant que vous ne m'aimiez pas... Et, alors, puisque vous m'aimez toujours, puisque vous n'avez jamais aimé que moi...

Sa langue s'embarrassait, il ne trouvait plus les mots, secoué d'une émotion extraordinaire.

— Ecoute, Silvine, si ces cochons de Prussiens ne me tuent pas, je veux bien encore de toi, oui! nous nous marierons ensemble, dès que je rentrerai du service.

Elle se leva toute droite, elle eut un cri et tomba entre

les bras du jeune homme. Elle ne pouvait parler, tout le
sang de ses veines était à son visage. Il s'était assis sur la
chaise, il l'avait prise sur ses genoux.

— J'y ai bien songé, c'était ce que j'avais à te dire,
en venant ici... Si mon père nous refuse son consentement
nous nous en irons, la terre est grande... Et ton petit,
on ne peut pas l'étrangler, mon Dieu! Il en poussera
d'autres, je finirai par ne plus le reconnaître, dans le
tas.

C'était le pardon. Elle se débattait contre cet immense
bonheur, elle murmura enfin :

— Non, ce n'est pas possible, c'est trop. Peut-être te
repentirais-tu, un jour... Mais que tu es bon, Honoré, et
que je t'aime!

D'un baiser sur les lèvres, il la fit taire. Et elle n'avait
déjà plus la force de refuser la félicité qui lui arrivait,
toute la vie heureuse qu'elle croyait à jamais morte.
D'un élan involontaire, irrésistible, elle le saisit à pleins
bras, elle le serra en le baisant à son tour, de toute sa
force de femme, comme un bien reconquis, à elle seule,
que personne maintenant ne lui enlèverait. Il était de
nouveau à elle, lui qu'elle avait perdu, et elle mourrait
plutôt que de se le laisser reprendre.

Mais, à cette minute, une rumeur monta, un grand
tumulte de réveil, qui emplit l'épaisse nuit. Des ordres
étaient criés, des clairons sonnaient, et toute une agitation d'ombres se levait des terrains nus, une mer indis-
tincte et mouvante, dont le flot descendait déjà vers la
route. En bas, les feux des deux berges allaient s'éteindre,
on ne voyait plus que des masses confuses piétinant, sans
pouvoir même se rendre compte si le passage du fleuve
continuait. Et jamais encore une telle angoisse, un tel
effarement d'épouvante n'avaient traversé les ténèbres.

Le père Fouchard s'était rapproché de la fenêtre,
criant qu'on partait. Réveillés, frissonnants et engourdis,
Jean et Maurice se mirent debout. Vivement, Honoré
avait serré les deux mains de Silvine dans les siennes.

— C'est juré... Attends-moi.

Elle ne trouva pas un mot, elle le regarda de toute son
âme, d'un dernier et long regard, comme il sautait par
la fenêtre, pour rejoindre sa batterie, au pas de course.

— Adieu, père!

— Adieu, mon garçon!

Et ce fut tout, le paysan et le soldat se quittaient de
nouveau comme ils s'étaient retrouvés, sans une embras-

sade, en père et en fils qui n'avaient pas besoin de se voir
pour vivre.

Quand ils eurent à leur tour quitté la ferme, Maurice
et Jean galopèrent par les pentes raides. En bas, ils ne
trouvèrent plus le 106e; tous les régiments étaient déjà
en branle; et ils durent courir encore, on les renvoya, à
droite, à gauche. Enfin, la tête perdue, au milieu d'une
effroyable confusion, ils tombèrent sur leur compagnie,
que conduisait le lieutenant Rochas; quant au capitaine
Beaudoin et au régiment lui-même, ils étaient sans doute
ailleurs. Et Maurice fut alors stupéfié, en constatant que
cette cohue d'hommes, de bêtes, de canons, sortait de
Remilly et remontait du côté de Sedan, par la route de
la rive gauche. Quoi donc ? qu'arrivait-il ? on ne passait
plus la Meuse, on battait en retraite vers le nord ?

Un officier de chasseurs qui se trouvait là, on ne savait
comment, dit tout haut :

— Nom de Dieu! c'était le 28 qu'il fallait foutre le
camp, lorsque nous étions au Chêne!

D'autres voix expliquaient le mouvement, des nouvelles
arrivaient. Vers deux heures du matin, un aide de camp
du maréchal de Mac-Mahon était venu dire au général
Douay que toute l'armée avait l'ordre de se replier sur
Sedan, sans perdre une minute. Ecrasé à Beaumont, le
5e corps emportait les trois autres dans son désastre. A ce
moment, le général, qui veillait près du pont de bateaux,
se désespérait de voir que sa troisième division avait
seule passé le fleuve. Le jour allait naître, on pouvait
être attaqué d'un instant à l'autre. Aussi fit-il avertir tous
les chefs placés sous ses ordres de gagner Sedan, chacun
pour son compte, par les routes les plus directes. Et lui-
même, abandonnant le pont qu'il ordonna de détruire,
fila le long de la rive gauche, avec sa première division
et l'artillerie de réserve; tandis que la troisième division
suivait la rive droite, et que la première, entamée à Beaumont, débandée, fuyait on ne savait où. Du 7e corps, qui
ne s'était pas encore battu, il n'y avait plus que des tronçons épars, perdus dans les chemins, galopant au fond
des ténèbres.

Il n'était pas trois heures, et la nuit restait noire.
Maurice, qui connaissait pourtant le pays, ne savait plus
où il roulait, incapable de se reprendre, dans le torrent
débordé, la cohue affolée qui coulait à pleine route. Beaucoup d'hommes, échappés à l'écrasement de Beaumont,
des soldats de toutes armes, en lambeaux, couverts de

sang et de poussière, se mêlaient aux régiments, semaient
l'épouvante. De la vallée entière, au-delà du fleuve, une
rumeur semblable montait, d'autres piétinements de
troupeau, d'autres fuites, le 1er corps qui venait de quitter
Carignan et Douzy, le 12e corps parti de Mouzon avec
les débris du 5e, tous ébranlés, emportés, sous la même
force logique et invincible, qui depuis le 28, poussait
l'armée vers le nord, la refoulait au fond de l'impasse
où elle devait périr.

Cependant, le petit jour parut, comme la compagnie
Beaudoin traversait Pont-Maugis ; et Maurice se retrouva,
les coteaux du Liry à gauche, la Meuse à droite, longeant
la route. Mais cette aube grise éclairait d'une infinie tristesse Bazeilles et Balan, noyés au bout des prairies ; tandis qu'un Sedan livide, un Sedan de cauchemar et de
deuil, s'évoquait à l'horizon, sur l'immense rideau sombre
des forêts. Et, après Wadelincourt, lorsqu'on eut enfin
atteint la porte de Torcy, il fallut parlementer, supplier et
se fâcher, presque faire le siège de la place, pour obtenir
du gouverneur qu'il baissât le pont-levis. Il était cinq
heures. Le 7e corps entra dans Sedan, ivre de fatigue, de
faim et de froid.

VIII

Dans la bousculade, au bout de la chaussée de Wadelincourt, place de Torcy, Jean fut séparé de Maurice; et il courut, s'égara parmi la cohue piétinante, ne put le retrouver. C'était une vraie malchance, car il avait accepté l'offre du jeune homme, qui voulait l'emmener chez sa sœur : là, on se reposerait, on se coucherait même dans un bon lit. Il y avait un tel désarroi, tous les régiments confondus, plus d'ordres de route ni plus de chefs, que les hommes étaient à peu près libres de faire ce qu'ils voulaient. Quand on aurait dormi quelques heures, il serait toujours temps de s'orienter et de rejoindre les camarades.

Jean, effaré, se trouva sur le viaduc de Torcy, au-dessus des vastes prairies, que le gouverneur avait fait inonder des eaux du fleuve. Puis, après avoir franchi une nouvelle porte, il traversa le pont de Meuse, et il lui sembla, malgré l'aube grandissante, que la nuit revenait, dans cette ville étroite, étranglée entre ses remparts, aux rues humides, bordées de maisons hautes. Il ne se rappelait même pas le nom du beau-frère de Maurice, il savait seulement que sa sœur s'appelait Henriette. Où aller ? qui demander ? Ses pieds ne le portaient plus que par le mouvement mécanique de la marche, il sentait qu'il tomberait, s'il s'arrêtait. Comme un homme qui se noie, il n'entendait que le bourdonnement sourd, il ne distinguait que le ruissellement continu du flot d'hommes et de bêtes dans lequel il était charrié. Ayant mangé à Remilly, il souffrait surtout du besoin de sommeil; et, autour de lui, la fatigue aussi l'emportait sur la faim, le troupeau d'ombres trébuchait, par les rues inconnues. A chaque pas, un homme s'affaissait sur un trottoir, culbutait sous une porte, restait là comme mort, endormi.

En levant les yeux, Jean lut sur une plaque : Avenue
de la Sous-Préfecture. Au bout, il y avait un monument,
dans un jardin. Et, au coin de l'avenue, il aperçut un
cavalier, un chasseur d'Afrique, qu'il crut reconnaître.
N'était-ce pas Prosper, le garçon de Remilly, qu'il avait
vu à Vouziers, avec Maurice ? Il était descendu de son
cheval, et le cheval, hagard, tremblant sur les pieds,
souffrait d'une telle faim, qu'il avait allongé le cou pour
manger les planches d'un fourgon, qui stationnait contre
le trottoir. Depuis deux jours, les chevaux n'avaient plus
reçu de rations, ils se mouraient d'épuisement. Les
grosses dents faisaient un bruit de râpe, contre le bois,
tandis que le chasseur d'Afrique pleurait.

Puis, comme Jean, qui s'était éloigné, revenait, avec
l'idée que ce garçon devait savoir l'adresse des parents de
Maurice, il ne le revit plus. Alors, ce fut du désespoir, il
erra de rue en rue, se retrouva à la Sous-Préfecture,
poussa jusqu'à la place Turenne. Là, un instant, il se
crut sauvé, en apercevant devant l'Hôtel de Ville, au pied
de la statue même, le lieutenant Rochas, avec quelques
hommes de la compagnie. S'il ne pouvait rejoindre son
ami, il rallierait le régiment, il dormirait au moins sous
la tente. Le capitaine Beaudoin n'ayant pas reparu,
emporté de son côté, échoué ailleurs, le lieutenant tâchait
de réunir son monde, s'informant, demandant en vain où
était fixé le campement de la division. Mais, à mesure
qu'on avançait dans la ville, la compagnie, au lieu de
s'accroître, diminuait. Un soldat, avec des gestes fous,
entra dans une auberge, et jamais il ne revint. Trois
autres s'arrêtèrent devant la porte d'un épicier, retenus
par des zouaves qui avaient défoncé un petit tonneau
d'eau-de-vie. Plusieurs, déjà, gisaient en travers du ruisseau, d'autres voulaient partir, retombaient, écrasés et
stupides. Chouteau et Loubet, se poussant du coude,
venaient de disparaître au fond d'une allée noire, derrière
une grosse femme qui portait un pain. Et il n'y avait plus,
avec le lieutenant, que Pache et Lapoulle, ainsi qu'une
dizaine de camarades.

Au pied du bronze de Turenne, Rochas faisait un effort
considérable, pour se tenir debout, les yeux ouverts.
Lorsqu'il reconnut Jean, il murmura :

— Ah! c'est vous, caporal! Et vos hommes ?

Jean eut un geste vague, pour dire qu'il ne savait pas.
Mais Pache, montrant Lapoulle, répondit, gagné par les
larmes :

— Nous sommes là, il n'y a que nous deux... Que le bon Dieu ait pitié de nous, c'est trop de misère!

L'autre, le gros mangeur, regardait les mains de Jean, d'un air vorace, révolté de les voir toujours vides à présent. Peut-être, dans sa somnolence, avait-il rêvé que le caporal était allé à la distribution.

— Sacré bon sort! gronda-t-il, faut donc encore se serrer le ventre!

Gaude, le clairon, qui attendait l'ordre de sonner au ralliement, adossé à la grille, venait de s'endormir, glissant d'une seule coudée, s'étalant sur le dos. Tous succombaient à un, ronflaient à poings fermés. Et, seul, le sergent Sapin restait les yeux grands ouverts, avec son nez pincé dans sa petite figure pâle, comme s'il lisait son malheur à l'horizon de cette ville inconnue.

Cependant, le lieutenant Rochas avait cédé à l'irrésistible besoin de s'asseoir par terre. Il voulut donner un ordre.

— Caporal, il faudra... il faudra...

Et il ne trouvait plus les mots, la bouche empâtée de fatigue; et, tout d'un coup, il s'abattit à son tour, foudroyé par le sommeil.

Jean, craignant de tomber lui aussi sur le pavé, s'en alla. Il s'entêtait à chercher un lit. De l'autre côté de la place, à une des fenêtres de l'hôtel de la Croix d'Or, il avait aperçu le général Bourgain-Desfeuilles, déjà en manches de chemise, tout prêt à se fourrer entre de fins draps blancs. A quoi bon faire du zèle, pâtir davantage? Et il eut une soudaine joie, un nom avait jailli de sa mémoire, celui du fabricant de drap, chez qui était employé le beau-frère de Maurice : M. Delaherche, oui! c'était bien ça. Il arrêta un vieil homme qui passait.

— Monsieur Delaherche?

— Rue Maqua, presque au coin de la rue au Beurre, une grande belle maison, avec des sculptures.

Puis, le vieil homme le rejoignit en courant.

— Dites donc, vous êtes du 106e... Si c'est votre régiment que vous cherchez, il est ressorti par le Château, là-bas... Je viens de rencontrer le colonel, monsieur de Vineuil, que j'ai bien connu, quand il était à Mézières.

Mais Jean repartit, avec un geste de furieuse impatience. Non! non! maintenant qu'il était certain de retrouver Maurice, il n'irait pas coucher sur la terre dure. Et, au fond de lui, un remords l'importunait, car il revoyait le colonel, avec sa haute taille, si dur à la fatigue

malgré son âge, dormant comme ses hommes, sous la
tente. Tout de suite, il enfila la Grande-Rue, se perdit
de nouveau dans le tumulte grandissant de la ville, finit
par s'adresser à un petit garçon qui le conduisit rue
Maqua.

C'était là qu'un grand-oncle du Delaherche actuel
avait construit, au siècle dernier, la fabrique monumentale, qui, depuis cent soixante ans, n'était point sortie de
la famille. Il y a ainsi, à Sedan, datant des premières
années de Louis XV, des fabriques de drap grandes
comme des Louvres, avec des façades d'une majesté
royale. Celle de la rue Maqua avait trois étages de hautes
fenêtres, encadrées de sévères sculptures ; et, à l'intérieur,
une cour de palais était encore plantée des vieux arbres
de la fondation, des ormes gigantesques. Trois généra-
tions de Delaherche avaient fait là des fortunes considérables. Le père de Jules, le propriétaire actuel, ayant hérité
la fabrique d'un cousin, mort sans enfant, c'était maintenant une branche cadette qui trônait. Ce père avait élargi
la prospérité de la maison, mais il était de mœurs gail-
lardes et avait rendu sa femme fort malheureuse. Aussi
cette dernière, devenue veuve, tremblante de voir son fils
recommencer les mêmes farces, s'était-elle efforcée
de le tenir jusqu'à cinquante ans passés dans une dépendance de grand garçon sage, après l'avoir marié à une
femme très simple et très dévote. Le pis est que la vie a
de terribles revanches. Sa femme étant venue à mourir,
Delaherche, sevré de jeunesse, s'était amouraché d'une
jeune veuve de Charleville, la jolie madame Maginot, sur
laquelle on chuchotait des histoires, et qu'il avait fini par
épouser, l'automne dernier, malgré les remontrances de
sa mère. Sedan, très puritain, a toujours jugé avec sévérité
Charleville, cité de rires et de fêtes. D'ailleurs, jamais le
mariage ne se serait conclu, si Gilberte n'avait eu pour
oncle le colonel de Vineuil, en passe d'être promu général. Cette parenté, cette idée qu'il était entré dans une
famille militaire, flattait beaucoup le fabricant de drap.

Le matin, Delaherche, en apprenant que l'armée allait
passer à Mouzon, avait fait avec Weiss, son comptable,
cette promenade en cabriolet, dont le père Fouchard avait
parlé à Maurice. Gros et grand, le teint coloré, le nez
fort et les lèvres épaisses, il était de tempérament expan-
sif, il avait la curiosité gaie du bourgeois français qui
aime les beaux défilés de troupes. Ayant su par le pharmacien de Mouzon que l'empereur se trouvait à la ferme

de Baybel, il y était monté, l'avait vu, avait même failli
causer avec lui, toute une histoire énorme, dont il ne
tarissait pas depuis son retour. Mais quel terrible retour,
à travers la panique de Beaumont, par les chemins
encombrés de fuyards! Vingt fois, le cabriolet avait failli
culbuter dans les fossés. Les deux hommes n'étaient rentrés qu'à la nuit, au milieu d'obstacles sans cesse renais-
sants. Et cette partie de plaisir, cette armée que Delaherche était allé voir défiler, à deux lieues, et qui le
ramenait violemment dans le galop de sa retraite, toute
cette aventure imprévue et tragique lui avait fait répéter,
à dix reprises, le long de la route :

— Moi qui la croyais en marche sur Verdun et qui ne
voulais pas manquer l'occasion de la voir!... Ah bien! je
l'ai vue et je crois que nous allons la voir, à Sedan, plus
que nous ne voudrons!

Le matin, dès cinq heures, réveillé par la haute rumeur
d'écluse lâchée que faisait le 7e corps en traversant la
ville, il s'était vêtu à la hâte; et, dans la première personne rencontrée sur la place Turenne, il avait reconnu
le capitaine Beaudoin. L'année d'auparavant, à Charleville, le capitaine était un des familiers de la jolie madame
Maginot; de sorte que Gilberte, avant le mariage, l'avait
présenté. L'histoire, chuchotée autrefois, disait que le
capitaine, n'ayant plus rien à désirer, s'était retiré devant
le fabricant de drap par délicatesse, ne voulant pas priver
son amie de la très grosse fortune qui lui arrivait.

— Comment! c'est vous ? s'écria Delaherche, et dans
quel état, bon Dieu!

Beaudoin, si correct, si joliment tenu d'habitude, était
en effet pitoyable, l'uniforme souillé, la face et les mains
noires. Exaspéré, il venait de faire route avec des turcos,
sans pouvoir s'expliquer comment il avait perdu sa
compagnie. Ainsi que tous, il se mourait de faim et de
fatigue; mais ce n'était pas là son désespoir le plus cuisant, il souffrait surtout de ne pas avoir changé de chemise depuis Reims.

— Imaginez-vous, gémit-il tout de suite, qu'on m'a
égaré mes bagages à Vouziers. Des imbéciles, des gredins
à qui je casserais la tête, si je les tenais!... Et plus rien,
pas un mouchoir, pas une paire de chaussettes! C'est à
en devenir fou, ma parole d'honneur!

Delaherche insista aussitôt pour l'emmener chez lui.
Mais il résistait : non, non! il n'avait plus figure humaine,
il ne voulait pas faire peur au monde. Il fallut que le

fabricant lui jurât que ni sa mère ni sa femme n'étaient levées. Et, d'ailleurs, il allait lui donner de l'eau, du savon, du linge, enfin le nécessaire.

Sept heures sonnaient, lorsque le capitaine Beaudoin, débarbouillé, brossé, ayant sous l'uniforme une chemise du mari, parut dans la salle à manger aux boiseries grises, très haute de plafond. Madame Delaherche, la mère, était déjà là, toujours debout à l'aube, malgré ses soixante-dix-huit ans. Toute blanche, elle avait un nez qui s'était aminci et une bouche qui ne riait plus, dans une longue face maigre. Elle se leva, se montra d'une grande politesse, en invitant le capitaine à s'asseoir devant une des tasses de café au lait qui étaient servies.

— Peut-être, monsieur, préféreriez-vous de la viande et du vin, après tant de fatigues ?

Mais il se récria.

— Merci mille fois, madame, un peu de lait et du pain beurré, c'est ce qui m'ira le mieux.

A ce moment, une porte fut gaiement poussée, et Gilberte entra, la main tendue. Delaherche avait dû la prévenir, car d'ordinaire elle ne se levait jamais avant dix heures. Elle était grande, l'air souple et fort, avec de beaux cheveux noirs, de beaux yeux noirs, et pourtant très rose de teint, et la mine rieuse, un peu folle, sans méchanceté aucune. Son peignoir beige, à broderies de soie rouge, venait de Paris.

— Ah! capitaine, dit-elle vivement, en serrant la main du jeune homme, que vous êtes gentil, de vous être arrêté dans notre pauvre coin de province!

D'ailleurs, elle fut la première à rire de son étourderie.

— Hein ? suis-je sotte! Vous vous passeriez bien d'être à Sedan, dans des circonstances pareilles... Mais je suis si heureuse de vous revoir!

En effet, ses beaux yeux brillaient de plaisir. Et madame Delaherche, qui devait connaître les propos des méchantes langues de Charleville, les regardait tous deux fixement, de son air rigide. Le capitaine, du reste, se montrait fort discret, en homme qui avait gardé simplement un bon souvenir de la maison hospitalière où il était accueilli autrefois.

On déjeuna, et tout de suite Delaherche revint à sa promenade de la veille, ne pouvant résister à la démangeaison d'en faire de nouveau le récit.

— Vous savez que j'ai vu l'empereur à Baybel.

Il partit, rien dès lors ne put l'arrêter. Ce fut d'abord une description de la ferme, un grand bâtiment carré, avec une cour intérieure, fermée par une grille, le tout sur un monticule qui domine Mouzon, à gauche de la route de Carignan. Ensuite, il revint au 12e corps qu'il avait traversé, campé parmi les vignes des coteaux, des troupes superbes, luisantes au soleil, dont la vue l'avait empli d'une grande joie patriotique.

— J'étais donc là, monsieur, lorsque l'empereur, tout d'un coup, est sorti de la ferme, où il était monté faire halte, pour se reposer et déjeuner. Il avait un paletot jeté sur son uniforme de général, bien que le soleil fût très chaud. Derrière lui, un serviteur portait un pliant... Je ne lui ai pas trouvé bonne mine, ah! non, voûté, la marche pénible, la figure jaune, enfin un homme malade... Et ça ne m'a pas surpris parce que le pharmacien de Mouzon, en me conseillant de pousser jusqu'à Baybel, venait de me raconter qu'un aide de camp était accouru lui acheter des remèdes... oui, vous savez bien, des remèdes pour...

La présence de sa mère et de sa femme l'empêchait de désigner plus clairement la dysenterie dont l'empereur souffrait depuis le Chêne et qui le forçait à s'arrêter ainsi dans les fermes, le long de la route.

— Bref, voilà le serviteur qui installe le pliant, au bout d'un champ de blé, à la corne d'un taillis, et voilà l'empereur qui s'assied... Il restait immobile, affaissé, de l'air d'un petit rentier chauffant ses douleurs au soleil. Il regardait de son œil morne le vaste horizon, en bas la Meuse coulant dans la vallée, en face les coteaux boisés dont les sommets se perdent au loin, les cimes des bois de Dieulet à gauche, le mamelon verdoyant de Sommauthe à droite... Des aides de camp, des officiers supérieurs l'entouraient, et un colonel de dragons, qui m'avait déjà demandé des renseignements sur le pays, venait de me faire signe de ne pas m'éloigner, lorsque, tout d'un coup...

Delaherche se leva, car il arrivait à la péripétie poignante du récit, il voulait joindre la mimique à la parole.

— Tout d'un coup, des détonations éclatent, et l'on voit, juste en face, en avant des bois de Dieulet, des obus décrire des courbes dans le ciel... Ça m'a fait, parole d'honneur! l'effet d'un feu d'artifice qu'on aurait tiré en plein jour... Autour de l'empereur, naturellement, on s'exclame, on s'inquiète. Mon colonel de dragons revient en courant me demander si je puis préciser où l'on se bat. Tout de suite, je dis : « C'est à Beaumont, il n'y a pas le moindre doute. » Il retourne près de l'empereur, sur les genoux duquel un aide de camp dépliait une carte. L'empereur ne voulait pas croire qu'on se battît à Beaumont. Moi, n'est-ce pas ? je ne pouvais que m'obstiner, d'autant plus que les obus marchaient dans le ciel, se rapprochant, suivant la route de Mouzon... Et alors, comme je vous vois, monsieur, j'ai vu l'empereur tourner vers moi son visage blême. Oui, il m'a regardé un instant de ses yeux troubles, pleins de défiance et de tristesse. Et puis, sa tête est retombée au-dessus de la carte, il n'a plus bougé.

Bonapartiste ardent au moment du plébiscite, Delaherche, depuis les premières défaites, avouait que l'Empire avait commis des fautes. Mais il défendait encore la dynastie, il plaignait Napoléon III, que tout le monde trompait. Ainsi, à l'entendre, les véritables auteurs de nos désastres n'étaient autres que les députés républicains de l'opposition, qui avaient empêché de voter le nombre d'hommes et les crédits nécessaires.

— Et l'empereur est rentré à la ferme ? demanda le capitaine Beaudoin.

— Ma foi, monsieur, je n'en sais rien, je l'ai laissé sur son pliant... Il était midi, la bataille se rapprochait, je commençais à me préoccuper de mon retour... Tout ce que je puis ajouter, c'est qu'un général, à qui je montrais Carignan au loin, dans la plaine, derrière nous, a paru stupéfait d'apprendre que la frontière belge était là, à quelques kilomètres... Ah! ce pauvre empereur, il est bien servi!

Gilberte, souriante, très à l'aise, comme dans le salon de son veuvage, où elle le recevait autrefois, s'occupait du capitaine, lui passait le pain grillé et le beurre. Elle voulait absolument qu'il acceptât une chambre, un lit; mais il refusait, il fut convenu qu'il se reposerait seulement une couple d'heures sur un canapé, dans le cabinet de Delaherche, avant de rejoindre son régiment. Au moment où il prenait des mains de la jeune femme le sucrier, madame Delaherche, qui ne les quittait pas des yeux, les vit nettement se serrer les doigts; et elle ne douta plus.

Mais une servante venait de paraître.

— Monsieur, il y a, en bas, un soldat qui demande l'adresse de monsieur Weiss.

Delaherche n'était pas fier, comme on disait, aimant à

causer avec les petits de ce monde, par un goût bavard de la popularité.

— L'adresse de Weiss, tiens! c'est drôle... Faites entrer ce soldat.

Jean entra, si épuisé, qu'il vacillait. En apercevant son capitaine, attablé avec deux dames, il eut un léger sursaut de surprise, il retira la main qu'il avançait machinalement déjà, pour s'appuyer à une chaise. Puis, il répondit brièvement aux questions du fabricant, qui faisait le bon homme, ami du soldat. D'un mot, il expliqua sa camaraderie avec Maurice, et pourquoi il le cherchait.

— C'est un caporal de ma compagnie, finit par dire le capitaine, afin de couper court.

À son tour, il l'interrogea, désireux de savoir ce que le régiment était devenu. Et, comme Jean racontait qu'on venait de voir le colonel traverser la ville, à la tête de ce qu'il lui restait d'hommes, pour aller camper au nord, Gilberte, de nouveau, parla trop vite, avec sa vivacité de jolie femme, qui ne réfléchissait guère.

— Oh! mon oncle, pourquoi n'est-il pas venu déjeuner ici? On lui aurait préparé une chambre... Si l'on envoyait le chercher?

Mais madame Delaherche eut un geste de souveraine autorité. Dans ses veines coulait le vieux sang bourgeois des villes frontières, toutes les mâles vertus d'un patriotisme rigide. Elle ne rompit la sévérité de son silence que pour dire :

— Laissez monsieur de Vineuil, il est à son devoir.

Cela causa un malaise. Delaherche emmena le capitaine dans son cabinet, voulut l'installer lui-même sur le canapé; et Gilberte s'en alla, malgré la leçon, de son air d'oiseau secouant les ailes, gai quand même sous l'orage; tandis que la servante, à qui l'on avait confié Jean, le conduisait à travers les cours de la fabrique, dans un dédale de couloirs et d'escaliers.

Les Weiss habitaient rue des Voyards; mais la maison, qui appartenait à Delaherche, communiquait avec la bâtisse monumentale de la rue Maqua. Cette rue des Voyards était alors une des plus étranglées de Sedan, une ruelle étroite, humide, assombrie par le voisinage du rempart qu'elle longeait. Les toitures des hautes façades se touchaient presque, les allées noires semblaient des bouches de cave, surtout dans le bout où se dressait le grand mur du collège. Cependant, Weiss, logé et chauffé, occupant tout le troisième étage, s'y trouvait à l'aise, à

proximité de son bureau, pouvant y descendre en pan-
toufles, sans sortir. Il était un homme heureux, depuis
qu'il avait épousé Henriette, si longtemps désirée, lorsqu'il l'avait connue au Chêne, chez son père, le percepteur, ménagère à six ans, remplaçant la mère morte ; tandis que lui, entré à la Raffinerie générale presque à titre
d'homme de peine, se faisait une instruction, s'élevait à
l'emploi de comptable, à force de travail. Encore, pour
réaliser son rêve, avait-il fallu la mort du père, puis les
fautes graves du frère, à Paris, de ce Maurice, dont la
sœur jumelle était un peu la servante, à qui elle s'était
sacrifiée toute pour en faire un monsieur. Elevée en cendrillon au logis, sachant au plus lire et écrire, elle venait
de vendre la maison, les meubles, sans combler le gouffre
des folies du jeune homme, lorsque le bon Weiss était
accouru offrir ce qu'il possédait, avec ses bras solides,
avec son cœur ; et elle avait accepté de l'épouser, touchée
aux larmes de son affection, très sage et très réfléchie,
pleine d'estime tendre sinon de passion amoureuse. Maintenant, la fortune leur souriait, Delaherche avait parlé
d'associer Weiss à sa maison. Ce serait le bonheur, dès
que des enfants seraient venus.

— Attention ! dit la domestique à Jean, l'escalier est
raide.

En effet, il butait dans une obscurité devenue profonde,
quand une porte, vivement ouverte, éclaira les marches
d'un coup de lumière. Et il entendit une voix douce qui
disait :

— C'est lui.

— Madame Weiss, cria la domestique, voilà un soldat
qui vous demande.

Il y eut un léger rire de contentement, et la voix douce
répondit :

— Bon ! bon ! je sais qui c'est.

Puis, comme le caporal, gêné, étouffé, s'arrêtait sur le
seuil.

— Entrez, monsieur Jean... Voici deux heures que
Maurice est là et que nous vous attendons, oh ! avec bien
de l'impatience !

Alors, dans le jour pâle de la pièce, il la vit, d'une ressemblance frappante avec Maurice, de cette extraordinaire ressemblance des jumeaux qui est comme un dédou-
blement des visages. Pourtant, elle était plus petite,
plus mince encore, d'apparence plus frêle, avec sa bouche
un peu grande, ses traits menus, sous son admirable

chevelure blonde, d'un blond clair d'avoine mûre. Et ce
qui la différenciait surtout de lui, c'étaient ses yeux gris,
calmes et braves, où revivait tout l'âme héroïque du
grand-père, le héros de la Grande Armée. Elle parlait
peu, marchait sans bruit, d'une activité si adroite, d'une
douceur si riante, qu'on la sentait comme une caresse
dans l'air où elle passait.

— Tenez, entrez par ici, monsieur Jean, répéta-t-elle.
Tout va être prêt.

Il balbutiait, ne trouvant pas même un remerciement,
dans son émotion d'être si fraternellement reçu. D'ailleurs, ses paupières se fermaient, il ne l'apercevait qu'à
travers le sommeil invincible dont il était pris, une sorte
de brume où elle flottait, vague, détachée de terre. N'était-
ce donc qu'une apparition charmante, cette jeune
femme secourable, qui lui souriait avec tant de simplicité ?
Il lui sembla bien qu'elle touchait sa main, qu'il sentait la
sienne, petite et ferme, d'une loyauté de vieil ami.

Et, à partir de ce moment, Jean perdit la conscience
nette des choses. On était dans la salle à manger, il y avait
du pain et de la viande sur la table; mais il n'aurait pas
eu la force de porter les morceaux à sa bouche. Un homme
était là, assis sur une chaise. Puis, il reconnut Weiss, qu'il
avait vu à Mulhouse. Mais il ne comprenait pas ce que
l'homme disait, d'un air de chagrin, avec des gestes ralen-
tis. Dans un lit de sangle, dressé devant le poêle, Maurice
dormait déjà, la face immobile, l'air mort. Et Henriette
s'empressait autour d'un divan, sur lequel on avait jeté
un matelas; elle apportait un traversin, un oreiller, des
couvertures; elle mettait, les mains promptes et savantes,
des draps blancs, d'admirables draps blancs, d'un blanc
de neige.

Ah! ces draps blancs, ces draps si ardemment convoités,
Jean ne voyait plus qu'eux! Il ne s'était pas déshabillé, il
n'avait pas couché dans un lit depuis six semaines. C'était
une gourmandise, une impatience d'enfant, une irrésistible passion, à se glisser dans cette blancheur, dans cette
fraîcheur, et à s'y perdre. Dès qu'on l'eut laissé seul, il
fut tout de suite pieds nus, en chemise, il se coucha, se
contenta, avec un grognement de bête heureuse. Le jour
pâle du matin entrait par la haute fenêtre; et, comme,
déjà chaviré dans le sommeil, il rouvrait à demi les yeux,
il eut encore une apparition d'Henriette, une Henriette
plus indécise, immatérielle, qui rentrait sur la pointe des
pieds, pour poser près de lui, sur la table, une carafe et

un verre oubliés. Elle sembla rester là quelques secondes, à les regarder tous deux, son frère et lui, avec son tranquille sourire, d'une infinie bonté. Puis, elle se dissipa. Et il dormait dans les draps blancs, anéanti.

Des heures, des années coulèrent. Jean et Maurice n'étaient plus, sans un rêve, sans la conscience du petit battement de leurs veines. Dix ans ou dix minutes, le temps avait cessé de compter; et c'était comme la revanche du corps surmené, se satisfaisant dans la mort de tout leur être. Brusquement, secoués du même sursaut, tous deux s'éveillèrent. Quoi donc? que se passait-il, depuis combien de temps dormaient-ils? la même clarté pâle tombait de la haute fenêtre. Ils étaient brisés, les jointures raidies, les membres plus las, la bouche plus amère qu'en se couchant. Heureusement qu'ils ne devaient avoir dormi qu'une heure. Et, sur la même chaise, ils ne s'étonnèrent pas d'apercevoir Weiss, qui semblait attendre leur réveil, dans la même attitude accablée.

— Fichtre! bégaya Jean, faut pourtant se lever et rejoindre le régiment avant midi.

Il sauta sur le carreau avec un léger cri de douleur, il s'habilla.

— Avant midi, répéta Weiss. Vous savez qu'il est sept heures du soir et que vous dormez depuis douze heures environ.

Sept heures, bon Dieu! Ce fut un effarement. Jean, déjà tout vêtu, voulait courir, tandis que Maurice, encore au lit, se lamentait de ne pouvoir plus remuer les jambes. Comment retrouver les camarades? l'armée n'avait-elle pas filé? Et tous deux se fâchaient, on n'aurait pas dû les laisser dormir si longtemps. Mais Weiss eut un geste de désespérance.

— Pour ce qu'on a fait, mon Dieu! vous avez aussi bien fait de rester couchés.

Lui, depuis le matin, battait Sedan et les environs. Il venait seulement de rentrer, désolé de l'inaction des troupes, de cette journée du 31, si précieuse, perdue dans une attente inexplicable. Une seule excuse était possible, la fatigue extrême des hommes, leur besoin absolu de repos; et encore ne comprenait-il pas que la retraite n'eût pas continué, après les quelques heures de sommeil nécessaire.

— Moi, reprit-il, je n'ai pas la prétention de m'y entendre, mais je sens, oui! je sens que l'armée est très mal plantée à Sedan... Le 12ᵉ corps se trouve à Bazeilles,

où l'on s'est un peu battu, ce matin; le 1er est tout le
long de la Givonne, du village de la Moncelle au bois
de la Garenne; tandis que le 7e campe sur le plateau de
Floing, et que le 5e, à moitié détruit, s'entasse sous les
remparts mêmes, du côté du Château... Et c'est cela qui
me fait peur, de les savoir tous rangés ainsi autour de la
ville, attendant les Prussiens. J'aurais filé, moi, oh! tout
de suite, sur Mézières. Je connais le pays, il n'y a pas
d'autre ligne de retraite, ou bien on sera culbuté en Belgique... Puis, tenez! venez voir quelque chose...

Il avait pris la main de Jean, il l'amenait devant la
fenêtre.

— Regardez là-bas, sur la crête des coteaux.

Par-dessus les remparts, par-dessus les constructions
voisines, la fenêtre s'ouvrait, au sud de Sedan, sur la
vallée de la Meuse. C'était le fleuve se déroulant dans les
vastes prairies, c'était Remilly à gauche, Pont-Maugis
et Wadelincourt en face, Frénois à droite; et les coteaux
étalaient leurs pentes vertes, d'abord le Liry, ensuite la
Marfée et la Croix-Piau, avec leurs grands bois. Sous le
jour finissant, l'immense horizon avait une douceur profonde, d'une limpidité de cristal.

— Vous ne voyez pas, là-bas, le long des sommets, ces
lignes noires en marche, ces fourmis noires qui défilent?

Jean écarquillait les yeux, tandis que Maurice, à
genoux sur son lit, tendait le cou.

— Ah! oui, crièrent-ils ensemble. En voici une ligne,
en voici une autre, une autre, une autre! Il y en a
partout.

— Eh bien! reprit Weiss, ce sont les Prussiens...
Depuis ce matin, je les regarde, et il en passe, il en
passe toujours! Ah! je vous promets que, si nos soldats
les attendent, eux se dépêchent d'arriver!... Et tous les
habitants de la ville les ont vus comme moi, il n'y a
vraiment que les généraux qui ont les yeux bouchés. J'ai
causé tout à l'heure avec un général, il a haussé les
épaules, il m'a dit que le maréchal de Mac-Mahon était
absolument convaincu d'avoir à peine soixante-dix mille
hommes devant lui. Dieu veuille qu'il soit bien renseigné!... Mais, regardez-les donc! la terre en est couverte,
elles viennent, elles viennent, les fourmis noires!

A ce moment, Maurice se rejeta dans son lit et éclata
en gros sanglots. Henriette, de son air souriant de la
veille, entrait. Vivement, elle s'approcha, alarmée.

— Quoi donc?

Mais lui, la repoussait du geste.

— Non, non! laisse-moi, abandonne-moi, je ne t'ai
jamais fait que du chagrin. Quand je pense que tu te
privais de robes, et que j'étais au collège, moi! Ah! oui,
une instruction dont j'ai profité joliment!... Et puis, j'ai
failli déshonorer notre nom, je ne sais pas où je serais à
cette heure, si tu ne t'étais saignée aux quatre membres,
pour réparer mes sottises.

Elle s'était remise à sourire.

— Vraiment, mon pauvre ami, tu n'as pas le réveil
gai... Mais puisque tout cela est effacé, oublié! Ne fais-tu
pas maintenant ton devoir de bon Français? Depuis que
tu t'es engagé, je suis très fière de toi, je t'assure.

Comme pour le prier de venir à son aide, elle s'était
tournée vers Jean. Celui-ci la regardait, un peu surpris
de la trouver moins belle que la veille, plus mince, plus
pâle, à présent qu'il ne la voyait plus au travers de la
demi-hallucination de sa fatigue. Ce qui restait frappant,
c'était sa ressemblance avec son frère; et, cependant,
toute la différence de leurs natures s'accusait profonde, à
cette minute: lui, d'une nervosité de femme, ébranlé par
la maladie de l'époque, subissant la crise historique et
sociale de la race, capable d'un instant à l'autre des
enthousiasmes les plus nobles et des pires décourage-
ments; elle, si chétive, dans son effacement de cendrillon,
avec son air résigné de petite ménagère, le front solide,
les yeux braves, du bois sacré dont on fait les martyrs.

— Fière de moi! s'écria Maurice, il n'y a pas de quoi,
vraiment! Voilà un mois que nous fuyons comme des
lâches que nous sommes.

— Dame! dit Jean, avec son bon sens, nous ne
sommes pas les seuls, nous faisons ce qu'on nous fait faire.

Mais la crise du jeune homme éclata, plus violente.

— Justement, j'en ai assez!... Est-ce que ce n'est pas
à pleurer des larmes de sang, ces défaites continuelles,
ces chefs imbéciles, ces soldats qu'on mène stupidement
à l'abattoir comme des troupeaux?... Maintenant, nous
voilà au fond d'une impasse. Vous voyez bien que les
Prussiens arrivent de toutes parts; et nous allons être
écrasés, l'armée est perdue... Non, non! je reste ici, je
préfère qu'on me fusille comme déserteur... Jean, tu
peux partir sans moi. Non! je n'y retourne pas, je reste
ici.

Un nouvel accès de larmes l'avait abattu sur l'oreiller.
C'était une détente nerveuse irrésistible, qui emportait

tout, une de ces chutes soudaines dans le désespoir, le mépris du monde entier et de lui-même, auxquelles il était si fréquemmagne sujet. Sa sœur, le connaissant bien, demeurait placide.

— Ce serait très mal, mon bon Maurice, si tu désertais ton poste, au moment du danger.

D'une secousse, il se mit sur son séant.

— Eh bien! donne-moi mon fusil, je vais me casser la tête, ce sera plus tôt fait.

Puis, le bras tendu, montrant Weiss, immobile et silencieux :

— Tiens! il n'y a que lui de raisonnable, oui! lui seul a vu clair... Tu te souviens, Jean, de ce qu'il me disait, devant Mulhouse, il y a un mois ?

— C'est bien vrai, confirma le caporal, monsieur a dit que nous serions battus.

Et la scène s'évoquait, la nuit anxieuse, l'attente pleine d'angoisse, tout le désastre de Frœschwiller passant déjà dans le ciel morne, tandis que Weiss disait ses craintes, l'Allemagne prête, mieux commandée, mieux armée, soulevée par un grand élan de patriotisme, la France effarée, livrée au désordre, attardée et pervertie, n'ayant ni les chefs, ni les hommes, ni les armes nécessaires. Et l'affreuse prédiction se réalisait.

Weiss leva ses mains tremblantes. Sa face de bon chien exprimait une douleur profonde.

— Ah! je ne triomphe guère, d'avoir eu raison, murmura-t-il. Je suis une bête, mais c'était tellement clair, quand on savait les choses!... Seulement, si l'on est battu, on peut en tuer tout de même, de ces Prussiens de malheur. C'est la consolation, je crois encore que nous allons y rester, et je voudrais qu'il y restât aussi des Prussiens, des tas de Prussiens, tenez! de quoi couvrir la terre, là-bas!

Il s'était mis debout, il montrait du geste la vallée de la Meuse. Toute une flamme allumait ses gros yeux de myope qui l'avaient empêché de servir.

— Tonnerre de Dieu! oui, je me battrais, moi, si j'étais libre. Je ne sais pas si c'est parce qu'ils sont maintenant en maîtres dans mon pays, cette Alsace où les Cosaques avaient déjà fait tant de mal, mais je ne puis penser à eux, les voir en imagination chez nous, dans nos maisons, sans qu'aussitôt une furieuse envie me saisisse d'en saigner une douzaine... Ah! si je n'avais pas été réformé, si j'étais soldat!

Puis, après un court silence :

— Et, d'ailleurs, qui sait ?

C'était l'espérance, le besoin de croire la victoire toujours possible, même chez les plus désabusés. Et Maurice, honteux déjà de ses larmes, l'écoutait, se raccrochait à ce rêve. En effet, la veille, le bruit n'avait-il pas couru que Bazaine était à Verdun ? La fortune devait bien un miracle à cette France qu'elle avait faite si longtemps glorieuse. Henriette, muette, venait de disparaître; et, quand elle rentra, elle ne s'étonna point de trouver son frère vêtu, debout, prêt au départ. Elle voulut absolument les voir manger, Jean et lui. Ils durent s'attabler, mais les bouchées les étouffaient, des nausées leur soulevaient le cœur, alourdis encore de leur gros sommeil. En homme de précaution, Jean coupa un pain en deux, en mit une moitié dans le sac de Maurice, l'autre moitié dans le sien. Le jour baissait, il fallait partir. Et Henriette qui s'était arrêtée devant la fenêtre, regardant au loin, sur la Marfée, les troupes prussiennes, les fourmis noires défilant sans cesse, peu à peu perdues au fond de l'ombre croissante, laissa échapper une involontaire plainte.

— Oh! la guerre, l'atroce guerre!

Du coup, Maurice la plaisanta, prenant sa revanche.

— Quoi donc ? petite sœur, c'est toi qui veux qu'on se batte, et tu injuries la guerre!

Elle se retourna, elle répondit de face, avec sa vaillance :

— C'est vrai, je l'exècre, je la trouve injuste et abominable... Peut-être, simplement, est-ce parce que je suis femme. Ces tueries me révoltent. Pourquoi ne pas s'expliquer et s'entendre ?

Jean, brave garçon, l'approuvait d'un hochement de tête. Rien également ne semblait plus facile, à lui illettré, que de tomber tous d'accord, si l'on s'était donné de bonnes raisons. Mais, repris par sa science, Maurice songeait à la guerre nécessaire, la guerre qui est la vie même, la loi du monde. N'est-ce pas l'homme pitoyable qui a introduit l'idée de justice et de paix, lorsque l'impassible nature n'est qu'un continuel champ de massacre ?

— S'entendre! s'écria-t-il, oui! dans des siècles. Si tous les peuples ne formaient plus qu'un peuple, on pourrait concevoir à la rigueur l'avènement de cet âge d'or; et encore la fin de la guerre ne serait-elle pas la fin de l'humanité ?... J'étais imbécile tout à l'heure, il faut se battre, puisque c'est la loi.

Il souriait à son tour, il répéta le mot de Weiss.

— Et puis, qui sait ?

De nouveau, l'illusion vivace le tenait, tout un besoin d'aveuglement, dans l'exagération maladive de sa sensibilité nerveuse.

— A propos, reprit-il gaiement, et le cousin Gunther ?

— Le cousin Gunther, dit Henriette, mais il appartient à la garde prussienne... Est-ce que la garde est par ici ?

Weiss eut un geste d'ignorance, que les deux soldats imitèrent, ne pouvant répondre, puisque les généraux eux-mêmes ne savaient pas quels ennemis ils avaient devant eux.

— Partons, je vais vous conduire, déclara-t-il. J'ai appris tout à l'heure où campait le 106e.

Alors, il dit à sa femme qu'il ne rentrerait pas, qu'il irait coucher à Bazeilles. Il venait d'acheter là une petite maison, qu'il achevait justement d'installer, pour l'habiter jusqu'aux froids. Elle se trouvait voisine d'une teinturerie, appartenant à M. Delaherche. Et il se montrait inquiet des provisions qu'il avait déjà mises à la cave, un tonneau de vin, deux sacs de pommes de terre, certain, disait-il, que des maraudeurs pilleraient la maison si elle restait vide, tandis qu'il la préserverait sans doute en l'occupant cette nuit-là. Sa femme, pendant qu'il parlait, le regardait fixement.

— Sois tranquille, ajouta-t-il avec un sourire, je n'ai pas d'autre idée que de veiller sur nos quatre meubles. Et je te promets, si le village est attaqué, s'il y a un danger quelconque, de revenir tout de suite.

— Va, dit-elle. Mais reviens, ou je vais te chercher.

A la porte, Henriette embrassa tendrement Maurice. Puis, elle tendit la main à Jean, garda la sienne quelques secondes, dans une étreinte amicale.

— Je vous confie encore mon frère... Oui, il m'a conté combien vous avez été gentil pour lui, et je vous aime beaucoup.

Il fut si troublé, qu'il se contenta de serrer, lui aussi, cette petite main frêle et solide. Et il retrouvait son impression de l'arrivée, cette Henriette aux cheveux d'avoine mûre, si légère, si riante dans son effacement, qu'elle emplissait l'air, autour d'elle, comme d'une caresse.

En bas, ils retombèrent dans le Sedan assombri du matin. Le crépuscule noyait déjà les rues étroites, toute

une agitation confuse obstruait le pavé. La plupart des
boutiques s'étaient fermées, les maisons semblaient
mortes, tandis que, dehors, on s'écrasait. Cependant, sans
trop de peine, ils avaient atteint la place de l'Hôtel-de-
Ville, lorsqu'ils firent la rencontre de Delaherche, flânant là, en curieux. Tout de suite, il s'exclama, parut
enchanté de reconnaître Maurice, raconta qu'il venait
justement de reconduire le capitaine Beaudoin, du côté
de Floing, où était le régiment; et son habituelle satisfaction augmenta encore, lorsqu'il sut que Weiss allait
coucher à Bazeilles; car lui-même, comme il le disait à
l'instant au capitaine, avait résolu de passer également la
nuit à sa teinturerie, pour voir.

— Weiss, nous partirons ensemble... Mais, en attendant, allons donc jusqu'à la Sous-Préfecture, nous aper-
cevrons peut-être l'empereur.

Depuis qu'il avait failli lui parler, à la ferme de Baybel,
il ne se préoccupait que de Napoléon III; et il finit par
entraîner les deux soldats eux-mêmes. Quelques groupes
seulement stationnaient, en chuchotant, sur la place de
la Sous-Préfecture; tandis que, de temps à autre, des
officiers se précipitaient, effarés. Une ombre mélancolique
décolorait déjà les arbres, on entendait le gros bruit de la
Meuse, coulant à droite, au pied des maisons. Et, dans la
foule, on racontait comment l'empereur, qui s'était décidé
avec peine à quitter Carignan, la veille, vers onze heures
du soir, avait absolument refusé de pousser jusqu'à
Mézières, pour rester au danger et ne pas démoraliser les
troupes. D'autres disaient qu'il n'était plus là, qu'il avait
fui, laissant, en guise de mannequin, un de ses lieutenants, vêtu de son uniforme, et dont une ressemblance
frappante abusait l'armée. D'autres donnaient leur parole
d'honneur qu'ils avaient vu entrer, dans le jardin de
la Sous-Préfecture, des voitures chargées du trésor impérial, cent millions en or, en pièces de vingt francs neuves.
Ce n'était, à la vérité, que le matériel de la maison de
l'empereur, le char à bancs, les deux calèches, les douze
fourgons, dont le passage avait révolutionné les villages,
Courcelles, le Chêne, Raucourt, grandissant dans les
imaginations, devenant une queue immense dont l'encombrement arrêtait l'armée, et qui venaient enfin
d'échouer là, maudits et honteux, cachés à tous les regards
derrière les lilas du sous-préfet.

Près de Delaherche, qui se haussait, examinant les
fenêtres du rez-de-chaussée, une vieille femme, quelque

pauvre journalière du voisinage, à la taille déviée, aux
mains tordues, mangées par le travail, mâchonnait entre
ses dents :

— Un empereur... je voudrais pourtant bien en voir
un... oui, pour voir...

Brusquement, Delaherche s'exclama, en saisissant le
bras de Maurice.

— Tenez! c'est lui... Là, regardez, à la fenêtre de
gauche... Oh! je ne me trompe pas, je l'ai vu hier de
très près, je le reconnais bien... Il a soulevé le rideau, oui,
cette figure pâle, contre la vitre.

La vieille femme, qui avait entendu, restait béante.
C'était, en effet, contre la vitre, une apparition de face
cadavéreuse, les yeux éteints, les traits décomposés, les
moustaches blêmies, dans cette angoisse dernière. Et la
vieille, stupéfaite, tourna tout de suite le dos, s'en alla,
avec un geste d'immense dédain.

— Ça, un empereur! en voilà une bête!

Un zouave était là, un de ces soldats débandés qui ne
se pressaient pas de rallier leurs corps. Il agitait son
chassepot, jurant, crachant des menaces; et il dit à un
camarade :

— Attends, que je lui foute une balle dans la tête!

Delaherche, indigné, intervint. Mais, déjà, l'empereur
avait disparu. Le gros bruit de la Meuse continuait, une
plainte d'infinie tristesse semblait avoir passé dans l'ombre
croissante. D'autres clameurs éparses grondaient au loin.
Etait-ce le : Marche! marche! l'ordre terrible crié de
Paris, qui avait poussé cet homme d'étape en étape, traînant par les chemins de la défaite l'ironie de son impériale escorte, acculé maintenant à l'effroyable désastre
qu'il prévoyait et qu'il était venu chercher? Que de
braves gens allaient mourir par sa faute, et quel bouleversement de tout l'être, chez ce malade, ce rêveur
sentimental, silencieux dans la morne attente de la destinée!

Weiss et Delaherche accompagnèrent les deux soldats
jusqu'au plateau de Floing.

— Adieu! dit Maurice, en embrassant son beau-frère.

— Non, non! au revoir, que diable! s'écria gaiement
le fabricant.

Jean, tout de suite, avec son flair, trouva le 106e, dont
les tentes s'alignaient sur la pente du plateau, derrière le
cimetière. La nuit était presque tombée; mais on distinguait encore, par grandes masses, l'amas sombre des

toitures de la ville, puis, au-delà, Balan et Bazeilles,
dans les prairies qui se déroulaient jusqu'à la ligne des
coteaux, de Remilly à Frénois; tandis que, sur la gauche,
s'étendait la tache noire du bois de la Garenne, et que,
sur la droite, en bas, luisait le large ruban pâle de la
Meuse. Un instant, Maurice regarda cet immense horizon
s'anéantir dans les ténèbres.

— Ah! voici le caporal! dit Chouteau. Est-ce qu'il
revient de la distribution ?

Il y eut une rumeur. Toute la journée, des hommes
s'étaient ralliés, les uns seuls, les autres par petits
groupes, dans une telle bousculade, que les chefs avaient
renoncé même à demander des explications. Ils fermaient
les yeux, heureux encore d'accepter ceux qui voulaient bien
revenir.

Le capitaine Beaudoin, d'ailleurs, arrivait à peine, et
le lieutenant Rochas n'avait ramené que vers deux heures
la compagnie débandée, réduite des deux tiers. Maintenant, elle se trouvait à peu près au complet. Quelques
soldats étaient ivres, d'autres restaient à jeun, n'ayant pu
se procurer un morceau de pain; et les distributions,
une fois de plus, venaient de manquer. Loubet, pourtant,
s'était ingénié à faire cuire des choux, arrachés dans un
jardin du voisinage; mais il n'y avait ni sel ni graisse, les
estomacs continuaient à crier famine.

— Voyons, mon caporal, vous qui êtes un malin! répétait Chouteau goguenard. Oh! ce n'est pas pour moi, j'ai
très bien déjeuné avec Loubet, chez une dame.

Des faces anxieuses se tournaient vers Jean, l'escouade
l'avait attendu, Lapoulle et Pache surtout, malchanceux,
n'ayant rien attrapé, comptant sur lui, qui aurait tiré de
la farine des pierres, comme ils disaient. Et Jean, apitoyé,
la conscience bourrelée d'avoir abandonné ses hommes,
leur partagea la moitié de pain qu'il avait dans son sac.

— Nom de Dieu! nom de Dieu! répéta Lapoulle dévorant, ne trouvant pas d'autre mot, dans le grognement de
sa satisfaction, tandis que Pache disait tout bas un *Pater*
et un *Ave*, pour être certain que le ciel, le lendemain,
lui enverrait encore sa nourriture.

Le clairon Gaude venait de sonner l'appel à toute fanfare. Mais il n'y eut point de retraite, le camp tout de
suite tomba dans un grand silence. Et ce fut, lorsqu'il
eut constaté que sa demi-section était au complet, que
le sergent Sapin, avec sa mince figure maladive et son nez
pincé, dit doucement :

— Demain soir, il en manquera.

Puis, comme Jean le regardait, il ajouta avec une tranquille certitude, les yeux au loin dans l'ombre :

— Oh! moi, demain, je serai tué.

Il était neuf heures, la nuit menaçait d'être glaciale,
car des brumes étaient montées de la Meuse, cachant les
étoiles. Et Maurice, couché près de Jean, au pied d'une
haie, frissonna, en disant qu'on ferait bien d'aller s'allonger sous la tente. Mais, brisés, plus courbaturés encore,
depuis le repos qu'ils avaient pris, ni l'un ni l'autre ne
pouvait dormir. À côté d'eux, ils enviaient le lieutenant
Rochas, qui, dédaigneux de tout abri, simplement enveloppé d'une couverture, ronflait en héros, sur la terre
humide. Longtemps, ensuite, ils s'intéressèrent à la
petite flamme d'une bougie, qui brûlait dans une grande
tente, où veillaient le colonel et quelques officiers. Toute
la soirée, M. de Vineuil avait paru très inquiet de ne pas
recevoir d'ordre, pour le lendemain matin. Il sentait son
régiment en l'air, trop en avant, bien qu'il eût reculé
déjà, abandonnant le poste avancé, occupé le matin. Le
général Bourgain-Desfeuilles n'avait pas paru, malade,
disait-on, couché à l'hôtel de la Croix d'Or; et le colonel
dut se décider à lui envoyer un officier, pour l'avertir que
la nouvelle position paraissait dangereuse, dans l'épar-
pillement du 7e corps, forcé de défendre une ligne trop
étendue, de la boucle de la Meuse au bois de la Garenne.
Certainement, dès le jour, la bataille serait livrée. On
n'avait plus devant soi que sept ou huit heures de ce
grand calme noir. Maurice fut tout étonné, comme la
petite clarté s'éteignait dans la tente du colonel, de voir
le capitaine Beaudoin passer près de lui, le long de la
haie, d'un pas furtif, et disparaître vers Sedan.

De plus en plus, la nuit s'épaississait, les grandes
vapeurs, montées du fleuve, l'obscurcissaient toute d'un
morne brouillard.

— Dors-tu, Jean ?

Jean dormait, et Maurice resta seul. L'idée d'aller
rejoindre Lapoulle et les autres, sous la tente, lui causait
une lassitude. Il écoutait leurs ronflements répondre à
ceux de Rochas, il les jalousait. Peut-être que, si les
grands capitaines dorment bien, la veille d'une bataille,
c'est simplement qu'ils sont fatigués. Du camp immense,
noyé de ténèbres, il n'entendait s'exhaler que cette grosse
haleine du sommeil, un souffle énorme et doux. Plus
rien n'était, il savait seulement que le 5e corps devait

camper par là, sous les remparts, que le 1ᵉʳ s'étendait du
bois de la Garenne au village de la Moncelle, tandis que
le 12ᵉ, de l'autre côté de la ville, occupait Bazeilles ; et tout
dormait, la lente palpitation venait des premières aux
dernières tentes, du fond vague de l'ombre, à plus d'une
lieue. Puis, au-delà, c'était un autre inconnu, dont les
bruits lui parvenaient aussi par moments, si lointains, si
légers, qu'il aurait pu croire à un simple bourdonnement
de ses oreilles : galop perdu de cavalerie, roulement affaibli de canons, surtout marche pesante d'hommes, le
défilé sur les hauteurs de la noire fourmilière humaine, cet
envahissement, cet enveloppement que la nuit elle-même
n'avait pu arrêter. Et, là-bas, n'étaient-ce pas encore des
feux brusques qui s'éteignaient, des voix éparses jetant
des cris, toute une angoisse grandissant, emplissant cette
nuit dernière, dans l'attente épouvantée du jour ?

Maurice, d'une main tâtonnante, avait pris la main de
Jean. Alors, seulement, rassuré, il s'endormit. Il n'y eut,
au loin, plus qu'un clocher de Sedan, dont les heures
tombèrent une à une.

DEUXIÈME PARTIE

I

A Bazeilles, dans la petite chambre noire, un brusque
ébranlement fit sauter Weiss de son lit. Il écouta, c'était
le canon. D'une main tâtonnante, il dut allumer la bougie,
pour regarder l'heure à sa montre : quatre heures, le jour
naissait à peine. Vivement, il prit son binocle, enfila
d'un coup d'œil la grande rue, la route de Douzy qui traverse le village; mais une sorte de poussière épaisse
l'emplissait, on ne distinguait rien. Alors, il passa dans
l'autre chambre, dont la fenêtre ouvrait sur les prés, vers
la Meuse; et, là, il comprit que des vapeurs matinales
montaient du fleuve, noyant l'horizon. Le canon tonnait
plus fort, là-bas, derrière ce voile, de l'autre côté de
l'eau. Tout d'un coup, une batterie française répondit, si
voisine et d'un tel fracas, que les murs de la petite maison
tremblèrent.

La maison des Weiss se trouvait vers le milieu de
Bazeilles, à droite, avant d'arriver à la place de l'Eglise. La
façade, un peu en retrait, donnait sur la route, un seul
étage de trois fenêtres, surmonté d'un grenier; mais,
derrière, il y avait un jardin assez vaste, dont la pente
descendait vers les prairies, et d'où l'on découvrait l'immense panorama des coteaux, depuis Remilly jusqu'à Frénois. Et Weiss, dans sa ferveur de nouveau propriétaire,
ne s'était guère couché que vers deux heures du matin,
après avoir enfoui dans sa cave toutes les provisions et
s'être ingénié à protéger les meubles autant que possible
contre les balles, en garnissant les fenêtres de matelas.
Une colère montait en lui, à l'idée que les Prussiens pouvaient venir saccager cette maison si désirée, si difficilement acquise et dont il avait encore joui si peu.

Mais une voix l'appelait, sur la route.

— Dites donc, Weiss, vous entendez ?

En bas, il trouva Delaherche, qui avait voulu également coucher à sa teinturerie, un grand bâtiment de briques, dont le mur était mitoyen. Du reste, tous les ouvriers avaient fui à travers bois, gagnant la Belgique; et il ne restait là, comme gardienne, que la concierge, la veuve d'un maçon, nommée Françoise Quittard. Encore, tremblante, éperdue, aurait-elle filé avec les autres, si elle n'avait pas eu son garçon, le petit Auguste, un gamin de dix ans, si malade d'une fièvre typhoïde, qu'il n'était pas transportable.

— Dites donc, répéta Delaherche, vous entendez, ça commence bien... Il serait sage de rentrer tout de suite à Sedan.

Weiss avait formellement promis à sa femme de quitter Bazeilles au premier danger sérieux, et il était alors très résolu à tenir sa promesse. Mais ce n'était encore là qu'un combat d'artillerie, à grande portée et un peu au hasard, dans les brumes du petit jour.

— Attendons, que diable! répondit-il. Rien ne presse.

D'ailleurs, la curiosité de Delaherche était si vive, si agitée, qu'il en devenait brave. Lui, n'avait pas fermé l'œil, très intéressé par les préparatifs de défense. Prévenu qu'il serait attaqué dès l'aube, le général Lebrun, qui commandait le 12e corps, venait d'employer la nuit à se retrancher dans Bazeilles, dont il avait l'ordre d'empêcher à tout prix l'occupation. Des barricades barraient la route et les rues; des garnisons de quelques hommes occupaient toutes les maisons; chaque ruelle, chaque jardin se trouvait transformé en forteresse. Et, dès trois heures, dans la nuit d'encre, les troupes, éveillées sans bruit, étaient à leurs postes de combat, les chassepots fraîchement graissés, les cartouchières emplies des quatre-vingt-dix cartouches réglementaires. Aussi, le premier coup de canon de l'ennemi n'avait-il surpris personne, et les batteries françaises, établies en arrière, entre Balan et Bazeilles, s'étaient-elles mises aussitôt à répondre, pour faire acte de présence, car elles tiraient simplement au jugé, dans le brouillard.

— Vous savez, reprit Delaherche, que la teinturerie sera vigoureusement défendue... J'ai toute une section. Venez donc voir.

On avait, en effet, posté là quarante et quelques soldats de l'infanterie de marine, à la tête desquels était un lieutenant, un grand garçon blond, fort jeune, l'air énergique et têtu. Déjà, ses hommes avaient pris possession du bâti-

ment, les uns pratiquant des meurtrières dans les volets
du premier étage, sur la rue, les autres crénelant le mur
bas de la cour, qui dominait les prairies, par-derrière.

Et ce fut au milieu de cette cour que Delaherche et
Weiss trouvèrent le lieutenant, regardant, s'efforçant de
voir au loin, dans la brume matinale.

— Le fichu brouillard! murmura-t-il. On ne va pas
pouvoir se battre à tâtons.

Puis, après un silence, sans transition apparente :

— Quel jour sommes-nous donc, aujourd'hui ?

— Jeudi, répondit Weiss.

— Jeudi, c'est vrai... Le diable m'emporte! on vit sans
savoir, comme si le monde n'existait plus!

Mais, à ce moment, dans le grondement du canon qui
ne cessait pas, éclata une vive fusillade, au bord des
prairies mêmes, à cinq ou six cents mètres. Et il y eut
comme un coup de théâtre : le soleil se levait, les vapeurs
de la Meuse s'envolèrent en lambeaux de fine mousseline, le ciel bleu apparut, se dégagea, d'une limpidité
sans tache. C'était l'exquise matinée d'une admirable
journée d'été.

— Ah! cria Delaherche, ils passent le pont du chemin
de fer. Les voyez-vous qui cherchent à gagner, le long de
la ligne... Mais c'est stupide, de ne pas avoir fait sauter
le pont!

Le lieutenant eut un geste de muette colère. Les fourneaux de mine étaient chargés, raconta-t-il; seulement,
la veille, après s'être battu quatre heures pour reprendre
le pont, on avait oublié d'y mettre le feu.

— C'est notre chance, dit-il de sa voix brève.

Weiss regardait, essayait de se rendre compte. Les
Français occupaient dans Bazeilles, une position très
forte. Bâti aux deux bords de la route de Douzy, le village
dominait la plaine; et il n'y avait, pour s'y rendre, que
cette route, tournant à gauche, passant devant le Château, tandis qu'une autre, à droite, qui conduisait au pont
du chemin de fer, bifurquait à la place de l'Eglise. Les
Allemands devaient donc traverser les prairies, les terres
de labour, dont les vastes espaces découverts bordaient
la Meuse et la ligne ferrée. Leur prudence habituelle
étant bien connue, il semblait peu probable que la véritable attaque se produisît de ce côté. Cependant, des
masses profondes arrivaient toujours par le pont, malgré
le massacre que des mitrailleuses, installées à l'entrée de
Bazeilles, faisaient dans les rangs; et, tout de suite, ceux

qui avaient passé, se jetaient en tirailleurs parmi les quelques saules, des colonnes se reformaient et s'avançaient. C'était de là que partait la fusillade croissante.

— Tiens! fit remarquer Weiss, ce sont des Bavarois. Je distingue parfaitement leurs casques à chenille.

Mais il crut comprendre que d'autres colonnes, à demi cachées derrière la ligne du chemin de fer, filaient vers leur droite, en tâchant de gagner les arbres lointains, de façon à se rabattre ensuite sur Bazeilles par un mouvement oblique. Si elles réussissaient de la sorte à s'abriter dans le parc de Montivilliers, le village pouvait être pris. Il en eut la rapide et vague sensation. Puis, comme l'attaque de front s'aggravait, elle s'effaça.

Brusquement, il s'était tourné vers les hauteurs de Floing, qu'on apercevait, au nord, par-dessus la ville de Sedan. Une batterie venait d'y ouvrir le feu, des fumées montaient dans le clair soleil, tandis que les détonations arrivaient très nettes. Il pouvait être cinq heures.

— Allons, murmura-t-il, la danse va être complète.

Le lieutenant d'infanterie de marine, qui regardait lui aussi, eut un geste d'absolue certitude, en disant :

— Oh! Bazeilles est le point important. C'est ici que le sort de la bataille se décidera.

— Croyez-vous ? s'écria Weiss.

— Il n'y a pas à en douter. C'est à coup sûr l'idée du maréchal, qui est venu, cette nuit, nous dire de nous faire tuer jusqu'au dernier, plutôt que de laisser occuper le village.

Weiss hocha la tête, jeta un regard autour de l'horizon; puis, d'une voix hésitante, comme se parlant à lui-même :

— Eh bien! non, eh bien! non, ce n'est pas ça... J'ai peur d'autre chose, oui! je n'ose pas dire au juste...

Et il se tut. Il avait simplement ouvert les bras très grands, pareils aux branches d'un étau; et, tourné vers le nord, il rejoignait les mains, comme si les mâchoires de l'étau se fussent tout d'un coup resserrées.

Depuis la veille, c'était sa crainte, à lui qui connaissait le pays et qui s'était rendu compte de la marche des deux armées. A cette heure encore, maintenant que la vaste plaine s'élargissait dans la radieuse lumière, ses regards se reportaient sur les coteaux de la rive gauche où, durant tout un jour et toute une nuit, avait défilé un si noir fourmillement de troupes allemandes. Du haut de Remilly, une batterie tirait. Une autre, dont on commençait à recevoir les obus, avait pris position à Pont-

Maugis, au bord du fleuve. Il doubla son binocle, appliqua l'un des verres sur l'autre, pour mieux fouiller les pentes boisées ; mais il ne voyait que les petites fumées pâles des pièces, dont les hauteurs, de minute en minute, se couronnaient : où donc se massait à présent le flot d'hommes qui avait coulé là-bas ? Au-dessus de Noyers et de Frénois, sur la Marfée, il finit seulement par distinguer, à l'angle d'un bois de pins, un groupe d'uniformes et de chevaux, des officiers sans doute, quelque état-major. Et la boucle de la Meuse était plus loin, barrant l'ouest, et il n'y avait, de ce côté, d'autre voie de retraite sur Mézières qu'une étroite route, qui suivait le défilé de Saint-Albert, entre le fleuve et la forêt des Ardennes. Aussi, la veille, avait-il osé parler de cette ligne unique de retraite à un général, rencontré par hasard dans un chemin creux de la vallée de Givonne, et qu'il avait su ensuite être le général Ducrot, commandant le Ier corps. Si l'armée ne se retirait pas tout de suite par cette route, si elle attendait que les Prussiens vinssent lui couper le passage, après avoir traversé la Meuse à Donchery, elle allait sûrement être immobilisée, acculée à la frontière. Déjà, le soir, il n'était plus temps, on affirmait que les uhlans occupaient le pont, un pont encore qu'on n'avait pas fait sauter, faute, cette fois, d'avoir songé à apporter de la poudre. Et, désespérément, Weiss se disait que le flot d'hommes, le fourmillement noir devait être dans la plaine de Donchery, en marche vers le défilé de Saint-Albert, lançant son avant-garde sur Saint-Menges et sur Floing, où il avait conduit la veille Jean et Maurice. Dans l'éclatant soleil, le clocher de Floing lui apparaissait très loin, comme une fine aiguille blanche.

Puis, à l'est, il y avait l'autre branche de l'étau. S'il apercevait, au nord, du plateau d'Illy à celui de Floing, la ligne de bataille du 7e corps, mal soutenu par le 5e, qu'on avait placé en réserve sous les remparts, il lui était impossible de savoir ce qui se passait à l'est, le long de la vallée de la Givonne, où le Ier corps se trouvait rangé, du bois de la Garenne au village de Daigny. Mais le canon tonnait aussi de ce côté, la lutte devait être engagée dans le bois Chevalier, en avant du village. Et son inquiétude venait de ce que des paysans avaient signalé, dès la veille, l'arrivée des Prussiens à Francheval ; de sorte que le mouvement qui se produisait à l'ouest, par Donchery, avait lieu également à l'est, par Francheval, et que les mâchoires de l'étau réussiraient à se rejoindre, là-bas,

au nord, au calvaire d'Illy, si la double marche d'enveloppement n'était pas arrêtée. Il ne savait rien en science
militaire, il n'avait que son bon sens, et il tremblait, à
voir cet immense triangle dont la Meuse faisait un des
côtés, et dont les deux autres étaient représentés, au nord,
par le 7e corps, à l'est, par le 1er, tandis que le 12e, au
sud, à Bazeilles, occupait l'angle extrême, tous les trois
se tournant le dos, attendant on ne savait pourquoi ni
comment un ennemi qui arrivait de toutes parts. Au
milieu, comme au fond d'une basse-fosse, la ville de Sedan
était là, armée de canons hors d'usage, sans munitions et
sans vivres.

— Comprenez donc, disait Weiss, en répétant son
geste, ses deux bras élargis et ses deux mains rejointes,
ça va être comme ça, si vos généraux n'y prennent pas
garde... On vous amuse à Bazeilles...

Mais il s'expliquait mal, confusément, et le lieutenant,
qui ne connaissait pas le pays, ne pouvait le comprendre.
Aussi haussait-il les épaules, pris d'impatience, plein de
dédain pour ce bourgeois en paletot et en lunettes, qui
voulait en savoir plus long que le maréchal. Irrité de
l'entendre redire que l'attaque de Bazeilles n'avait peut-
être d'autre but que de faire une diversion et de cacher
le plan véritable, il finit par s'écrier :

— Fichez-nous la paix !... Nous allons les flanquer à
la Meuse, vos Bavarois, et ils verront comment on nous
amuse !

Depuis un instant, les tirailleurs ennemis semblaient
s'être rapprochés, des balles arrivaient, avec un bruit
mat, dans les briques de la teinturerie ; et, abrités derrière le petit mur de la cour, les soldats maintenant ripos-
taient. C'était, à chaque seconde, une détonation de
chassepot, sèche et claire.

— Les flanquer à la Meuse, oui, sans doute ! murmura
Weiss, et leur passer sur le ventre pour reprendre le
chemin de Carignan, ce serait très bien !

Puis, s'adressant à Delaherche, qui s'était caché derrière la pompe, afin d'éviter les balles :

— N'importe, le vrai plan était de filer hier soir sur
Mézières ; et, à leur place, j'aimerais mieux être là-bas...
Enfin, il faut se battre, puisque, désormais, la retraite est
impossible.

— Venez-vous ? demanda Delaherche, qui, malgré son
ardente curiosité, commençait à blêmir. Si nous tardons
encore, nous ne pourrons plus rentrer à Sedan.

— Oui, une minute, et je vous suis.

Malgré le danger, il se haussait, il s'entêtait à vouloir se rendre compte. Sur la droite, les prairies inondées par ordre du gouverneur, le vaste lac qui s'étendait de Torcy à Balan, protégeait la ville : une nappe immobile, d'un bleu délicat au soleil matinal. Mais l'eau cessait à l'entrée de Bazeilles, et les Bavarois s'étaient en effet avancés, au travers des herbes, profitant des moindres fossés, des moindres arbres. Ils pouvaient être à cinq cents mètres ; et ce qui le frappait, c'était la lenteur de leurs mouvements, la patience avec laquelle ils gagnaient du terrain, en s'exposant le moins possible. D'ailleurs, une puissante artillerie les soutenait, l'air frais et pur s'emplissait de sifflements d'obus. Il leva les yeux, il vit que la batterie de Pont-Maugis n'était pas la seule à tirer sur Bazeilles : deux autres, installées à mi-côte du Liry, avaient ouvert leur feu, battant le village, balayant même au-delà les terrains nus de la Moncelle, où étaient les réserves du 12ᵉ corps, et jusqu'aux pentes boisées de Daigny, qu'une division du 1ᵉʳ corps occupait. Toutes les crêtes de la rive gauche, du reste, s'enflammaient. Les canons semblaient pousser du sol, c'était comme une ceinture sans cesse allongée : une batterie à Noyers qui tirait sur Balan, une batterie à Wadelincourt qui tirait sur Sedan, une batterie à Frénois, en dessous de la Marfée, une formidable batterie, dont les obus passaient par-dessus la ville, pour aller éclater parmi les troupes du 7ᵉ corps, sur le plateau de Floing. Ces coteaux qu'il aimait, cette suite de mamelons qu'il avait toujours crus là pour le plaisir de la vue, fermant au loin la vallée d'une verdure si gaie, Weiss ne les regardait plus qu'avec une angoisse terrifiée, devenus tout d'un coup l'effrayante et gigantesque forteresse, en train d'écraser les inutiles fortifications de Sedan.

Une légère chute de plâtras lui fit lever la tête. C'était une balle qui venait d'écorner sa maison, dont il apercevait la façade, par-dessus le mur mitoyen. Il en fut très contrarié, il gronda :

— Est-ce qu'ils vont me la démolir, ces brigands !

Mais, derrière lui, un autre petit bruit mou l'étonna. Et, comme il se retournait, il vit un soldat, frappé en plein cœur, qui tombait sur le dos. Les jambes eurent une courte convulsion, la face resta jeune et tranquille, foudroyée. C'était le premier mort, et il fut surtout bouleversé par le fracas du chassepot, rebondissant sur le pavé de la cour.

— Ah! non, je file, moi! bégaya Delaherche. Si vous ne venez pas, je file tout seul.

Le lieutenant, qu'ils énervaient, intervint.

— Certainement, messieurs, vous feriez mieux de vous en aller... Nous pouvons être attaqués d'un moment à l'autre.

Alors, après avoir jeté un regard vers les prés, où les Bavarois gagnaient du terrain, Weiss se décida à suivre Delaherche. Mais, de l'autre côté, dans la rue, il voulut fermer sa maison à double tour; et il rejoignait enfin son compagnon, lorsqu'un nouveau spectacle les immobilisa tous les deux.

Au bout de la route, à trois cents mètres environ, la place de l'Eglise était en ce moment attaquée par une forte colonne bavaroise, qui débouchait du chemin de Douzy. Le régiment d'infanterie de marine chargé de défendre la place parut un instant ralentir le feu, comme pour la laisser s'avancer. Puis, tout d'un coup, quand elle fut massée bien en face, il y eut une manœuvre extraordinaire et imprévue : les soldats s'étaient rejetés aux deux bords de la route, beaucoup se couchaient par terre; et, dans le brusque espace qui s'ouvrait ainsi, les mitrailleuses, mises en batterie à l'autre bout, vomirent une grêle de balles. La colonne ennemie en fut comme balayée. Les soldats s'étaient relevés d'un bond, couraient à la baïonnette sur les Bavarois épars, achevaient de les pousser et de les culbuter. Deux fois, la manœuvre recommença, avec le même succès. A l'angle d'une ruelle, dans une petite maison, trois femmes étaient restées; et, tranquillement, à une des fenêtres, elles riaient, elles applaudissaient, l'air amusé d'être au spectacle.

— Ah! fichtre! dit soudain Weiss, j'ai oublié de fermer la porte de la cave et de prendre la clef... Attendez-moi, j'en ai pour une minute.

Cette première attaque semblait repoussée, et Delaherche, que l'envie de voir reprenait, avait moins de hâte. Il était debout devant la teinturerie, il causait avec la concierge, sortie un instant sur le seuil de la pièce qu'elle occupait, au rez-de-chaussée.

— Ma pauvre Françoise, vous devriez venir avec nous. Une femme seule, c'est terrible, au milieu de ces abominations!

Elle leva ses bras tremblants.

— Ah! monsieur, bien sûr que j'aurais filé, sans la

maladie de mon petit Auguste... Entrez donc, monsieur, vous le verrez.

Il n'entra pas, mais il allongea le cou et il hocha la tête, en apercevant le gamin dans un lit très blanc, la face empourprée de fièvre, et qui regardait fixement sa mère de ses yeux de flamme.

— Eh bien! mais, reprit-il, pourquoi ne l'emportez-vous pas? Je vous installerai à Sedan... Enveloppez-le dans une couverture chaude et venez avec nous.

— Oh! non, monsieur, ce n'est pas possible. Le médecin a bien dit que je le tuerais... Si encore son pauvre père était en vie! Mais nous ne sommes plus que tous les deux, il faut que nous nous conservions l'un pour l'autre... Et puis, ces Prussiens, ils ne vont peut-être pas faire du mal à une femme seule et à un enfant malade.

Weiss, à cet instant, reparut, satisfait d'avoir tout barricadé chez lui.

— Là, pour entrer, il faudra casser tout... Maintenant, en route! et ça ne va guère être commode, filons contre les maisons, si nous voulons ne rien attraper.

En effet, l'ennemi devait préparer une nouvelle attaque, car la fusillade redoublait et le sifflement des obus ne cessait plus. Deux déjà étaient tombés sur la route, à une centaine de mètres; un autre venait de s'enfoncer dans la terre molle du jardin voisin, sans éclater.

— Ah! dites donc, Françoise, reprit-il, je veux l'embrasser, votre petit Auguste... Mais il n'est pas si mal que ça, encore une couple de jours, et il sera hors de danger... Ayez bon courage, surtout rentrez vite, ne montrez plus votre nez.

Les deux hommes, enfin, partaient.

— Au revoir, Françoise.

— Au revoir, messieurs.

Et, à cette seconde même, il y eut un épouvantable fracas. C'était un obus qui, après avoir démoli une cheminée de la maison de Weiss, tombait sur le trottoir, où il éclata avec une telle détonation, que toutes les vitres voisines furent brisées. Une poussière épaisse, une fumée lourde empêchèrent d'abord de voir. Puis, la façade reparut, éventrée; et, là, sur le seuil, Françoise était jetée en travers, morte, les reins cassés, la tête broyée, une loque humaine, toute rouge, affreuse.

Weiss, furieusement, accourut. Il bégayait, il ne trouvait plus que des jurons.

— Nom de Dieu! nom de Dieu!

Oui, elle était bien morte. Il s'était baissé, il lui tâtait les mains; et, en se relevant, il rencontra le visage empourpré du petit Auguste, qui avait soulevé la tête pour regarder sa mère. Il ne disait rien, il ne pleurait pas, il avait seulement ses grands yeux de fièvre élargis démesurément, devant cet effroyable corps qu'il ne reconnaissait plus.

— Nom de Dieu! put enfin crier Weiss, les voilà maintenant qui tuent les femmes!

Il s'était remis debout, il montrait le poing aux Bavarois, dont les casques commençaient à reparaître, du côté de l'église. Et la vue du toit de sa maison à moitié crevé par la chute de la cheminée, acheva de le jeter dans une exaspération folle.

— Sales bougres! vous tuez les femmes et vous démolissez ma maison!... Non, non! ce n'est pas possible, je ne peux pas m'en aller comme ça, je reste!

Il s'élança, revint d'un bond, avec le chassepot et les cartouches du soldat mort. Pour les grandes occasions, lorsqu'il voulait voir très clair, il avait toujours sur lui une paire de lunettes, qu'il ne portait pas d'habitude, par une gêne coquette et touchante, à l'égard de sa jeune femme. D'une main prompte, il arracha le binocle, le remplaça par les lunettes; et ce gros bourgeois en paletot, à la bonne face ronde que la colère transfigurait, presque comique et superbe d'héroïsme, se mit à faire le coup de feu, tirant dans le tas des Bavarois, au fond de la rue. Il avait ça dans le sang, disait-il, ça le démangeait d'en descendre quelques-uns, depuis les récits de 1814, dont on avait bercé son enfance, là-bas, en Alsace.

— Ah! sales bougres, sales bougres!

Et il tirait toujours, si rapidement, que le canon de son chassepot finissait par lui brûler les doigts.

L'attaque s'annonçait terrible. Du côté des prairies, la fusillade avait cessé. Maîtres d'un ruisseau étroit, bordé de peupliers et de saules, les Bavarois s'apprêtaient à donner l'assaut aux maisons qui défendaient la place de l'Eglise; et leurs tirailleurs s'étaient prudemment repliés, le soleil seul dormait en nappe d'or sur le déroulement immense des herbes, que tachaient quelques masses noires, les corps des soldats tués. Aussi le lieutenant venait-il de quitter la cour de la teinturerie, en y laissant une sentinelle, comprenant que, désormais, le danger allait être du côté de la rue. Vivement, il rangea ses

hommes le long du trottoir, avec l'ordre, si l'ennemi
s'emparait de la place, de se barricader au premier étage
du bâtiment, et de s'y défendre, jusqu'à la dernière cartouche. Couchés par terre, abrités derrière les bornes,
profitant des moindres saillies, les hommes tiraient à
volonté; et c'était, le long de cette large voie, ensoleillée
et déserte, un ouragan de plomb, des rayures de fumée,
comme une averse de grêle chassée par un grand vent.
On vit une jeune fille traverser la chaussée d'une course
éperdue, sans être atteinte. Puis, un vieillard, un paysan
vêtu d'une blouse, qui s'obstinait à faire rentrer son cheval à l'écurie, reçut une balle en plein front, et d'un tel
choc, qu'il en fut projeté au milieu de la route. La toiture
de l'église venait d'être défoncée par la chute d'un obus.
Deux autres avaient incendié des maisons, qui flambaient
dans la lumière vive, avec des craquements de charpente.
Et cette misérable Françoise broyée près de son enfant
malade, ce paysan avec une balle dans le crâne, ces
démolitions et ces incendies achevaient d'exaspérer les
habitants qui avaient mieux aimé mourir là que de se
sauver en Belgique. Des bourgeois, des ouvriers, des gens
en paletot et en bourgeron, tiraient rageusement par les
fenêtres.

— Ah! les bandits! cria Weiss, ils ont fait le tour...
Je les voyais bien qui filaient le long du chemin de fer...
Tenez! les entendez-vous, là-bas, à gauche?

En effet, une fusillade venait d'éclater, derrière le
parc de Montivilliers, dont les arbres bordaient la route.
Si l'ennemi s'emparait de ce parc, Bazeilles était pris.
Mais la violence même du feu prouvait que le commandant du 12e corps avait prévu le mouvement et que le
parc se trouvait défendu.

— Prenez donc garde, maladroit! cria le lieutenant,
en forçant Weiss à se coller contre le mur, vous allez
être coupé en deux!

Ce gros homme, si brave, avec ses lunettes, avait fini
par l'intéresser, tout en le faisant sourire; et, comme il
entendait venir un obus, il l'avait fraternellement écarté.
Le projectile tomba à une dizaine de pas, éclata en les
couvrant tous les deux de mitraille. Le bourgeois restait
debout, sans une égratignure, tandis que le lieutenant
avait eu les deux jambes brisées.

— Allons, bon! murmura-t-il, c'est moi qui ai mon
compte!

Renversé sur le trottoir, il se fit adosser contre la porte,

près de la femme qui gisait déjà en travers du seuil. Et
sa jeune figure gardait son air énergique et têtu.

— Ça ne fait rien, mes enfants, écoutez-moi bien...
Tirez à votre aise, ne vous pressez pas. Je vous le dirai,
quand il faudra tomber sur eux à la baïonnette.

Et il continua de les commander, la tête droite, surveillant au loin l'ennemi. Une autre maison, en face,
avait pris feu. Le pétillement de la fusillade, les détonations des obus déchiraient l'air, qui s'emplissait de poussières et de fumées. Des soldats culbutaient au coin de
chaque ruelle, des morts, les uns isolés, les autres en tas,
faisaient des taches sombres, éclaboussées de rouge. Et,
au-dessus du village, grandissait une effrayante clameur,
la menace de milliers d'hommes se ruant sur quelques
centaines de braves, résolus à mourir.

Alors, Delaherche, qui n'avait cessé d'appeler Weiss,
demanda une dernière fois :

— Vous ne venez pas ?... Tant pis ! je vous lâche,
adieu !

Il était environ sept heures, et il avait trop tardé. Tant
qu'il put marcher le long des maisons, il profita des portes,
des bouts de muraille, se collant dans les moindres encoi-
gnures, à chaque décharge. Jamais il ne se serait cru si
jeune ni si agile, tellement il s'allongeait avec des sou-
plesses de couleuvre. Mais, au bout de Bazeilles, lorsqu'il
lui fallut suivre pendant près de trois cents mètres la
route déserte et nue, que balayaient les batteries du Liry,
il se sentit grelotter, bien qu'il fût trempé de sueur. Un
moment encore, il s'avança courbé en deux, dans un
fossé. Puis, il prit sa course follement, il galopa droit
devant lui, les oreilles pleines de détonations, pareilles
à des coups de tonnerre. Ses yeux brûlaient, il croyait
marcher dans des flammes. Cela dura une éternité. Subitement, il aperçut une petite maison sur la gauche ; et il
se précipita, il s'abrita, la poitrine soulagée d'un poids
énorme. Du monde l'entourait, des hommes, des chevaux.
D'abord, il n'avait distingué personne. Ensuite, ce qu'il
vit l'étonna.

N'était-ce point l'empereur, avec tout un état-major ?
Il hésitait, bien qu'il se vantât de le connaître, depuis
qu'il avait failli lui parler, à Baybel ; puis, il resta béant.
C'était bien Napoléon III, qui lui apparaissait plus
grand, à cheval, et les moustaches si fortement cirées, les
joues si colorées, qu'il le jugea tout de suite rajeuni, fardé
comme un acteur. Sûrement, il s'était fait peindre, pour

ne pas promener, parmi son armée, l'effroi de son masque blême, décomposé par la souffrance, au nez aminci, aux yeux troubles. Et, averti dès cinq heures qu'on se battait à Bazeilles, il était venu, de son air silencieux et morne de fantôme, aux chairs ravivées de vermillon.

Une briqueterie était là, offrant un refuge. De l'autre côté, une pluie de balles en criblait les murs, et des obus, à chaque seconde, s'abattaient sur la route. Toute l'escorte s'était arrêtée.

— Sire, murmura une voix, il y a vraiment danger...

Mais l'empereur se tourna, commanda du geste à son état-major de se ranger dans l'étroite ruelle qui longeait la briqueterie. Là, hommes et bêtes seraient cachés complètement.

— En vérité, sire, c'est de la folie... Sire, nous vous en supplions...

Il répéta simplement son geste, comme pour dire que l'apparition d'un groupe d'uniformes, sur cette route nue, attirerait certainement l'attention des batteries de la rive gauche. Et, tout seul, il s'avança, au milieu des balles et des obus, sans hâte, de sa même allure morne et indifférente, allant à son destin. Sans doute, il entendait derrière lui la voix implacable qui le jetait en avant, la voix criant de Paris : « Marche! marche! meurs en héros sur les cadavres entassés de ton peuple, frappe le monde entier d'une admiration émue, pour que ton fils règne! » Il marchait, il poussait son cheval à petits pas. Pendant une centaine de mètres, il marcha encore. Puis, il s'arrêta, attendant la fin qu'il était venu chercher. Les balles sifflaient comme un vent d'équinoxe, un obus avait éclaté, en le couvrant de terre. Il continua d'attendre. Les crins de son cheval se hérissaient, toute sa peau tremblait, dans un instinctif recul, devant la mort qui, à chaque seconde, passait, sans vouloir de la bête ni de l'homme. Alors, après cette attente infinie, l'empereur, avec son fatalisme résigné, comprenant que son destin n'était pas là, revint tranquillement, comme s'il n'avait désiré que reconnaître l'exacte position des batteries allemandes.

— Sire, que de courage!... De grâce, ne vous exposez plus...

Mais, d'un geste encore, il invita son état-major à le suivre, sans l'épargner cette fois, pas plus qu'il ne s'épargnait lui-même; et il monta vers la Moncelle, à travers champs, par les terrains nus de la Rapaille. Un capitaine

fut tué, deux chevaux s'abattirent. Les régiments du
12e corps, devant lesquels il passait, le regardaient venir et
disparaître comme un spectre, sans un salut, sans une
acclamation.

Delaherche avait assisté à ces choses. Et il en frémissait
surtout en pensant que, dès qu'il aurait quitté la briqueterie, lui aussi allait se retrouver en plein sous les projectiles. Il s'attardait, il écoutait maintenant des officiers
démontés qui étaient restés là.

— Je vous dis qu'il a été tué net, un obus qui l'a coupé
en deux.

— Mais non, je l'ai vu emporter... Une simple blessure, un éclat dans la fesse...

— A quelle heure ?

— Vers six heures et demie, il y a une heure... Là-
haut, près de la Moncelle, dans un chemin creux...

— Alors, il est rentré à Sedan ?

— Certainement, il est à Sedan.

De qui parlaient-ils donc ? Brusquement, Delaherche
comprit qu'ils parlaient du maréchal de Mac-Mahon,
blessé en allant aux avant-postes. Le maréchal blessé !
c'était notre chance, comme avait dit le lieutenant d'infanterie de marine. Et il réfléchissait aux conséquences de
l'accident, lorsque, à toutes brides, une estafette passa,
criant à un camarade qu'elle venait de reconnaître :

— Le général Ducrot est commandant en chef !...
Toute l'armée va se concentrer à Illy, pour battre en
retraite sur Mézières !

Déjà, l'estafette galopait au loin, entrait dans Bazeilles,
sous le redoublement du feu ; tandis que Delaherche,
effaré des nouvelles extraordinaires, ainsi apprises coup
sur coup, menacé de se trouver pris dans la retraite des
troupes, se décidait et courait de son côté jusqu'à Balan,
d'où il regagnait Sedan enfin, sans trop de peine.

Dans Bazeilles, l'estafette galopait toujours, cherchant
les chefs pour leur donner les ordres. Et les nouvelles
galopaient aussi, le maréchal de Mac-Mahon blessé, le
général Ducrot nommé commandant en chef, toute l'armée se repliant sur Illy.

— Quoi ? que dit-on ? cria Weiss, déjà noir de poudre.
Battre en retraite sur Mézières à cette heure ! mais c'est
insensé, jamais on ne passera !

Il se désespérait, pris du remords d'avoir conseillé cela,
la veille, justement à ce général Ducrot, investi maintenant du commandement suprême. Certes, oui, la veille,

il n'y avait pas d'autre plan à suivre : la retraite, la
retraite immédiate, par le défilé Saint-Albert. Mais, à
présent, la route devait être barrée, tout le fourmillement
noir des Prussiens s'en était allé là-bas, dans la plaine
de Donchery. Et, folie pour folie, il n'y en avait plus
qu'une de désespérée et de brave, celle de jeter les Bavarois à la Meuse et de passer sur eux pour reprendre le
chemin de Carignan.

Weiss, qui d'un petit coup sec, remontait ses lunettes
à chaque seconde, expliquait la position au lieutenant,
toujours assis contre la porte, avec ses deux jambes
coupées, très pâle et agonisant du sang qu'il perdait.

— Mon lieutenant, je vous assure que j'ai raison...
Dites à vos hommes de ne pas lâcher. Vous voyez bien
que nous sommes victorieux. Encore un effort, et nous les
flanquons à la Meuse !

En effet, la deuxième attaque des Bavarois venait d'être
repoussée. Les mitrailleuses avaient de nouveau balayé
la place de l'Eglise, des entassements de cadavres y barraient le pavé, au grand soleil ; et, de toutes les ruelles,
à la baïonnette, on rejetait l'ennemi dans les prés, une
débandade, une fuite vers le fleuve, qui se serait à coup
sûr changée en déroute, si des troupes fraîches avaient
soutenu les marins, déjà exténués et décimés. D'autre
part, dans le parc de Montivilliers, la fusillade n'avançait
guère, ce qui indiquait que, de ce côté aussi, des renforts
auraient dégagé le bois.

— Dites à vos hommes, mon lieutenant... A la baïonnette ! à la baïonnette !

D'une blancheur de cire, la voix mourante, le lieutenant eut encore la force de murmurer :

— Vous entendez, mes enfants, à la baïonnette.

Et ce fut son dernier souffle, il expira, la face droite et
têtue, les yeux ouverts, regardant toujours la bataille. Des
mouches déjà volaient et se posaient sur la tête broyée de
Françoise ; tandis que le petit Auguste, dans son lit, pris
du délire de la fièvre, appelait, demandait à boire, d'une
voix basse et suppliante.

— Mère, réveille-toi, relève-toi... J'ai soif, j'ai bien
soif...

Mais les ordres étaient formels, les officiers durent
commander la retraite, désolés de ne pouvoir tirer profit
de l'avantage qu'ils venaient de remporter. Evidemment,
le général Ducrot, hanté par la crainte du mouvement
tournant de l'ennemi, sacrifiait tout à la tentative folle

d'échapper à son étreinte. La place de l'Eglise fut évacuée, les troupes se replièrent de ruelle en ruelle, bientôt la route se vida. Des cris et des sanglots de femmes s'élevaient, des hommes juraient, brandissaient les poings, dans la colère de se voir ainsi abandonnés. Beaucoup s'enfermaient chez eux, résolus à s'y défendre et à mourir.

— Eh bien! moi, je ne fiche pas le camp! criait Weiss, hors de lui. Non! j'aime mieux y laisser la peau... Qu'ils viennent donc casser mes meubles et boire mon vin!

Plus rien n'existait que sa rage, cette fureur inextinguible de la lutte, à l'idée que l'étranger entrerait chez lui, s'assoirait sur sa chaise, boirait dans son verre. Cela soulevait tout son être, emportait son existence accoutumée, sa femme, ses affaires, sa prudence de petit bourgeois raisonnable. Et il s'enferma dans sa maison, s'y barricada, y tourna comme une bête en cage, passant d'une pièce dans une autre, s'assurant que toutes les ouvertures étaient bien bouchées. Il compta ses cartouches, il en avait encore une quarantaine. Puis, comme il allait donner un dernier coup d'œil vers la Meuse, pour s'assurer qu'aucune attaque n'était à craindre par les prairies, la vue des coteaux de la rive gauche l'arrêta de nouveau un instant. Des envolements de fumée indiquaient nettement les positions des batteries prussiennes. Et, dominant la formidable batterie de Frénois, à l'angle d'un petit bois de la Marfée, il retrouva le groupe d'uniformes, plus nombreux, d'un tel éclat au grand soleil, qu'en mettant son binocle par-dessus ses lunettes, il distinguait l'or des épaulettes et des casques.

— Sales bougres, sales bougres! répéta-t-il, le poing tendu.

Là-haut, sur la Marfée, c'était le roi Guillaume et son état-major. Dès sept heures, il était venu de Vendresse où il avait couché, et il se trouvait là-haut, à l'abri de tout péril, ayant devant lui la vallée de la Meuse, le déroulement sans bornes du champ de bataille. L'immense plan en relief allait d'un bord du ciel à l'autre; tandis que, debout sur la colline, comme du trône réservé de cette gigantesque loge de gala, il regardait.

Au milieu, sur le fond sombre de la forêt des Ardennes, drapée à l'horizon ainsi qu'un rideau d'antique verdure, Sedan se détachait, avec les lignes géométriques de ses fortifications, que les prés inondés et le fleuve noyaient au sud et à l'ouest. Dans Bazeilles, des maisons flambaient

déjà, une poussière de bataille embrumait le village. Puis,
à l'est, de la Moncelle à Givonne, on ne voyait, pareils à
des lignes d'insectes, traversant les chaumes, que quelques
régiments du 12e corps et du 1er, qui disparaissaient par
moment dans l'étroit vallon, où les hameaux étaient
cachés; et, en face, l'autre revers apparaissait, des champs
pâles, que le bois Chevalier tachait de sa masse verte.
Mais surtout, au nord, le 7e corps était bien en vue,
occupant de ses mouvants points noirs le plateau de
Floing, une large bande de terres rougeâtres qui descendait du petit bois de la Garenne aux herbages du bord de
l'eau. Au-delà, c'était encore Floing, Saint-Menges, Fleigneux, Illy, des villages perdus parmi la houle des terrains,
toute une région tourmentée, coupée d'escarpements.
Et c'était aussi, à gauche, la boucle de la Meuse, les eaux
lentes, d'argent neuf au clair soleil, enfermant la presqu'île d'Iges de son vaste et paresseux détour, barrant
tout chemin vers Mézières, ne laissant, entre la berge
extrême et les inextricables forêts, que la porte unique
du défilé de Saint-Albert.

Les cent mille hommes et les cinq cents canons de
l'armée française étaient là, entassés et traqués dans ce
triangle; et, lorsque le roi de Prusse se tournait vers
l'ouest, il apercevait une autre plaine, celle de Donchery,
des champs vides s'élargissant vers Briancourt, Maran-
court et Vrignes-aux-Bois, tout un infini de terres grises,
poudroyant sous le ciel bleu; et, lorsqu'il se tournait
vers l'est, c'était aussi, en face des lignes françaises si
resserrées, une immensité libre, un pullulement de
villages, Douzy et Carignan d'abord, ensuite en remontant
Rubécourt, Pourru-aux-Bois, Francheval, Villers-Cernay,
jusqu'à la Chapelle, près de la frontière. Tout autour, la
terre lui appartenait, il poussait à son gré les deux cent
cinquante mille hommes et les huit cents canons de ses
armées, il embrassait d'un seul regard leur marche envahissante. Déjà, d'un côté, le 11e corps s'avançait sur Saint-
Menges, tandis que le 5e corps était à Vrignes-aux-Bois et
que la division wurtembergeoise attendait près de Donchery; et, de l'autre côté, si les arbres et les coteaux le
gênaient, il devinait les mouvements, il venait de voir le
12e corps pénétrer dans le bois Chevalier, il savait que la
garde devait avoir atteint Villers-Cernay. C'étaient les
branches de l'étau, l'armée du prince royal de Prusse
à gauche, l'armée du prince royal de Saxe à droite, qui
s'ouvraient et montaient, d'un mouvement irrésistible,

pendant que les deux corps bavarois se ruaient sur
Bazeilles.

Aux pieds du roi Guillaume, de Remilly à Frénois, les
batteries presque ininterrompues sonnaient sans relâche,
couvrant d'obus la Moncelle et Daigny, allant, par-dessus
la ville de Sedan, balayer les plateaux du Nord. Et il
n'était guère plus de huit heures, et il attendait l'inévitable résultat de la bataille, les yeux sur l'échiquier géant,
occupé à mener cette poussière d'hommes, l'enragement
de ces quelques points noirs, perdus au milieu de l'éternelle et souriante nature.

II

Sur le plateau de Floing, au petit jour, dans le brouillard épais, le clairon Gaude sonna la diane, de tout son souffle. Mais l'air était si noyé d'eau, que la sonnerie joyeuse s'étouffait. Et les hommes de la compagnie, qui n'avaient pas même eu le courage de dresser les tentes, roulés dans les toiles, couchés dans la boue, ne s'éveillaient pas, pareils déjà à des cadavres, avec leurs faces blêmes, durcies de fatigue et de sommeil. Il fallut les secouer un à un, les tirer de ce néant; et ils se soulevaient comme des ressuscités, livides, les yeux pleins de la terreur de vivre.

Jean avait réveillé Maurice.

— Quoi donc? Où sommes-nous?

Effaré, il regardait, n'apercevait que cette mer grise, où flottaient les ombres de ses camarades. On ne distinguait rien, à vingt mètres devant soi. Toute orientation se trouvait perdue, il n'aurait pas été capable de dire de quel côté était Sedan. Mais, à ce moment, le canon, quelque part, très loin, frappa son oreille.

— Ah! oui, c'est pour aujourd'hui, on se bat... Tant mieux! on va donc en finir!

Des voix, autour de lui, disaient de même; et c'était une sombre satisfaction, le besoin de s'évader de ce cauchemar, de les voir enfin, ces Prussiens, qu'on était venu chercher, et, devant lesquels on fuyait depuis tant de mortelles heures! On allait donc leur envoyer des coups de fusil, s'alléger de ces cartouches qu'on avait apportées de si loin, sans en brûler une seule! Cette fois, tous le sentaient, c'était l'inévitable bataille.

Mais le canon de Bazeilles tonnait plus haut, et Jean, debout, écoutait.

— Où tire-t-on?

— Ma foi, répondit Maurice, ça m'a l'air d'être vers la
Meuse... Seulement, le diable m'emporte si je me doute
où je suis.

— Ecoute, mon petit, dit alors le caporal, tu ne vas pas
me quitter, parce que, vois-tu, il faut savoir, si l'on ne
veut pas attraper de mauvais coups... Moi, j'ai déjà vu ça,
j'ouvrirai l'œil pour toi et pour moi.

L'escouade, cependant, commençait à grogner, fâchée
de ne pouvoir se mettre sur l'estomac quelque chose de
chaud. Pas possible d'allumer du feu, sans bois sec, et
avec un sale temps pareil! Au moment même où s'engageait la bataille, la question du ventre revenait, impérieuse, décisive. Des héros peut-être, mais des ventres
avant tout. Manger, c'était l'unique affaire; et avec quel
amour on écumait le pot, les jours de bonne soupe! et
quelles colères d'enfants et de sauvages, quand le pain
manquait!

— Lorsqu'on ne mange pas, on ne se bat pas, déclara
Chouteau. Du tonnerre de Dieu, si je risque ma peau
aujourd'hui!

Le révolutionnaire revenait chez ce grand diable de
peintre en bâtiments, beau parleur de Montmartre, théo-
ricien de cabaret, gâtant les quelques idées justes, attra-
pées çà et là, dans le plus effroyable mélange d'âneries
et de mensonges.

— D'ailleurs, continua-t-il, est-ce qu'on ne s'est pas
foutu de nous, à nous raconter que les Prussiens crevaient
de faim et de maladie, qu'ils n'avaient même plus de chemises et qu'on les rencontrait sur les routes, sales, en
guenilles comme des pauvres ?

Loubet se mit à rire, de son air de gamin de Paris, qui
avait roulé au travers de tous les petits métiers des
Halles.

— Ah! ouiche! c'est nous autres qui claquons de
misère, et à qui on donnerait un sou, quand nous passons
avec nos godillots crevés et nos frusques de chienlits...
Et leurs grandes victoires donc! Encore de jolis farceurs,
lorsqu'ils nous racontaient qu'on venait de faire Bismarck
prisonnier et qu'on avait culbuté toute une armée dans
une carrière... Non, ce qu'ils se sont foutus de nous !

Pache et Lapoulle, qui écoutaient, serraient les poings,
en hochant furieusement la tête. D'autres, aussi, se fâchaient, car l'effet de ces continuels mensonges des journaux avait fini par être désastreux. Toute confiance était
morte, on ne croyait plus à rien. L'imagination de ces

grands enfants, si fertile d'abord en espérances extraordinaires, tombait maintenant à des cauchemars fous.

— Pardi! ce n'est pas malin, reprit Chouteau, ça
s'explique, puisque nous sommes vendus... Vous le savez
bien tous.

La simplicité paysanne de Lapoulle s'exaspérait chaque
fois à ce mot.

— Oh! vendus, faut-il qu'il y ait des gens canailles!

— Vendus, comme Judas a vendu son maître, murmura Pache, que hantaient ses souvenirs d'Histoire sainte.

Chouteau triomphait.

— C'est bien simple, mon Dieu! on sait les chiffres...
Mac-Mahon a reçu trois millions, et les autres généraux
chacun un million, pour nous amener ici... Ça s'est fait à
Paris, le printemps dernier; et, cette nuit, ils ont tiré une
fusée, histoire de dire que c'était prêt, et qu'on pouvait
venir nous prendre.

Maurice fut révolté par la stupidité de l'invention.
Autrefois, Chouteau l'avait amusé, presque conquis, grâce
à sa verve faubourienne. Mais, à présent, il ne tolérait
plus ce pervertisseur, ce mauvais ouvrier qui crachait
sur toutes les besognes, afin d'en dégoûter les autres.

— Pourquoi dites-vous des absurdités pareilles ? cria-
t-il. Vous savez bien que ce n'est pas vrai.

— Comment, pas vrai ?... Alors, maintenant, c'est pas
vrai que nous sommes vendus ?... Ah! dis donc, toi
l'aristo! est-ce que tu en es, de la bande à ces sales cochons
de traîtres ?

Il s'avançait, menaçant.

— Tu sais, faudrait le dire, monsieur le bourgeois,
parce que, sans attendre ton ami Bismarck, on te ferait
tout de suite ton affaire.

Les autres, de même, commençaient à gronder, et Jean
crut devoir intervenir.

— Silence donc! je mets au rapport le premier qui
bouge!

Mais Chouteau, ricanant, le hua. Il s'en fichait pas mal
de son rapport! Il se battrait ou il ne se battrait pas, à
son idée; et il ne fallait plus qu'on l'embêtât, parce qu'il
n'avait pas des cartouches que pour les Prussiens. A présent que la bataille était commencée, le peu de discipline,
maintenue par la peur, s'effondrait : qu'est-ce qu'on pouvait lui faire ? il filerait, dès qu'il en aurait assez. Et il
fut grossier, excitant les autres contre le caporal, qui les
laissait mourir de faim. Oui, c'était sa faute, si l'es-

couade n'avait rien mangé depuis trois jours, tandis que
les camarades avaient eu de la soupe et de la viande. Mais
monsieur était allé se goberger avec l'aristo chez des
filles. On les avait bien vus, à Sedan.

— Tu as boulotté l'argent de l'escouade, ose donc dire
le contraire, bougre de fricoteur!

Du coup, les choses se gâtèrent. Lapoulle serrait les
poings, et Pache, malgré sa douceur, affolé par la faim,
voulait qu'on s'expliquât. Le plus raisonnable fut encore
Loubet, qui se mit à rire, de son air avisé, en disant que
c'était bête de se manger entre Français, lorsque les
Prussiens étaient là. Lui, n'était pas pour les querelles,
ni à coups de poing, ni à coups de fusil; et, faisant allusion aux quelques centaines de francs qu'il avait tou-
chées, comme remplaçant militaire, il ajouta :

— Vrai! s'ils croient que ma peau ne vaut pas plus
cher que ça!... Je vais leur en donner pour leur argent.

Mais Maurice et Jean, irrités de cette agression imbécile, répondaient violemment, se disculpaient, lorsqu'une
voix forte sortit du brouillard.

— Quoi donc? quoi donc? quels sont les sales pierrots
qui se disputent?

Et le lieutenant Rochas parut, avec son képi jauni par
les pluies, sa capote où manquaient des boutons, toute sa
maigre et dégingandée personne dans un pitoyable état
d'abandon et de misère. Il n'en était pas moins d'une
crânerie victorieuse, les yeux étincelants, les moustaches
hérissées.

— Mon lieutenant, répondit Jean hors de lui, ce sont
ces hommes qui crient comme ça que nous sommes vendus... Oui, nos généraux nous auraient vendus...

Dans le crâne étroit de Rochas, cette idée de trahison
n'était pas loin de paraître naturelle, car elle expliquait
les défaites qu'il ne pouvait admettre.

— Eh bien! qu'est-ce que ça leur fout d'être vendus?...
Est-ce que ça les regarde?... Ça n'empêche pas que les
Prussiens sont là et que nous allons leur allonger une de
ces raclées dont on se souvient.

Au loin, derrière l'épais rideau de brume, le canon de
Bazeilles ne cessait point. Et, d'un grand geste, il tendit
les bras.

— Hein! cette fois, ça y est!... On va donc les reconduire chez eux, à coups de crosse!

Tout, pour lui, depuis qu'il entendait la canonnade, se
trouvait effacé : les lenteurs, les incertitudes de la marche,

la démoralisation des troupes, le désastre de Beaumont, l'agonie dernière de la retraite forcée sur Sedan. Puisqu'on se battait, est-ce que la victoire n'était pas certaine ? Il n'avait rien appris ni rien oublié, il gardait son mépris fanfaron de l'ennemi, son ignorance absolue des conditions nouvelles de la guerre, son obstinée certitude qu'un vieux soldat d'Afrique, de Crimée et d'Italie ne pouvait pas être battu. Ce serait vraiment trop drôle, de commencer à son âge!

Un rire brusque lui fendit les mâchoires. Il eut une de ces tendresses de brave homme qui le faisaient adorer de ses soldats, malgré les bourrades qu'il leur distribuait parfois.

— Ecoutez, mes enfants, au lieu de vous disputer, ça vaudra mieux de boire la goutte... Oui, je vas vous payer la goutte, vous la boirez à ma santé.

Et, d'une poche profonde de sa capote, il tira une bouteille d'eau-de-vie, en ajoutant, de son air triomphal, que c'était un cadeau d'une dame. La veille, en effet, on l'avait vu, attablé au fond d'un cabaret de Floing, très entreprenant à l'égard de la servante, qu'il tenait sur ses genoux. Maintenant, les soldats riaient de bon cœur, tendaient leurs gamelles, dans lesquelles il versait lui-même, gaiement.

— Mes enfants, il faut boire à vos bonnes amies, si vous en avez, et il faut boire à la gloire de la France... Je ne connais que ça, vive la joie!

— C'est bien vrai, mon lieutenant, à votre santé et à la santé de tout le monde!

Tous burent, réconciliés, réchauffés. Ce fut très gentil, cette goutte, dans le petit froid du matin, au moment de marcher à l'ennemi. Et Maurice la sentit qui descendait dans ses veines, en lui rendant la chaleur et la demi-ivresse de l'illusion. Pourquoi ne battrait-on pas les Prussiens ? Est-ce que les batailles ne réservaient pas leurs surprises, des revirements inattendus dont l'Histoire gardait l'étonnement ? Ce diable d'homme ajoutait que Bazaine était en marche, qu'on l'attendait avant le soir : oh! un renseignement sûr, qu'il tenait de l'aide de camp d'un général; et, bien qu'il montrât la Belgique, pour indiquer la route par laquelle arrivait Bazaine, Maurice s'abandonna à une de ces crises d'espoir, sans lesquelles il ne pouvait vivre. Peut-être enfin était-ce la revanche.

— Qu'est-ce que nous attendons, mon lieutenant ? se permit-il de demander. On ne marche donc pas!

Rochas eut un geste, comme pour dire qu'il n'avait pas d'ordre. Puis, après un silence :

— Quelqu'un a-t-il vu le capitaine ?

Personne ne répondit. Jean se souvenait de l'avoir vu, dans la nuit, s'éloigner du côté de Sedan; mais un soldat prudent ne doit jamais voir un chef, en dehors du service. Il se taisait, lorsque, en se retournant, il aperçut une ombre, qui revenait le long de la haie.

— Le voici, dit-il.

C'était, en effet, le capitaine Beaudoin. Il les étonna tous par la correction de sa tenue, son uniforme brossé, ses chaussures cirées, qui contrastaient si violemment avec le pitoyable état du lieutenant. Et il y avait en outre une coquetterie, comme des soins galants, dans ses mains blanches et la frisure de ses moustaches, un vague parfum de lilas de Perse qui sentait le cabinet de toilette bien installé de jolie femme.

— Tiens! ricana Loubet, le capitaine a donc retrouvé ses bagages!

Mais personne ne sourit, car on le savait peu commode. Il était exécré, tenant ses hommes à l'écart. Un pète-sec, selon le mot de Rochas. Depuis les premières défaites, il avait l'air absolument choqué; et le désastre que tous prévoyaient lui semblait surtout inconvenant. Bonapartiste convaincu, promis au plus bel avancement, appuyé par plusieurs salons, il sentait sa fortune choir dans toute cette boue. On racontait qu'il avait une très jolie voix de ténor, à laquelle il devait beaucoup déjà. Pas inintelligent d'ailleurs, bien que ne sachant rien de son métier, uniquement désireux de plaire, et très brave, quand il le fallait, sans excès de zèle.

— Quel brouillard! dit-il simplement, soulagé de retrouver sa compagnie, qu'il cherchait depuis une demi-heure, avec la crainte de s'être perdu.

Tout de suite, un ordre étant enfin arrivé, le bataillon se porta en avant. De nouveaux flots de brume devaient monter de la Meuse, car on marchait presque à tâtons, au milieu d'une sorte de rosée blanchâtre qui tombait en pluie fine. Et Maurice eut alors une vision qui le frappa, celle du colonel de Vineuil, surgissant tout d'un coup, immobile sur son cheval, à l'angle de deux routes, lui très grand, très pâle, tel qu'un marbre de la désespérance, la bête frissonnante au froid du matin, les naseaux ouverts, tournés là-bas, vers le canon. Mais, surtout, à dix pas en arrière, flottait le drapeau du régiment, que

le sous-lieutenant de service tenait, sorti déjà de son fourreau, et qui, dans la blancheur molle et mouvante des
vapeurs, semblait en plein ciel de rêve, une apparition
de gloire, tremblante, près de s'évanouir. L'aigle dorée
était trempée d'eau, tandis que la soie des trois couleurs,
où se trouvaient brodés les noms de victoire, pâlissait,
enfumée, trouée d'anciennes blessures; et il n'y avait
guère que la croix d'honneur, attachée à la cravate, qui
mît dans tout cet effacement l'éclat vif de ses branches
d'émail.

Le drapeau, le colonel disparurent, broyés sous une
nouvelle vague, et le bataillon avançait toujours, sans
savoir où, comme dans une ouate humide. On avait
descendu une pente, on remontait maintenant par un
chemin étroit. Puis, le cri de halte retentit. Et l'on
resta là, l'arme au pied, les épaules alourdies par le sac,
avec défense de bouger. On devait se trouver sur un
plateau; mais impossible encore de voir à vingt pas, on
ne distinguait absolument rien. Il était sept heures, le
canon semblait s'être rapproché, de nouvelles batteries
tiraient de l'autre côté de Sedan, de plus en plus voisines.

— Oh! moi, dit brusquement le sergent Sapin à Jean
et à Maurice, je serai tué aujourd'hui.

Il n'avait pas ouvert la bouche depuis le réveil, l'air
enfoncé dans une rêverie, avec sa grêle figure aux grands
beaux yeux et au petit nez pincé.

— En voilà une idée! se récria Jean, est-ce qu'on peut
dire ce qu'on attrapera?... Vous savez, il n'y en a pour
personne, et il y en a pour tout le monde.

Mais le sergent hocha la tête, dans un branle d'absolue
certitude.

— Oh! moi, c'est comme si c'était fait... Je serai tué
aujourd'hui.

Des têtes se tournèrent, on lui demanda s'il avait vu ça
en rêve. Non, il n'avait rien rêvé; seulement, il le sentait,
c'était là.

— Et ça m'embête tout de même, parce que j'allais me
marier, en rentrant chez moi.

Ses yeux de nouveau vacillèrent, il revoyait sa vie.
Fils de petits épiciers de Lyon, gâté par sa mère qu'il
avait perdue, n'ayant pu s'entendre avec son père, il était
resté au régiment, dégoûté de tout, sans vouloir se laisser
racheter; et puis, pendant un congé, il s'était mis d'accord avec une de ses cousines, se reprenant à l'existence,
faisant ensemble l'heureux projet de tenir un commerce,

grâce aux quelques sous qu'elle devait apporter. Il avait de l'instruction, l'écriture, l'orthographe, le calcul. Depuis un an, il ne vivait plus que pour la joie de cet avenir.

Il eut un frisson, se secoua pour sortir de son idée fixe, en répétant d'un air calme :

— Oui, c'est embêtant, je serai tué aujourd'hui.

Personne ne parlait plus, l'attente continua. On ne savait même pas si l'on tournait le dos ou la face à l'ennemi. Des bruits vagues, par moments, venaient de l'inconnu du brouillard : grondements de roues, piétinements de foule, trots lointains de chevaux. C'étaient les mouvements de troupes que la brume cachait, toute l'évolution du 7e corps en train de prendre ses positions de combat. Mais, depuis un instant, il semblait que les vapeurs devinssent plus légères. Des lambeaux s'enlevaient comme des mousselines, des coins d'horizon se découvraient, troubles encore, d'un bleu morne d'eau profonde. Et ce fut, dans une de ces éclaircies, qu'on vit défiler, tels qu'une chevauchée de fantômes, les régiments de chasseurs d'Afrique qui faisaient partie de la division Margueritte. Raides sur la selle, avec leurs vestes d'ordonnance, leurs larges ceintures rouges, ils poussaient leurs chevaux, des bêtes minces, à moitié disparues sous la complication du paquetage. Après un escadron, un autre escadron; et tous, sortis de l'incertain, rentraient dans l'incertain, avaient l'air de se fondre sous la pluie fine. Sans doute, ils gênaient, on les emmenait plus loin, ne sachant qu'en faire, ainsi que cela arrivait depuis le commencement de la campagne. A peine les avait-on employés comme éclaireurs, et, dès que le combat s'engageait, on les promenait de vallon en vallon, précieux et inutiles.

Maurice regardait, en songeant à Prosper.

— Tiens! murmura-t-il, c'est peut-être lui, là-bas.

— Qui donc? demanda Jean.

— Ce garçon de Remilly, tu sais bien, dont nous avons rencontré le frère à Oches.

Mais les chasseurs étaient passés, et il y eut encore un brusque galop, un état-major qui dévalait par le chemin en pente. Cette fois, Jean avait reconnu leur général de brigade, Bourgain-Desfeuilles, le bras agité dans un geste violent. Il avait donc daigné quitter enfin l'hôtel de la Croix d'Or; et sa mauvaise humeur disait assez son ennui de s'être levé si tôt, dans des conditions d'installation et de nourriture déplorables.

Sa voix tonnante arriva, distincte.

— Eh! nom de Dieu! la Moselle ou la Meuse, l'eau qui
est là, enfin!

Le brouillard, pourtant, se levait. Ce fut soudain,
comme à Bazeilles, le déroulement d'un décor, derrière le
flottant rideau qui remontait avec lenteur vers les frises.
Un clair ruissellement de soleil tombait du ciel bleu. Et
tout de suite Maurice reconnut l'endroit où ils attendaient.

— Ah! dit-il à Jean, nous sommes sur le plateau de
l'Algérie... Tu vois, de l'autre côté du vallon, en face de
nous, ce village, c'est Floing; et là-bas, c'est Saint-
Menges; et, plus loin encore, c'est Fleigneux... Puis,
tout au fond, dans la forêt des Ardennes, ces arbres
maigres sur l'horizon, c'est la frontière...

Il continua, la main tendue. Le plateau de l'Algérie,
une bande de terre rougeâtre, longue de trois kilomètres,
descendait en pente douce du bois de la Garenne à la
Meuse, dont des prairies le séparaient. C'était là que le
général Douay avait rangé le 7e corps, désespéré de n'avoir
pas assez d'hommes pour défendre une ligne si développée
et pour se relier solidement au 1er corps, qui occupait,
perpendiculairement à lui, le vallon de la Givonne, du bois
de la Garenne à Daigny.

— Hein? est-ce grand, est-ce grand!

Et Maurice, se retournant, faisait de la main le tour de
l'horizon. Du plateau de l'Algérie, tout le champ de
bataille se déroulait, immense, vers le sud et vers l'ouest :
d'abord, Sedan, dont on voyait la citadelle, dominant les
toits; puis, Balan et Bazeilles, dans une fumée trouble qui
persistait; puis, au fond, les coteaux de la rive gauche,
le Liry, la Marfée, la Croix-Piau. Mais c'était surtout vers
l'ouest, vers Donchery, que s'étendait la vue. La boucle
de la Meuse enserrait la presqu'île d'Iges d'un ruban pâle;
et, là, on se rendait parfaitement compte de l'étroite route
de Saint-Albert, qui filait entre la berge et un coteau
escarpé, couronné plus loin par le petit bois du Seugnon,
une queue des bois de la Falizette. En haut de la côte,
au carrefour de la Maison-Rouge, débouchait la route de
Vrignes-aux-Bois et de Donchery.

— Vois-tu, par là, nous pourrions nous replier sur
Mézières.

Mais, à cette minute même, un premier coup de canon
partit de Saint-Menges. Dans les fonds, traînaient encore
des lambeaux de brouillard, et rien n'apparaissait, qu'une
masse confuse, en marche dans le défilé de Saint-Albert.

— Ah! les voici, reprit Maurice qui baissa instinctivement la voix, sans nommer les Prussiens. Nous sommes
coupés, c'est fichu!

Il n'était pas huit heures. Le canon, qui redoublait du
côté de Bazeilles, se faisait entendre à l'est, dans le
vallon de la Givonne, qu'on ne pouvait voir : c'était le
moment où l'armée du prince royal de Saxe, au sortir du
bois Chevalier, abordait le 1er corps, en avant de Daigny.
Et, maintenant que le 11e corps prussien, en marche vers
Floing, ouvrait le feu sur les troupes du général Douay, la
bataille se trouvait engagée de toutes parts, du sud au
nord, sur cet immense périmètre de plusieurs lieues.

Maurice venait d'avoir conscience de l'irréparable
faute qu'on avait commise, en ne se retirant pas sur
Mézières, pendant la nuit. Mais, pour lui, les conséquences restaient confuses. Seul, un sourd instinct du
danger lui faisait regarder avec inquiétude les hauteurs
voisines, qui dominaient le plateau de l'Algérie. Si l'on
n'avait pas eu le temps de battre en retraite, pourquoi
ne s'était-on pas décidé à occuper ces hauteurs, en s'adossant contre la frontière, quitte à passer en Belgique, dans
le cas où l'on serait culbuté? Deux points surtout semblaient menaçant, le mamelon du Hattoy, au-dessus de
Floing, à gauche, et le calvaire d'Illy, une croix de pierre
entre deux tilleuls, à droite. La veille, le général Douay
avait fait occuper le Hattoy par un régiment, qui, dès le
petit jour, s'était replié, trop en l'air. Quant au calvaire
d'Illy, il devait être défendu par l'aile gauche du 1er corps.
Les terres s'étendaient entre Sedan et la forêt des
Ardennes, vastes et nues, profondément vallonnées; et la
clef de la position était visiblement là, au pied de cette
croix et de ces deux tilleuls, d'où l'on balayait toute la
contrée environnante.

Trois autres coups de canon retentirent. Puis, ce fut
toute une salve. Cette fois, on avait vu une fumée monter
d'un petit coteau, à gauche de Saint-Menges.

— Allons, dit Jean, c'est notre tour.

Pourtant rien n'arrivait. Les hommes, toujours immobiles, l'arme au pied, n'avaient d'autre amusement que de
regarder la belle ordonnance de la 2e division, rangée
devant Floing, et dont la gauche, placée en potence, était
tournée vers la Meuse, pour parer à une attaque de ce
côté. Vers l'est, se déployait la 3e division, jusqu'au bois
de la Garenne, en dessous d'Illy, tandis que la 1re, très
entamée à Beaumont, se trouvait en seconde ligne. Pen

dant la nuit, le génie avait travaillé à des ouvrages de
défense. Même, sous le feu commençant des Prussiens, on
creusait encore des tranchées-abris, on élevait des
épaulements.

Mais une fusillade éclata, dans le bas de Floing, tout
de suite éteinte du reste, et la compagnie du capitaine
Beaudoin reçut l'ordre de se reporter de trois cents mètres
en arrière. On arrivait dans un vaste carré de choux,
lorsque le capitaine cria, de sa voix brève :

— Tous les hommes par terre !

Il fallut se coucher. Les choux étaient trempés d'une
abondante rosée, leurs épaisses feuilles d'or vert rete-
naient des gouttes, d'une pureté et d'un éclat de gros
brillants.

— La hausse à quatre cents mètres, cria de nouveau
le capitaine.

Alors, Maurice appuya le canon de son chassepot sur
un chou qu'il avait devant lui. Mais on ne voyait plus
rien, ainsi au ras du sol : des terrains s'étendaient, confus,
coupés de verdures. Et il poussa le coude de Jean, allongé
à sa droite, en demandant ce qu'on fichait là. Jean, expérimenté, lui montra, sur un tertre voisin, une batterie
qu'on était en train d'établir. Evidemment, on les avait
postés à cette place pour soutenir cette batterie. Pris de
curiosité, Maurice se releva, désireux de savoir si Honoré
n'en était pas, avec sa pièce ; mais l'artillerie de réserve
se trouvait en arrière, à l'abri d'un bouquet d'arbres.

— Nom de Dieu ! hurla Rochas, voulez-vous bien
vous coucher !

Et Maurice n'était pas allongé de nouveau, qu'un obus
passa en sifflant. A partir de ce moment, ils ne cessèrent
plus. Le tir ne se régla qu'avec lenteur, les premiers
allèrent tomber bien au-delà de la batterie, qui, elle
aussi, commençait à tirer. En outre, beaucoup de projectiles n'éclataient pas, amortis dans la terre molle ; et ce
furent d'abord des plaisanteries sans fin sur la maladresse
de ces sacrés mangeurs de choucroute.

— Ah bien ! dit Loubet, il est raté, leur feu d'artifice !

— Pour sûr qu'ils ont pissé dessus ! ajouta Chouteau,
en ricanant.

Le lieutenant Rochas lui-même s'en mêla.

— Quand je vous disais que ces jean-foutre ne sont
pas même capables de pointer un canon !

Mais un obus éclata à dix mètres, couvrant la compagnie de terre. Et, bien que Loubet fît la blague de crier

aux camarades de prendre leurs brosses dans les sacs,
Chouteau pâlissant se tut. Il n'avait jamais vu le feu, ni
Pache, ni Lapoulle non plus d'ailleurs, personne de
l'escouade, excepté Jean. Les paupières battaient sur les
yeux un peu troubles, les voix se faisaient grêles, comme
étranglées au passage. Assez maître de lui, Maurice s'efforçait de s'étudier : il n'avait pas encore peur, car il ne
se croyait pas en danger ; et il n'éprouvait, à l'épigastre,
qu'une sensation de malaise, tandis que sa tête se vidait,
incapable de lier deux idées l'une à l'autre. Cependant,
son espoir grandissait plutôt, ainsi qu'une ivresse, depuis
qu'il s'était émerveillé du bel ordre des troupes. Il en
était à ne plus douter de la victoire, si l'on pouvait aborder l'ennemi à la baïonnette.

— Tiens ! murmura-t-il, c'est plein de mouches.

A trois reprises déjà, il avait entendu comme un vol
d'abeilles.

— Mais non, dit Jean, en riant, ce sont des balles.

D'autres légers bourdonnements d'ailes passèrent.
Toute l'escouade tournait la tête, s'intéressait. C'était
irrésistible, les hommes renversaient le cou, ne pouvaient
rester en place.

— Ecoute, recommanda Loubet à Lapoulle, en s'amusant de sa simplicité, quand tu vois arriver une balle, tu
n'as qu'à mettre, comme ça, un doigt devant ton nez :
ça coupe l'air, la balle passe à droite ou à gauche.

— Mais je ne les vois pas, dit Lapoulle.

Un rire formidable éclata autour de lui.

— Oh ! le malin, il ne les voit pas !... Ouvre donc tes
quinquets, imbécile !... Tiens ! en voici une, tiens ! en
voici une autre... Tu ne l'as pas vue, celle-là ? elle était
verte.

Et Lapoulle écarquillait les yeux, mettait un doigt
devant son nez, pendant que Pache, tâtant le scapulaire
qu'il portait, l'aurait voulu étendre, pour s'en faire une
cuirasse sur toute la poitrine.

Rochas, qui était resté debout, s'écria, de sa voix
goguenarde :

— Mes enfants, les obus, on ne vous défend pas de
les saluer. Quant aux balles, c'est inutile, il y en a trop !

A ce moment, un éclat d'obus vint fracasser la tête
d'un soldat, au premier rang. Il n'y eut pas même de
cri : un jet de sang et de cervelle, et ce fut tout.

— Pauvre bougre ! dit simplement le sergent Sapin,
très calme et très pâle. A un autre !

Mais on ne s'entendait plus, Maurice souffrait surtout de l'effroyable vacarme. La batterie voisine tirait sans relâche, d'un grondement continu dont la terre tremblait ; et les mitrailleuses, plus encore, déchiraient l'air, intolérables. Est-ce qu'on allait rester ainsi longtemps, couchés au milieu des choux ? On ne voyait toujours rien, on ne savait rien. Impossible d'avoir la moindre idée de la bataille : était-ce même une vraie, une grande bataille ? Au-dessus de la ligne rase des champs, Maurice ne reconnaissait que le sommet arrondi et boisé du Hattoy, très loin, désert encore. D'ailleurs, à l'horizon, pas un Prussien ne se montrait. Seules, des fumées s'élevaient, flottaient un instant dans le soleil. Et, comme il tournait la tête, il fut très surpris d'apercevoir, au fond d'un vallon écarté, protégé par des pentes rudes, un paysan qui labourait sans hâte, poussant sa charrue attelée d'un grand cheval blanc. Pourquoi perdre un jour ? Ce n'était pas parce qu'on se battait, que le blé cesserait de croître et le monde de vivre.

Dévoré d'impatience, Maurice se mit debout. Dans un regard, il revit les batteries de Saint-Menges qui les canonnaient, couronnées de vapeurs fauves, et il revit surtout, venant de Saint-Albert, le chemin noir de Prussiens, un pullulement indistinct de horde envahissante. Déjà, Jean le saisissait aux jambes, le ramenait violemment par terre.

— Es-tu fou ? tu vas y rester !

Et, de son côté, Rochas jurait.

— Voulez-vous bien vous coucher ! Qui est-ce qui m'a fichu des gaillards qui se font tuer, quand ils n'en ont pas l'ordre !

— Mon lieutenant, dit Maurice, vous n'êtes pas couché, vous !

— Ah ! moi, c'est différent, il faut que je sache.

Le capitaine Beaudoin, lui aussi, était bravement debout. Mais il ne desserrait pas les lèvres, sans lien avec ses hommes, et il semblait ne pouvoir tenir en place, piétinant d'un bout du champ à l'autre.

Toujours l'attente, rien n'arrivait. Maurice étouffait sous le poids de son sac, qui lui écrasait le dos et la poitrine, dans cette position couchée, si pénible à la longue. On avait bien recommandé aux hommes de ne jeter leur sac qu'à la dernière extrémité.

— Dis donc, est-ce que nous allons passer la journée comme ça ? finit-il par demander à Jean.

— Possible... A Solférino, c'était dans un champ de carottes, nous y sommes restés cinq heures, le nez par terre.

Puis, il ajouta, en garçon pratique :

— Pourquoi te plains-tu ? On n'est pas mal ici. Il sera toujours temps de s'exposer davantage. Va, chacun son tour. Si l'on se faisait tous tuer au commencement, il n'y en aurait plus pour la fin.

— Ah ! interrompit brusquement Maurice, vois donc cette fumée, sur le Hattoy... Ils ont pris le Hattoy, nous allons la danser belle !

Et, pendant un instant, sa curiosité anxieuse, où entrait le frisson de sa peur première, eut un aliment. Il ne quittait plus du regard le sommet arrondi du mamelon, la seule bosse de terrain qu'il aperçût, dominant la ligne fuyante des vastes champs, au ras de son œil. Le Hattoy était beaucoup trop éloigné, pour qu'il y distinguât les servants des batteries que les Prussiens venaient d'y établir ; et il ne voyait en effet que les fumées, à chaque décharge, au-dessus d'un taillis, qui devait cacher les pièces. C'était, comme il en avait eu le sentiment, une chose grave, que la prise par l'ennemi de cette position, dont le général Douay avait dû abandonner la défense. Elle commandait les plateaux environnants. Tout de suite, les batteries, qui ouvraient leur feu sur la deuxième division du 7e corps, la décimèrent. Maintenant, le tir se réglait, la batterie française, près de laquelle était couchée la compagnie Beaudoin, eut coup sur coup deux servants tués. Un éclat vint même blesser un homme de cette compagnie, un fourrier dont le talon gauche fut emporté et qui se mit à pousser des hurlements de douleur, dans une sorte de folie subite.

— Tais-toi donc, animal ! répétait Rochas. Est-ce qu'il y a du bon sens à gueuler ainsi, pour un bobo au pied !

L'homme, soudainement calmé, se tut, tomba à une immobilité stupide, son pied dans sa main.

Et le formidable duel d'artillerie continua, s'aggrava, par-dessus la tête des régiments couchés, dans la campagne ardente et morne, où pas une âme n'apparaissait, sous le brûlant soleil. Il n'y avait que ce tonnerre, que cet ouragan de destruction, roulant au travers de cette solitude. Les heures allaient s'écouler, cela ne cesserait point. Mais déjà la supériorité de l'artillerie allemande s'indiquait, les obus à percussion éclataient presque tous,

à des distances énormes; tandis que les obus français, à
fusée, d'un vol beaucoup plus court, s'enflammaient le
plus souvent en l'air, avant d'être arrivés au but. Et
aucune autre ressource que de se faire tout petit, dans le
sillon où l'on se terrait! Pas même le soulagement, la
griserie de s'étourdir en lâchant des coups de fusil; car
tirer sur qui? puisqu'on ne voyait toujours personne, à
l'horizon vide!

— Allons-nous tirer à la fin! répétait Maurice hors de
lui. Je donnerais cent sous pour en voir un. C'est exaspérant d'être mitraillé ainsi, sans pouvoir répondre.

— Attends, ça viendra peut-être, répondait Jean, paisible.

Mais un galop, à leur gauche, leur fit tourner la tête.
Ils reconnurent le général Douay, suivi de son état-
major, accouru pour se rendre compte de la solidité de
ses troupes, sous le feu terrible du Hattoy. Il sembla
satisfait, il donnait quelques ordres, lorsque, débouchant
d'un chemin creux, le général Bourgain-Desfeuilles parut
à son tour. Ce dernier, tout soldat de cour qu'il était,
trottait insouciamment au milieu des projectiles, entêté
dans sa routine d'Afrique, n'ayant profité d'aucune leçon.
Il criait et gesticulait comme Rochas.

— Je les attends, je les attends tout à l'heure, au
corps à corps!

Puis, apercevant le général Douay, il s'approcha.

— Mon général, est-ce vrai, cette blessure du maréchal?

— Oui, malheureusement... J'ai reçu tout à l'heure un
billet du général Ducrot, où il m'annonçait que le maréchal l'avait désigné pour prendre le commandement de
l'armée.

— Ah! c'est le général Ducrot!... Et quels sont les
ordres?

Le général eut un geste désespéré. Depuis la veille, il
sentait l'armée perdue, il avait vainement insisté pour
qu'on occupât les positions de Saint-Menges et d'Illy,
afin d'assurer la retraite sur Mézières.

— Ducrot reprend notre plan, toutes les troupes vont
se concentrer sur le plateau d'Illy.

Et il répéta son geste, comme pour dire qu'il était trop
tard.

Le bruit du canon emportait ses paroles, mais le sens
en était arrivé très net aux oreilles de Maurice, qui en
restait effaré. Eh quoi! le maréchal de Mac-Mahon blessé,

le général Ducrot commandant à sa place, toute l'armée
en retraite au nord de Sedan! et ces faits si graves, igno-
rés des pauvres diables de soldats en train de se faire
tuer! et cette partie effroyable, livrée ainsi au hasard d'un
accident, au caprice d'une direction nouvelle! Il sentit la
confusion, le désarroi final où tombait l'armée, sans chef,
sans plan, tiraillée en tous sens; pendant que les Allemands allaient droit à leur but, avec leur rectitude, d'une
précision de machine.

Déjà, le général Bourgain-Desfeuilles s'éloignait,
lorsque le général Douay, qui venait de recevoir un nouveau message, apporté par un hussard couvert de poussière, le rappela violemment.

— Général! général!

Sa voix était si haute, si tonnante de surprise et d'émotion, qu'elle dominait le bruit de l'artillerie.

— Général! ce n'est plus Ducrot qui commande, c'est
Wimpffen!... Oui, il est arrivé hier, en plein dans la
déroute de Beaumont, pour remplacer de Failly à la tête
du 5e corps... Et il m'écrit qu'il avait une lettre de service du ministre de la Guerre, le mettant à la tête de l'armée, dans le cas où le commandement viendrait à être
libre... Et l'on ne se replie plus, les ordres sont de regagner et de défendre nos positions premières.

Les yeux arrondis, le général Bourgain-Desfeuilles
écoutait.

— Nom de Dieu! dit-il enfin, faudrait savoir... Moi,
je m'en fous d'ailleurs!

Et il galopa, réellement insoucieux au fond, n'ayant vu
dans la guerre qu'un moyen rapide de passer général de
division, gardant la seule hâte que cette bête de campagne
s'achevât au plus tôt, depuis qu'elle apportait si peu de
contentement à tout le monde.

Alors, parmi les soldats de la compagnie Beaudoin, ce
fut une risée. Maurice ne disait rien, mais il était de
l'avis de Chouteau et de Loubet, qui blaguaient, débor-
dants de mépris. A hue, à dia! va comme je te pousse!
En v'là des chefs qui s'entendaient et qui ne tiraient pas
la couverture à eux! Est-ce que le mieux n'était pas d'aller se coucher, quand on avait des chefs pareils? Trois
commandants en deux heures, trois gaillards qui ne
savaient pas même au juste ce qu'il y avait à faire et qui
donnaient des ordres différents! non, vrai, c'était à ficher
en colère et à démoraliser le bon Dieu en personne! Et
les accusations fatales de trahison revenaient, Ducrot et

Wimpffen voulaient gagner les trois millions de Bismarck, comme Mac-Mahon.

Le général Douay était resté, en avant de son état-major, seul et les regards au loin, sur les positions prussiennes, dans une rêverie d'une infinie tristesse. Longtemps, il examina le Hattoy, dont les obus tombaient à ses pieds. Puis, après s'être tourné vers le plateau d'Illy, il appela un officier, pour porter un ordre, là-bas, à la brigade du 5e corps, qu'il avait demandée la veille au général de Wimpffen, et qui le reliait à la gauche du général Ducrot. Et on l'entendit encore dire nettement :

— Si les Prussiens s'emparaient du calvaire, nous ne pourrions rester une heure ici, nous serions rejetés dans Sedan.

Il partit, disparut avec son escorte, au coude du chemin creux, et le feu redoubla. On l'avait aperçu sans doute. Les obus, qui, jusque-là, n'étaient arrivés que de face, se mirent à pleuvoir par le travers, venant de la gauche. C'étaient les batteries de Frénois, et une autre batterie, installée dans la presqu'île d'Iges, qui croisaient leurs salves avec celles du Hattoy. Tout le plateau de l'Algérie en était balayé. Dès lors, la position de la compagnie devint terrible. Les hommes, occupés à surveiller ce qui se passait en face d'eux, eurent cette autre inquiétude dans leur dos, ne sachant à quelle menace échapper. Coup sur coup, trois hommes furent tués, deux blessés hurlèrent.

Et ce fut ainsi que le sergent Sapin reçut la mort, qu'il attendait. Il s'était tourné, il vit venir l'obus, lorsqu'il ne pouvait plus l'éviter.

— Ah! voilà! dit-il simplement.

Sa petite figure, aux grands beaux yeux, n'était que profondément triste, sans terreur. Il eut le ventre ouvert. Et il se lamenta.

— Oh! ne me laissez pas, emportez-moi à l'ambulance, je vous en supplie... Emportez-moi.

Rochas voulut le faire taire. Brutalement, il allait lui dire qu'avec une blessure pareille, on ne dérangeait pas inutilement deux camarades. Puis, apitoyé :

— Mon pauvre garçon, attendez un peu que des brancardiers viennent vous prendre.

Mais le misérable continuait, pleurait maintenant, éperdu du bonheur rêvé qui s'en allait avec son sang.

— Emportez-moi, emportez-moi...

Et le capitaine Beaudoin, dont cette plainte exaspérait sans doute les nerfs en révolte, demanda deux hommes de bonne volonté, pour le porter à un petit bois voisin, où il devait y avoir une ambulance volante. D'un bond, prévenant les autres, Chouteau et Loubet, s'étaient levés, avaient saisi le sergent, l'un par les épaules, l'autre par les pieds ; et ils l'emportèrent, au grand trot. Mais, en chemin, ils le sentirent qui se raidissait, qui expirait, dans une secousse dernière.

— Dis donc, il est mort, déclara Loubet. Lâchons-le.

Chouteau, furieusement, s'obstinait.

— Veux-tu bien courir, feignant ! Plus souvent que je le lâche ici, pour qu'on nous rappelle !

Ils continuèrent leur course avec le cadavre, jusqu'au petit bois, le jetèrent au pied d'un arbre, s'éloignèrent. On ne les revit que le soir.

Le feu redoublait, la batterie voisine venait d'être renforcée de deux pièces ; et, dans ce fracas croissant, la peur, la peur folle s'empara de Maurice. Il n'avait pas eu d'abord cette sueur froide, cette défaillance douloureuse au creux de l'estomac, cet irrésistible besoin de se lever, de s'en aller au galop, hurlant. Sans doute, maintenant, n'y avait-il là qu'un effet de la réflexion, ainsi qu'il arrive chez les natures affinées et nerveuses. Mais Jean, qui le surveillait, le saisit de sa forte main, le garda rudement près de lui, en lisant cette crise lâche, dans le vacillement trouble de ses yeux. Il l'injuriait tout bas, paternellement, tâchait de lui faire honte, en paroles violentes, car il savait que c'est à coups de pied qu'on rend le courage aux hommes. D'autres aussi grelottaient, Pache qui avait des larmes plein les yeux, qui se lamentait d'une plainte involontaire et douce, d'un cri de petit enfant, qu'il ne pouvait retenir. Et il arriva à Lapoulle un accident, un tel bouleversement d'entrailles, qu'il se déculotta, sans avoir le temps de gagner la haie voisine. On le hua, on jeta des poignées de terre à sa nudité, étalée ainsi aux balles et aux obus. Beaucoup étaient pris de la sorte, se soulageaient, au milieu d'énormes plaisanteries qui rendaient du courage à tous.

— Bougre de lâche, répétait Jean à Maurice, tu ne vas pas être malade comme eux... Je te fous ma main sur la figure, moi ! si tu ne te conduis pas bien.

Il le réchauffait par ces bourrades, lorsque, brusquement, à quatre cents mètres devant eux, ils aperçurent une dizaine d'hommes, vêtus d'uniformes sombres, sortant d'un petit bois. C'étaient enfin des Prussiens, dont ils reconnaissaient les casques à pointe, les premiers Prussiens qu'ils voyaient depuis le commencement de la campagne, à portée de leurs fusils. D'autres escouades suivirent la première; et, devant elles, on distinguait les petites fumées de poussière, que les obus soulevaient du sol. Tout cela était fin et précis, les Prussiens avaient une netteté délicate, pareils à de petits soldats de plomb, rangés en bon ordre. Puis, comme les obus pleuvaient plus fort, ils reculèrent, ils disparurent de nouveau derrière les arbres.

Mais la compagnie Beaudoin les avait vus, et elle les voyait toujours là. Les chassepots étaient partis d'eux-mêmes. Maurice, le premier, déchargea le sien. Jean, Pache, Lapoulle, tous les autres l'imitèrent. Il n'y avait pas eu d'ordre, le capitaine voulut arrêter le feu; et il ne céda que sur un grand geste de Rochas, disant la nécessité de ce soulagement. Enfin, on tirait donc, on employait donc ces cartouches qu'on promenait depuis plus d'un mois, sans en brûler une seule! Maurice surtout en était ragaillardi, occupant sa peur, s'étourdissant des détonations. La lisière du bois restait morne, pas une feuille ne bougeait, pas un Prussien n'avait reparu; et l'on tirait toujours sur les arbres immobiles

Puis, ayant levé la tête, Maurice fut surpris d'apercevoir à quelques pas le colonel de Vineuil, sur son grand cheval, l'homme et la bête impassibles, comme s'ils étaient de pierre. Face à l'ennemi, le colonel attendait sous les balles. Tout le 106e devait s'être replié là, d'autres compagnies étaient terrées dans les champs voisins, la fusillade gagnait de proche en proche. Et le jeune homme vit aussi, un peu en arrière, le drapeau, au bras solide du sous-lieutenant qui le portait. Mais ce n'était plus le fantôme de drapeau, noyé dans le brouillard du matin. Sous le soleil ardent, l'aigle dorée rayonnait, la soie des trois couleurs éclatait en notes vives, malgré l'usure glorieuse des batailles. En plein ciel bleu, au vent de la canonnade, il flottait comme un drapeau de victoire.

Pourquoi ne vaincrait-on pas, maintenant qu'on se battait? Et Maurice, et tous les autres, s'enrageaient, brûlaient leur poudre, à fusiller le bois lointain, où tombait une pluie lente et silencieuse de petites branches.

Henriette ne put dormir de la nuit. La pensée de savoir son mari à Bazeilles, si près des lignes allemandes, la tourmentait. Vainement, elle se répétait sa promesse de revenir au premier danger ; et, à chaque instant, elle tendait l'oreille, croyant l'entendre. Vers dix heures, au moment de se mettre au lit, elle ouvrit la fenêtre, s'accouda, s'oublia.

La nuit était très sombre, à peine distinguait-elle, en bas, le pavé de la rue des Voyards, un étroit couloir obscur, étranglé entre les vieilles maisons. Au loin, du côté du collège, il n'y avait que l'étoile fumeuse d'un réverbère. Et il montait de là un souffle salpêtré de cave, le miaulement d'un chat en colère, des pas lourds de soldat égaré. Puis, dans Sedan entier, derrière elle, c'étaient des bruits inaccoutumés, des galops brusques, des grondements continus, qui passaient comme des frissons de mort. Elle écoutait, son cœur battait à grands coups, et elle ne reconnaissait toujours point le pas de son mari, au détour de la rue.

Des heures s'écoulèrent, elle s'inquiétait maintenant des lointaines lueurs aperçues dans la campagne, par-dessus les remparts. Il faisait si sombre, qu'elle tâchait de reconstituer les lieux. En bas, cette grande nappe pâle, c'étaient bien les prairies inondées. Alors, quel était donc ce feu, qu'elle avait vu briller et s'éteindre, là-haut, sans doute sur la Marfée ? Et, de toutes parts, il en flambait d'autres, à Pont-Maugis, à Noyers, à Frénois, des feux mystérieux qui vacillaient comme au-dessus d'une multitude innombrable, pullulant dans l'ombre. Puis, davantage encore, des rumeurs extraordinaires la faisaient tressaillir, le piétinement d'un peuple en marche, des souffles de bêtes, des chocs d'armes, toute une chevau-

chée au fond de ces ténèbres d'enfer. Brusquement, éclata
un coup de canon, un seul, formidable, effrayant dans
l'absolu silence qui suivit. Elle en eut le sang glacé.
Qu'était-ce donc ? Un signal sans doute, la réussite de
quelque mouvement, l'annonce qu'ils étaient prêts, là-bas,
et que le soleil pouvait paraître.

Vers deux heures, tout habillée, Henriette vint se jeter
sur son lit, en négligeant même de fermer la fenêtre. La
fatigue, l'anxiété l'écrasaient. Qu'avait-elle, à grelotter
ainsi de fièvre, elle si calme d'habitude, marchant d'un
pas si léger, qu'on ne l'entendait pas vivre ? Et elle
sommeilla péniblement, engourdie, avec la sensation persistante du malheur qui pesait dans le ciel noir. Tout d'un
coup, au fond de son mauvais sommeil, le canon recommença, des détonations sourdes, lointaines ; et il ne cessait plus, régulier, entêté. Frissonnante, elle se mit sur
son séant. Où était-elle donc ? Elle ne reconnaissait plus,
elle ne voyait plus la chambre, qu'une épaisse fumée
semblait emplir. Puis, elle comprit : des brouillards,
qui s'étaient levés du fleuve voisin, avaient dû envahir
la pièce. Dehors, le canon redoublait. Elle sauta du lit,
elle courut à la fenêtre, pour écouter.

Quatre heures sonnaient à un clocher de Sedan. Le
petit jour pointait, louche et sale dans la brume roussâtre.
Impossible de rien voir, elle ne distinguait même plus les
bâtiments du collège, à quelques mètres. Où tirait-on,
mon Dieu ? Sa première pensée fut pour son frère Maurice, car les coups étaient si assourdis, qu'ils lui semblaient
venir du nord, par-dessus la ville. Puis, elle n'en put
douter, on tirait là, devant elle, et elle trembla pour son
mari. C'était à Bazeilles, certainement. Pourtant, elle se
rassura pendant quelques minutes, les détonations lui
paraissaient être, par moments, à sa droite. On se battait
peut-être à Donchery, dont elle savait qu'on n'avait pu
faire sauter le pont. Et ensuite la plus cruelle indécision
s'empara d'elle : était-ce à Donchery, était-ce à Bazeilles ?
il devenait impossible de s'en rendre compte, dans le
bourdonnement qui lui emplissait la tête. Bientôt, son
tourment fut tel, qu'elle se sentit incapable de rester là
davantage, à attendre. Elle frémissait d'un besoin immédiat de savoir, elle jeta un châle sur ses épaules et sortit,
allant aux nouvelles.

En bas, dans la rue des Voyards, Henriette eut une
courte hésitation, tellement la ville lui sembla noire
encore, sous le brouillard opaque qui la noyait. Le petit

jour n'était point descendu jusqu'au pavé humide, entre
les vieilles façades enfumées. Rue au Beurre, au fond
d'un cabaret borgne, où clignotait une chandelle, elle
n'aperçut que deux turcos ivres, avec une fille. Il lui fallut tourner dans la rue Maqua, pour trouver quelque
animation : des soldats furtifs dont les ombres filaient le
long des trottoirs, des lâches peut-être, en quête d'un
abri; un grand cuirassier perdu, lancé à la recherche de
son capitaine, frappant furieusement aux portes; tout un
flot de bourgeois qui suaient la peur de s'être attardés et
qui se décidaient à s'empiler dans une carriole, pour voir
s'il ne serait pas temps encore de gagner Bouillon,
en Belgique, où la moitié de Sedan émigrait depuis deux
jours. Instinctivement, elle se dirigeait vers la Sous-Préfecture, certaine d'y être renseignée; et l'idée lui vint de
couper par les ruelles, désireuse d'éviter toute rencontre.
Mais, rue du Four et rue des Laboureurs, elle ne put
passer : des canons s'y trouvaient, une file sans fin de
pièces, de caissons, de prolonges, qu'on avait dû parquer
dès la veille dans ce recoin, et qui semblait y avoir été
oubliée. Pas un homme même ne les gardait. Cela lui fit
froid au cœur, toute cette artillerie inutile et morne,
dormant d'un sommeil d'abandon au fond de ces ruelles
désertes. Alors, elle dut revenir, par la place du Collège,
vers la Grande-Rue, où, devant l'hôtel de l'Europe, des
ordonnances tenaient en main des chevaux, en attendant
des officiers supérieurs, dont les voix hautes s'élevaient
dans la salle à manger, violemment éclairée. Place du
Rivage et place Turenne, il y avait plus de monde encore,
des groupes d'habitants inquiets, des femmes, des
enfants mêlés à de la troupe débandée, effarée; et, là, elle
vit un général sortir en jurant de l'hôtel de la Croix d'Or,
puis galoper rageusement, au risque de tout écraser. Un
instant, elle parut vouloir entrer à l'Hôtel de Ville; enfin,
elle prit la rue du Pont-de-Meuse, pour pousser jusqu'à
la Sous-Préfecture.

Et jamais Sedan ne lui avait fait cette impression de
ville tragique, ainsi vu, sous le petit jour sale, noyé de
brouillard. Les maisons semblaient mortes; beaucoup,
depuis deux jours, se trouvaient abandonnées et vides;
les autres restaient hermétiquement closes, dans l'insomnie peureuse qu'on y sentait. C'était tout un matin grelottant, avec ces rues à demi désertes encore, seulement
peuplées d'ombres anxieuses, traversées de brusques
départs, au milieu du ramas louche qui traînait déjà de

la veille. Le jour allait grandir et la ville s'encombrer,
submergée sous le désastre. Il était cinq heures et demie,
on entendait à peine le bruit du canon, assourdi entre les
hautes façades noires.

A la Sous-Préfecture, Henriette connaissait la fille de
la concierge, Rose, une petite blonde, l'air délicat et joli,
qui travaillait à la fabrique Delaherche. Tout de suite,
elle entra dans la loge. La mère n'était pas là, mais Rose
l'accueillit avec sa gentillesse.

— Oh! ma chère dame, nous ne tenons plus debout.
Maman vient d'aller se reposer un peu. Pensez donc!
la nuit entière, il a fallu être sur pied, avec ces allées et
venues continuelles.

Et, sans attendre d'être questionnée, elle en disait, elle
en disait, enfiévrée de tout ce qu'elle voyait d'extraordinaire depuis la veille.

— Le maréchal, lui, a bien dormi. Mais c'est ce pauvre
empereur! Non, vous ne pouvez pas savoir ce qu'il
souffre!... Imaginez-vous qu'hier soir j'étais montée pour
aider à donner du linge. Alors, voilà qu'en passant dans
la pièce qui touche au cabinet de toilette, j'ai entendu
des gémissements, oh! des gémissements, comme si quelqu'un était en train de mourir. Et je suis restée tremblante,
le cœur glacé, en comprenant que c'était l'empereur... Il
paraît qu'il a une maladie affreuse qui le force à crier
ainsi. Quand il y a du monde, il se retient; mais, dès qu'il
est seul, c'est plus fort que sa volonté, il crie, il se plaint,
à vous faire dresser les cheveux sur la tête.

— Où se bat-on depuis ce matin, le savez-vous?
demanda Henriette, en tâchant de l'interrompre.

Rose, d'un geste, écarta la question; et elle continua:

— Alors, vous comprenez, j'ai voulu savoir, je suis
remontée quatre ou cinq fois cette nuit, j'ai collé mon
oreille à la cloison... Il se plaignait toujours, il n'a pas
cessé de se plaindre, sans pouvoir fermer l'œil un instant,
j'en suis bien sûre... Hein? c'est terrible, de souffrir de
la sorte, avec les tracas qu'il doit avoir dans la tête! car
il y a un gâchis, une bousculade! Ma parole, ils ont tous
l'air d'être fous! Et toujours du monde nouveau qui
arrive, et les portes qui battent, et des gens qui se fâchent,
et d'autres qui pleurent, et un vrai pillage dans la maison
en l'air, des officiers buvant aux bouteilles, couchant dans
les lits avec leurs bottes!... Tenez! c'est encore l'empereur qui est le plus gentil et qui tient le moins de place,
dans le coin où il se cache pour crier.

Puis, comme Henriette répétait sa question :

— Où l'on se bat ? c'est à Bazeilles qu'on se bat depuis ce matin!... Un soldat à cheval est venu le dire au maréchal, qui tout de suite s'est rendu chez l'empereur, pour l'avertir... Voici dix minutes déjà que le maréchal est parti, et je crois bien que l'empereur va le rejoindre, car on l'habille, là-haut... Je viens de voir à l'instant qu'on le peignait et qu'on le bichonnait, avec toutes sortes d'histoires sur la figure.

Mais Henriette, sachant enfin ce qu'elle désirait, se sauva.

— Merci, Rose. Je suis pressée.

Et la jeune fille l'accompagna jusqu'à la rue, complaisante, lui jetant encore :

— Tout à votre service, madame Weiss. Je sais bien qu'avec vous, on peut tout dire.

Vivement, Henriette retourna chez elle, rue des Voyards. Elle était convaincue de trouver son mari rentré; et même elle pensa qu'en ne la voyant pas au logis, il devait être très inquiet, ce qui lui fit encore hâter le pas. Comme elle approchait de la maison, elle leva la tête, croyant l'apercevoir là-haut, penché à la fenêtre, en train de guetter son retour. Mais la fenêtre, toujours grande ouverte, était vide. Et, lorsqu'elle fut montée, qu'elle eut donné un coup d'œil dans les trois pièces, elle resta saisie, serrée au cœur, de n'y retrouver que le brouillard glacial, dans l'ébranlement continu du canon. Là-bas, on tirait toujours. Elle se remit un instant à la fenêtre. Maintenant, renseignée, bien que le mur des brumes matinales restât impénétrable, elle se rendait parfaitement compte de la lutte engagée à Bazeilles, le craquement des mitrailleuses, les volées fracassantes des batteries françaises répondant aux volées lointaines des batteries allemandes. On aurait dit que les détonations se rapprochaient, la bataille s'aggravait de minute en minute.

Pourquoi Weiss ne revenait-il pas ? Il avait si formellement promis de rentrer, à la première attaque! Et l'inquiétude d'Henriette croissait, elle s'imaginait des obstacles, la route coupée, les obus rendant déjà la retraite trop dangereuse. Peut-être même était-il arrivé un malheur. Elle en écartait la pensée, trouvant dans l'espoir un ferme soutien d'action. Puis, elle forma un instant le projet d'aller là-bas, de partir à la rencontre de son mari. Des incertitudes la retinrent : peut-être se croi-

seraient-ils ; et que deviendrait-elle, si elle le manquait ?
et quel serait son tourment, à lui, s'il rentrait sans la
trouver ? Du reste, la témérité d'une visite à Bazeilles en
ce moment lui apparaissait naturelle, sans héroïsme
déplacé, rentrant dans son rôle de femme active, faisant
en silence ce que nécessitait la bonne tenue de son
ménage. Où son mari était, elle devait être, simplement.

Mais elle eut un brusque geste, elle dit tout haut, en
quittant la fenêtre :

— Et monsieur Delaherche... Je vais voir...

Elle venait de songer que le fabricant de drap, lui aussi,
avait couché à Bazeilles, et que, s'il était rentré, elle
aurait par lui des nouvelles. Promptement, elle redescendit. Au lieu de sortir par la rue des Voyards, elle traversa
l'étroite cour de la maison, elle prit le passage qui conduisait aux vastes bâtiments de la fabrique, dont la monumentale façade donnait sur la rue Maqua. Comme elle
débouchait dans l'ancien jardin central, pavé maintenant,
n'ayant gardé qu'une pelouse entourée d'arbres superbes,
des ormes géants du dernier siècle, elle fut d'abord étonnée d'apercevoir, devant la porte fermée d'une remise,
un factionnaire qui montait la garde ; puis, elle se souvint, elle avait su la veille que le trésor du 7e corps était
déposé là ; et cela lui fit un singulier effet, tout cet or,
des millions à ce qu'on disait, caché dans cette remise,
pendant qu'on se tuait déjà, à l'entour. Mais, au moment
où elle prenait l'escalier de service pour monter à la
chambre de Gilberte, une autre surprise l'arrêta, une rencontre si imprévue, qu'elle en redescendit les trois
marches déjà gravies, ne sachant plus si elle oserait aller
frapper là-haut. Un soldat, un capitaine venait de passer
devant elle, d'une légèreté d'apparition, aussitôt évanoui ;
et elle avait eu pourtant le temps de le reconnaître,
l'ayant vu à Charleville, chez Gilberte, lorsque celle-ci
n'était encore que madame Maginot. Elle fit quelques pas
dans la cour, leva les yeux sur les deux hautes fenêtres de
la chambre à coucher, dont les persiennes restaient closes.
Puis, elle se décida, elle monta quand même.

Au premier étage, elle comptait frapper à la porte du
cabinet de toilette, en petite amie d'enfance, en intime
qui venait parfois causer ainsi le matin. Mais cette porte,
mal fermée dans une hâte de départ, était restée entrouverte. Elle n'eut qu'à la pousser, elle se trouva dans le
cabinet, puis dans la chambre. C'était une chambre à très

haut plafond, d'où tombaient d'amples rideaux de velours rouge, qui enveloppaient le grand lit tout entier. Et pas un bruit, le silence moite d'une nuit heureuse, rien qu'une respiration calme, à peine distincte, dans un vague parfum de lilas évaporé.

— Gilberte! appela doucement Henriette.

La jeune femme s'était tout de suite rendormie; et, sous le faible jour qui pénétrait entre les rideaux rouges des fenêtres, elle avait sa jolie tête ronde, roulée de l'oreiller, appuyée sur l'un de ses bras nus, au milieu de son admirable chevelure noire défaite.

— Gilberte!

Elle s'agita, s'étira, sans ouvrir les paupières.

— Oui, adieu... Oh! je vous en prie...

Ensuite, soulevant la tête, reconnaissant Henriette :

— Tiens! c'est toi... Quelle heure est-il donc ?

Quand elle sut que six heures sonnaient, elle éprouva une gêne, plaisantant pour la cacher, disant que ce n'était pas une heure à venir réveiller les gens. Puis, à la première question sur son mari :

— Mais il n'est pas rentré, il ne rentrera que vers neuf heures, je pense... Pourquoi veux-tu qu'il rentre si tôt ?

Henriette, en la voyant souriante, dans son engourdissement de sommeil heureux, dut insister.

— Je te dis qu'on se bat à Bazeilles depuis le petit jour, et comme je suis très inquiète de mon mari...

— Oh! ma chère, s'écria Gilberte, tu as bien tort... Le mien est si prudent, qu'il serait depuis longtemps ici, s'il y avait le moindre danger... Tant que tu ne le verras pas, va! tu peux être tranquille.

Cette réflexion frappa beaucoup Henriette. En effet, Delaherche n'était pas un homme à s'exposer inutilement. Elle en fut toute rassurée, elle alla tirer les rideaux, rabattre les persiennes; et la chambre s'éclaira de la grande lumière rousse du ciel, où le soleil commençait à percer et à dorer le brouillard. Une des fenêtres était restée entrouverte, on entendait maintenant le canon, dans cette grande pièce tiède, si close et si étouffée tout à l'heure.

Gilberte, soulevée à demi, un coude dans l'oreiller, regardait le ciel, de ses jolis yeux clairs.

— Alors, on se bat, murmura-t-elle.

Sa chemise avait glissé, une de ses épaules était nue, d'une chair rose et fine, sous les mèches éparses de la

noire chevelure; tandis qu'une odeur pénétrante, une
odeur d'amour s'exhalait de son réveil.

— On se bat si matin, mon Dieu! Que c'est ridicule,
de se battre!

Mais les regards d'Henriette venaient de tomber sur
une paire de gants d'ordonnance, des gants d'homme
oubliés sur un guéridon; et elle n'avait pu retenir un mouvement. Alors, Gilberte rougit beaucoup, l'attira au bord
du lit, d'un geste confus et câlin. Puis, se cachant la face
contre son épaule:

— Oui, j'ai bien senti que tu savais, que tu l'avais vu...
Chérie, il ne faut pas me juger sévèrement. C'est un ami
ancien, je t'avais avoué ma faiblesse, à Charleville, autrefois, tu te souviens...

Elle baissa encore la voix, continua avec attendrissement
où il y avait comme un petit rire:

— Hier, il m'a tant suppliée, quand je l'ai revu...
Songe donc, il se bat ce matin, on va le tuer peut-être...
Est-ce que je pouvais refuser?

Et cela était héroïque et charmant, dans sa gaieté attendrie, ce dernier cadeau de plaisir, cette nuit heureuse
donnée à la veille d'une bataille. C'était de cela dont elle
souriait, malgré sa confusion, avec son étourderie d'oiseau. Jamais elle n'aurait eu le cœur de fermer sa porte,
puisque toutes les circonstances facilitaient le rendez-
vous.

— Est-ce que tu me condamnes?

Henriette l'avait écoutée, très grave. Ces choses la sur-
prenaient, car elle ne les comprenait pas. Sans doute, elle
était autre. Depuis le matin, son cœur était avec son mari,
avec son frère, là-bas, sous les balles. Comment pouvait-
on dormir si paisible, s'égayer de cet air amoureux, quand
les êtres aimés se trouvaient en péril?

— Mais ton mari, ma chère, et ce garçon lui-même,
est-ce que cela ne te retourne pas le cœur, de ne pas être
avec eux?... Tu ne songes donc pas qu'on peut te les
rapporter d'une minute à l'autre, la tête cassée?

Vivement, de son adorable bras nu, Gilberte écarta
l'affreuse image.

— Oh! mon Dieu! qu'est-ce que tu me dis là? Es-tu
mauvaise, de me gâter ainsi la matinée!... Non, non, je ne
veux pas y songer, c'est trop triste!

Et, malgré elle, Henriette sourit à son tour. Elle se
rappelait leur enfance, lorsque le père de Gilberte, le
commandant de Vineuil, nommé directeur des Douanes à

Charleville, à la suite de ses blessures, avait envoyé sa
fille dans une ferme, près du Chêne-Populeux, inquiet de
l'entendre tousser, hanté par la mort de sa femme, que la
phtisie venait d'emporter toute jeune. La fillette n'avait
que neuf ans, et déjà elle était d'une coquetterie turbu-
lente, elle jouait la comédie, voulait toujours faire la
reine, drapée dans tous les chiffons qu'elle trouvait, gardant le papier d'argent du chocolat pour s'en fabriquer des
bracelets et des couronnes. Plus tard, elle était restée la
même, lorsque, à vingt ans, elle avait épousé l'inspecteur
des Forêts Maginot. Mézières, resserré entre ses remparts,
lui déplaisait, et elle continuait d'habiter Charleville, dont
elle aimait la vie large, égayée de fêtes. Son père n'était
plus, elle jouissait d'une liberté entière, avec un mari
commode, dont la nullité la laissait sans remords. La
malignité provinciale lui avait alors prêté beaucoup
d'amants, mais elle ne s'était réellement oubliée qu'avec
le capitaine Beaudoin, dans le flot d'uniformes où elle
vivait, grâce aux anciennes relations de son père et à sa
parenté avec le colonel de Vineuil. Elle était sans méchanceté perverse, adorant simplement le plaisir; et il semblait bien certain qu'en prenant un amant, elle avait cédé à
son irrésistible besoin d'être belle et gaie.

— C'est très mal d'avoir renoué, dit enfin Henriette
de son air sérieux.

Déjà, Gilberte lui fermait la bouche, d'un de ses jolis
gestes caressants.

— Oh! chérie, puisque je ne pouvais pas faire autrement et que c'était pour une seule fois... Tu le sais,
j'aimerais mieux mourir, maintenant, que de tromper mon
nouveau mari.

Ni l'une ni l'autre ne parlèrent plus, serrées dans une
affectueuse étreinte, si profondément dissemblables pourtant. Elles entendaient les battements de leurs cœurs,
elles auraient pu en comprendre la langue différente,
l'une toute à sa joie, se dépensant, se partageant, l'autre
enfoncée dans un dévouement unique, du grand héroïsme
muet des âmes fortes.

— C'est vrai qu'on se bat! finit par s'écrier Gilberte. Il
faut que je m'habille bien vite.

Depuis que régnait le silence, en effet, le bruit des
détonations semblait grandir. Et elle sauta du lit, elle se
fit aider, sans vouloir appeler la femme de chambre, se
chaussant, passant tout de suite une robe, pour être prête
à recevoir et à descendre, s'il le fallait. Comme elle ache-

vait rapidement de se coiffer, on frappa, et elle courut
ouvrir, en reconnaissant la voix de la vieille madame Delaherche.

— Mais parfaitement, chère mère, vous pouvez entrer.

Avec son étourderie habituelle, elle l'introduisit, sans
remarquer que les gants d'ordonnance étaient là encore,
sur le guéridon. Vainement, Henriette se précipita pour
les saisir et les jeter derrière un fauteuil. Madame Delaherche avait dû les voir, car elle demeura quelques
secondes suffoquée, comme si elle ne pouvait reprendre
haleine. Elle eut un involontaire regard autour de la
chambre, s'arrêta au lit drapé de rouge, resté grand ouvert,
dans son désordre.

— Alors, c'est madame Weiss qui est montée vous
réveiller... Vous avez pu dormir, ma fille...

Evidemment, elle n'était pas venue pour dire cela. Ah!
ce mariage que son fils avait voulu faire contre son gré,
dans la crise de la cinquantaine, après vingt ans d'un
ménage glacé avec une femme maussade et maigre, lui si
raisonnable jusque-là, tout emporté maintenant d'un désir
de jeunesse pour cette jolie veuve, si légère et si gaie!
Elle s'était bien promis de veiller sur le présent, et voilà
le passé qui revenait! Mais devait-elle parler? Elle ne
vivait plus que comme un blâme muet dans la maison, elle
se tenait toujours enfermée dans sa chambre, d'une grande
rigidité de dévotion. Cette fois pourtant, l'injure était si
grave, qu'elle résolut de prévenir son fils.

Gilberte, rougissante, répondait :

— Oui, j'ai eu tout de même quelques heures de bon
sommeil... Vous savez que Jules n'est pas rentré...

D'un geste, madame Delaherche l'interrompit. Depuis
que le canon tonnait, elle s'inquiétait, guettait le retour
de son fils. Mais c'était une mère héroïque. Et elle se
ressouvint de ce qu'elle était montée faire.

— Votre oncle, le colonel, nous envoie le major Bouroche avec un billet écrit au crayon, pour nous demander
si nous ne pourrions pas laisser installer ici une ambulance... Il sait que nous avons de la place, dans la fabrique,
et j'ai déjà mis la cour et le séchoir à la disposition de
ces messieurs... Seulement, vous devriez descendre.

— Oh! tout de suite, tout de suite! dit Henriette, qui
se rapprocha. Nous allons aider.

Gilberte elle-même se montra très émue, très passion-
née pour ce rôle nouveau d'infirmière. Elle prit à peine
le temps de nouer sur ses cheveux une dentelle; et les

trois femmes descendirent. En bas, comme elles arrivaient sous le vaste porche, elles virent un rassemblement dans la rue, par la porte ouverte à deux battants. Une voiture basse arrivait lentement, une sorte de carriole, attelée d'un seul cheval, qu'un lieutenant de zouaves conduisait par la bride. Et elles crurent que c'était un premier blessé qu'on leur amenait.

— Oui, oui! c'est ici, entrez!

Mais on les détrompa. Le blessé qui se trouvait couché au fond de la carriole, était le maréchal de Mac-Mahon, la fesse gauche à demi emportée, et que l'on ramenait à la Sous-Préfecture, après lui avoir fait un premier pansement, dans une petite maison de jardinier. Il était nu-tête, à moitié dévêtu, les broderies d'or de son uniforme salies de poussière et de sang. Sans parler, il avait levé la tête, il regardait, d'un air vague. Puis, ayant aperçu les trois femmes, saisies, les mains jointes devant ce grand malheur qui passait, l'armée tout entière frappée dans son chef, dès les premiers obus, il inclina légèrement la tête, avec un faible et paternel sourire. Autour de lui, quelques curieux s'étaient découverts. D'autres, affairés, racontaient déjà que le général Ducrot venait d'être nommé général en chef. Il était sept heures et demie.

— Et l'empereur? demanda Henriette à un libraire, debout devant sa porte.

— Il y a près d'une heure qu'il est passé, répondit le voisin. Je l'ai accompagné, je l'ai vu sortir par la porte de Balan... Le bruit court qu'un boulet lui a emporté la tête.

Mais l'épicier d'en face se fâchait.

— Laissez donc! des mensonges! il n'y a que les braves gens qui y laisseront la peau!

Vers la place du Collège, la carriole qui emportait le maréchal, se perdait au milieu de la foule grossie, parmi laquelle circulaient déjà les plus extraordinaires nouvelles du champ de bataille. Le brouillard se dissipait, les rues s'emplissaient de soleil.

Mais une voix rude cria de la cour :

— Mesdames, ce n'est pas dehors, c'est ici qu'on a besoin de vous!

Elles rentrèrent toutes trois, elles se trouvèrent devant le major Bouroche qui avait déjà jeté dans un coin son uniforme, pour revêtir un grand tablier blanc. Sa tête énorme aux durs cheveux hérissés, son mufle de lion

flambait de hâte et d'énergie, au-dessus de toute cette
blancheur, encore sans tache. Et il leur apparut si terrible,
qu'elles lui appartinrent du coup, obéissante à un signe, se
bousculant pour le satisfaire.

— Nous n'avons rien... Donnez-moi du linge, tâchez
de trouver encore des matelas, montrez à mes hommes où
est la pompe...

Elles coururent, se multiplièrent, ne furent plus que ses
servantes.

C'était un très bon choix que la fabrique pour une
ambulance. Il y avait là surtout le séchoir, une immense
salle fermée par de grands vitrages, où l'on pouvait installer aisément une centaine de lits ; et, à côté, se trouvait
un hangar, sous lequel on allait être à merveille pour faire
les opérations : une longue table venait d'y être appor-
tée, la pompe n'était qu'à quelques pas, les petits blessés
pourraient attendre sur la pelouse voisine. Puis, cela était
vraiment agréable, ces beaux ormes séculaires qui donnaient une ombre délicieuse.

Bouroche avait préféré s'établir tout de suite dans
Sedan, prévoyant le massacre, l'effroyable poussée qui
allait y jeter les troupes. Il s'était contenté de laisser près
du 7e corps, en arrière de Floing, deux ambulances
volantes et, de premiers secours, d'où l'on devait lui
envoyer les blessés, après les avoir pansés sommairement.
Toutes les escouades de brancardiers étaient là-bas, chargées de ramasser sous le feu les hommes qui tombaient,
ayant avec elles le matériel des voitures et des fourgons.
Et Bouroche, sauf deux de ses aides restés sur le champ
de bataille, avait amené son personnel, deux majors de
seconde classe et trois sous-aides, qui sans doute suffiraient aux opérations. En outre, il y avait là trois phar-
maciens et une douzaine d'infirmiers.

Mais il ne décolérait pas, ne pouvant rien faire sans
passion.

— Qu'est-ce que vous fichez donc ? Serrez-moi ces
matelas davantage !... On mettra de la paille dans ce coin,
si c'est nécessaire.

Le canon grondait, il savait bien que d'un instant à
l'autre la besogne allait arriver, des voitures pleines de
chair saignante ; et il installait violemment la grande salle
encore vide. Puis, sous le hangar, ce furent d'autres préparatifs : les caisses de pansement et de pharmacie rangées, ouvertes sur une planche, des paquets de charpie,
des bandes, des compresses, des linges, des appareils à

fractures; tandis que, sur une autre planche, à côté d'un gros pot de cérat et d'un flacon de chloroforme, les trousses s'étalaient, l'acier clair des instruments, les sondes, les pinces, les couteaux, les ciseaux, les scies, un arsenal, toutes les formes aiguës et coupantes de ce qui fouille, entaille, tranche, abat. Mais les cuvettes manquaient.

— Vous avez bien des terrines, des seaux, des marmites, enfin ce que vous voudrez... Nous n'allons pas nous barbouiller de sang jusqu'au nez, bien sûr!... Et des éponges, tâchez de m'avoir des éponges!

Madame Delaherche se hâta, revint suivie de trois servantes, les bras chargés de toutes les terrines qu'elle avait pu trouver. Debout devant les trousses, Gilberte avait appelé Henriette d'un signe, en les lui montrant avec un léger frisson. Toutes deux se prirent la main, restèrent là, silencieuses, mettant dans leur étreinte la sourde terreur, la pitié anxieuse qui les bouleversaient.

— Hein? ma chère, dire qu'on pourrait vous couper quelque chose!

— Pauvre gens!

Sur la grande table, Bouroche venait de faire placer un matelas, qu'il garnissait d'une toile cirée, lorsqu'un piétinement de chevaux se fit entendre sous le porche. C'était une première voiture d'ambulance, qui entra dans la cour. Mais elle ne contenait que dix petits blessés, assis face à face, la plupart ayant un bras en écharpe, quelques-uns atteints à la tête, le front bandé. Ils descendirent, simplement soutenus; et la visite commença.

Comme Henriette aidait doucement un soldat tout jeune, l'épaule traversée d'une balle, à retirer sa capote, ce qui lui arrachait des cris, elle remarqua le numéro de son régiment.

— Mais vous êtes du 106e! Est-ce que vous appartenez à la compagnie Beaudoin?

Non, il était de la compagnie Ravaud. Mais il connaissait tout de même le caporal Jean Macquart, il crut pouvoir dire que l'escouade de celui-ci n'avait pas encore été engagée. Et ce renseignement, si vague, suffit pour donner de la joie à la jeune femme : son frère vivait, elle serait tout à fait soulagée, lorsqu'elle aurait embrassé son mari, qu'elle continuait à attendre d'une minute à l'autre.

A ce moment, Henriette, ayant levé la tête, fut saisie d'apercevoir, à quelques pas d'elle, au milieu d'un groupe, Delaherche, racontant les terribles dangers qu'il venait

de courir, de Bazeilles à Sedan. Comment se trouvait-il
là ? Elle ne l'avait pas vu entrer.

— Et mon mari n'est pas avec vous ?

Mais Delaherche, que sa mère et sa femme question-
naient complaisamment, ne se hâtait point.

— Attendez, tout à l'heure.

Puis reprenant son récit :

— De Bazeilles à Balan, j'ai failli être tué vingt fois. Une
grêle, un ouragan de balles et d'obus !... Et j'ai rencontré
l'empereur, oh ! très brave... Ensuite, de Balan ici, j'ai
pris ma course...

Henriette lui secoua le bras.

— Mon mari ?

— Weiss ? mais il est resté là-bas, Weiss !

— Comment, là-bas ?

— Oui, il a ramassé le fusil d'un soldat mort, il se bat.

— Il se bat, pourquoi donc ?

— Oh ! un enragé ! Jamais il n'a voulu me suivre, et
je l'ai lâché, naturellement.

Les yeux fixes, élargis, Henriette le regardait. Il y eut
un silence. Puis, tranquillement, elle se décida.

— C'est bon, j'y vais.

Elle y allait, comment ? Mais c'était impossible, c'était
fou ! Delaherche reparlait des balles, des obus qui
balayaient la route. Gilberte lui avait repris les mains pour
la retenir, tandis que madame Delaherche s'épuisait aussi
à lui démontrer l'aveugle témérité de son projet. De son
air doux et simple, elle répéta :

— Non, c'est inutile, j'y vais.

Et elle s'obstina, n'accepta que la dentelle noire que
Gilberte avait sur la tête. Espérant encore la convaincre,
Delaherche finit par déclarer qu'il l'accompagnerait, au
moins jusqu'à la porte de Balan. Mais il venait d'apercevoir le factionnaire qui, au milieu de la bousculade causée par l'installation de l'ambulance, n'avait pas cessé de
marcher à petits pas devant la remise, où se trouvait
enfermé le trésor du 7e corps ; et il se souvint, il fut pris
de peur, il alla s'assurer d'un coup d'œil que les millions
étaient toujours là. Henriette, déjà, s'engageait sous le
porche.

— Attendez-moi donc ! Vous êtes aussi enragée que
votre mari, ma parole !

D'ailleurs, une nouvelle voiture d'ambulance entrait,
ils durent la laisser passer. Celle-ci, plus petite, à deux
roues seulement, contenait deux grands blessés, couchés

sur des sangles. Le premier qu'on descendit, avec toutes
sortes de précautions, n'était plus qu'une masse de chairs
sanglantes, une main cassée, le flanc labouré par un éclat
d'obus. Le second avait la jambe droite broyée. Et tout de
suite Bouroche, faisant placer celui-ci sur la toile cirée
de matelas, commença la première opération, au milieu
du continuel va-et-vient des infirmiers et de ses aides.
Madame Delaherche et Gilberte, assises près de la pelouse,
roulaient des bandes.

Dehors, Delaherche avait rattrapé Henriette.

— Voyons, ma chère madame Weiss, vous n'allez pas
faire cette folie... Comment voulez-vous rejoindre Weiss
là-bas ? Il ne doit même plus y être, il s'est sans doute
jeté à travers champs pour revenir... Je vous assure que
Bazeilles est inabordable.

Mais elle ne l'écoutait pas, marchait plus vite, s'engageait dans la rue du Ménil, pour gagner la porte de Balan.
Il était près de neuf heures, et Sedan n'avait plus le frisson noir du matin, le réveil désert et tâtonnant, dans
l'épais brouillard. Un soleil lourd découpait nettement
les ombres des maisons, le pavé s'encombrait d'une foule
anxieuse, que traversaient de continuels galops d'estafettes. Des groupes surtout se formaient autour des quelques soldats sans armes qui étaient rentrés déjà, les uns
blessés légèrement, les autres dans une exaltation nerveuse extraordinaire, gesticulant et criant. Et pourtant la
ville aurait encore eu à peu près son aspect de tous les
jours, sans les boutiques aux volets clos, sans les façades
mortes, où pas une persienne ne s'ouvrait. Puis, c'était
ce canon, ce canon continu, dont toutes les pierres, le
sol, les murs, jusqu'aux ardoises des toits, tremblaient.

Delaherche était en proie à un combat intérieur fort
désagréable, partagé entre son devoir d'homme brave qui
lui commandait de ne pas quitter Henriette, et sa terreur
de refaire le chemin de Bazeilles sous les obus. Tout d'un
coup, comme ils arrivaient à la porte de Balan, un flot
d'officiers à cheval qui rentraient, les sépara. Des gens
s'écrasaient près de cette porte, attendant des nouvelles.
Vainement, il courut, chercha la jeune femme : elle devait
être hors de l'enceinte, hâtant le pas sur la route. Et, sans
pousser le zèle plus loin, il se surprit à dire tout haut :

— Ah, tant pis! c'est trop bête!

Alors, Delaherche flâna dans Sedan, en bourgeois
curieux qui ne voulait rien perdre du spectacle, travaillé
cependant d'une inquiétude croissante. Qu'est-ce que tout

cela allait devenir ? et, si l'armée était battue, la ville n'aurait-elle pas à souffrir beaucoup ? Les réponses à ces questions qu'il se posait restaient obscures, trop dépendantes des événements. Mais il n'en commençait pas moins à trembler pour sa fabrique, son immeuble de la rue Maqua, d'où il avait du reste déménagé toutes ses valeurs, enfouies en un lieu sûr. Il se rendit à l'Hôtel de Ville, y trouva le conseil municipal siégeant en permanence, s'y oublia longtemps, sans rien apprendre de nouveau, sinon que la bataille tournait fort mal. L'armée ne savait plus à qui obéir, rejetée en arrière par le général Ducrot, pendant les deux heures où il avait eu le commandement, ramenée en avant par le général de Wimpffen, qui venait de lui succéder; et ces oscillations incompréhensibles, ces positions qu'il fallait reconquérir après les avoir abandonnées, toute cette absence de plan et d'énergique direction précipitait le désastre.

Puis, Delaherche poussa jusqu'à la Sous-Préfecture, pour savoir si l'empereur n'avait pas reparu. On ne put lui donner que des nouvelles du maréchal de Mac-Mahon, dont un chirurgien avait pansé la blessure peu dangereuse, et qui était tranquillement dans son lit. Mais, vers onze heures, comme il battait de nouveau le pavé, il fut arrêté un instant, dans la Grande-Rue, devant l'hôtel de l'Europe, par un lent cortège, des cavaliers couverts de poussière, dont les mornes chevaux marchaient au pas. Et, à la tête, il reconnut l'empereur, qui rentrait après avoir passé quatre heures sur le champ de bataille. La mort n'avait pas voulu de lui, décidément. Sous la sueur d'angoisse de cette marche au travers de la défaite, le fard s'en était allé des joues, les moustaches cirées s'étaient amollies, pendantes, la face terreuse avait pris l'hébètement douloureux d'une agonie. Un officier, qui descendit devant l'hôtel, se mit à expliquer au milieu d'un groupe la route parcourue, de la Moncelle à Givonne, tout le long de la petite vallée, parmi les soldats du 1er corps, que les Saxons avaient refoulés sur la rive droite du ruisseau; et l'on était revenu par le chemin creux du Fond de Givonne, dans un tel encombrement déjà, que même, si l'empereur avait désiré retourner sur le front des troupes, il n'aurait pu le faire que très difficilement. D'ailleurs, à quoi bon ?

Comme Delaherche écoutait ces détails, une détonation violente ébranla le quartier. C'était un obus qui venait de démolir une cheminée, rue Sainte-Barbe, près du Donjon.

Il y eut un sauve-qui-peut, des cris de femmes s'élevèrent. Lui, s'était collé contre un mur, lorsqu'une nouvelle détonation brisa les vitres d'une maison voisine. Cela devenait terrible, si l'on bombardait Sedan ; et il rentra au pas de course rue Maqua, il fut pris d'un tel besoin de savoir, qu'il ne s'arrêta point, monta vivement sur les toits, ayant là-haut une terrasse, d'où l'on dominait la ville et les environs.

Tout de suite, il fut un peu rassuré. Le combat avait lieu par-dessus la ville, les batteries allemandes de la Marfée et de Frénois allaient, au-delà des maisons, balayer le plateau de l'Algérie ; et il s'intéressa même au vol des obus, à la courbe immense de légère fumée qu'ils laissaient sur Sedan, pareils à des oiseaux invisibles au fin sillage de plumes grises. Il lui parut d'abord évident que les quelques obus qui avaient crevé des toitures, autour de lui, étaient des projectiles égarés. On ne bombardait pas encore la ville. Puis, en regardant mieux, il crut comprendre qu'ils devaient être des réponses aux rares coups tirés par les canons de la place. Il se tourna, examina, vers le nord, la citadelle, tout cet amas compliqué et formidable de fortifications, les pans de murailles noirâtres, les plaques vertes des glacis, un pullulement géométrique de bastions, surtout les trois cornes géantes, celles des Ecossais, du Grand Jardin et de la Rochette, aux angles menaçants ; et c'était ensuite, comme un prolongement cyclopéen, du côté de l'ouest, le fort de Nassau, que suivait le fort du Palatinat, au-dessus du faubourg du Ménil. Il en eut à la fois une impression mélancolique d'énormité et d'enfantillage. A quoi bon, maintenant, avec ces canons, dont les projectiles volaient si aisément d'un bout du ciel à l'autre ? La place, d'ailleurs, n'était pas armée, n'avait ni les pièces nécessaires, ni les munitions, ni les hommes. Depuis trois semaines à peine, le gouverneur avait organisé une garde nationale, des citoyens de bonne volonté, qui devaient servir les quelques pièces en état. Et c'était ainsi qu'au Palatinat trois canons tiraient, tandis qu'il y en avait bien une demi-douzaine à la porte de Paris. Seulement, on n'avait que sept ou huit gargousses à brûler par pièce, on ménageait les coups, on n'en lâchait qu'un par demi-heure, et pour l'honneur simplement, car les obus ne portaient pas, tombaient dans les prairies, en face. Aussi, dédaigneuses, les batteries ennemies ne répondaient-elles que de loin en loin, comme par charité.

Là-bas, ce qui intéressait Delaherche, c'étaient ces batteries. Il fouillait de ses yeux vifs les coteaux de la Marfée, lorsqu'il eut l'idée de la lunette d'approche qu'il s'amusait autrefois à braquer sur les environs, du haut de la terrasse. Il descendit la chercher, remonta, l'installa ; et, comme il s'orientait, faisant à petits mouvements défiler les terres, les arbres, les maisons, il tomba, au-dessus de la grande batterie de Frénois, sur le groupe d'uniformes que Weiss avait deviné de Bazeilles, à l'angle d'un bois de pins. Mais lui, grâce au grandissement, aurait compté les officiers de cet état-major, tellement il les voyait avec netteté. Plusieurs étaient à demi couchés dans l'herbe, d'autres debout formaient des groupes ; et, en avant, il y avait un homme seul, l'air sec et mince, à l'uniforme sans éclat, dans lequel pourtant il sentit le maître. C'était bien le roi de Prusse, à peine haut comme la moitié du doigt, un de ces minuscules soldats de plomb des jouets d'enfant. Il n'en fut du reste certain que plus tard, il ne l'avait plus quitté de l'œil, revenant toujours à cet infiniment petit, dont la face, grosse comme une lentille, ne mettait qu'un point blême sous le vaste ciel bleu.

Il n'était pas midi encore, le roi constatait la marche mathématique, inexorable de ses armées, depuis neuf heures. Elles allaient, elles allaient toujours selon les chemins tracés, complétant le cercle, refermant pas à pas, autour de Sedan, leur muraille d'hommes et de canons. Celle de gauche, venue par la plaine rase de Donchery, continuait à déboucher du défilé de Saint-Albert, dépassait Saint-Menges, commençait à gagner Fleigneux ; et il voyait distinctement, derrière le 11ᵉ corps violemment aux prises avec les troupes du général Douay, se couler le 5ᵉ corps, qui profitait des bois pour se diriger sur le calvaire d'Illy ; tandis que des batteries s'ajoutaient aux batteries, une ligne de pièces tonnantes sans cesse prolongée, l'horizon entier peu à peu en flammes. L'armée de droite occupait désormais tout le vallon de la Givonne, le 12ᵉ corps s'était emparé de la Moncelle, la garde venait de traverser Daigny, remontant déjà le ruisseau, en marche également vers le calvaire, après avoir forcé le général Ducrot à se replier derrière le bois de la Garenne. Encore un effort, et le prince royal de Prusse donnerait la main au prince royal de Saxe, dans ces champs nus, à la lisière même de la forêt des Ardennes. Au sud de la ville, on ne voyait plus Bazeilles, disparu

dans la fumée des incendies, dans la fauve poussière
d'une lutte enragée.

Et le roi, tranquille, regardait, attendait depuis le
matin. Une heure, deux heures encore, peut-être trois : ce
n'était qu'une question de temps, un rouage poussait
l'autre, la machine à broyer était en branle et achèverait
sa course. Sous l'infini du ciel ensoleillé, le champ de
bataille se rétrécissait, toute cette mêlée furieuse de
points noirs se culbutait, se tassait de plus en plus autour
de Sedan. Des vitres luisaient dans la ville, une maison
semblait brûler, à gauche, vers le faubourg de la Cassine.
Puis, au-delà, dans les champs redevenus déserts, du
côté de Donchery et du côté de Carignan, c'était une paix
chaude et lumineuse, les eaux claires de la Meuse, les
arbres heureux de vivre, les grandes terres fécondes, les
larges prairies vertes, sous l'ardeur puissante de midi.

D'un mot, le roi avait demandé un renseignement. Sur
l'échiquier colossal, il voulait savoir et tenir sans sa
main cette poussière d'hommes qu'il commandait. A sa
droite, un vol, d'hirondelles, effrayées par le canon,
tourbillonna, s'enleva très haut, se perdit vers le sud.

IV

Sur la route de Balan, Henriette d'abord put marcher d'un pas rapide. Il n'était guère plus de neuf heures, la chaussée large, bordée de maisons et de jardins, se trouvait libre encore, obstruée pourtant de plus en plus, à mesure qu'on approchait du bourg, par les habitants qui fuyaient et par des mouvements de troupe. A chaque nouveau flot de foule, elle se serrait contre les murs, elle se glissait, passait quand même. Et, mince, effacée dans sa robe sombre, ses beaux cheveux blonds et sa petite face pâle à demi disparus sous le fichu de dentelle noire, elle échappait aux regards, rien ne ralentissait son pas léger et silencieux.

Mais, à Balan, un régiment d'infanterie de marine barrait la route. C'était une masse compacte d'hommes attendant des ordres, à l'abri des grands arbres qui les cachaient. Elle se haussa sur les pieds, n'en vit pas la fin. Cependant, elle essaya de se faire plus petite encore, de se faufiler. Des coudes la repoussaient, elle sentait dans ses flancs les crosses des fusils. Au bout de vingt pas, des cris, des protestations s'élevèrent. Un capitaine tourna la tête et s'emporta.

— Eh! la femme, êtes-vous folle ?... Où allez-vous ?

— Je vais à Bazeilles.

— Comment à Bazeilles!

Ce fut une éclat de rire général. On se la montrait, on plaisantait. Le capitaine, égayé lui aussi, venait de reprendre :

— A Bazeilles, ma petite, vous devriez bien nous y emmener avec vous!... Nous y étions tout à l'heure, j'espère que nous allons y retourner; mais je vous avertis qu'il n'y fait pas froid.

— Je vais à Bazeilles rejoindre mon mari, déclara Hen-

riette de sa voix douce, tandis que ses yeux d'un bleu
pâle gardaient leur tranquille décision.

On cessa de rire, un vieux sergent la dégagea, la força
de retourner en arrière.

— Ma pauvre enfant, vous voyez bien qu'il vous est
impossible de passer... Ce n'est pas l'affaire d'une femme
d'aller à Bazeilles en ce moment... Vous le retrouverez
plus tard, votre mari. Voyons, soyez raisonnable!

Elle dut céder, elle s'arrêta, debout, se haussant à
chaque minute, regardant au loin, dans l'entêtée résolution de continuer sa route. Ce qu'elle entendait dire
autour d'elle la renseignait. Des officiers se plaignaient
amèrement de l'ordre de retraite qui leur avait fait abandonner Bazeilles, dès huit heures un quart, lorsque le
général Ducrot, succédant au maréchal, s'était avisé de
vouloir concentrer toutes les troupes sur le plateau d'Illy.
Le pis était que, le 1er corps ayant reculé trop tôt, livrant
le vallon de la Givonne aux Allemands, le 12e corps,
attaqué déjà vivement de front, venait d'être débordé sur
son flanc gauche. Puis, maintenant que le général de
Wimpffen succédait au général Ducrot, le premier plan
de nouveau l'emportait, l'ordre arrivait de réoccuper
Bazeilles coûte que coûte, pour jeter les Bavarois à la
Meuse. N'était-ce pas imbécile de leur avoir fait abandonner une position, qu'il leur fallait à cette heure reconquérir ? On voulait bien se faire tuer, mais pas pour le
plaisir, vraiment!

Il y eut un grand mouvement d'hommes et de chevaux,
le général de Wimpffen parut, debout sur ses étriers, la
face ardente, la parole exaltée, criant :

— Mes amis, nous ne pouvons pas reculer, ce serait la
fin de tout... Si nous devons battre en retraite, nous irons
sur Carignan et non sur Mézières... Mais nous vaincrons,
vous les avez battus ce matin, vous les battrez encore!

Il galopa, s'éloigna par un chemin qui montait vers la
Moncelle. Le bruit courait qu'il venait d'avoir avec le
général Ducrot une discussion violente, chacun soutenant
son plan, attaquant le plan contraire, l'un déclarant que
la retraite par Mézières n'était plus possible depuis le
matin, l'autre prophétisant qu'avant le soir, si l'on ne se
retirait pas sur le plateau d'Illy, l'armée serait cernée. Et
ils s'accusaient mutuellement de ne connaître ni le pays,
ni la situation vraie des troupes. Le pis était qu'ils avaient
tous les deux raison.

Mais, depuis un instant, Henriette se trouvait distraite

dans sa hâte d'avancer. Elle venait de reconnaître, échouée au bord de la route, toute une famille de Bazeilles, de pauvres tisserands, le mari, la femme, avec trois filles, dont la plus âgée n'avait que neuf ans. Ils étaient tellement brisés, tellement éperdus de fatigue et de désespoir, qu'ils n'avaient pu aller plus loin, tombés contre un mur.

— Ah! ma chère dame, répétait la femme à Henriette, nous n'avons plus rien... Vous savez, notre maison était sur la place de l'Eglise. Alors, voilà qu'un obus y a mis le feu. Je ne sais pas comment les enfants et nous autres, nous n'y sommes pas restés...

Les trois petites filles, à ce souvenir, se remirent à sangloter, en poussant des cris, tandis que la mère entrait dans les détails de leur désastre, avec des gestes fous.

— J'ai vu le métier brûler comme un fagot de bois sec... Le lit, les meubles ont flambé plus vite que des poignées de paille... Et il y avait même la pendule, oui! la pendule que je n'ai pas eu le temps d'emporter dans mes bras.

— Tonnerre de bon Dieu! jura l'homme, les yeux pleins de grosses larmes, qu'est-ce que nous allons devenir ?

Henriette, pour les calmer, leur dit simplement, d'une voix qui tremblait un peu :

— Vous êtes ensemble, sains et saufs tous les deux, et vous avez vos fillettes : de quoi vous plaignez-vous ?

Puis, elle les questionna, voulut savoir ce qui se passait dans Bazeilles, s'ils avaient vu son mari, comment ils avaient laissé sa maison, à elle. Mais, dans le grelottement de leur peur, les réponses étaient contradictoires. Non, ils n'avaient pas vu M. Weiss. Pourtant, une des petites filles cria qu'elle l'avait bien vu, elle, qu'il était sur le trottoir, avec un gros trou au milieu de la tête; et son père lui allongea une claque, pour la faire taire, parce que, disait-il, elle mentait, à coup sûr. Quant à la maison, elle devait être debout, lorsqu'ils avaient fui; même ils se souvenaient d'avoir remarqué, en passant, que la porte et les fenêtres étaient soigneusement closes, comme si pas une âme ne s'y fût trouvée. A ce moment-là, d'ailleurs, les Bavarois n'occupaient encore que la place de l'Eglise, et il leur fallait prendre le village rue par rue, maison par maison. Seulement, ils avaient dû faire du chemin, tout Bazeilles brûlait sans doute, à cette heure. Et ces misérables gens continuaient à parler de ces choses,

avec des gestes tâtonnants d'épouvante, évoquant la vision
affreuse, les toits qui flambaient, le sang qui coulait, les
morts qui couvraient la terre.

— Alors, mon mari ? répéta Henriette.

Ils ne répondaient plus, ils sanglotaient entre leurs
mains jointes. Et elle resta dans une anxiété atroce, sans
faiblir, debout, les lèvres seulement agitées d'un petit
frisson. Que devait-elle croire ? Elle avait beau se dire
que l'enfant s'était trompée, elle voyait son mari en travers de la rue, la tête trouée d'une balle. Puis, c'était
cette maison hermétiquement close qui l'inquiétait :
pourquoi ? il ne s'y trouvait donc plus ? La certitude qu'il
était tué lui glaça tout d'un coup le cœur. Mais peut-être
n'était-il que blessé; et le besoin d'aller là-bas, d'y être,
la reprit si impérieusement, qu'elle aurait tenté encore de
se frayer un passage, si, à cette minute, les clairons
n'avaient sonné la marche en avant.

Beaucoup de ces jeunes soldats arrivaient de Toulon,
de Rochefort ou de Brest, à peine instruits, sans avoir
jamais fait le coup de feu; et, depuis le matin, ils se battaient avec une bravoure, une solidité de vétérans. Eux
qui, de Reims à Mouzon, avaient marché si mal, alourdis
d'inaccoutumance, se révélaient comme les mieux disciplinés, les plus fraternellement unis d'un lien de devoir
et d'abnégation, devant l'ennemi. Les clairons n'avaient
eu qu'à sonner, ils retournaient au feu, ils reprenaient
l'attaque, malgré leurs cœurs gros de colère. Trois fois,
on leur avait promis, pour les soutenir, une division qui
ne venait pas. Ils se sentaient abandonnés, sacrifiés.
C'était leur vie à tous qu'on leur demandait, en les ramenant ainsi sur Bazeilles, après le leur avoir fait évacuer.
Et ils le savaient, et ils donnaient leur vie sans une révolte,
serrant les rangs, quittant les arbres qui les protégeaient,
pour rentrer sous les obus et les balles.

Henriette eut un soupir de profond soulagement. Enfin,
on marchait donc! Elle les suivit, espérant arriver avec
eux, prête à courir, s'ils couraient. Mais, de nouveau
déjà, on s'était arrêté. A présent, les projectiles pleuvaient, il allait falloir, pour réoccuper Bazeilles, reconquérir chaque mètre de la route, s'emparer des ruelles,
des maisons, des jardins, à droite et à gauche. Les premiers rangs avaient ouvert le feu, on n'avançait plus que
par saccades, les moindres obstacles faisaient perdre de
longues minutes. Jamais elle n'arriverait, si elle restait
ainsi en queue, attendant la victoire. Et elle se décida, se

jeta à droite, entre deux haies, dans un sentier qui descendait vers les prairies.

Le projet d'Henriette fut alors d'atteindre Bazeilles par
ces vastes prés bordant la Meuse. Cela, d'ailleurs, n'était
pas très net en elle. Soudain, elle resta plantée, au bord
d'une petite mer immobile, qui, de ce côté-ci, lui barrait
le chemin. C'était l'inondation, les terres basses changées
en un lac de défense, auxquelles elle n'avait point songé.
Un instant, elle voulut retourner en arrière ; puis, au
risque d'y laisser ses chaussures, elle continua, suivit le
bord, dans l'herbe trempée, où elle enfonçait jusqu'à la
cheville. Pendant une centaine de mètres, ce fut praticable. Ensuite, elle buta contre le mur d'un jardin : le
terrain dévalait, l'eau battait le mur, profonde de deux
mètres. Impossible de passer. Ses petits poings se serrèrent, elle dut se raidir de toute sa force, pour ne pas
fondre en larmes. Après le premier saisissement, elle
longea la clôture, trouva une ruelle qui filait entre les
maisons éparses. Cette fois, elle se crut sauvée, car elle
connaissait ce dédale, ces bouts de sentiers enchevêtrés,
dont l'écheveau aboutissait tout de même au village.

Là seulement, les obus tombaient. Henriette resta figée,
très pâle, dans l'assourdissement d'une effrayante détonation, dont le coup de vent l'enveloppa. Un projectile
venait d'éclater devant elle, à quelques mètres. Elle
tourna la tête, examina les hauteurs de la rive gauche,
d'où montaient les fumées des batteries allemandes ; et
elle comprit, se remit en marche, les yeux fixés sur l'horizon, guettant les obus, pour les éviter. La témérité folle
de sa course n'allait pas sans un grand sang-froid, toute
la tranquillité brave dont sa petite âme de bonne ménagère était capable. Elle voulait ne pas être tuée, retrouver
son mari, le reprendre, vivre ensemble, heureux encore.
Les obus ne cessaient plus, elle filait le long des murs, se
jetait derrière les bornes, profitait des moindres abris.
Mais il se présenta un espace découvert, un bout de chemin défoncé, déjà couvert d'éclats ; et elle attendait, à
l'encoignure d'un hangar, lorsqu'elle aperçut, devant
elle, au ras d'une sorte de trou, la tête curieuse d'un
enfant, qui regardait. C'était un petit garçon de dix ans,
pieds nus, habillé d'une seule chemise et d'un pantalon
en lambeaux, quelque rôdeur de route, très amusé par la
bataille. Ses minces yeux noirs pétillaient, et il s'excla-
mait d'allégresse, à chaque détonation.

— Oh ! ce qu'ils sont rigolo !... Bougez pas, en v'là

encore un qui s'amène!... Boum! a-t-il pété, celui-là!...
Bougez pas, bougez pas!

Et, à chaque projectile, il faisait un plongeon au fond
du trou, reparaissait, levait sa tête d'oiseau siffleur, pour
replonger encore.

Henriette remarqua alors que les obus venaient du Liry,
tandis que les batteries de Pont-Maugis et de Noyers ne
tiraient plus que sur Balan. Elle voyait très nettement la
fumée, à chaque décharge; puis, elle entendait presque
aussitôt le sifflement, que suivait la détonation. Il dut y
avoir un court répit, des vapeurs légères se dissipaient
lentement.

— Pour sûr qu'ils boivent un coup! cria le petit. Vite,
vite! donnez-moi la main, nous allons nous cavaler!

Il lui prit la main, la força à le suivre; et tous deux
galopèrent, côte à côte, pliant le dos, traversant ainsi
l'espace découvert. Au bout, comme ils se jetaient derrière une meule et qu'ils se retournaient, ils virent de
nouveau un obus arriver, tomber droit sur le hangar, à la
place qu'ils occupaient tout à l'heure. Le fracas fut épouvantable, le hangar s'abattit.

Du coup, une joie folle fit danser le gamin, qui trouvait
ça très farce.

— Bravo! en v'là de la casse!... Hein? tout de même,
il était temps!

Mais, une seconde fois, Henriette se heurtait contre un
obstacle infranchissable, des murs de jardin, sans chemin
aucun. Son petit compagnon continuait à rire, disait
qu'on passait toujours, quand on le voulait bien. Il grimpa
sur le chaperon d'un mur, l'aida ensuite à le franchir.
D'un saut, ils se trouvèrent dans un potager, parmi des
planches de haricots et de pois. Des clôtures partout.
Alors, pour en sortir, il leur fallut traverser une maison
basse de jardinier. Lui, sifflant, les mains ballantes, allait
le premier, ne s'étonnait de rien. Il poussa une porte, se
trouva dans une chambre, passa dans une autre, où il y
avait une vieille femme, la seule âme restée là sans doute.
Elle semblait hébétée, debout près d'une table. Elle
regarda ces deux personnes inconnues passer ainsi au
travers de sa maison; et elle ne leur dit pas un mot, et
eux-mêmes ne lui adressèrent pas la parole. Déjà, de
l'autre côté, ils ressortaient dans une ruelle, qu'ils purent
suivre pendant un instant. Puis, d'autres difficultés se
présentèrent, ce fut de la sorte, durant près d'un kilomètre, des murailles sautées, des haies franchies, une

course qui coupait au plus court, par les portes des remises, les fenêtres des habitations, selon le hasard de la route qu'ils parvenaient à se frayer. Des chiens hurlaient, ils faillirent être renversés par une vache qui fuyait d'un galop furieux. Cependant, ils devaient approcher, une odeur d'incendie leur arrivait, de grandes fumées rousses, telles que de légers crêpes flottants, voilaient à chaque minute le soleil.

Tout d'un coup, le gamin s'arrêta, se planta devant Henriette.

— Dites donc, madame, comme ça, où donc allezvous ?

— Mais tu le vois, je vais à Bazeilles.

Il siffla, il eut un de ses rires aigus de vaurien échappé de l'école, qui se faisait du bon sang.

— A Bazeilles... Ah! non, ça n'est pas mon affaire... Moi, je vas ailleurs. Bien le bonsoir!

Et il tourna sur les talons, il s'en alla comme il était venu, sans qu'elle pût savoir d'où il sortait ni où il rentrait. Elle l'avait trouvé dans un trou, elle le perdit des yeux au coin d'un mur; et jamais plus elle ne devait le revoir.

Quand elle fut seule, Henriette éprouva un singulier sentiment de peur. Ce n'était guère une protection, cet enfant chétif avec elle; mais il l'étourdissait de son bavardage. Maintenant, elle tremblait, elle si naturellement courageuse. Les obus ne tombaient plus, les Allemands avaient cessé de tirer sur Bazeilles, dans la crainte sans doute de tuer les leurs, maîtres du village. Seulement, depuis quelques minutes, elle entendait des balles siffler, ce bourdonnement de grosses mouches dont on lui avait parlé, et qu'elle reconnaissait. Au loin, c'était une confusion telle de toutes les rages, qu'elle ne distinguait même pas le bruit de la fusillade, dans la violence de cette clameur. Comme elle tournait l'angle d'une maison, il y eut, près de son oreille, un bruit mat, une chute de plâtre, qui la firent s'arrêter net : une balle venait d'écorner la façade, elle en restait toute pâle. Puis, avant qu'elle se fût demandé si elle aurait le courage de continuer, elle reçut au front comme un coup de marteau, elle tomba sur les deux genoux, étourdie. Une seconde balle, qui ricochait, l'avait effleurée un peu au-dessus du sourcil gauche, en ne laissant là qu'une forte meurtrissure. Quand elle eut porté les deux mains à son front, elle les retira rouges de sang. Mais elle avait senti le crâne solide,

intact, sous les doigts; et elle répéta tout haut, pour
s'encourager :

— Ce n'est rien, ce n'est rien... Voyons, je n'ai pas
peur, non! je n'ai pas peur...

Et c'était vrai, elle se releva, elle marcha dès lors
parmi les balles avec une insouciance de créature dégagée
d'elle-même, qui ne raisonne plus, qui donne sa vie. Elle
ne cherchait même plus à se protéger, allant tout droit,
la tête haute, n'allongeant le pas que dans le désir d'arriver. Les projectiles s'écrasaient autour d'elle, vingt fois
elle manqua d'être tuée, sans paraître le savoir. Sa hâte
légère, son activité de femme silencieuse, semblaient
l'aider, la faire passer si fine, si souple dans le péril,
qu'elle y échappait. Elle était enfin à Bazeilles, elle coupa
au milieu d'un champ de luzerne, pour rejoindre la
route, la grande rue qui traverse le village. Comme elle
y débouchait, elle reconnut sur la droite, à deux cents pas,
sa maison qui brûlait, sans qu'on vît les flammes au
grand soleil, le toit à demi effondré déjà, les fenêtres
vomissant des tourbillons de fumée noire. Alors, un galop
l'emporta, elle courut à perdre haleine.

Weiss, dès huit heures, s'était trouvé enfermé là,
séparé des troupes qui se repliaient. Tout de suite, le
retour à Sedan était devenu impossible, car les Bavarois,
débordant par le parc de Montivilliers, avaient coupé la
ligne de retraite. Il était seul, avec son fusil et les cartouches qui lui restaient, lorsqu'il aperçut devant sa
porte une dizaine de soldats, demeurés comme lui en
arrière, isolés de leurs camarades, cherchant des yeux
un abri, pour vendre au moins chèrement leur peau.
Vivement, il descendit leur ouvrir, et la maison dès lors
eut une garnison, un capitaine, un caporal, huit hommes,
tous hors d'eux, enragés, résolus à ne pas se rendre.

— Tiens! Laurent, vous en êtes! s'écria Weiss, surpris
de voir parmi eux un grand garçon maigre, qui tenait un
fusil, ramassé à côté de quelque cadavre.

Laurent, en pantalon et en veste de toile bleue, était
un garçon jardinier du voisinage, âgé d'une trentaine
d'années, et qui avait perdu récemment sa mère et sa
femme, emportées par la même mauvaise fièvre.

— Pourquoi donc que je n'en serais pas? répondit-il.
Je n'ai que ma carcasse, je puis bien la donner... Et
puis, vous savez, ça m'amuse, à cause que je ne tire pas
mal, et que ça va être drôle d'en démolir un à chaque
coup, de ces bougres-là!

Déjà, le capitaine et le caporal inspectaient la maison. Rien à faire du rez-de-chaussée, on se contenta de pousser les meubles contre la porte et les fenêtres, pour les barricader le plus solidement possible. Ce fut ensuite dans les trois petites pièces du premier étage et dans le grenier qu'ils organisèrent la défense, approuvant du reste les préparatifs déjà faits par Weiss, les matelas garnissant les persiennes, les meurtrières ménagées de place en place, entre les lames. Comme le capitaine se hasardait à se pencher, pour examiner les alentours, il entendit des cris, des larmes d'enfant.

— Qu'est-ce donc ? demanda-t-il.

Weiss revit alors, dans la teinturerie voisine, le petit Auguste malade, la face pourpre de fièvre entre ses draps blancs, demandant à boire, appelant sa mère, qui ne pouvait plus lui répondre, gisante sur le carreau, la tête broyée. Et, à cette vision, il eut un geste douloureux, il répondit :

— Un pauvre petit dont un obus a tué la mère, et qui pleure, là, à côté.

— Tonnerre de Dieu! murmura Laurent, ce qu'il va falloir leur faire payer tout ça!

Il n'arrivait encore dans la façade que des balles perdues. Weiss et le capitaine, accompagnés du garçon jardinier et de deux hommes, étaient montés dans le grenier, d'où ils pouvaient mieux surveiller la route. Ils la voyaient obliquement, jusqu'à la place de l'Église. Cette place était maintenant au pouvoir des Bavarois; mais ils n'avançaient toujours qu'avec beaucoup de peine et une extrême prudence. Au coin d'une ruelle, une poignée de fantassins les tint encore en échec pendant près d'un quart d'heure, d'un feu tellement nourri, que les morts s'entassaient. Ensuite, ce fut une maison, à l'autre encoignure, dont ils durent s'emparer, avant de passer outre. Par moments, dans la fumée, on distinguait une femme, avec un fusil, tirant d'une des fenêtres. C'était la maison d'un boulanger, des soldats s'y trouvaient oubliés, mêlés aux habitants; et, la maison prise, il y eut des cris, une effroyable bousculade roula jusqu'au mur d'en face, un flot dans lequel apparut la jupe de la femme, une veste d'homme, des cheveux blancs hérissés; puis, un feu de peloton gronda, du sang jaillit jusqu'au chaperon du mur. Les Allemands étaient inflexibles : toute personne prise les armes à la main, n'appartenant point aux armées belligérantes, était fusillée sur l'heure, comme cou-

pable de s'être mise en dehors du droit des gens. Devant
la furieuse résistance du village, leur colère montait,
et les pertes effroyables qu'ils éprouvaient depuis bientôt cinq heures, les poussaient à d'atroces représailles.
Les ruisseaux coulaient rouges, les morts barraient
la route, certains carrefours n'étaient plus que des char-
niers, d'où s'élevaient des râles. Alors, dans chaque maison qu'ils emportaient de haute lutte, on les vit jeter de
la paille enflammée; d'autres couraient avec des torches,
d'autres badigeonnaient les murs de pétrole; et bientôt
des rues entières furent en feu, Bazeilles flamba.

Cependant, au milieu du village, il n'y avait plus que
la maison de Weiss, avec ses persiennes closes, qui gardait son air menaçant de citadelle, résolue à ne pas se
rendre.

— Attention! les voici! cria le capitaine.

Une décharge, partie du grenier et du premier étage,
coucha par terre trois des Bavarois qui s'avançaient, en
rasant les murs. Les autres se replièrent, s'embusquèrent
à tous les angles de la route; et le siège de la maison
commença, une telle pluie de balles fouetta la façade
qu'on aurait dit un ouragan de grêle. Pendant près de dix
minutes, cette fusillade ne cessa pas, trouant le plâtre,
sans faire grand mal. Mais un des hommes que le capitaine avait pris avec lui dans le grenier, ayant commis
l'imprudence de se montrer à une lucarne, fut tué raide,
d'une balle en plein front.

— Nom d'un chien! un de moins! gronda le capitaine. Méfiez-vous donc, nous ne sommes pas assez pour
nous faire tuer par plaisir!

Lui-même avait pris un fusil, et il tirait, abrité derrière un volet. Mais Laurent, le garçon jardinier, faisait
surtout son admiration. A genoux, le canon de son chassepot appuyé dans l'étroite fente d'une meurtrière, comme
à l'affût, il ne lâchait un coup qu'en toute certitude; et il
en annonçait même le résultat à l'avance.

— Au petit officier bleu, là-bas, dans le cœur... A
l'autre, plus loin, le grand sec, entre les deux yeux... Au
gros qui a une barbe rousse et qui m'embête, dans le
ventre...

Et, chaque fois, l'homme tombait, foudroyé, frappé à
l'endroit qu'il désignait; et lui continuait paisiblement,
ne se hâtait pas, ayant de quoi faire, disait-il, car il lui
aurait fallu du temps, pour les tuer tous de la sorte, un
à un.

— Ah! si j'avais des yeux! répétait furieusement Weiss.

Il venait de casser ses lunettes, il en était désespéré. Son binocle lui restait, mais il n'arrivait pas à le faire tenir solidement sur son nez, dans la sueur qui lui inondait la face; et, souvent, il tirait au hasard, enfiévré, les mains tremblantes. Toute une passion croissante emportait son calme ordinaire.

— Ne vous pressez pas, ça ne sert absolument à rien, disait Laurent. Tenez, visez-le avec soin, celui qui n'a plus de casque, au coin de l'épicier... Mais c'est très bien, vous lui avez cassé la patte, et le voilà qui gigote dans son sang.

Weiss un peu pâle, regardait. Il murmura :

— Finissez-le.

— Gâcher une balle, ah! non, par exemple! Vaut mieux en démolir un autre.

Les assaillants devaient avoir remarqué ce tir redoutable, qui partait des lucarnes du grenier. Pas un homme ne pouvait avancer, sans rester par terre. Aussi firent-ils entrer en ligne des troupes fraîches, avec l'ordre de cribler de balles la toiture. Dès lors le grenier, devint intenable : les ardoises étaient percées aussi aisément que de minces feuilles de papier, les projectiles pénétraient de toutes parts, ronflant comme des abeilles. A chaque seconde, on courait le risque d'être tué.

— Descendons, dit le capitaine. On peut encore tenir au premier.

Mais, comme il se dirigeait vers l'échelle, une balle l'atteignit dans l'aine et le renversa.

— Trop tard, nom d'un chien!

Weiss et Laurent, aidés du soldat qui restait, s'entêtèrent à le descendre, bien qu'il leur criât de ne pas perdre leur temps à s'occuper de lui : il avait son compte, il pouvait tout aussi bien crever en haut qu'en bas. Pourtant, dans une chambre du premier étage, lorsqu'on l'eut couché sur un lit, il voulut encore diriger la défense.

— Tirez dans le tas, ne vous occupez pas du reste. Tant que votre feu ne se ralentira point, ils sont bien trop prudents pour se risquer.

En effet, le siège de la petite maison continuait, s'éternisait. Vingt fois elle avait paru devoir être emportée dans la tempête de fer dont elle était battue; et, sous les rafales, au milieu de la fumée, elle se montrait de nouveau debout, trouée, déchiquetée, crachant quand même des

balles par chacune de ses fentes. Les assaillants exaspérés
d'être arrêtés si longtemps et de perdre tant de monde,
devant une pareille bicoque, hurlaient, tiraillaient à distance, sans avoir l'audace de se ruer pour enfoncer la
porte et les fenêtres, en bas.

— Attention! cria le caporal, voilà une persienne qui
tombe!

La violence des balles venait d'arracher une persienne
de ses gonds. Mais Weiss se précipita, poussa une armoire
contre la fenêtre; et Laurent, embusqué derrière, put
continuer son tir. Un des soldats gisait à ses pieds, la
mâchoire fracassée, perdant beaucoup de sang. Un autre
reçut une balle dans la gorge, roula jusqu'au mur, où il
râla sans fin, avec un frisson convulsif de tout le corps.
Ils n'étaient plus que huit, en ne comptant pas le capitaine, qui, trop affaibli pour parler, adossé au fond du lit,
donnait encore des ordres, par gestes. De même que le
grenier, les trois chambres du premier étage commençaient à devenir intenables, car les matelas en lambeaux
n'arrêtaient plus les projectiles : des éclats de plâtre sautaient des murs et du plafond, les meubles s'écornaient,
les flancs de l'armoire se fendaient comme sous des
coups de hache. Et le pis était que les munitions allaient
manquer.

— Est-ce dommage! grogna Laurent. Ça marche si
bien!

Weiss eut une idée brusque.

— Attendez!

Il venait de songer au soldat mort, là-haut, dans le
grenier. Et il monta, le fouilla, pour prendre les cartouches qu'il devait avoir. Tout un pan de la toiture s'était
effondré, il vit le ciel bleu, une nappe de gaie lumière
qui l'étonna. Pour ne pas être tué, il se traînait sur les
genoux. Puis, lorsqu'il tint les cartouches, une trentaine
encore, il se hâta, redescendit au galop.

Mais, en bas, comme il partageait cette provision nouvelle avec le garçon jardinier, un soldat jeta un cri, tomba
sur le ventre. Ils n'étaient plus que sept; et, tout de
suite, ils ne furent plus que six, le caporal ayant reçu,
dans l'œil gauche, une balle qui lui fit sauter la cervelle.

Weiss, à partir de ce moment, n'eut plus conscience de
rien. Lui et les cinq autres continuaient à tirer comme des
fous, achevant les cartouches, sans même avoir l'idée
qu'ils pouvaient se rendre. Dans les trois petites pièces,
le carreau était obstrué par les débris des meubles. Des

morts barraient les portes, un blessé, dans un coin, jetait
une plainte affreuse et continue. Partout, du sang collait
sous les semelles. Un filet rouge avait coulé, descendant
les marches. Et l'air n'était plus respirable, un air épaissi
et brûlant de poudre, une fumée, une poussière âcre,
nauséabonde, une nuit presque complète que rayaient les
flammes des coups de feu.

— Tonnerre de Dieu! cria Weiss, ils amènent du
canon!

C'était vrai. Désespérant de venir à bout de cette poignée d'enragés, qui les attardaient ainsi, les Bavarois
étaient en train de mettre en position une pièce, au coin
de la place de l'Eglise. Peut-être enfin passeraient-ils,
lorsqu'ils auraient jeté la maison par terre, à coups de
boulets. Et cet honneur qu'on leur faisait, cette artillerie
braquée sur eux, là-bas, acheva d'égayer furieusement les
assiégés, qui ricanaient, pleins de mépris. Ah! les bougres
de lâches, avec leur canon! Toujours agenouillé, Laurent visait soigneusement les artilleurs, tuant son homme
chaque fois; si bien que le service de la pièce ne pouvait
se faire, et qu'il se passa cinq ou six minutes avant que le
premier coup fût tiré. Trop haut, d'ailleurs, il n'emporta
qu'un morceau de la toiture.

Mais la fin approchait. Vainement, on fouillait les
morts, il n'y avait plus une seule cartouche. Exténués,
hagards, les six tâtonnaient, cherchaient ce qu'ils pourraient jeter par les fenêtres, pour écraser l'ennemi. Un
d'eux, qui se montra, vociférant, brandissant les poings,
fut criblé d'une volée de plomb; et ils ne restèrent plus
que cinq. Que faire? descendre, tâcher de s'échapper par
le jardin et les prairies? A ce moment, un tumulte éclata
en bas, un flot furieux monta l'escalier: c'étaient les
Bavarois qui venaient enfin de faire le tour, enfonçant la
porte de derrière, envahissant la maison. Une mêlée terrible s'engagea dans les petites pièces, parmi les corps et
les meubles en miettes. Un des soldats eut la poitrine
trouée d'un coup de baïonnette, et les deux autres furent
faits prisonniers; tandis que le capitaine, qui venait
d'exhaler son dernier souffle, demeurait la bouche ouverte,
le bras levé encore, comme pour donner un ordre.

Cependant, un officier, un gros blond, armé d'un revolver, et dont les yeux, injectés de sang, semblaient sortir
des orbites, avait aperçu Weiss et Laurent, l'un avec son
paletot, l'autre avec sa veste de toile bleue; et il les
apostrophait violemment en français:

— Qui êtes-vous ? qu'est-ce que vous fichez là, vous autres ?

Puis, les voyant noirs de poudre, il comprit, il les couvrit d'injures, en allemand, la voix bégayante de fureur. Déjà, il levait son pistolet pour leur casser la tête, lorsque les soldats qu'il commandait, se ruèrent, s'emparèrent de Weiss et de Laurent, qu'ils poussèrent dans l'escalier. Les deux hommes étaient portés, charriés, au milieu de cette vague humaine, qui les jeta sur la route ; et ils roulèrent jusqu'au mur d'en face, parmi de telles vociférations, que la voix des chefs ne s'entendait plus. Alors, durant deux ou trois minutes encore, tandis que le gros officier blond tâchait de les dégager, pour procéder à leur exécution, ils purent se remettre debout et voir.

D'autres maisons s'allumaient, Bazeilles n'allait plus être qu'un brasier. Par les hautes fenêtres de l'église, des gerbes de flammes commençaient à sortir. Des soldats, qui chassaient une vieille dame de chez elle, venaient de la forcer à leur donner des allumettes, pour mettre le feu à son lit et à ses rideaux. De proche en proche, les incendies gagnaient, sous les brandons de paille jetés, sous les flots de pétrole répandus ; et ce n'était plus qu'une guerre de sauvages, enragés par la longueur de la lutte, vengeant leurs morts, leurs tas de morts, sur lesquels ils marchaient. Des bandes hurlaient parmi la fumée et les étincelles, dans l'effrayant vacarme fait de tous les bruits, des plaintes d'agonie, des coups de feu, des écroulements. A peine se voyait-on, de grandes poussières livides s'envolaient, cachaient le soleil, d'une insupportable odeur de suie et de sang, comme chargées des abominations du massacre. On tuait encore, on détruisait dans tous les coins : la brute lâchée, l'imbécile colère, la folie furieuse de l'homme en train de manger l'homme.

Et Weiss, enfin, devant lui, aperçut sa maison qui brûlait. Des soldats étaient accourus avec des torches, d'autres activaient les flammes, en y lançant les débris des meubles. Rapidement, le rez-de-chaussée flamba, la fumée sortit par toutes les plaies de la façade et de la toiture. Mais, déjà, la teinturerie voisine prenait également feu ; et, chose affreuse, on entendit encore la voix du petit Auguste, couché dans son lit, délirant de fièvre, qui appelait sa mère ; tandis que les jupes de la malheureuse, étendue sur le seuil, la tête broyée, s'allumaient.

— Maman, j'ai soif... Maman, donne-moi de l'eau...

Les flammes ronflèrent, la voix cessa, on ne distingua plus que les hourras assourdissants des vainqueurs.

Mais, par-dessus les bruits, par-dessus les clameurs, un cri terrible domina. C'était Henriette qui arrivait et qui venait de voir son mari, contre le mur, en face d'un peloton préparant ses armes.

Elle se rua à son cou.

— Mon Dieu! qu'est-ce qu'il y a? Ils ne vont pas te tuer!

Weiss, stupide, la regardait. Elle! sa femme, désirée si longtemps, adorée d'une tendresse idolâtre! Et un frémissement le réveilla, éperdu. Qu'avait-il fait? pourquoi était-il resté, à tirer des coups de fusil, au lieu d'aller la rejoindre, ainsi qu'il l'avait juré? Dans un éblouissement, il voyait son bonheur perdu, la séparation violente, à jamais. Puis, le sang qu'elle avait au front, le frappa; et la voix machinale, bégayante :

— Est-ce que tu es blessée?... C'est fou d'être venue...

D'un geste emporté, elle l'interrompit.

— Oh! moi, ce n'est rien, une égratignure... Mais toi, toi! pourquoi te gardent-ils? Je ne veux pas qu'ils te tuent!

L'officier se débattait au milieu de la route encombrée, pour que le peloton eût un peu de recul. Quand il aperçut cette femme au cou d'un des prisonniers, il reprit violemment, en français :

— Oh! non, pas de bêtises, hein!... D'où sortez-vous? Que voulez-vous?

— Je veux mon mari.

— Votre mari, cet homme-là?... il a été condamné, justice doit être faite.

— Je veux mon mari.

— Voyons, soyez raisonnable... Ecartez-vous, nous n'avons pas envie de vous faire du mal.

— Je veux mon mari.

Renonçant alors à la convaincre, l'officier allait donner l'ordre de l'arracher des bras du prisonnier, lorsque Laurent, silencieux jusque-là, l'air impassible, se permit d'intervenir.

— Dites donc, capitaine, c'est moi qui vous ai démoli tant de monde, et qu'on me fusille, ça va bien. D'autant plus que je n'ai personne, ni mère, ni femme, ni enfant... Tandis que monsieur est marié... Dites, lâchez-le donc, puis vous me réglerez mon affaire...

Hors de lui, le capitaine hurla :

— En voilà des histoires! Est-ce qu'on se fiche de moi ?... Un homme de bonne volonté pour emporter cette femme!

Il dut redire cet ordre en allemand. Et un soldat s'avança, un Bavarois trapu, à l'énorme tête embroussaillée de barbe et de cheveux roux, sous lesquels on ne distinguait qu'un large nez carré et que de gros yeux bleus. Il était souillé de sang, effroyable, tel qu'un de ces ours des cavernes, une de ces bêtes poilues toutes rouges de la proie dont elles viennent de faire craquer les os.

Henriette répétait, dans un cri déchirant :

— Je veux mon mari, tuez-moi avec mon mari.

Mais l'officier s'appliquait de grands coups de poing dans la poitrine, en disant que, lui, n'était pas un bourreau, que s'il y en avait qui tuaient les innocents, ce n'était pas lui. Elle n'avait pas été condamnée, il se couperait la main, plutôt que de toucher à un cheveu de sa tête.

Alors, comme le Bavarois s'approchait, Henriette se colla au corps de Weiss, de tous ses membres, éperdument.

— Oh! mon ami, je t'en supplie, garde-moi, laisse-moi mourir avec toi...

Weiss pleurait de grosses larmes; et, sans répondre, il s'efforçait de détacher, de ses épaules et de ses reins, les doigts convulsifs de la malheureuse.

— Tu ne m'aimes donc plus, que tu veux mourir sans moi... Garde-moi, ça les fatiguera, ils nous tueront ensemble.

Il avait dégagé une des petites mains, il la serrait contre sa bouche, il la baisait, tandis qu'il travaillait pour faire lâcher prise à l'autre.

— Non, non! garde-moi... Je veux mourir...

Enfin, à grand-peine, il lui tenait les deux mains. Muet jusque-là, ayant évité de parler, il ne dit qu'un mot :

— Adieu, chère femme.

Et, déjà, de lui-même, il l'avait jetée entre les bras du Bavarois, qui l'emportait. Elle se débattait, criait, tandis que, pour la calmer sans doute, le soldat lui adressait tout un flot de rauques paroles. D'un violent effort, elle avait dégagé sa tête, elle vit tout.

Cela ne dura pas trois secondes. Weiss, dont le binocle avait glissé, dans les adieux, venait de le remettre vivement sur son nez, comme s'il avait voulu bien voir la mort en face. Il recula, s'adossa contre le mur, en croisant

les bras ; et, dans son veston en lambeaux, ce gros garçon
paisible avait une figure exaltée, d'une admirable beauté
de courage. Près de lui, Laurent s'était contenté de fourrer les mains dans ses poches. Il semblait indigné de la
cruelle scène, de l'abomination de ces sauvages qui tuaient
les hommes sous les yeux de leurs femmes. Il se redressa,
les dévisagea, leur cracha d'une voix de mépris :

— Sales cochons !

Mais l'officier avait levé son épée, et les deux hommes
tombèrent comme des masses, le garçon jardinier la face
contre terre, l'autre, le comptable, sur le flanc, le long du
mur. Celui-ci, avant d'expirer, eut une convulsion dernière, les paupières battantes, la bouche tordue. L'officier, qui s'approcha, le remua du pied, voulant s'assurer
qu'il avait bien cessé de vivre.

Henriette avait tout vu, ces yeux mourants qui la cherchaient, ce sursaut affreux de l'agonie, cette grosse botte
poussant le corps. Elle ne cria même pas, elle mordit
silencieusement, furieusement, ce qu'elle put, une main
que ses dents rencontrèrent. Le Bavarois jeta une plainte
d'atroce douleur. Il la renversa, faillit l'assommer. Leurs
visages se touchaient, jamais elle ne devait oublier cette
barbe et ces cheveux rouges, éclaboussés de sang, ces
yeux bleus, élargis et chavirés de rage.

Plus tard, Henriette ne put se rappeler nettement ce
qui s'était passé ensuite. Elle n'avait eu qu'un désir,
retourner près du corps de son mari, le prendre, le veiller. Seulement, comme dans les cauchemars, toutes sortes
d'obstacles se dressaient, l'arrêtaient à chaque pas. De
nouveau, une vive fusillade venait d'éclater, un grand
mouvement avait lieu parmi les troupes allemandes qui
occupaient Bazeilles : c'était l'arrivée enfin de l'infanterie
de marine ; et le combat recommençait avec une telle violence, que la jeune femme fut rejetée à gauche, dans une
ruelle, parmi un troupeau affolé d'habitants. D'ailleurs, le
résultat de la lutte ne pouvait être douteux, il était trop
tard pour reconquérir les positions abandonnées. Pendant près d'une demi-heure encore, l'infanterie s'acharna,
se fit tuer, avec un emportement superbe ; mais, sans
cesse, les ennemis recevaient des renforts, débordaient de
partout, des prairies, des routes, du parc de Montivilliers.
Rien désormais ne les aurait délogés de ce village, si
chèrement acheté, où plusieurs milliers des leurs gisaient
dans le sang et les flammes. Maintenant, la destruction
achevait son œuvre, il n'y avait plus là qu'un charnier de

membres épars et de débris fumants, et Bazeilles égorgé,
anéanti, s'en allait en cendre.

Une dernière fois, Henriette aperçut au loin sa petite
maison dont les planchers s'écroulaient, au milieu d'un
tourbillon de flammèches. Toujours, elle revoyait, en face,
le long du mur, le corps de son mari. Mais un nouveau
flot l'avait reprise, les clairons sonnaient la retraite, elle
fut emportée, sans savoir comment, parmi les troupes qui
se repliaient. Alors, elle devint une chose, une épave
roulée, charriée dans un piétinement confus de foule, coulant à pleine route. Et elle ne savait plus, elle finit par se
retrouver à Balan, chez des gens qu'elle ne connaissait
pas, et elle sanglotait dans une cuisine, la tête tombée
sur une table.

V

Sur le plateau de l'Algérie, à dix heures, la compagnie
Beaudoin était toujours couchée parmi les choux, dans
le champ dont elle n'avait pas bougé depuis le matin.
Les feux croisés des batteries du Hattoy et de la presqu'île d'Iges, qui redoublaient de violence, venaient
encore de lui tuer deux hommes ; et aucun ordre de marcher en avant n'arrivait : allait-on passer la journée là, à
se laisser mitrailler, sans se battre ?

Même les hommes n'avaient plus le soulagement de
décharger leurs chassepots. Le capitaine Beaudoin était
parvenu à faire cesser le feu, cette furieuse et inutile fusillade contre le petit bois d'en face, où pas un Prussien ne
paraissait être resté. Le soleil devenait accablant, on brûlait, ainsi allongé par terre, sous le ciel en flammes.

Jean, qui se tourna, fut inquiet de voir que Maurice
avait laissé tomber sa tête, la joue contre le sol, les yeux
fermés. Il était très pâle, la face immobile.

— Eh bien ! quoi donc ?

Mais, simplement, Maurice s'était endormi. L'attente,
la fatigue, l'avaient terrassé, malgré la mort qui volait
de toutes parts. Et il s'éveilla brusquement, ouvrit de
grands yeux calmes, où reparut aussitôt l'effarement
trouble de la bataille. Jamais il ne put savoir combien de
temps il avait sommeillé. Il lui semblait sortir du néant
infini et délicieux.

— Tiens ! est-ce drôle, murmura-t-il, j'ai dormi !...
Ah ! ça m'a fait du bien.

En effet, il sentait moins, à ses tempes et à ses côtes,
le douloureux serrement, cette ceinture de la peur dont
craquent les os. Il plaisanta Lapoulle qui, depuis la disparition de Chouteau et de Loubet, s'inquiétait d'eux,
parlait d'aller les chercher. Une riche idée, pour se

mettre à l'abri derrière un arbre et fumer une pipe! Pache prétendait qu'on les avait gardés à l'ambulance, où les brancardiers manquaient. Encore un métier pas commode, que d'aller ramasser les blessés, sous le feu! Puis, tourmenté des superstitions de son village, il ajouta que ça ne portait pas chance de toucher aux morts : on en mourait.

— Taisez-vous donc, tonnerre de Dieu! cria le lieutenant Rochas. Est-ce qu'on meurt!

Sur son grand cheval, le colonel de Vineuil avait tourné la tête. Et il eut un sourire, le seul depuis le matin. Puis, il retomba dans son immobilité, toujours impassible sous les obus, attendant les ordres.

Maurice, qui s'intéressait maintenant aux brancardiers, suivait leurs recherches, dans les plis de terrain. Il devait y avoir, au bout du chemin creux, derrière un talus, une ambulance volante de premiers secours, dont le personnel s'était mis à explorer le plateau. Rapidement, on dressait une tente, tandis qu'on déballait du fourgon le matériel nécessaire, les quelques outils, les appareils, le linge, de quoi procéder à des pansements hâtifs, avant de diriger les blessés sur Sedan, au fur et à mesure qu'on pouvait se procurer des voitures de transport, qui bientôt allaient manquer. Il n'y avait là que des aides. Et c'étaient surtout les brancardiers qui faisaient preuve d'un héroïsme têtu et sans gloire. On les voyait, vêtus de gris, avec la croix rouge de leur casquette et de leur brassard, se risquer lentement, tranquillement, sous les projectiles, jusqu'aux endroits où étaient tombés des hommes. Ils se traînaient sur les genoux, tâchaient de profiter des fossés, des haies, de tous les accidents de terrain, sans mettre de la vantardise à s'exposer inutilement. Puis, dès qu'ils trouvaient des hommes par terre, leur dure besogne commençait, car beaucoup étaient évanouis, et il fallait reconnaître les blessés des morts. Les uns étaient restés sur la face, la bouche dans une mare de sang, en train d'étouffer, les autres avaient la gorge pleine de boue, comme s'ils venaient de mordre la terre; d'autres gisaient jetés pêle-mêle, en tas, les bras et les jambes contractés, la poitrine écrasée à demi. Soigneusement, les brancardiers dégageaient, ramassaient ceux qui respiraient encore, allongeant leurs membres, leur soulevant la tête, qu'ils nettoyaient le mieux possible. Chacun d'eux avait un bidon d'eau fraîche, dont il était très avare. Et souvent on pouvait ainsi les voir à genoux,

pendant de longues minutes, s'efforçant de ranimer un
blessé, attendant qu'il eût rouvert les yeux.

A une cinquantaine de mètres, sur la gauche, Maurice
en regarda un qui tâchait de reconnaître la blessure d'un
petit soldat, dont une manche laissait couler un filet de
sang, goutte à goutte. Il y avait là une hémorragie, que
l'homme à la croix rouge finit par trouver et par arrêter,
en comprimant l'artère. Dans les cas pressants, ils donnaient de la sorte les premiers soins, évitaient les faux
mouvements pour les fractures, bandaient et immobilisaient les membres, de façon à rendre sans danger le
transport. Et ce transport enfin devenait la grande affaire :
ils soutenaient ceux qui pouvaient marcher, portaient les
autres, dans leurs bras, ainsi que des petits enfants, ou
bien à califourchon sur leur dos, les mains ramenées
autour de leur cou; ou bien encore, ils se mettaient à
deux, à trois, à quatre, selon la difficulté, leur faisaient
un siège de leurs poings unis, les emportaient couchés,
par les jambes et par les épaules. En dehors des brancards
réglementaires, c'étaient aussi toutes sortes d'inventions
ingénieuses, de brancards improvisés avec des fusils,
liés à l'aide de bretelles de sac. Et, de partout dans la
plaine rase que laboureraient les obus, on les voyait
isolés ou en groupe, qui filaient avec leurs fardeaux,
baissant la tête, tâtant la terre du pied, d'un héroïsme
prudent et admirable.

Comme Maurice en regardait un, sur la droite, un garçon maigre et chétif, qui emportait un lourd sergent pendu
à son cou, les jambes brisées, de l'air d'une fourmi laborieuse qui transporte un grain de blé trop gros, il les vit
culbuter et disparaître tous les deux dans l'explosion d'un
obus. Quand la fumée se fut dissipée, le sergent reparut
sur le dos, sans blessure nouvelle, tandis que le brancardier gisait, le flanc ouvert. Et une autre arriva, une
autre fourmi active, qui, après avoir retourné et flairé le
camarade mort, reprit le blessé à son cou et l'emporta.

Alors Maurice plaisanta Lapoulle.

— Dis, si le métier te plaît davantage, va donc leur
donner un coup de main!

Depuis un moment, les batteries de Saint-Menges
faisaient rage, la grêle des projectiles augmentait; et le
capitaine Beaudoin, qui se promenait toujours devant sa
compagnie, nerveusement, finit par s'approcher du colonel. C'était une pitié, d'épuiser le moral des hommes,
pendant de si longues heures, sans les employer.

— Je n'ai pas d'ordre, répéta stoïquement le colonel.

On vit encore le général Douay passer au galop, suivi de son état-major. Il venait de se rencontrer avec le général de Wimpffen, accouru pour le supplier de tenir, ce qu'il avait cru pouvoir promettre de faire, mais à la condition formelle que le calvaire d'Illy, sur sa droite, serait défendu. Si l'on perdait la position d'Illy, il ne répondait plus de rien, la retraite devenait fatale. Le général de Wimpffen déclara que des troupes du 1er corps allaient occuper le calvaire; et, en effet, on vit presque aussitôt un régiment de zouaves s'y établir; de sorte que le général Douay, rassuré, consentit à envoyer la division Dumont au secours du 12e corps, très menacé. Mais, un quart d'heure plus tard, comme il revenait de constater l'attitude solide de sa gauche, il s'exclama en levant les yeux et en remarquant que le calvaire était vide : plus de zouaves, on avait abandonné le plateau, que le feu d'enfer des batteries de Fleigneux rendait d'ailleurs intenable. Et, désespéré, prévoyant le désastre, il se portait rapidement sur la droite, lorsqu'il tomba dans une déroute de la division Dumont, qui se repliait en désordre, affolée, mêlée aux débris du 1er corps. Ce dernier, après son mouvement de retraite, n'avait pu reconquérir ses positions du matin, laissant Daigny au 12e corps saxon et Givonne à la garde prussienne, forcé de remonter vers le nord, à travers le bois de la Garenne, canonné par les batteries que l'ennemi installait sur toutes les crêtes, d'un bout à l'autre du vallon. Le terrible cercle de fer et de flammes se resserrait, une partie de la garde continuait sa marche sur Illy, de l'est à l'ouest, en tournant les coteaux; tandis que, de l'ouest à l'est, derrière le 11e corps, maître de Saint-Menges, le 5e cheminait toujours, dépassait Fleigneux, portait sans cesse ses canons plus en avant avec une impudente témérité, si convaincu de l'ignorance et de l'impuissance des troupes françaises, qu'il n'attendait même pas l'infanterie pour les soutenir. Il était midi, l'horizon entier s'embrasait, tonnant, croisant les feux sur le 7e et le 1er corps.

Le général Douay, alors, pendant que l'artillerie ennemie préparait de la sorte l'attaque suprême du calvaire, résolut de faire un dernier effort pour le reconquérir. Il envoya des ordres, il se jeta en personne parmi les fuyards de la division Dumont, réussit à former une colonne, qu'il lança sur le plateau. Elle y tint bon pendant quelques minutes; mais les balles sifflaient si drues, une telle trombe d'obus balayait les champs vides, sans un arbre, que la panique tout de suite se déclara, remportant les hommes le long des pentes, les roulant ainsi que des pailles surprises par un orage. Et le général s'entêta, fit avancer d'autres régiments.

Une estafette, qui passait au galop, cria au colonel de Vineuil un ordre, dans l'effrayant vacarme. Déjà, le colonel était debout sur les étriers, la face ardente; et, d'un grand geste de son épée, montrant le calvaire :

— Enfin, mes enfants, c'est notre tour!... En avant, là-haut!

Le 106e, entraîné, s'ébranla. Une des premières, la compagnie Beaudoin s'était mise debout, au milieu des plaisanteries, les hommes disant qu'ils étaient rouillés, qu'ils avaient de la terre dans les jointures. Mais, dès les premiers pas, on dut se jeter au fond d'une tranchée-abri qu'on rencontra, tellement le feu devenait vif. Et l'on fila en pliant l'échine.

— Mon petit, répétait Jean à Maurice, attention! c'est le coup de chien... Ne montre pas le bout de ton nez, car pour sûr on te le démolirait... Et ramasse bien tes os sous ta peau, si tu ne veux pas en laisser en route. Ceux qui en reviendront, cette fois, seront des bons.

Maurice entendait à peine, dans le bourdonnement, la clameur de foule qui lui emplissait la tête. Il ne savait plus s'il avait peur, il courait emporté par le galop des autres, sans volonté personnelle, n'ayant que le désir d'en finir tout de suite. Et il était à ce point devenu un simple flot de ce torrent en marche, qu'un brusque recul s'étant produit, à l'extrémité de la tranchée, devant les terrains nus qu'il restait à gravir, il avait aussitôt senti la panique le gagner, prêt à prendre la fuite. C'était, en lui, l'instinct débridé, une révolte des muscles, obéissant aux souffles épars.

Des hommes déjà retournaient en arrière, lorsque le colonel se précipita.

— Voyons, mes enfants, vous ne me ferez pas cette peine, vous n'allez pas vous conduire comme des lâches... Souvenez-vous! jamais le 106e n'a reculé, vous seriez les premiers à salir notre drapeau...

Il poussait son cheval, barrait le chemin aux fuyards, trouvait des paroles pour chacun, parlait de la France, d'une voix où tremblaient des larmes.

Le lieutenant Rochas en fut si ému, qu'il entra dans

une terrible colère, levant son épée, tapant sur les hommes comme avec un bâton.

— Sales bougres, je vas vous monter là-haut à coups de botte dans le derrière, moi! Voulez-vous bien obéir, ou je casse la gueule au premier qui tourne les talons!

Mais ces violences, ces soldats menés au feu à coups de pied, répugnaient au colonel.

— Non, non, lieutenant, ils vont tous me suivre... N'est-ce pas, mes enfants, vous n'allez pas laisser votre vieux colonel se débarbouiller tout seul avec les Prussiens?... En avant, là-haut!

Et il partit, et tous en effet le suivirent, tellement il avait dit cela en brave homme de père, qu'on ne pouvait abandonner, sans être des pas grand-chose. Lui seul, du reste, traversa tranquillement les champs nus, sur son grand cheval, tandis que les hommes s'éparpillaient, se jetaient en tirailleurs, profitant des moindres abris. Les terrains montaient, il y avait bien cinq cents mètres de chaumes et de carrés de betteraves, avant d'atteindre le calvaire. Au lieu de l'assaut classique, tel qu'il se passe dans les manœuvres, par lignes correctes, on ne vit bientôt que des dos arrondis qui filaient au ras de terre, des soldats isolés ou par petits groupes, rampant, sautant soudain ainsi que des insectes, gagnant la crête à force d'agilité et de ruse. Les batteries ennemies avaient dû les voir, les obus labouraient le sol, si fréquents, que les détonations ne cessaient point. Cinq hommes furent tués, un lieutenant eut le corps coupé en deux.

Maurice et Jean avaient eu la chance de rencontrer une haie, derrière laquelle ils purent galoper sans être vus. Une balle pourtant y troua la tempe d'un de leurs camarades, qui tomba dans leurs jambes. Ils durent l'écarter du pied. Mais les morts ne comptaient plus, il y en avait trop. L'horreur du champ de bataille, un blessé qu'ils aperçurent, hurlant, retenant à deux mains ses entrailles, un cheval qui se traînait encore, les cuisses rompues, toute cette effroyable agonie finissait par ne plus les toucher. Et ils ne souffraient que de l'accablante chaleur du soleil de midi qui leur mangeait les épaules.

— Ce que j'ai soif! bégaya Maurice. Il me semble que j'ai de la suie dans la gorge. Tu ne sens pas cette odeur de roussi, de laine brûlée?

Jean hocha la tête.

— Ça sentait la même chose à Solférino. Peut-être bien

que c'est l'odeur de la guerre... Attends, j'ai encore de l'eau-de-vie, nous allons boire un coup.

Derrière la haie, tranquillement, ils s'arrêtèrent une minute. Mais l'eau-de-vie, au lieu de les désaltérer, leur brûlait l'estomac. C'était exaspérant, ce goût de roussi dans la bouche. Et ils se mouraient aussi d'inanition, ils auraient volontiers mordu à la moitié de pain que Maurice avait dans son sac; seulement, était-ce possible? Derrière eux, le long de la haie, d'autres hommes arrivaient sans cesse, qui les poussaient. Enfin, d'un bond, ils franchirent la dernière pente. Ils étaient sur le plateau, au pied même du calvaire, la vieille croix rongée par les vents et la pluie, entre deux maigres tilleuls.

— Ah! bon sang, nous y voilà! cria Jean. Mais le tout est d'y rester!

Il avait raison, l'endroit n'était pas précisément agréable, comme le fit remarquer Lapoulle d'une voix dolente, ce qui égaya la compagnie. Tous, de nouveau, s'allongèrent dans un chaume; et trois hommes encore n'en furent pas moins tués. C'était, là-haut, un véritable ouragan déchaîné, les projectiles arrivaient en si grand nombre de Saint-Menges, de Fleigneux et de Givonne, que la terre semblait en fumer comme sous une grosse pluie d'orage. Evidemment, la position ne pourrait être gardée longtemps, si l'artillerie ne venait au plus tôt soutenir les troupes engagées avec tant de témérité. Le général Douay, disait-on, avait fait donner l'ordre d'avancer à deux batteries de l'artillerie de réserve; et, à chaque seconde, anxieusement, les hommes se retournaient, dans l'attente de ces canons qui n'arrivaient pas.

— C'est ridicule, ridicule! répétait le capitaine Beaudoin, qui avait repris sa promenade saccadée. On n'envoie pas ainsi un régiment en l'air, sans l'appuyer tout de suite.

Puis, ayant aperçu un pli de terrain, sur la gauche, il cria à Rochas:

— Dites donc, lieutenant, la compagnie pourrait se terrer là.

Rochas, debout, immobile, haussa les épaules.

— Oh! mon capitaine, ici ou là-bas, allez! la danse est la même... Le mieux est encore de ne pas bouger.

Alors le capitaine Beaudoin, qui ne jurait jamais, s'emporta.

— Mais, nom de Dieu! nous allons y rester tous! On ne peut pas se laisser détruire ainsi!

Et il s'entêta, voulut se rendre compte personnellement de la position meilleure qu'il indiquait. Mais il n'avait pas fait dix pas, qu'il disparaissait dans une brusque explosion, la jambe droite fracassée par un éclat d'obus. Il culbuta sur le dos, en jetant un cri aigu de femme surprise.

— C'était sûr, murmura Rochas. Ça ne vaut rien de tant remuer, et ce qu'on doit gober, on le gobe.

Des hommes de la compagnie, en voyant tomber leur capitaine, se soulevèrent; et, comme il appelait à l'aide, suppliant qu'on l'emportât, Jean finit par courir jusqu'à lui, suivi aussitôt de Maurice.

— Mes amis, au nom du ciel! ne m'abandonnez pas, emportez-moi à l'ambulance!

— Dame! mon capitaine, ce n'est guère commode... On peut toujours essayer...

Déjà, ils se concertaient pour savoir par quel bout le prendre, lorsqu'ils aperçurent, abrités derrière la haie qu'ils avaient longée, deux brancardiers, qui paraissaient attendre de la besogne. Ils leur firent des signes énergiques, ils les décidèrent à s'approcher. C'était le salut, s'ils pouvaient regagner l'ambulance, sans mauvaise aventure. Mais le chemin était long, et la grêle de fer augmentait encore.

Comme les brancardiers, après avoir bandé fortement la jambe, pour la maintenir, emportaient le capitaine assis sur leurs poings noués, un bras passé au cou de chacun d'eux, le colonel de Vineuil, averti, arriva, en poussant son cheval. Il avait connu le jeune homme dès sa sortie de Saint-Cyr, il l'aimait et se montrait très ému.

— Mon pauvre enfant, ayez du courage... Ce ne sera rien, on vous sauvera...

Le capitaine eut un geste de soulagement, comme si beaucoup de bravoure lui était venue enfin.

— Non, non, c'est fini, j'aime mieux ça. Ce qui est exaspérant, c'est d'attendre ce qu'on ne peut éviter.

On l'emporta, les brancardiers eurent la chance d'atteindre sans encombre la haie, le long de laquelle ils filèrent rapidement, avec leur fardeau. Lorsque le colonel les vit disparaître derrière le bouquet d'arbres, où se trouvait l'ambulance, il eut un soupir de soulagement.

— Mais, mon colonel, cria soudain Maurice, vous êtes blessé, vous aussi!

Il venait d'apercevoir la botte gauche de son chef couverte de sang. Le talon avait dû être arraché, et un morceau de la tige était même entré dans les chairs.

M. de Vineuil se pencha tranquillement sur la selle, regarda un instant son pied, qui devait le brûler et peser lourd, au bout de sa jambe.

— Oui, oui, murmura-t-il, j'ai attrapé ça tout à l'heure... Ce n'est rien, ça ne m'empêche pas de me tenir à cheval...

Et il ajouta, en retournant prendre sa place, à la tête de son régiment :

— Quand on est à cheval et qu'on peut s'y tenir, ça va toujours.

Enfin, les deux batteries de l'artillerie de réserve arrivaient. Ce fut pour les hommes anxieux un soulagement immense, comme si ces canons étaient le rempart, le salut, la foudre qui allait faire taire, là-bas, les canons ennemis. Et c'était d'ailleurs superbe, cette arrivée correcte des batteries, dans leur ordre de bataille, chaque pièce suivie de son caisson, les conducteurs montés sur les porteurs, tenant la bride des sous-verges, les servants assis sur les coffres, les brigadiers et les maréchaux des logis galopant à leur place réglementaire. On les aurait dits à la parade, soucieux de conserver leurs distances, tandis qu'ils s'avançaient d'un train fou, au travers des chaumes, avec un sourd grondement d'orage.

Maurice, qui s'était de nouveau couché dans un sillon, se souleva, enthousiasmé, pour dire à Jean :

— Tiens ! là, celle qui s'établit à gauche, c'est la batterie d'Honoré. Je reconnais les hommes.

D'un revers de main, Jean l'avait déjà rejeté sur le sol.

— Allonge-toi donc ! et fais le mort !

Mais tous deux, la joue collée à terre, ne perdirent plus de vue la batterie, très intéressés par la manœuvre, le cœur battant à grands coups, de voir la bravoure calme et active de ces hommes, dont ils attendaient encore la victoire.

Brusquement, à gauche, sur une crête nue, la batterie venait de s'arrêter ; et ce fut l'affaire d'une minute, les servants sautèrent des coffres, décrochèrent les avant-trains, les conducteurs laissèrent les pièces en position, firent exécuter un demi-tour à leurs bêtes, pour se porter à quinze mètres en arrière, face à l'ennemi, immobiles. Déjà les six pièces étaient braquées, espacées largement, accouplées en trois sections que des lieutenants commandaient, toutes les six réunies sous les ordres d'un capitaine maigre et très long, qui jalonnait fâcheusement le plateau. Et l'on entendit ce capitaine crier, après qu'il eut rapidement fait son calcul :

— La hausse à seize cents mètres !

L'objectif allait être la batterie prussienne, à gauche de Fleigneux, derrière les broussailles, dont le feu terrible rendait le calvaire d'Illy intenable.

— Tu vois, se remit à expliquer Maurice, qui ne pouvait se taire, la pièce d'Honoré est dans la section du centre. Le voilà qui se penche avec le pointeur... C'est le petit Louis, le pointeur : nous avons bu la goutte ensemble à Vouziers, tu te souviens ?... Et, là-bas, le conducteur de gauche, celui qui se tient si raide sur son porteur, une bête alezane superbe, c'est Adolphe...

La pièce avec ses six servants et son maréchal des logis, plus loin l'avant-train et ses quatre chevaux montés par les deux conducteurs, plus loin le caisson, ses six chevaux, ses trois conducteurs, plus loin encore la prolonge, la fourragère, la forge, toute cette queue d'hommes, de bêtes et de matériel s'étendait sur une ligne droite, à une centaine de mètres en arrière ; sans compter les haut-le-pied, le caisson de rechange, les bêtes et les hommes destinés à boucher les trous, et qui attendaient à droite, pour ne pas rester inutilement exposés, dans l'enfilade du tir.

Mais Honoré s'occupait du chargement de sa pièce. Les deux servants du centre revenaient déjà de chercher la gargousse et le projectile au caisson, où veillaient le brigadier et l'artificier ; et, tout de suite, les deux servants de la bouche, après avoir introduit la gargousse, la charge de poudre enveloppée de serge, qu'ils poussèrent soigneusement à l'aide du refouloir, glissèrent de même l'obus, dont les ailettes grinçaient le long des rainures. Vivement, l'aide-pointeur, ayant mis la poudre à nu d'un coup de dégorgeoir, enfonça l'étoupille dans la lumière. Et Honoré voulut pointer lui-même ce premier coup, à demi couché sur la flèche, manœuvrant la vis de réglage pour trouver la portée, indiquant la direction, d'un petit geste continu de la main, au pointeur, qui, en arrière, armé du levier, poussait insensiblement la pièce plus à droite ou plus à gauche.

— Ça doit y être, dit-il en se relevant.

Le capitaine, son grand corps plié en deux, vint vérifier la hausse. A chaque pièce, l'aide-pointeur tenait en main la ficelle, prêt à tirer le rugueux, la lame en dents de scie qui allumait le fulminate. Et les ordres furent criés, par numéros, lentement :

— Première pièce, feu!... Deuxième pièce, feu!...

Les six coups partirent, les canons reculèrent, furent ramenés, pendant que les maréchaux des logis constataient que leur tir était beaucoup trop court. Ils le réglèrent, et la manœuvre recommença, toujours la même, et c'était cette lenteur précise, ce travail mécanique fait avec sang-froid, qui maintenait le moral des hommes. La pièce, la bête aimée, groupait autour d'elle une petite famille, que resserrait une occupation commune. Elle était le lien, le souci unique, tout existait pour elle, le caisson, les voitures, les chevaux, les hommes. De là venait la grande cohésion de la batterie entière, une solidité et une tranquillité de bon ménage.

Parmi le 106e, des acclamations avaient accueilli la première salve. Enfin, on allait donc leur clouer le bec, aux canons prussiens! Tout de suite, il y eut pourtant une déception, lorsqu'on se fut aperçu que les obus restaient en chemin, éclataient pour la plupart en l'air, avant d'avoir atteint les broussailles, là-bas, où se cachait l'artillerie ennemie.

— Honoré, reprit Maurice, dit que les autres sont des clous, à côté de la sienne... Ah! la sienne, il coucherait avec, jamais on n'en trouvera la pareille! Vois donc de quel œil il la couve, et comme il la fait essuyer, pour qu'elle n'ait pas trop chaud!

Il plaisantait avec Jean, tous deux ragaillardis par cette belle bravoure calme des artilleurs. Mais, en trois coups, les batteries prussiennes venaient de régler leur tir : d'abord trop long, il était devenu d'une telle précision, que les obus tombaient sur les pièces françaises; tandis que celles-ci, malgré les efforts pour allonger la portée, n'arrivaient pas. Un des servants d'Honoré, celui de la bouche, à gauche, fut tué. On poussa le corps, le service continua avec la même régularité soigneuse, sans plus de hâte. De toutes parts, les projectiles pleuvaient, éclataient; et c'étaient, autour de chaque pièce, les mêmes mouvements méthodiques, la gargousse et l'obus introduits, la hausse réglée, le coup tiré, les roues ramenées, comme si ce travail avait absorbé les hommes au point de les empêcher de voir et d'entendre.

Mais ce qui frappa surtout Maurice, ce fut l'attitude des conducteurs, à quinze mètres en arrière, raidis sur leurs chevaux, face à l'ennemi. Adolphe était là, large de poitrine, avec ses grosses moustaches blondes dans son visage rouge; et il fallait vraiment un fier courage pour ne pas même battre des yeux, à regarder ainsi les obus venir droit sur soi, sans avoir seulement l'occupation de mordre ses pouces pour se distraire. Les servants qui travaillaient, eux, avaient de quoi penser à autre chose; tandis que les conducteurs, immobiles, ne voyaient que la mort, avec tout le loisir d'y songer et de l'attendre. On les obligeait de faire face à l'ennemi, parce que, s'ils avaient tourné le dos, l'irrésistible besoin de fuite aurait pu emporter les hommes et les bêtes. A voir le danger, on le brave. Il n'y a pas d'héroïsme plus obscur ni plus grand.

Un homme encore venait d'avoir la tête emportée, deux chevaux d'un caisson râlaient, le ventre ouvert, et le tir ennemi continuait, tellement meurtrier, que la batterie entière allait être démontée, si l'on s'entêtait sur la même position. Il fallait dérouter ce tir terrible, malgré les inconvénients d'un changement de place. Le capitaine n'hésita plus, cria l'ordre :

— Amenez les avant-trains!

Et la dangeureuse manœuvre s'exécuta avec une rapidité foudroyante : les conducteurs refirent leur demi-tour, ramenant les avant-trains, que les servants raccrochèrent aux pièces. Mais, dans ce mouvement, ils avaient développé un front étendu, ce dont l'ennemi profitait pour redoubler son feu. Trois hommes encore y restèrent. Au grand trot, la batterie filait, décrivait parmi les terres un arc de cercle, pour aller s'installer à une cinquantaine de mètres plus à droite, de l'autre côté du 106e, sur un petit plateau. Les pièces furent décrochées, les conducteurs se retrouvèrent face à l'ennemi, et le feu recommença, sans un arrêt, dans un tel branle, que le sol n'avait pas cessé de trembler.

Cette fois, Maurice poussa un cri. De nouveau, en trois coups, les batteries prusiennes venaient de rétablir leur tir, et le troisième obus était tombé droit sur la pièce d'Honoré. On vit celui-ci qui se précipitait, qui tâtait d'une main tremblante la blessure fraîche, tout un coin écorné de la bouche de bronze. Mais elle pouvait être chargée encore, la manœuvre reprit, après qu'on eut débarrassé les roues du cadavre d'un autre servant, dont le sang avait éclaboussé l'affût.

— Non, ce n'est pas le petit Louis, continua à penser tout haut Maurice. Le voilà qui pointe, et il doit être blessé pourtant, car il ne se sert que de son bras gauche... Ah! ce petit Louis, dont le ménage allait si bien avec Adolphe, à la condition que le servant, l'homme à pied, malgré son instruction plus grande, serait l'humble valet du conducteur, l'homme à cheval...

Jean, qui se taisait, l'interrompit, d'un cri d'angoisse :
— Jamais ils ne tiendront, c'est foutu !

En effet, cette seconde position, en moins de cinq minutes, était devenue aussi intenable que la première. Les projectiles pleuvaient avec la même précision. Un obus brisa une pièce, tua un lieutenant et deux hommes. Pas un des coups n'était perdu, à ce point que, si l'on s'obstinait là davantage, il ne resterait bientôt plus ni un canon ni un artilleur. C'était un écrasement balayant tout.

Alors, le cri du capitaine retentit une seconde fois :
— Amenez les avant-trains !

La manœuvre recommença, les conducteurs galopèrent, refirent demi-tour, pour que les servants pussent raccrocher les pièces. Mais, cette fois, pendant le mouvement, un éclat troua la gorge, arracha la mâchoire de Louis, qui tomba en travers de la flèche, qu'il était en train de soulever. Et, comme Aldophe arrivait, au moment où la ligne des attelages se présentait de flanc, une bordée furieuse s'abattit : il culbuta, la poitrine fendue, les bras ouverts. Dans une dernière convulsion, il avait pris l'autre, ils restèrent embrassés, farouchement tordus, mariés jusque dans la mort.

Déjà, malgré les chevaux tués, malgré le désordre que la bordée meurtrière avait jeté parmi les rangs, toute la batterie remontait une pente, venait s'établir plus en avant, à quelques mètres de l'endroit où Maurice et Jean étaient couchés. Pour la troisième fois, les pièces furent décrochées, les conducteurs se retrouvèrent face à l'ennemi, tandis que les servants, tout de suite, rouvraient le feu, avec un entêtement d'héroïsme invincible.

— C'est la fin de tout ! dit Maurice, dont la voix se perdit.

Il semblait, en effet, que la terre et le ciel se fussent confondus. Les pierres se fendaient, une épaisse fumée cachait par instants le soleil. Au milieu de l'effroyable vacarme, on apercevait les chevaux étourdis, abêtis, la tête basse. Partout, le capitaine apparaissait, trop grand. Il fut coupé en deux, il se cassa et tomba, comme la hampe d'un drapeau.

Mais, autour de la pièce d'Honoré surtout, l'effort continuait, sans hâte et obstiné. Lui, malgré ses galons, dut se mettre à la manœuvre, car il ne restait que trois servants. Il pointait, tirait le rugueux, pendant que les trois allaient au caisson, chargeaient, maniaient l'écouvillon et le refouloir. On avait fait demander des hommes et des chevaux haut-le-pied, pour boucher les trous creusés par la mort; et ils tardaient à venir, il fallait se suffire en attendant. La rage était qu'on n'arrivait toujours pas, que les projectiles lancés éclataient presque tous en l'air, sans faire grand mal à ces terribles batteries adverses, dont le feu était si efficace. Et, brusquement, Honoré poussa un juron, qui domina le bruit de la foudre : toutes les malchances, la roue droite de sa pièce venait d'être broyée! Tonnerre de Dieu! une patte cassée, la pauvre bougresse fichue sur le flanc, son nez par terre, bancale et bonne à rien! Il en pleurait de grosses larmes, il lui avait pris le cou entre ses mains égarées comme s'il avait voulu la remettre d'aplomb, par la seule chaleur de sa tendresse. Une pièce qui était la meilleure, qui était la seule à avoir envoyé quelques obus là-bas! Puis, une résolution folle l'envahit, celle de remplacer la roue immédiatement, sous le feu. Lorsque, aidé d'un servant, il fut allé lui-même chercher dans la prolonge une roue de rechange, la manœuvre de force commença, la plus dangereuse qui pût être faite sur le champ de bataille. Heureusement, les hommes et les chevaux haut-le-pied avaient fini par arriver, deux nouveaux servants donnèrent un coup de main.

Cependant, une fois encore, la batterie était démontée. On ne pouvait pousser plus loin la folie héroïque. L'ordre allait être crié de se replier définitivement.

— Dépêchons, camarades! répétait Honoré. Nous l'emmènerons au moins, et ils ne l'auront pas!

C'était son idée, sauver sa pièce, ainsi qu'on sauve le drapeau. Et il parlait encore, lorsqu'il fut foudroyé, le bras droit arraché, le flanc gauche ouvert. Il était tombé sur la pièce, il y resta comme étendu sur un lit d'honneur, la tête droite, la face intacte et belle de colère, tournée là-bas, vers l'ennemi. Par son uniforme déchiré, venait de glisser une lettre, que ses doigts crispés avaient prise et que le sang tachait, goutte à goutte.

Le seul lieutenant qui ne fût pas mort, jeta le commandement :

— Amenez les avant-trains!

Un caisson avait sauté, avec un bruit de pièces d'artifice qui fusent et éclatent. On dut se décider à prendre les chevaux d'un autre caisson, pour sauver une pièce dont l'attelage était par terre. Et, cette dernière fois, quand les conducteurs eurent fait demi-tour et qu'on eut raccroché les quatre canons qui restaient, on galopa, on ne s'arrêta qu'à un millier de mètres, derrière les premiers arbres du bois de la Garenne.

Maurice avait tout vu. Il répétait, avec un petit grelottement d'horreur, d'une voix machinale :

— Oh! le pauvre garçon! le pauvre garçon!

Cette peine semblait augmenter encore la douleur grandissante qui lui tordait l'estomac. La bête, en lui, se révoltait : il était à bout de force, il se mourait de faim. Sa vue se troublait, il n'avait même plus conscience du danger où se trouvait le régiment, depuis que la batterie avait dû se replier. D'une minute à l'autre, des masses considérables pouvaient attaquer le plateau.

— Ecoute, dit-il à Jean, il faut que je mange... J'aime mieux manger et qu'on me tue tout de suite!

Il avait ouvert son sac, il prit le pain de ses deux mains tremblantes, il se mit à mordre dedans, avec voracité. Les balles sifflaient, deux obus éclatèrent à quelques mètres. Mais plus rien n'existait, il n'y avait que sa faim à satisfaire.

— Jean, en veux-tu ?

Celui-ci le regardait, hébété, les yeux gros, l'estomac déchiré du même besoin.

— Oui, tout de même, je veux bien, je souffre trop.

Ils partagèrent, ils achevèrent goulûment le pain, sans s'inquiéter d'autre chose, tant qu'il en resta une bouchée. Et ce fut seulement ensuite qu'ils revirent leur colonel, sur son grand cheval, avec sa botte sanglante. De toutes parts, le 106e était débordé. Déjà, des compagnies avaient dû fuir. Alors, obligé de céder au torrent, levant son épée, les yeux pleins de larmes :

— Mes enfants, cria M. de Vineuil, à la garde de Dieu qui n'a pas voulu de nous!

Des bandes de fuyards l'entouraient, il disparut dans un pli de terrain.

Puis, sans savoir comment, Jean et Maurice se trouvèrent derrière la haie, avec les débris de leur compagnie. Une quarantaine d'hommes au plus restaient, commandés par le lieutenant Rochas; et le drapeau était avec eux, le sous-lieutenant qui le portait venait d'en rabattre la soie autour de la hampe, pour tâcher de le sauver. On fila jusqu'au bout de la haie, on se jeta parmi de petits arbres, sur une pente, où Rochas fit recommencer le feu. Les hommes, dispersés en tirailleurs, abrités, pouvaient tenir; d'autant plus qu'un grand mouvement de cavalerie

avait lieu sur leur droite, et qu'on ramenait des régiments
en ligne, afin de l'appuyer.

Maurice, alors, comprit l'étreinte lente, invincible, qui
achevait de s'accomplir. Le matin, il avait vu les Prussiens déboucher par le défilé de Saint-Albert, gagner
Saint-Menges, puis Fleigneux; et, maintenant, derrière
le bois de la Garenne, il entendait tonner les canons de la
garde, il commençait à apercevoir d'autres uniformes
allemands, qui arrivaient par les coteaux de Givonne.
Encore quelques minutes, et le cercle se fermerait, et la
garde donnerait la main au 5e corps, enveloppant l'armée
française d'un mur vivant, d'une ceinture foudroyante
d'artillerie. Ce devait être dans la pensée désespérée de
faire un dernier effort, de chercher à rompre cette
muraille en marche, qu'une division de la cavalerie de
réserve, celle du général Margueritte, se massait derrière
un pli de terrain, prête à charger. On allait charger à
la mort, sans résultat possible, pour l'honneur de la
France. Et Maurice, qui pensait à Prosper, assista au
terrible spectacle.

Depuis le petit jour, Prosper ne faisait que pousser son
cheval, dans des marches et des contremarches continuelles, d'un bout à l'autre du plateau d'Illy. On les avait
réveillés à l'aube, homme par homme, sans sonneries; et,
pour le café, ils s'étaient ingéniés à envelopper chaque feu
d'un manteau, afin de ne pas donner l'éveil aux Prussiens. Puis, ils n'avaient plus rien su, ils entendaient le
canon, ils voyaient des fumées, de lointains mouvements
d'infanterie, ignorant tout de la bataille, son importance,
ses résultats, dans l'inaction absolue où les généraux les
laissaient. Prosper, lui, tombait de sommeil. C'était la
grande souffrance, les nuits mauvaises, la fatigue amassée, une somnolence invincible au bercement du cheval.
Il avait des hallucinations, se voyait par terre, ronflant
sur un matelas de cailloux, rêvait qu'il était dans un bon
lit, avec des draps blancs. Pendant des minutes, il s'en-
dormait réellement sur la selle, n'était plus qu'une chose
en marche, emportée au hasard du trot. Des camarades,
parfois, avaient ainsi culbuté de leur bête. On était si las,
que les sonneries ne les réveillaient plus; et il fallait les
mettre debout, les tirer de ce néant à coups de pied.

— Mais qu'est-ce qu'on fiche, qu'est-ce qu'on fiche de
nous? répétait Prosper, pour secouer cette torpeur irrésistible.

Le canon tonnait depuis six heures. En montant sur un

coteau, il avait eu deux camarades tués par un obus, à côté de lui ; et, plus loin, trois autres encore étaient restés par terre, la peau trouée de balles, sans qu'on pût savoir d'où elles venaient. C'était exaspérant, cette promenade militaire, inutile et dangereuse, au travers du champ de bataille. Enfin, vers une heure, il comprit qu'on se décidait à les faire tuer au moins proprement. Toute la division Margueritte, trois régiments de chasseurs d'Afrique, un de chasseurs de France et un de hussards, venait d'être réunie dans un pli de terrain, un peu au-dessous du calvaire, à gauche de la route. Les trompettes avaient sonné « Pied à terre ! » Et le commandement des officiers retentit :

— Sanglez les chevaux, assurez les paquetages !

Descendu de cheval, Prosper s'étira, flatta Zéphir de la main. Ce pauvre Zéphir, il était aussi abruti que son maître, éreinté du bête de métier qu'on lui faisait faire. Avec ça, il portait un monde : le linge dans les fontes et le manteau roulé par-dessus, la blouse, le pantalon, le bissac avec les objets de pansage, derrière la selle, et en travers encore le sac des vivres, sans compter la peau de bouc, le bidon, la gamelle. Une pitié tendre noyait le cœur du cavalier, tandis qu'il serrait les sangles et qu'il s'assurait que tout cela tenait bien.

Ce fut un rude moment. Prosper, qui n'était pas plus poltron qu'un autre, alluma une cigarette, tant il avait la bouche sèche. Quand on va charger, chacun peut se dire : « Cette fois, j'y reste ! » Cela dura bien cinq ou six minutes, on racontait que le général Margueritte était allé en avant, pour reconnaître le terrain. On attendait. Les cinq régiments s'étaient formés en trois colonnes, chaque colonne avait sept escadrons de profondeur, de quoi donner à manger aux canons.

Tout d'un coup, les trompettes sonnèrent : A cheval ! Et, presque aussitôt, une autre sonnerie éclata : Sabre à la main !

Le colonel de chaque régiment avait déjà galopé, prenant sa place de bataille, à vingt-cinq mètres en avant du front. Les capitaines étaient à leur poste, en tête de leurs hommes. Et l'attente recommença, dans un silence de mort. Plus un bruit, plus un souffle sous l'ardent soleil. Les cœurs seuls battaient. Un ordre encore, le dernier, et cette masse immobile allait s'ébranler, se ruer d'un train de tempête.

Mais, à ce moment, sur la crête du coteau, un officier

parut, à cheval, blessé, et que deux hommes soutenaient.
On ne le reconnut pas d'abord. Puis, un grondement
s'éleva, roula en une clameur furieuse. C'était le général
Margueritte, dont une balle venait de traverser les joues,
et qui devait en mourir. Il ne pouvait parler, il agita le
bras, là-bas, vers l'ennemi.

La clameur grandissait toujours.

— Notre général... Vengeons-le, vengeons-le!

Alors, le colonel du premier régiment, levant en l'air
son sabre, cria d'une voix de tonnerre :

— Chargez!

Les trompettes sonnaient, la masse s'ébranla, d'abord
au trot. Prosper se trouvait au premier rang, mais presque
à l'extrémité de l'aile droite. Le grand danger est au
centre, où le tir de l'ennemi s'acharne d'instinct. Lorsqu'on fut sur la crête du calvaire et que l'on commença à
descendre de l'autre côté, vers la vaste plaine, il aperçut
très nettement, à un millier de mètres, les carrés prussiens sur lesquels on les jetait. D'ailleurs, il trottait
comme dans un rêve, il avait une légèreté, un flottement
d'être endormi, un vide extraordinaire de cervelle, qui le
laissait sans une idée. C'était la machine qui allait, sous
une impulsion irrésistible. On répétait : « Sentez la botte!
sentez la botte! » pour serrer les rangs le plus possible et
leur donner une résistance de granit. Puis, à mesure que
le trot s'accélérait, se changeait en galop enragé, les chasseurs d'Afrique poussaient, à la mode arabe, des cris sauvages, qui affolaient leurs montures. Bientôt, ce fut une
course diabolique, un train d'enfer, ce furieux galop, ces
hurlements féroces, que le crépitement des balles accompagnait d'un bruit de grêle, en tapant sur tout le métal,
les gamelles, les bidons, le cuivre des uniformes et des
harnais. Dans cette grêle, passait l'ouragan de vent et de
foudre dont le sol tremblait, laissant au soleil une odeur
de laine brûlée et de fauves en sueur.

À cinq cents mètres, Prosper culbuta, sous un remous
effroyable, qui emportait tout. Il saisit Zéphir à la crinière, put se remettre en selle. Le centre criblé, enfoncé
par la fusillade, venait de fléchir, tandis que les deux ailes
tourbillonnaient, se repliaient pour reprendre leur élan.
C'était l'anéantissement fatal et prévu du premier escadron. Les chevaux tués barraient le terrain, les uns foudroyés du coup, les autres se débattant dans une agonie
violente; et l'on voyait les cavaliers démontés courir de
toute la force de leurs petites jambes, cherchant un che-

val. Déjà, les morts semaient la plaine, beaucoup de chevaux libres continuaient de galoper, revenaient d'eux-
mêmes à leur place de combat, pour retourner au feu d'un
train fou, comme attirés par la poudre. La charge fut
reprise, le deuxième escadron s'avançait dans une furie
grandissante, les hommes couchés sur l'encolure, tenant
le sabre au genou, prêts à sabrer. Deux cents mètres
encore furent franchis, au milieu de l'assourdissante clameur de tempête. Mais, de nouveau, sous les balles, le
centre se creusait, les hommes et les bêtes tombaient,
arrêtaient la course, de l'inextricable embarras de leurs
cadavres. Et le deuxième escadron fut ainsi fauché à son
tour, anéanti, laissant la place à ceux qui le suivaient.

Alors, dans l'entêtement héroïque, lorsque la troisième
charge se produisit, Prosper se trouva mêlé à des hussards et à des chasseurs de France. Les régiments se
confondaient, ce n'était plus qu'une vague énorme qui se
brisait et se reformait sans cesse, pour remporter tout ce
qu'elle rencontrait. Il n'avait plus notion de rien, il
s'abandonnait à son cheval, ce brave Zéphir qu'il aimait
tant et qu'une blessure à l'oreille semblait affoler. Maintenant, il était au centre, d'autres chevaux se cabraient, se
renversaient autour de lui, des hommes étaient jetés à
terre, comme par un coup de vent, tandis que d'autres,
tués raides, restaient en selle, chargeaient toujours, les
paupières vides. Et, cette fois, derrière les deux cents
mètres que l'on gagna de nouveau, les chaumes reparurent couverts de morts et de mourants. Il y en avait
dont la tête s'était enfoncée en terre. D'autres, tombés
sur le dos, regardaient le soleil avec des yeux de terreur,
sortis des orbites. Puis, c'était un grand cheval noir, un
cheval d'officier, le ventre ouvert et qui tâchait vainement
de se remettre debout, les deux pieds de devant pris dans
ses entrailles. Sous le feu qui redoublait, les ailes tour-
billonnèrent une fois encore, se replièrent pour revenir
acharnées.

Enfin, ce ne fut que le quatrième escadron, à la quatrième reprise, qui tomba dans les lignes prussiennes.
Prosper, le sabre haut, tapa sur des casques, sur des uniformes sombres, qu'il voyait dans un brouillard. Du sang
coulait, il remarqua que Zéphir avait la bouche sanglante,
et il s'imagina que c'était d'avoir mordu dans les rangs
ennemis. La clameur autour de lui devenait telle, qu'il ne
s'entendait plus crier, la gorge arrachée pourtant par le
hurlement qui devait en sortir. Mais, derrière la première

ligne prussienne, il y en avait une autre, et puis une
autre, et puis une autre. L'héroïsme demeurait inutile,
ces masses profondes d'hommes étaient comme des
herbes hautes où chevaux et cavaliers disparaissaient. On
avait beau en raser, il y en avait toujours. Le feu continuait avec une telle intensité, à bout portant, que des
uniformes s'enflammèrent. Tout sombra, un engloutisse-
ment parmi les baïonnettes, au milieu des poitrines
défoncées et des crânes fendus. Les régiments allaient y
laisser les deux tiers de leur effectif, il ne restait de cette
charge fameuse que la glorieuse folie de l'avoir tentée.
Et, brusquement, Zéphir, atteint d'une balle en plein
poitrail, s'abattit, écrasant sous lui la hanche droite de
Prosper, dont la douleur fut si vive, qu'il perdit connaissance.

Maurice et Jean, qui avaient suivi l'héroïque galop des
escadrons, eurent un cri de colère :

— Tonnerre de Dieu, ça ne sert à rien d'être brave !

Et ils continuèrent à décharger leur chassepot, accrou-
pis derrière les broussailles du petit mamelon, où ils se
trouvaient en tirailleurs. Rochas lui-même, qui avait
ramassé un fusil, faisait le coup de feu. Mais le plateau
d'Illy était bien perdu cette fois, les troupes prussiennes
l'envahissaient de toutes parts. Il pouvait être environ
deux heures, la jonction s'achevait enfin, le 5ᵉ corps et
la garde venaient de se rejoindre, fermant la boucle.

Jean, tout d'un coup, fut renversé.

— J'ai mon affaire, bégaya-t-il.

Il avait reçu, sur le sommet de la tête, comme un fort
coup de marteau, et son képi, déchiré, emporté, gisait
derrière lui. D'abord, il crut que son crâne était ouvert,
qu'il avait la cervelle à nu. Pendant quelques secondes, il
n'osa y porter la main, certain de trouver là un trou.
Puis, s'étant hasardé, il ramena ses doigts rouges d'un
épais flot de sang. Et la sensation fut si forte, qu'il s'évanouit.

A ce moment, Rochas donnait l'ordre de se replier.
Une compagnie prussienne n'était plus qu'à deux ou trois
cents mètres. On allait être pris.

— Ne vous pressez pas, retournez-vous et lâchez votre
coup... Nous nous rallierons là-bas, derrière ce petit
mur.

Mais Maurice se désespérait.

— Mon lieutenant, nous n'allons pas laisser là notre
caporal ?

— S'il a son compte, que voulez-vous y faire ?

— Non, non! il respire... Emportons-le!

D'un haussement d'épaules, Rochas sembla dire qu'on ne pouvait s'embarrasser de tous ceux qui tombaient. Sur le champ de bataille, les blessés ne comptent plus. Alors, suppliant, Maurice s'adressa à Pache et à Lapoulle.

— Voyons, donnez-moi un coup de main. Je suis trop faible, à moi tout seul.

Ils ne l'écoutaient pas, ne l'entendaient pas, ne songeaient qu'à eux, dans l'instinct surexcité de la conservation. Déjà, ils se glissaient sur les genoux, disparaissaient, au galop, vers le petit mur. Les Prussiens n'étaient plus qu'à cent mètres.

Et, pleurant de rage, Maurice, resté seul avec Jean évanoui, l'empoigna dans ses bras, voulut l'emporter. Mais, en effet, il était trop faible, chétif, épuisé de fatigue et d'angoisse. Tout de suite, il chancela, tomba avec son fardeau. Si encore il avait aperçu quelque brancardier! Il cherchait de ses regards fous, croyait en reconnaître parmi les fuyards, faisait de grands gestes. Personne ne revenait. Il réunit ses dernières forces, reprit Jean, réussit à s'éloigner d'une trentaine de pas; et, un obus ayant éclaté près d'eux, il crut que c'était fini, qu'il allait mourir, lui aussi, sur le corps de son compagnon.

Lentement, Maurice s'était relevé. Il se tâtait, n'avait rien, pas une égratignure. Pourquoi donc ne fuyait-il pas ? Il était temps encore, il pouvait atteindre le petit mur en quelques sauts, et ce serait le salut. La peur renaissait, l'affolait. D'un bond, il prenait sa course, lorsque des liens plus forts que la mort le retinrent. Non! ce n'était pas possible, il ne pouvait abandonner Jean. Toute sa chair en aurait saigné, la fraternité qui avait grandi entre ce paysan et lui, allait au fond de son être, à la racine même de la vie. Cela remontait peut-être aux premiers jours du monde, et c'était aussi comme s'il n'y avait plus eu que deux hommes, dont l'un n'aurait pu renoncer à l'autre, sans renoncer à lui-même.

Si Maurice, une heure auparavant, n'avait pas mangé son croûton de pain sous les obus, jamais il n'aurait trouvé la force de faire ce qu'il fit alors. D'ailleurs, il lui fut impossible plus tard de se souvenir. Il devait avoir chargé Jean sur ses épaules, puis s'être traîné, en s'y reprenant à vingt fois, au milieu des chaumes et des broussailles, buttant à chaque pierre, se remettant quand même debout. Une volonté invincible le soutenait, une résistance qui lui aurait fait porter une montagne. Derrière le petit mur, il retrouva Rochas et les quelques hommes de l'escouade, tirant toujours, défendant le drapeau, que le sous-lieutenant tenait sous son bras.

En cas d'insuccès, aucune ligne de retraite n'avait été indiquée aux corps d'armée. Dans cette imprévoyance et cette confusion, chaque général était libre d'agir à sa guise, et tous, à cette heure, se trouvaient rejetés dans Sedan, sous la formidable étreinte des armées allemandes victorieuses. La deuxième division du 7e corps se repliait en assez bon ordre, tandis que les débris de ses autres divisions, mêlés à ceux du 1er corps, roulaient déjà vers la ville en une affreuse cohue, un torrent de colère et d'épouvante, charriant les hommes et les bêtes.

Mais, à ce moment, Maurice s'aperçut avec joie que Jean rouvrait les yeux; et, comme il courait à un ruisseau voisin, voulant lui laver la figure, il fut très surpris de revoir, à sa droite, au fond du vallon écarté, protégé par des pentes rudes, le paysan qu'il avait vu le matin et qui continuait à labourer sans hâte, poussant sa charrue attelée d'un grand cheval blanc. Pourquoi perdre un jour ? Ce n'était pas parce qu'on se battait, que le blé cesserait de croître et le monde de vivre.

VI

Sur la terrasse haute, où il était monté pour se rendre compte de la situation, Delaherche finit par être agité d'une nouvelle impatience de savoir. Il voyait bien que les obus passaient par-dessus la ville, et que les trois ou quatre qui avaient crevé les toits des maisons environnantes, ne devaient être que de rares réponses au tir si lent, si peu efficace du Palatinat. Mais il ne distinguait rien de la bataille, et c'était en lui un besoin immédiat de renseignements, que fouettait la peur de perdre dans la catastrophe sa fortune et sa vie. Il descendit, laissant la lunette braquée là-bas, vers les batteries allemandes.

En bas, pourtant, l'aspect du jardin central de la fabrique le retint un moment. Il était près d'une heure, et l'ambulance s'encombrait de blessés. La file des voitures ne cessait plus sous le porche. Déjà, les voitures réglementaires, celles à deux roues, celles à quatre roues, manquaient. On voyait apparaître des prolonges d'artillerie, des fourragères, des fourgons à matériel, tout ce qu'on pouvait réquisitionner sur le champ de bataille; même il finissait par arriver des carrioles et des charrettes de cultivateurs, prises dans les fermes, attelées de chevaux errants. Et, là-dedans, on empilait les hommes ramassés par les ambulances volantes de premiers secours, pansés à la hâte. C'était un déchargement affreux de pauvres gens, les uns d'une pâleur verdâtre, les autres violacés de congestion; beaucoup étaient évanouis, d'autres poussaient des plaintes aiguës; il y en avait, frappés de stupeur, qui s'abandonnaient aux infirmiers avec des yeux épouvantés, tandis que quelques-uns, dès qu'on les touchait, expiraient dans la secousse. L'envahissement devenait tel, que tous les matelas de la vaste salle basse allaient être occupés, et que le major Bouroche donnait des

ordres, pour qu'on utilisât la paille dont il avait fait faire
une large litière, à l'une des extrémités. Lui et ses aides,
cependant, suffisaient encore aux opérations. Il s'était
contenté de demander une nouvelle table, avec un matelas
et une toile cirée, sous le hangar où l'on opérait. Vivement,
un aide tamponnait une serviette imbibée de chloroforme
sous le nez des patients. Les minces couteaux d'acier luisaient, les scies avaient à peine un petit bruit de râpe, le
sang coulait par jets brusques, arrêtés tout de suite. On
apportait, on remportait les opérés, dans un va-et-vient
rapide, à peine le temps de donner un coup d'éponge sur
la toile cirée. Et, au bout de la pelouse, derrière un massif
de cytises, dans le charnier qu'on avait dû établir et où
l'on se débarrassait des morts, on allait jeter aussi les
jambes et les bras coupés, tous les débris de chair et d'os
restés sur les tables.

Assises au pied d'un des grands arbres, madame Delaherche et Gilberte n'arrivaient plus à rouler assez de
bandes. Bouroche qui passa, la face enflammée, son
tablier déjà rouge, jeta un paquet de linge à Delaherche,
en criant :

— Tenez! faites donc quelque chose, rendez-vous
utile!

Mais le fabricant protesta.

— Pardon! il faut que je retourne aux nouvelles. On
ne sait plus si l'on vit.

Puis, effleurant de ses lèvres les cheveux de sa femme :

— Ma pauvre Gilberte, dire qu'un obus peut tout
allumer ici! C'est effrayant.

Elle était très pâle, elle leva la tête, jeta un coup d'œil
autour d'elle, avec un frisson. Puis, l'involontaire, l'invincible sourire revint sur ses lèvres.

— Oh! oui, effrayant, tous ces hommes que l'on coupe...
C'est drôle que je reste là, sans m'évanouir.

Madame Delaherche avait regardé son fils baiser les
cheveux de la jeune femme. Elle eut un geste, comme
pour l'écarter, en songeant à l'autre, à l'homme qui avait
dû baiser aussi ces cheveux-là, la nuit dernière. Mais
ses vieilles mains tremblèrent, elle murmura :

— Que de souffrances, mon Dieu! On oublie les
siennes.

Delaherche partit, en expliquant qu'il allait revenir tout
de suite, avec des renseignements certains. Dès la rue
Maqua, il fut surpris du nombre de soldats qui rentraient,
sans armes, l'uniforme en lambeaux, souillé de poussière.

Il ne put d'ailleurs tirer aucun détail précis de ceux qu'il s'efforça d'interroger : les uns répondaient, hébétés, qu'ils ne savaient pas; les autres en disaient si long, dans une telle furie de gestes, une telle exaltation de paroles, qu'ils ressemblaient à des fous. Machinalement, alors, il se dirigea de nouveau vers la Sous-Préfecture, avec la pensée que toutes les nouvelles affluaient là. Comme il traversait la place du Collège, deux canons, sans doute les deux seules pièces qui restaient d'une batterie, arrivèrent au galop, s'échouèrent contre un trottoir. Dans la Grande-Rue, il dut s'avouer que la ville commençait à s'encombrer des premiers fuyards : trois hussards démontés, assis sous une porte, se partageaient un pain; deux autres, à petits pas, menaient leurs chevaux par la bride, ignorant à quelle écurie les conduire; des officiers couraient éperdus, sans avoir l'air de savoir où ils allaient. Sur la place Turenne, un sous-lieutenant lui conseilla de ne pas s'attarder, car des obus y tombaient fréquemment, un éclat venait même d'y briser la grille qui entourait la statue du grand capitaine, vainqueur du Palatinat. Et, en effet, comme il filait rapidement dans la rue de la Sous-Préfecture, il vit deux projectiles éclater, avec un fracas épouvantable, sur le pont de Meuse.

Il restait planté devant la loge du concierge, cherchant un prétexte pour demander et questionner un des aides de camp, lorsqu'une voix jeune l'appela.

— Monsieur Delaherche!... Entrez vite, il ne fait pas bon dehors.

C'était Rose, son ouvrière, à laquelle il ne songeait pas. Grâce à elle, toutes les portes allaient s'ouvrir. Il entra dans la loge, consentit à s'asseoir.

— Imaginez-vous que maman en est malade, elle s'est couchée. Vous voyez, il n'y a que moi, parce que papa est garde national à la citadelle... Tout à l'heure, l'empereur a voulu montrer encore qu'il était brave, et il est ressorti, il a pu aller au bout de la rue, jusqu'au pont. Un obus est même tombé devant lui, le cheval d'un de ses écuyers a été tué. Et puis, il est revenu... N'est-ce pas, que voulez-vous qu'il fasse ?

— Alors, vous savez où nous en sommes... Qu'est-ce qu'ils disent, ces messieurs ?

Elle le regarda, étonnée. Elle restait d'une fraîcheur gaie, avec ses cheveux fins, ses yeux clairs d'enfant qui s'agitait, empressée, au milieu de ces abominations, sans trop les comprendre.

— Non, je ne sais rien... Vers midi, j'ai monté une
lettre pour le maréchal de Mac-Mahon. L'empereur était
avec lui... Ils sont restés près d'une heure enfermés
ensemble, le maréchal dans son lit, l'empereur assis contre
le matelas, sur une chaise... Ça, je le sais, parce que je les
ai vus, quand on a ouvert la porte.

— Alors, qu'est-ce qu'ils se disaient ?

De nouveau, elle le regarda, et elle ne put s'empêcher
de rire.

— Mais je ne sais pas, comment voulez-vous que je
sache ? Personne au monde ne sait ce qu'ils se sont dit.

C'était vrai, il eut un geste pour s'excuser de sa question sotte. Pourtant, l'idée de cette conversation suprême
le tracassait : quel intérêt elle avait dû offrir ! à quel parti
avaient-ils pu s'arrêter ?

— Maintenant, reprit Rose, l'empereur est rentré dans
son cabinet, où il est en conférence avec deux généraux
qui viennent d'arriver du champ de bataille...

Elle s'interrompit, jeta un coup d'œil vers le perron.

— Tenez ! en voici un, de ces généraux... Et, tenez !
voici l'autre.

Vivement, il sortit, reconnut le général Douay et le
général Ducrot, dont les chevaux attendaient. Il les
regarda se remettre en selle, puis galoper. Après l'abandon du plateau d'Illy, ils étaient accourus, chacun de son
côté, pour avertir l'empereur que la bataille était perdue.
Ils donnaient des détails précis sur la situation, l'armée
et Sedan se trouvaient dès lors enveloppés de toutes parts,
le désastre allait être effroyable.

Dans son cabinet, l'empereur se promena quelques
minutes en silence, de son pas vacillant de malade. Il n'y
avait plus là qu'un aide de camp, debout et muet, près
d'une porte. Et lui marchait toujours, de la cheminée à la
fenêtre, la face ravagée, tiraillée à présent par un tic
nerveux. Le dos semblait se courber davantage, comme
sous l'écroulement d'un monde ; tandis que l'œil mort,
voilé des paupières lourdes, disait la résignation du
fataliste qui avait joué et perdu contre le destin la partie
dernière. Chaque fois, pourtant, qu'il revenait devant la
fenêtre entrouverte, un tressaillement l'y arrêtait une
seconde.

A une de ces stations si courtes, il eut un geste tremblant, il murmura :

— Oh ! ce canon, ce canon qu'on entend depuis ce
matin !

De là, en effet, le grondement des batteries de la Marfée et de Frénois arrivait avec une violence extraordinaire. C'était un roulement de foudre dont tremblaient les vitres et les murs eux-mêmes, un fracas obstiné, incessant, exaspérant. Et il devait songer que la lutte, désormais, était sans espoir, que toute résistance devenait criminelle. A quoi bon du sang versé encore, des membres broyés, des têtes emportées, des morts toujours, ajoutés aux morts épars dans la campagne ? Puisqu'on était vaincu, que c'était fini, pourquoi se massacrer davantage ? Assez d'abomination et de douleur criait sous le soleil.

L'empereur, revenu devant la fenêtre, se remit à trembler, en levant les mains.

— Oh! ce canon, ce canon qui ne cesse pas!

Peut-être la pensée terrible des responsabilités se levait-elle en lui, avec la vision des cadavres sanglants que ses fautes avaient couchés là-bas, par milliers; et peut-être n'était-ce que l'attendrissement de son cœur pitoyable de rêveur, de bon homme hanté de songeries humanitaires. Dans cet effrayant coup du sort qui brisait et emportait sa fortune, ainsi qu'un brin de paille, il trouvait des larmes pour les autres, éperdu de la boucherie inutile qui continuait, sans force pour la supporter davantage. Maintenant, cette canonnade scélérate lui cassait la poitrine, redoublait son mal.

— Oh! ce canon, ce canon, faites-le taire tout de suite, tout de suite!

Et cet empereur qui n'avait plus de trône, ayant confié ses pouvoirs à l'impératrice-régente, ce chef d'armée qui ne commandait plus, depuis qu'il avait remis au maréchal Bazaine le commandement suprême, eut alors un réveil de sa puissance, l'irrésistible besoin d'être le maître une dernière fois. Depuis Châlons, il s'était effacé, n'avait pas donné un ordre, résigné à n'être qu'une inutilité sans nom et encombrante, un paquet gênant, emporté parmi les bagages des troupes. Et il ne se réveillait empereur que pour la défaite; le premier, le seul ordre qu'il devait donner encore, dans la pitié effarée de son cœur, allait être de hisser le drapeau blanc sur la citadelle, afin de demander un armistice.

— Oh! ce canon, ce canon!... Prenez un drap, une nappe, n'importe quoi! Courez vite, dites qu'on le fasse taire!

L'aide de camp se hâta de sortir, et l'empereur continua sa marche vacillante, de la cheminée à la fenêtre, pendant

que les batteries tonnaient toujours, secouant la maison
entière.

En bas, Delaherche causait encore avec Rose, lorsqu'un
sergent de service accourut.

— Mademoiselle, on ne trouve plus rien, je ne puis pas
mettre la main sur une bonne... Vous n'auriez pas un
linge, un morceau de linge blanc ?

— Voulez-vous une serviette ?

— Non, non, ce n'est pas assez grand... Une moitié de
drap par exemple.

Déjà, Rose, obligeante, s'était précipitée vers l'armoire.

— C'est que je n'ai pas de drap coupé... Un grand
linge blanc, non! je ne vois rien qui fasse l'affaire... Ah!
tenez, voulez-vous une nappe ?

— Une nappe, parfait! c'est tout à fait ça.

Et il ajouta, en s'en allant :

— On va en faire un drapeau blanc, qu'on hissera sur la
citadelle, pour demander la paix... Merci bien, mademoiselle.

Delaherche eut un sursaut de joie involontaire. Enfin
on allait donc être tranquille! Puis, cette joie lui parut
antipatriotique, il la refréna. Mais son cœur soulagé battait quand même, et il regarda un colonel et un capitaine,
suivis du sergent, qui sortaient à pas précipités de la Sous-
Préfecture. Le colonel portait, sous le bras, la nappe
roulée. Il eut l'idée de les suivre, il quitta Rose, laquelle
était très fière d'avoir fourni ce linge. A ce moment, deux
heures sonnaient.

Devant l'Hôtel de Ville, Delaherche fut bousculé par
tout un flot de soldats hagards qui descendaient du faubourg de la Cassine. Il perdit de vue le colonel, il renonça à
la curiosité d'aller voir hisser le drapeau blanc. On ne le
laisserait certainement pas entrer dans le Donjon; et,
d'autre part, comme il entendait raconter que des obus
tombaient sur le collège, il était envahi d'une inquiétude
nouvelle : peut-être bien que sa fabrique flambait, depuis
qu'il l'avait quittée. Il se précipita, repris de sa fièvre d'agitation, se satisfaisant à courir ainsi. Mais des groupes
barraient les rues, des obstacles déjà renaissaient à chaque
carrefour. Rue Maqua seulement, il eut un soupir d'aise,
quand il aperçut la monumentale façade de sa maison
intacte, sans une fumée ni une étincelle. Il entra, il cria de
loin à sa mère et à sa femme :

— Tout va bien, on hisse le drapeau blanc, on va cesser
le feu!

Puis, il s'arrêta, car l'aspect de l'ambulance était vraiment effroyable.

Dans le vaste séchoir, dont on laissait la grande porte ouverte, non seulement tous les matelas étaient occupés, mais il ne restait même plus de place sur la litière étalée au bout de la salle. On commençait à mettre de la paille entre les lits, on serrait les blessés les uns contre les autres. Déjà, on en comptait près de deux cents, et il en arrivait toujours. Les larges fenêtres éclairaient d'une clarté blanche toute cette souffrance humaine entassée. Parfois, à un mouvement trop brusque, un cri involontaire s'élevait. Des râles d'agonie passaient dans l'air moite. Tout au fond, une plainte douce, presque chantante, ne cessait pas. Et le silence se faisait plus profond, une sorte de stupeur résignée, le morne accablement d'une chambre de mort, que coupaient seuls les pas et les chuchotements des infirmiers. Les blessures, pansées à la hâte sur le champ de bataille, quelques-unes même demeurées à vif, étalaient leur détresse, entre les lambeaux de capotes et des pantalons déchirés. Des pieds s'allongeaient, chaussés encore, broyés et saignants. Des genoux et des coudes, comme rompus à coups de marteau, laissaient pendre des membres inertes. Il y avait des mains cassées, des doigts qui tombaient, retenus à peine par un fil de peau. Les jambes et les bras fracturés semblaient les plus nombreux, raidis de douleur, d'une pesanteur de plomb. Mais, surtout, les inquiétantes blessures étaient celles qui avaient troué le ventre, la poitrine ou la tête. Des flancs saignaient par des déchirures affreuses, des nœuds d'entrailles s'étaient faits sous la peau soulevée, des reins entamés, hachés, tordaient les attitudes en des contorsions frénétiques. De part en part, des poumons étaient traversés, les uns d'un trou si mince, qu'il ne saignait pas, les autres d'une fente béante d'où la vie coulait en un flot rouge; et les hémorragies internes, celles qu'on ne voyait point, foudroyaient les hommes, tout d'un coup délirants et noirs. Enfin, les têtes avaient souffert plus encore : mâchoires fracassées, bouillie sanglante des dents et de la langue; orbites défoncées, l'œil à moitié sorti; crânes ouverts, laissant voir la cervelle. Tous ceux dont les balles avaient touché la moelle ou le cerveau, étaient comme des cadavres, dans l'anéantissement du coma; tandis que les autres, les fracturés, les fiévreux, s'agitaient, demandaient à boire, d'une voix basse et suppliante.

Puis, à côté, sous le hangar où l'on opérait, c'était une autre horreur. Dans cette première bousculade, on ne procédait qu'aux opérations urgentes, celles que nécessitait l'état désespéré des blessés. Toute crainte d'hémorragie décidait Bouroche à l'amputation immédiate. De même, il n'attendait pas pour chercher les projectiles au fond des plaies et les enlever, s'ils s'étaient logés dans quelque zone dangereuse, la base du cou, la région de l'aisselle, la racine de la cuisse, le pli du coude ou le jarret. Les autres blessures, qu'il préférait laisser en observation, étaient simplement pansées par les infirmiers, sur ses conseils. Déjà, il avait fait pour sa part quatre amputations, en les espaçant, en se donnant le repos d'extraire quelques balles entre les opérations graves; et il commençait à se fatiguer. Il n'y avait que deux tables, la sienne et une autre, où travaillait un de ses aides. On venait de tendre un drap entre les deux, afin que les opérés ne pussent se voir. Et l'on avait beau les laver à l'éponge, les tables restaient rouges; tandis que les seaux qu'on allait jeter à quelques pas, sur une corbeille de marguerites, ces seaux dont un verre de sang suffisait à rougir l'eau claire, semblaient être des seaux de sang pur, des volées de sang noyant les fleurs de la pelouse. Bien que l'air entrât librement, une nausée montait de ces tables, de ces linges, de ces trousses, dans l'odeur fade du chloroforme.

Pitoyable en somme, Delaherche frémissait de compassion, lorsque l'entrée d'un landau, sous le porche, l'intéressa. On n'avait plus trouvé sans doute que cette voiture de maître, et l'on y avait entassé des blessés. Ils y tenaient huit, les uns sur les autres. Le fabricant eut un cri de surprise terrifiée, en reconnaissant, dans le dernier qu'on descendit, le capitaine Beaudoin.

— Oh! mon pauvre ami!... Attendez! je vais appeler ma mère et ma femme.

Elles accoururent, laissant le soin de rouler des bandes à deux servantes. Les infirmiers qui avaient saisi le capitaine, l'emportaient dans la salle; et ils allaient le coucher en travers d'un tas de paille, lorsque Delaherche aperçut, sur un matelas, un soldat qui ne bougeait plus, la face terreuse, les yeux ouverts.

— Dites donc, mais il est mort, celui-là!

— Tiens! c'est vrai, murmura un infirmier. Pas la peine qu'il encombre!

Lui et un camarade prirent le corps, l'emportèrent au

charnier qu'on avait établi derrière les cytises. Une douzaine de morts, déjà, s'y trouvaient rangés, raidis dans le
dernier râle, les uns les pieds étirés comme allongés par
la souffrance, les autres déjetés, tordus en des postures
atroces. Il y en avait qui ricanaient, les yeux blancs, les
dents à nu sous les lèvres retroussées ; tandis que plusieurs, la figure longue, affreusement triste, pleuraient
encore de grosses larmes. Un, très jeune, petit et maigre,
la tête à moitié emportée, serrait sur son cœur, de ses
deux mains convulsives, une photographie de femme, une
de ces pâles photographies de faubourg, éclaboussée de
sang. Et, aux pieds des morts, pêle-mêle, des jambes et
des bras coupés s'entassaient aussi, tout ce qu'on rognait,
tout ce qu'on abattait sur les tables d'opération, le coup
de balai de la boutique d'un boucher, poussant dans un
coin les déchets, la chair et les os.

Devant le capitaine Beaudoin, Gilberte avait frémi. Mon
Dieu ! qu'il était pâle, couché sur ce matelas, la face toute
blanche sous la saleté qui la souillait ! Et la pensée que,
quelques heures auparavant, il l'avait tenue entre ses
bras, plein de vie et sentant bon, la glaçait d'effroi. Elle
s'était agenouillée.

— Quel malheur, mon ami ! Mais ce n'est rien, n'est-ce
pas ?

Et, machinalement, elle avait tiré son mouchoir, elle
lui en essuyait la figure, ne pouvant le tolérer ainsi, sali
de sueur, de terre et de poudre. Il lui semblait qu'elle le
soulageait, en le nettoyant un peu.

— N'est-ce pas ? ce n'est rien, ce n'est que votre jambe.

Le capitaine, dans une sorte de somnolence, ouvrait
les yeux, péniblement. Il avait reconnu ses amis, il
s'efforçait de leur sourire.

— Oui, la jambe seulement... Je n'ai pas même senti
le coup, j'ai cru que je faisais un faux pas et que je
tombais...

Mais il parlait avec difficulté.

— Oh ! j'ai soif, j'ai soif !

Alors, madame Delaherche, penchée à l'autre bord du
matelas, s'empressa. Elle courut chercher un verre et
une carafe d'eau, dans laquelle on avait versé un peu de
cognac. Et, lorsque le capitaine eut vidé le verre avidement, elle dut partager le reste de la carafe aux blessés
voisins : toutes les mains se tendaient, des voix ardentes
la suppliaient. Un zouave, qui ne put en avoir, sanglota.

Delaherche, cependant tâchait de parler au major,

afin d'obtenir, pour le capitaine, un tour de faveur. Bouroche venait d'entrer dans la salle, avec son tablier sanglant, sa large face en sueur, que sa crinière léonine
semblait incendier; et, sur son passage, les hommes se
soulevaient, voulaient l'arrêter, chacun brûlant de passer
tout de suite, d'être secouru et de savoir : « A moi, monsieur le major, à moi ! » Des balbutiements de prière le
suivaient, des doigts tâtonnants effleuraient ses vêtements.
Mais lui, tout à son affaire, soufflant de lassitude, organisait son travail, sans écouter personne. Il se parlait à
voix haute, il les comptait du doigt, leur donnait des
numéros, les classait : celui-ci, celui-là, puis cet autre;
un, deux, trois; une mâchoire, un bras, une cuisse;
tandis que l'aide qui l'accompagnait, tendait l'oreille,
pour tâcher de se souvenir.

— Monsieur le major, dit Delaherche, il y a là un capitaine, le capitaine Beaudoin...

Bouroche l'interrompit.

— Comment, Beaudoin est ici !... Ah ! le pauvre bougre !

Il alla se planter devant le blessé. Mais, d'un coup
d'œil, il dut voir la gravité du cas, car il reprit aussitôt,
sans même se baisser pour examiner la jambe atteinte :

— Bon ! on va me l'apporter tout de suite, dès que
j'aurai fait l'opération qu'on prépare.

Et il retourna sous le hangar, suivi par Delaherche,
qui ne voulait pas le lâcher, de crainte qu'il n'oubliât sa
promesse.

Cette fois, il s'agissait de la désarticulation d'une épaule,
d'après la méthode de Lisfranc, ce que les chirurgiens
appelaient une jolie opération, quelque chose d'élégant
et de prompt, en tout quarante secondes à peine. Déjà,
on chloroformait le patient, pendant qu'un aide lui saisissait l'épaule à deux mains, les quatre doigts sous l'aisselle, le pouce en dessus. Alors, Bouroche, armé du grand
couteau long, après avoir crié : « Asseyez-le ! » empoigna
le deltoïde, transperça le bras, trancha le muscle; puis,
revenant en arrière, il détacha la jointure d'un seul coup;
et le bras était tombé, abattu en trois mouvements. L'aide
avait fait glisser ses pouces, pour boucher l'artère humorale. « Recouchez-le ! » Bouroche eut un rire involontaire
en procédant à la ligature, car il n'avait mis que trente-
cinq secondes. Il ne restait plus qu'à rabattre le lambeau de
chair sur la plaie, ainsi qu'une épaulette à plat. Cela était
joli, à cause du danger, un homme pouvant se vider de
tout son sang en trois minutes par l'artère humorale,

sans compter qu'il y a péril de mort, chaque fois qu'on assoit un blessé, sous l'action du chloroforme.

Delaherche, glacé, aurait voulu fuir. Mais il n'en eut pas le temps, le bras était déjà sur la table. Le soldat amputé, une recrue, un paysan solide, qui sortait de sa torpeur, aperçut ce bras qu'un infirmier emportait, derrière les cytises. Il regarda vivement son épaule, la vit tranchée et saignante. Et il se fâcha, furieux.

— Ah! nom de Dieu! c'est bête, ce que vous avez fait là!

Bouroche, exténué, ne répondait point. Puis, l'air brave homme :

— J'ai fait pour le mieux, je ne voulais pas que tu claques, mon garçon... D'ailleurs, je t'ai consulté, tu m'as dit oui.

— J'ai dit oui, j'ai dit oui! est-ce que je savais, moi!

Et sa colère tomba, il se mit à pleurer à chaudes larmes.

— Qu'est-ce que vous voulez que je foute, maintenant ?

On le remporta sur la paille, on lava violemment la toile cirée et la table; et les seaux d'eau rouge qu'on jeta de nouveau, à la volée au travers de la pelouse, ensanglantèrent la corbeille blanche de marguerites.

Mais Delaherche s'étonnait d'entendre toujours le canon. Pourquoi donc ne se taisait-il pas ? La nappe de Rose, maintenant, devait être hissée sur la citadelle. Et on aurait dit, au contraire, que le tir des batteries prussiennes augmentait d'intensité. C'était un vacarme à ne pas s'entendre, un ébranlement secouant les moins nerveux de la tête aux pieds, dans une angoisse croissante. Cela ne devait guère être bon, pour les opérateurs et pour les opérés, ces secousses qui vous arrachaient le cœur. L'ambulance entière en était bousculée, enfiévrée, jusqu'à l'exaspération.

— C'était fini, qu'ont-ils donc à continuer ? s'écria Delaherche, qui prêtait anxieusement l'oreille, croyant à chaque seconde entendre le dernier coup.

Puis, comme il revenait vers Bouroche, pour lui rappeler le capitaine, il eut l'étonnement de le trouver par terre, au milieu d'une botte de paille, couché sur le ventre, les deux bras nus jusqu'aux épaules, enfoncés dans deux seaux d'eau glacée. A bout de force morale et physique, le major se délassait là, anéanti, terrassé par une tristesse, une désolation immense, dans une de ces minutes d'agonie du praticien qui se sent impuissant. Celui-ci pourtant était un solide, une peau dure et un cœur

ferme. Mais il venait d'être touché par l' « à quoi bon ? »
Le sentiment qu'il ne ferait jamais tout, qu'il ne pouvait
pas tout faire, l'avait brusquement paralysé. À quoi
bon ? puisque la mort serait quand même la plus forte!

Deux infirmiers apportaient sur un brancard le capitaine Beaudoin.

— Monsieur le major, se permit de dire Delaherche,
voici le capitaine.

Bouroche ouvrit les yeux, retira ses bras des deux
seaux, les secoua, les essuya dans la paille. Puis, se soulevant sur les genoux :

— Ah! oui, foutre! à un autre... Voyons, voyons, la
journée n'est pas finie.

Et il était debout, rafraîchi, secouant sa tête de lion
aux cheveux fauves, remis d'aplomb par la pratique et
par l'impérieuse discipline.

Gilberte et madame Delaherche avaient suivi le brancard; et elles restèrent à quelques pas, lorsqu'on eut
couché le capitaine sur le matelas, recouvert de la toile
cirée.

— Bon! c'est au-dessus de la cheville droite, disait
Bouroche, qui causait beaucoup, pour occuper le blessé.
Pas mauvais, à cette place. On s'en tire très bien... Nous
allons examiner ça.

Mais la torpeur où était Beaudoin, le préoccupait visiblement. Il regardait le pansement d'urgence, un simple
lien, serré et maintenu sur le pantalon par un fourreau
de baïonnette. Et, entre ses dents, il grognait, demandant
quel était le salaud qui avait fichu ça. Puis, tout d'un coup,
il se tut. Il venait de comprendre : c'était sûrement pendant le transport, au fond du landau empli de blessés,
que le bandage avait dû se détendre, glissant, ne comprimant plus la plaie, ce qui avait occasionné une très abondante hémorragie.

Violemment, Bouroche s'emporta contre un infirmier
qui l'aidait.

— Bougre d'empoté, coupez donc vite!

L'infirmier coupa le pantalon et le caleçon, coupa le
soulier et la chaussette. La jambe, puis le pied apparurent,
d'une nudité blafarde, tachée de sang. Et il y avait là,
au-dessus de la cheville, un trou affreux, dans lequel
l'éclat d'obus avait enfoncé un lambeau de drap rouge.
Un bourrelet de chair déchiquetée, la saillie du muscle,
sortait en bouillie de la plaie.

Gilberte dut s'appuyer contre un des poteaux du han-

gar. Ah! cette chair, cette chair si blanche, cette chair
sanglante maintenant, et massacrée! Malgré son effroi,
elle ne pouvait en détourner les yeux.

— Fichtre! déclara Bouroche, ils vous ont bien
arrangé!

Il tâtait le pied, le trouvait froid, n'y sentait plus battre
le pouls. Son visage était devenu très grave, avec un pli
de la lèvre, qui lui était particulier, en face des cas
inquiétants.

— Fichtre! répéta-t-il, voilà un mauvais pied!

Le capitaine, que l'anxiété tirait de sa somnolence, le
regardait, attendait; et il finit par dire :

— Vous trouvez, major ?

Mais la tactique de Bouroche était de ne jamais
demander directement à un blessé l'autorisation d'usage,
quand la nécessité d'une amputation s'imposait. Il préférait que le blessé s'y résignât de lui-même.

— Mauvais pied, murmura-t-il, comme s'il eût pensé
tout haut. Nous ne le sauverons pas.

Nerveusement, Beaudoin reprit :

— Voyons, il faut en finir, major. Qu'en pensez-vous ?

— Je pense que vous êtes un brave, capitaine, et que
vous allez me laisser faire ce qu'il faut.

Les yeux du capitaine Beaudoin pâlirent, se troublèrent
d'une sorte de petite fumée rousse. Il avait compris. Mais,
malgré l'insupportable peur qui l'étranglait, il répondit
simplement, avec bravoure :

— Faites, major.

Et les préparatifs ne furent pas longs. Déjà, l'aide
tenait la serviette imbibée de chloroforme, qui fut tout
de suite appliquée sous le nez du patient. Puis, au
moment où la courte agitation qui précède l'anesthésie se
produisait, deux infirmiers firent glisser le capitaine sur
le matelas, de façon à avoir les jambes libres; et l'un
d'eux garda la gauche, qu'il soutint; tandis qu'un aide,
saisissant la droite, la serrait rudement des deux mains,
à la racine de la cuisse, pour comprimer les artères.

Alors, quand elle vit Bouroche s'approcher avec le
couteau mince, Gilberte ne put en supporter davantage.

— Non, non, c'est affreux!

Et elle défaillait, elle s'appuya sur madame Delaherche,
qui avait dû avancer le bras pour l'empêcher de tomber.

— Mais pourquoi restez-vous ?

Toutes deux, cependant, demeurèrent. Elles tournaient
la tête, ne voulant plus voir, immobiles et tremblantes,

serrées l'une contre l'autre, malgré leur peu de tendresse.

Ce fut sûrement à cette heure de la journée que le canon tonna le plus fort. Il était trois heures, et Delaherche, désappointé, exaspéré, déclarait n'y plus rien comprendre. Maintenant, il devenait hors de doute que, loin de se taire, les batteries prussiennes redoublaient leur feu. Pourquoi ? que se passait-il ? C'était un bombardement d'enfer, le sol tremblait, l'air s'embrasait. Autour de Sedan, la ceinture de bronze, les huit cents pièces des armées allemandes tiraient à la fois, foudroyaient les champs voisins d'un tonnerre continu; et ce feu convergent, toutes les hauteurs environnantes frappant au centre, aurait brûlé et pulvérisé la ville en deux heures. Le pis était que des obus recommençaient à tomber sur les maisons. Des fracas plus fréquents retentissaient. Il en éclata un rue des Voyards. Un autre écorna une cheminée haute de la fabrique, et des gravats dégringolèrent devant le hangar.

Bouroche leva les yeux, grognant :

— Est-ce qu'ils vont nous achever nos blessés ?... C'est insupportable, ce vacarme !

Cependant, l'infirmier tenait allongée la jambe du capitaine; et, d'une rapide incision circulaire, le major coupa la peau, au-dessous du genou, cinq centimètres plus bas que l'endroit où il comptait scier les os. Puis, vivement, à l'aide du même couteau mince, qu'il ne changeait pas pour aller vite, il détacha la peau, la releva tout autour, ainsi que l'écorce d'une orange qu'on pèle. Mais, comme il allait trancher les muscles, un infirmier s'approcha, lui parla à l'oreille.

— Le numéro deux vient de couler.

Dans l'effroyable bruit, le major n'entendit pas.

— Parlez donc plus haut, nom de Dieu ! J'ai les oreilles en sang, avec leur sacré canon.

— Le numéro deux vient de couler.

— Qui ça, le numéro deux ?

— Le bras.

— Ah ! bon !... Eh bien ! vous apporterez le trois, la mâchoire.

Et, avec une adresse extraordinaire, sans se reprendre, il trancha les muscles d'une seule entaille, jusqu'aux os. Il dénuda le tibia et le péroné, introduisit entre eux la compresse à trois chefs, pour les maintenir. Puis, d'un trait de scie unique, il les abattit. Et le pied resta aux mains de l'infirmier qui le tenait.

Peu de sang coula, grâce à la compression que l'aide exerçait plus haut, autour de la cuisse. La ligature des trois artères fut rapidement faite. Mais le major secouait la tête ; et, quand l'aide eut enlevé ses doigts, il examina la plaie, en murmurant, certain que le patient ne pouvait encore l'entendre :

— C'est ennuyeux, les artérioles ne donnent pas de sang.

Puis, d'un geste, il acheva son diagnostic : encore un pauvre bougre de fichu ! Et, sur son visage en sueur, la fatigue et la tristesse immenses avaient reparu, cette désespérance de l' « à quoi bon ? », puisqu'on n'en sauvait pas quatre sur dix. Il s'essuya le front, il se mit à rabattre la peau et à faire les trois sutures d'approche.

Gilberte venait de se retourner. Delaherche lui avait dit que c'était fait, qu'elle pouvait voir. Pourtant, elle aperçut le pied du capitaine que l'infirmier emportait derrière les cytises. Le charnier s'augmentait toujours, deux nouveaux morts s'y allongeaient, l'un la bouche démesurément ouverte et noire, ayant l'air de hurler encore, l'autre rapetissé par une abominable agonie, redevenu à la taille d'un enfant chétif et contrefait. Le pis était que le tas des débris finissait par déborder dans l'allée voisine. Ne sachant où poser convenablement le pied du capitaine, l'infirmier hésita, se décida enfin à le jeter sur le tas.

— Eh bien ! voilà qui est fait, dit le major à Beaudoin qu'on réveillait. Vous êtes hors d'affaire.

Mais le capitaine n'avait pas la joie du réveil, qui suit les opérations heureuses. Il se redressa un peu, retomba, bégayant d'une voix molle :

— Merci, major. J'aime mieux que ce soit fini.

Cependant, il sentit la cuisson du pansement à l'alcool. Et, comme on approchait le brancard pour le remporter, une terrible détonation ébranla la fabrique entière : c'était un obus qui venait d'éclater en arrière du hangar, dans la petite cour où se trouvait la pompe. Des vitres volèrent en éclats, tandis qu'une épaisse fumée envahissait l'ambulance. Dans la salle, une panique avait soulevé les blessés de leur couche de paille, et tous criaient d'épouvante, et tous voulaient fuir.

Delaherche se précipita, affolé, pour juger des dégâts. Est-ce qu'on allait lui démolir, lui incendier sa maison, à présent ? Que se passait-il donc ? Puisque l'empereur voulait qu'on cessât, pourquoi avait-on recommencé ?

— Nom de Dieu! remuez-vous! cria Bouroche aux infirmiers figés de terreur. Lavez-moi la table, apportez-moi le numéro trois!

On lava la table, on jeta une fois encore les seaux d'eau rouge à la volée, au travers de la pelouse. La corbeille de marguerites n'était plus qu'une bouillie sanglante, de la verdure et des fleurs hachées dans du sang. Et le major, à qui on avait apporté le numéro trois, se mit, pour se délasser un peu, à chercher une balle qui, après avoir fracassé le maxillaire inférieur, devait s'être logée sous la langue. Beaucoup de sang coulait et lui engluait les doigts.

Dans la salle, le capitaine Beaudoin était de nouveau couché sur son matelas. Gilberte et madame Delaherche avaient suivi le brancard. Delaherche lui-même, malgré son agitation, vint causer un moment.

— Reposez-vous, capitaine. Nous allons faire préparer une chambre, nous vous prendrons chez nous.

Mais, dans sa prostration, le blessé eut un réveil, une minute de lucidité.

— Non, je crois bien que je vais mourir.

Et il les regardait tous les trois, les yeux élargis, pleins de l'épouvante de la mort.

— Oh! capitaine, qu'est-ce que vous dites là? murmura Gilberte en s'efforçant de sourire, toute glacée. Vous serez debout dans un mois.

Il secouait la tête, il ne regardait plus qu'elle, avec un immense regret de la vie dans les yeux, une lâcheté de s'en aller ainsi, trop jeune, sans avoir épuisé la joie d'être.

— Je vais mourir, je vais mourir... Ah! c'est affreux...

Puis, tout d'un coup, il aperçut son uniforme souillé et déchiré, ses mains noires, et il parut souffrir de son état, devant des femmes. Une honte lui vint de s'abandonner ainsi, la pensée qu'il manquait de correction acheva de lui rendre toute une bravoure. Il réussit à reprendre d'une voix gaie:

— Seulement, si je meurs, je voudrais mourir les mains propres... Madame, vous seriez bien aimable de mouiller une serviette et de me la donner.

Gilberte courut, revint avec la serviette, voulut lui en frotter les mains elle-même. A partir de ce moment, il montra un très grand courage, soucieux de finir en homme de bonne compagnie. Delaherche l'encourageait, aidait sa femme à l'arranger d'une façon convenable. Et

la vieille madame Delaherche, devant ce mourant, lorsqu'elle vit le ménage s'empresser ainsi, sentit s'en aller
sa rancune. Une fois encore elle se tairait, elle qui savait
et qui s'était juré de tout dire à son fils. A quoi bon désoler la maison, puisque la mort emportait la faute ?

Ce fut fini presque tout de suite. Le capitaine Beaudoin,
qui s'affaiblissait, retomba dans son accablement. Une
sueur glacée lui inondait le front et le cou. Il rouvrit un
instant les yeux, tâtonna comme s'il eût cherché une
couverture imaginaire, qu'il se mit à remonter jusqu'à
son menton, les mains tordues, d'un mouvement doux
et entêté.

— Oh! j'ai froid, j'ai bien froid.

Et il passa, il s'éteignit, sans hoquet, et son visage
tranquille, aminci, garda une expression d'infinie tristesse.

Delaherche veilla à ce que le corps, au lieu d'être porté
au charnier, fût déposé dans une remise voisine. Il voulait forcer Gilberte, toute bouleversée et pleurante, à se
retirer chez elle. Mais elle déclara qu'elle aurait trop
peur maintenant, seule, et qu'elle préférait rester avec sa
belle-mère, dans l'agitation de l'ambulance, où elle
s'étourdissait. Déjà, elle courait donner à boire à un chasseur d'Afrique que la fièvre faisait délirer, elle aidait un
infirmier à panser la main d'un petit soldat, une recrue
de vingt ans, qui était venu, à pied, du champ de bataille,
le pouce emporté; et, comme il était gentil et drôle, plaisantant sa blessure d'un air insouciant de Parisien farceur, elle finit par s'égayer avec lui.

Pendant l'agonie du capitaine, la canonnade semblait
avoir augmenté encore, un deuxième obus était tombé
dans le jardin, brisant un des arbres centenaires. Des
gens affolés criaient que tout Sedan brûlait, un incendie
considérable s'étant déclaré dans le faubourg de la Cassine. C'était la fin de tout, si ce bombardement continuait
longtemps avec une pareille violence.

— Ce n'est pas possible, j'y retourne! dit Delaherche
hors de lui.

— Où donc ? demanda Bouroche.

— Mais à la Sous-Préfecture, pour savoir si l'empereur
se moque de nous, quand il parle de faire hisser le drapeau blanc.

Le major resta quelques secondes étourdi par cette
idée du drapeau blanc, de la défaite, de la capitulation,
qui tombait au milieu de son impuissance à sauver tous

les pauvres bougres en bouillie, qu'on lui amenait. Il eut un geste de furieuse désespérance.

— Allez au diable! nous n'en sommes pas moins tous foutus!

Dehors, Delaherche éprouva une difficulté plus grande à se frayer un passage parmi les groupes qui avaient grossi. Les rues, de minute en minute, s'emplissaient davantage, du flot des soldats débandés. Il questionna plusieurs des officiers qu'il rencontra : aucun n'avait aperçu le drapeau blanc sur la citadelle. Enfin, un colonel déclara l'avoir entrevu un instant, le temps de le hisser et de l'abattre. Cela aurait tout expliqué, soit que les Allemands n'eussent pu le voir, soit que, l'ayant vu apparaître et disparaître, ils eussent redoublé leur feu, en comprenant que l'agonie était proche. Même une histoire circulait déjà, la folle colère d'un général, qui s'était précipité, à l'apparition du drapeau blanc, l'avait arraché de ses mains, brisant la hampe, foulant le linge. Et les batteries prussiennes tiraient toujours, les projectiles pleuvaient sur les toits et dans les rues, des maisons brûlaient, une femme venait d'avoir la tête broyée, au coin de la place Turenne.

A la Sous-Préfecture, Delaherche ne trouva pas Rose dans la loge du concierge. Toutes les portes étaient ouvertes, la déroute commençait. Alors, il monta, ne se heurtant que dans des gens effarés, sans que personne lui adressât la moindre question. Au premier étage, comme il hésitait, il rencontra la jeune fille.

— Oh! monsieur Delaherche, ça se gâte!... Tenez! regardez vite, si vous voulez voir l'empereur.

En effet, à gauche, une porte, mal fermée, bâillait; et, par cette fente, on apercevait l'empereur, qui avait repris sa marche chancelante, de la cheminée à la fenêtre. Il piétinait, ne s'arrêtait pas, malgré d'intolérables souffrances.

Un aide de camp venait d'entrer, celui qui avait si mal refermé la porte, et l'on entendit l'empereur qui lui demandait, d'une voix énervée de désolation :

— Mais enfin, monsieur, pourquoi tire-t-on toujours, puisque j'ai fait hisser le drapeau blanc?

C'était son tourment devenu insupportable, ce canon qui ne cessait pas, qui augmentait de violence, à chaque minute. Il ne pouvait s'approcher de la fenêtre, sans en être frappé au cœur. Encore du sang, encore des vies humaines fauchées par sa faute! Chaque minute entas-

sait d'autres morts, inutilement. Et, dans sa révolte de
rêveur attendri, il avait déjà, à plus de dix reprises,
adressé sa question désespérée aux personnes qui
entraient.

— Mais enfin, pourquoi tire-t-on toujours, puisque
j'ai fait hisser le drapeau blanc ?

L'aide de camp murmura une réponse, que Delaherche
ne put saisir. Du reste, l'empereur ne s'était pas arrêté,
cédant quand même à son besoin de retourner devant
cette fenêtre, où il défaillait, dans le tonnerre continu de
la canonnade. Sa pâleur avait grandi encore, sa longue
face, morne et tirée, mal essuyée du fard du matin, disait
son agonie.

A ce moment, un petit homme vif, l'uniforme poussié-
reux, dans lequel Delaherche reconnut le général Lebrun,
traversa le palier, poussa la porte, sans se faire annoncer.
Et, tout de suite, une fois de plus, on distingua la voix
anxieuse de l'empereur.

— Mais enfin, général, pourquoi tire-t-on toujours,
puisque j'ai fait hisser le drapeau blanc ?

L'aide de camp sortait, la porte fut refermée, et Delaherche ne put même entendre la réponse du général.
Tout avait disparu.

— Ah ! répéta Rose, ça se gâte, je le comprends bien,
à la mine de ces messieurs. C'est comme ma nappe, je
ne la reverrai pas, il y en a qui disent qu'on l'a déchi-
rée... Dans tout ça, c'est l'empereur qui me fait de la
peine, car il est plus malade que le maréchal, il serait
mieux dans son lit que dans cette pièce, où il se ronge à
toujours marcher.

Elle était très émue, sa jolie figure blonde exprimait
une pitié sincère. Aussi Delaherche, dont la ferveur bonapartiste se refroidissait singulièrement depuis deux jours,
la trouva-t-il un peu sotte. En bas, pourtant, il resta
encore un instant avec elle, guettant le départ du général
Lebrun. Et, quand celui-ci reparut, il le suivit.

Le général Lebrun avait expliqué à l'empereur que, si
l'on voulait demander un armistice, il fallait qu'une
lettre, signée du commandant en chef de l'armée française, fût remise au commandant en chef des armées allemandes. Puis, il s'était offert pour écrire cette lettre et
pour se mettre à la recherche du général de Wimpffen,
qui la signerait. Il emportait la lettre, il n'avait que la
crainte de ne pas trouver ce dernier, ignorant sur quel
point du champ de bataille il pouvait être. Dans Sedan,

d'ailleurs, la cohue devenait telle, qu'il dut marcher au pas de son cheval; ce qui permit à Delaherche de l'accompagner jusqu'à la porte du Ménil.

Mais, sur la route, le général Lebrun prit le galop, et il eut la chance, comme il arrivait à Balan, d'apercevoir le général de Wimpffen. Celui-ci, quelques minutes plus tôt, avait écrit à l'empereur : « Sire, venez vous mettre à la tête de vos troupes, elles tiendront à honneur de vous ouvrir un passage à travers les lignes ennemies. » Aussi entra-t-il dans une furieuse colère, au seul mot d'armistice. Non, non! il ne signerait rien, il voulait se battre! Il était trois heures et demie. Et ce fut peu de temps après qu'eut lieu la tentative héroïque et désespérée, cette poussée dernière, pour ouvrir une trouée au travers des Bavarois, en marchant une fois encore sur Bazeilles. Par les rues de Sedan, par les champs voisins, afin de rendre du cœur aux troupes, on mentait, on criait : « Bazaine arrive! Bazaine arrive! » Depuis le matin, c'était le rêve de beaucoup, on croyait entendre le canon de l'armée de Metz, à chaque batterie nouvelle que démasquaient les Allemands. Douze cents hommes environ furent réunis, des soldats débandés de tous les corps, où toutes les armes se mêlaient; et la petite colonne se lança glorieusement, sur la route balayée de mitraille, au pas de course. D'abord, ce fut superbe, les hommes qui tombaient n'arrêtaient pas l'élan des autres, on parcourut près de cinq cents mètres avec une véritable furie de courage. Mais, bientôt, les rangs s'éclaircirent, les plus braves se replièrent. Que faire contre l'écrasement du nombre ? Il n'y avait là que la témérité folle d'un chef d'armée qui ne voulait pas être vaincu. Et le général de Wimpffen finit par se trouver seul avec le général Lebrun, sur cette route de Balan et de Bazeilles, qu'ils durent définitivement abandonner. Il ne restait qu'à battre en retraite sous les murs de Sedan.

Delaherche, dès qu'il avait perdu de vue le général, s'était hâté de retourner à la fabrique, possédé d'une idée unique, celle de monter de nouveau à son observatoire, pour suivre au loin les événements. Mais, comme il arrivait, il fut un instant arrêté, en se heurtant, sous le porche, au colonel de Vineuil, qu'on amenait, avec sa botte sanglante, à moitié évanoui sur du foin, au fond d'une carriole de maraîcher. Le colonel s'était obstiné à vouloir rallier les débris de son régiment, jusqu'au moment où il était tombé de cheval. Tout de suite, on le

monta dans une chambre du premier étage, et Bouroche
qui accourut, n'ayant trouvé qu'une fêlure de la cheville,
se contenta de panser la plaie, après en avoir retiré des
morceaux de cuir de la botte. Il était débordé, exaspéré,
il redescendit en criant qu'il aimerait mieux se couper
une jambe à lui-même, que de continuer à faire son
métier si salement, sans le matériel convenable ni les aides
nécessaires. En bas, en effet, on ne savait plus où mettre
les blessés, on s'était décidé à les coucher sur la pelouse,
dans l'herbe. Déjà, il y en avait deux rangées, attendant,
se lamentant au plein air, sous les obus qui continuaient
à pleuvoir. Le nombre des hommes amenés à l'ambulance,
depuis midi, dépassait quatre cents, et le major avait fait
demander des chirurgiens, sans qu'on lui envoyât autre
chose qu'un jeune médecin de la ville. Il ne pouvait suffire, il sondait, taillait, sciait, recousait, hors de lui,
désolé de voir qu'on lui apportait toujours plus de
besogne qu'il n'en faisait. Gilberte, ivre d'horreur, prise
de la nausée de tant de sang et de larmes, était restée près
de son oncle, le colonel, laissant en bas madame Delaherche donner à boire aux fiévreux et essuyer les visages
moites des agonisants.

Sur la terrasse, vivement, Delaherche tâcha de se
rendre compte de la situation. La ville avait moins souffert qu'on ne croyait, un seul incendie jetait une grosse
fumée noire, dans le faubourg de la Cassine. Le fort du
Palatinat ne tirait plus, faute sans doute de munitions.
Seules, les pièces de la porte de Paris lâchaient encore
un coup, de loin en loin. Et, tout de suite, ce qui l'intéressa, ce fut de constater qu'on avait de nouveau hissé un
drapeau blanc sur le Donjon; mais on ne devait pas
l'apercevoir du champ de bataille, car le feu continuait,
aussi intense. Des toitures voisines lui cachaient la route
de Balan, il ne put y suivre le mouvement des troupes.
D'ailleurs, ayant mis son œil à la lunette qui était restée
braquée, il venait de retomber sur l'état-major allemand,
qu'il avait déjà vu à cette place, dès midi. Le maître, le
minuscule soldat de plomb, haut comme la moitié du
petit doigt, dans lequel il croyait avoir reconnu le roi de
Prusse, se trouvait toujours debout, avec son uniforme
sombre, en avant des autres officiers, la plupart couchés
sur l'herbe, étincelants de broderies. Il y avait là des
officiers étrangers, des aides de camp, des généraux, des
maréchaux de cour, des princes, tous pourvus de lorgnettes, suivant depuis le matin l'agonie de l'armée

française, comme au spectacle. Et le drame formidable s'achevait.

De cette hauteur boisée de la Marfée, le roi Guillaume venait d'assister à la jonction de ses troupes. C'en était fait, la IIIᵉ armée, sous les ordres de son fils, le prince royal de Prusse, qui avait cheminé par Saint-Menges et Fleigneux, prenait possession du plateau d'Illy; tandis que la IVᵉ, que commandait le prince royal de Saxe, arrivait de son côté au rendez-vous, par Daigny et Givonne, en tournant le bois de la Garenne. Le 11ᵉ corps et le 5ᵉ donnaient ainsi la main au 12ᵉ corps et à la garde. Et l'effort suprême pour briser le cercle, au moment où il se fermait, l'inutile et glorieuse charge de la division Margueritte avait arraché au roi un cri d'admiration : « Ah! les braves gens! » Maintenant, l'enveloppement mathématique, inexorable, se terminait, les mâchoires de l'étau s'étaient rejointes, il pouvait embrasser d'un coup d'œil l'immense muraille d'hommes et de canons qui enveloppait l'armée vaincue. Au nord, l'étreinte devenait de plus en plus étroite, refoulait les fuyards dans Sedan, sous le feu redoublé des batteries, dont la ligne ininterrompue bordait l'horizon. Au midi, Bazeilles conquis, vide et morne, finissait de brûler, jetant de gros tourbillons de fumée et d'étincelles; pendant que les Bavarois, maîtres de Balan, braquaient des canons, à trois cents mètres des portes de la ville. Et les autres batteries, celles de la rive gauche, installées à Pont-Maugis, à Noyers, à Frénois, à Wadelincourt, qui tiraient sans un arrêt depuis bientôt douze heures, tonnaient plus haut, complétaient l'infranchissable ceinture de flammes, jusque sous les pieds du roi.

Mais le roi Guillaume, fatigué, lâcha un instant sa lorgnette; et il continua de regarder à l'œil nu. Le soleil oblique descendait vers les bois, allait se coucher dans un ciel d'une pureté sans tache. Toute la vaste campagne en était dorée, baignée d'une lumière si limpide, que les moindres détails prenaient une netteté singulière. Il distinguait les maisons de Sedan, avec les petites barres noires des fenêtres, les remparts, la forteresse, ce système compliqué de défense dont les arêtes se découpaient d'un trait vif. Puis, alentour, épars au milieu des terres, c'étaient les villages, frais et vernis, pareils aux fermes des boîtes de jouets, Donchery à gauche, au bord de sa plaine rase, Douzy et Carignan à droite, dans les prairies. Il semblait qu'on aurait compté les arbres de la forêt des

Ardennes, dont l'océan de verdure se perdait jusqu'à la
frontière. La Meuse, aux lents détours, n'était plus, sous
cette lumière frisante, qu'une rivière d'or fin. Et la
bataille atroce, souillée de sang, devenait une peinture
délicate, vue de si haut, sous l'adieu du soleil : des
cavaliers morts, des chevaux éventrés semaient le plateau
de Floing de taches gaies ; vers la droite, du côté de
Givonne, les dernières bousculades de la retraite amu-
saient l'œil du tourbillon de ces points noirs, courant, se
culbutant ; tandis que, dans la presqu'île d'Iges, à gauche,
une batterie bavaroise, avec ses canons gros comme des
allumettes, avait l'air d'être une pièce mécanique bien
montée, tellement la manœuvre pouvait se suivre, d'une
régularité d'horlogerie. C'était la victoire, inespérée, foudroyante, et le roi n'avait pas de remords, devant ces
cadavres si petits, ces milliers d'hommes qui tenaient
moins de place que la poussière des routes, cette vallée
immense où les incendies de Bazeilles, les massacres
d'Illy, les angoisses de Sedan, n'empêchaient pas l'impassible nature d'être belle, à cette fin sereine d'un beau
jour.

Mais, tout d'un coup, Delaherche aperçut, gravissant
les pentes de la Marfée, un général français, vêtu d'une
tunique bleue monté sur un cheval noir, et que précédait
un hussard, avec un drapeau blanc. C'était le général
Reille, chargé par l'empereur de porter au roi de Prusse
cette lettre : « Monsieur mon Frère, n'ayant pu mourir
au milieu de mes troupes, il ne me reste qu'à remettre
mon épée entre les mains de Votre Majesté. Je suis, de
Votre Majesté, le bon Frère, Napoléon. » Dans sa hâte
d'arrêter la tuerie, puisqu'il n'était plus le maître, l'empereur se livrait, espérant attendrir le vainqueur. Et
Delaherche vit le général Reille s'arrêter à dix pas du
roi, descendre de cheval, puis s'avancer pour remettre
la lettre, sans arme, n'ayant aux doigts qu'une cravache.
Le soleil se couchait dans une grande lueur rose, le roi
s'assit sur une chaise, s'appuya au dossier d'une autre
chaise, que tenait un secrétaire, et répondit qu'il acceptait l'épée en attendant l'envoi d'un officier, qui pourrait
traiter de la capitulation.

VII

A cette heure, autour de Sedan, de toutes les positions perdues, de Floing, du plateau d'Illy, du bois de la Garenne, de la vallée de la Givonne, de la route de Bazeilles, un flot épouvanté d'hommes, de chevaux et de canons refluait, roulait vers la ville. Cette place forte, sur laquelle on avait eu l'idée désastreuse de s'appuyer, devenait une tentation funeste, l'abri qui s'offrait aux fuyards, le salut où se laissaient entraîner les plus braves, dans la démoralisation et la panique de tous. Derrière les remparts, là-bas, on s'imaginait qu'on échapperait enfin à cette terrible artillerie, grondant depuis bientôt douze heures ; et il n'y avait plus de conscience, plus de raisonnement, la bête emportait l'homme, c'était la folie de l'instinct galopant, cherchant le trou, pour se terrer et dormir.

Au pied du petit mur, lorsque Maurice, qui baignait d'eau fraîche le visage de Jean, vit qu'il rouvrait les yeux, il eut une exclamation de joie.

— Ah ! mon pauvre bougre, je t'ai cru fichu !... Et ce n'est pas pour te le reprocher, mais ce que tu es lourd !

Etourdi encore, Jean semblait s'éveiller d'un songe. Puis, il dut comprendre, se souvenir, car deux grosses larmes roulèrent sur ses joues. Ce Maurice si frêle, qu'il aimait, qu'il soignait comme un enfant, il avait donc trouvé, dans l'exaltation de son amitié, des bras assez forts, pour l'apporter jusque-là !

— Attends que je voie un peu ta caboche.

La blessure n'était presque rien, une simple éraflure du cuir chevelu, qui avait saigné beaucoup. Les cheveux, que le sang collait à présent, avaient formé tampon. Aussi se garda-t-il bien de les mouiller, pour ne pas rouvrir la plaie.

— Là, tu es débarbouillé, tu as repris figure humaine...
Attends encore, que je te coiffe.

Et, ramassant, à côté, le képi d'un soldat mort, il le
lui posa avec précaution sur la tête.

— C'est juste ta pointure... Maintenant, si tu peux
marcher, nous voilà de beaux garçons.

Jean se mit debout, secoua la tête, pour s'assurer qu'elle
était solide. Il n'avait plus que le crâne un peu lourd. Ça
irait très bien. Et il fut saisi d'un attendrissement
d'homme simple, il empoigna Maurice, l'étouffa sur son
cœur, en ne trouvant que ces mots :

— Ah! mon cher petit, mon cher petit!

Mais les Prussiens arrivaient, il s'agissait de ne pas
flâner derrière le mur. Déjà, le lieutenant Rochas battait
en retraite, avec ses quelques hommes, protégeant le
drapeau, que le sous-lieutenant portait toujours sous son
bras, roulé autour de la hampe. Lapoulle, très grand, pouvait se hausser, lâchait encore des coups de feu, par-dessus
le chaperon; tandis que Pache avait remis son chassepot
en bandoulière, jugeant sans doute que c'était assez, qu'il
aurait fallu maintenant manger et dormir. Jean et Maurice, courbés en deux, se hâtèrent de les rejoindre. Ce
n'étaient ni les fusils ni les cartouches qui manquaient :
il suffisait de se baisser. De nouveau, ils s'armèrent,
ayant tout abandonné là-bas, le sac et le reste, quand l'un
avait dû charger l'autre sur ses épaules. Le mur s'étendait jusqu'au bois de la Garenne, et la petite bande, se
croyant sauvée, se jeta vivement derrière une ferme, puis
de là gagna les arbres.

— Ah! dit Rochas, qui gardait sa belle confiance inébranlable, nous allons souffler un moment ici, avant de
reprendre l'offensive.

Dès les premiers pas, tous sentirent qu'ils entraient
dans un enfer; mais ils ne pouvaient reculer, il fallait
quand même traverser le bois, leur seule ligne de retraite.
À cette heure, c'était un bois effroyable, le bois de la
désespérance et de la mort. Comprenant que des troupes
se repliaient par là, les Prussiens le criblaient de balles,
le couvraient d'obus. Et il était comme flagellé d'une
tempête, tout agité et hurlant, dans le fracassement de ses
branches. Les obus coupaient les arbres, les balles faisaient
pleuvoir les feuilles, des voix de plainte semblaient sortir
des troncs fendus, des sanglots tombaient avec les
ramures trempées de sève. On aurait dit la détresse d'une
cohue enchaînée, la terreur et les cris de milliers d'êtres

cloués au sol, qui ne pouvaient fuir, sous cette mitraille. Jamais angoisse n'a soufflé plus grande que dans la forêt bombardée.

Tout de suite, Maurice et Jean, qui avaient rejoint leurs compagnons, s'épouvantèrent. Ils marchaient alors sous une haute futaie, ils pouvaient courir. Mais les balles sifflaient, se croisaient, impossible d'en comprendre la direction, de manière à se garantir, en filant d'arbre en arbre. Deux hommes furent tués, frappés dans le dos, frappés à la face. Devant Maurice, un chêne séculaire, le tronc broyé par un obus, s'abattit, avec la majesté tragique d'un héros, écrasant tout à son entour. Et, au moment où le jeune homme sautait en arrière, un hêtre colossal, à sa gauche, qu'un autre obus venait de découronner, se brisait, s'effondrait, ainsi qu'une charpente de cathédrale. Où fuir ? de quel côté tourner ses pas ? Ce n'étaient, de toutes parts, que des chutes de branches, comme dans un édifice immense qui menacerait ruine et dont les salles se succéderaient sous des plafonds croulants. Puis, lorsqu'ils eurent sauté dans un taillis pour échapper à cet écrasement des grands arbres, ce fut Jean qui manqua d'être coupé en deux par un projectile, qui heureusement n'éclata pas. Maintenant, ils ne pouvaient plus avancer, au milieu de la foule inextricable des arbustes. Les tiges minces les liaient aux épaules ; les hautes herbes se nouaient à leurs chevilles ; des murs brusques de broussailles les immobilisaient, pendant que les feuillages volaient autour d'eux, sous la faux géante qui fauchait le bois. A côté d'eux, un autre homme, foudroyé d'une balle au front, resta debout, serré entre deux jeunes bouleaux. Vingt fois, prisonniers de ce taillis, ils sentirent passer la mort.

— Sacré bon Dieu ! dit Maurice, nous n'en sortirons pas.

Il était livide, un frisson le reprenait ; et Jean, si brave, qui le matin l'avait réconforté, pâlissait lui aussi, envahi d'un froid de glace. C'était la peur, l'horrible peur, contagieuse, irrésistible. De nouveau, une grande soif les brûlait, une insupportable sécheresse de la bouche, une contraction de la gorge, d'une violence douloureuse d'étranglement. Cela s'accompagnait de malaises, de nausées au creux de l'estomac ; tandis que des pointes d'aiguille lardaient leurs jambes. Et, dans cette souffrance toute physique de la peur, la tête serrée, ils voyaient filer des milliers de points noirs, comme s'ils avaient pu, au passage, distinguer la nuée volante des balles.

— Ah! fichu sort! bégaya Jean, c'est vexant tout de même d'être là, à se faire casser la gueule pour les autres, quand les autres sont quelque part, à fumer tranquillement leur pipe!

Maurice, éperdu, hagard, ajouta :

— Oui, pourquoi est-ce moi plutôt qu'un autre ?

C'était la révolte du moi, l'enragement égoïste de l'individu qui ne veut pas se sacrifier pour l'espèce et finir.

— Et encore, reprit Jean, si l'on savait la raison, si ça devait servir à quelque chose!

Puis, levant les yeux, regardant le ciel :

— Avec ça, ce cochon de soleil qui ne se décide pas à foutre le camp! Quand il sera couché et qu'il fera nuit, on ne se battra plus peut-être!

Depuis longtemps déjà, ne pouvant savoir l'heure, n'ayant même pas conscience du temps, il guettait ainsi la chute lente du soleil, qui lui semblait ne plus marcher, arrêté là-bas, au-dessus des bois de la rive gauche. Et ce n'était même pas lâcheté, c'était un besoin impérieux, grandissant, de ne plus entendre les obus ni les balles, de s'en aller ailleurs, de s'enfoncer en terre, pour s'y anéantir. Sans le respect humain, la gloriole de faire son devoir devant les camarades, on perdrait la tête, on filerait malgré soi, au galop.

Cependant, Maurice et Jean, de nouveau, s'accoutumaient; et, dans l'excès de leur affolement, venait une sorte d'inconscience et de griserie, qui était de la bravoure. Ils finissaient par ne plus même se hâter, au travers du bois maudit. L'horreur s'était encore accrue, parmi ce peuple d'arbres bombardés, tués à leur poste, s'abattant de tous côtés comme des soldats immobiles et géants. Sous les frondaisons, dans le délicieux demi-jour verdâtre, au fond des asiles mystérieux, tapissés de mousse, soufflait la mort brutale. Les sources solitaires étaient violées, des mourants râlaient jusque dans les coins perdus, où des amoureux seuls s'étaient égarés jusque-là. Un homme, la poitrine traversée d'une balle, avait eu le temps de crier « touché! » en tombant sur la face, mort. Un autre qui venait d'avoir les deux jambes brisées par un obus, continuait à rire, inconscient de sa blessure, croyant simplement s'être heurté contre une racine. D'autres, les membres troués, atteints mortellement, parlaient et couraient encore, pendant plusieurs mètres avant de culbuter, dans une convulsion brusque. Au premier

moment, les plaies les plus profondes se sentaient à
peine, et plus tard seulement les effroyables souffrances
commençaient, jaillissaient en cris et en larmes.

Ah! le bois scélérat, la forêt massacrée, qui, au milieu
du sanglot des arbres expirants, s'emplissait peu à peu de
la détresse hurlante des blessés! Au pied d'un chêne,
Maurice et Jean aperçurent un zouave qui poussait un cri
continu de bête égorgée, les entrailles ouvertes. Plus loin,
un autre était en feu : sa ceinture bleue brûlait, la flamme
gagnait et grillait sa barbe; tandis que, les reins cassés
sans doute, ne pouvant bouger, il pleurait à chaudes
larmes. Puis, c'était un capitaine, le bras gauche arraché,
le flanc droit percé jusqu'à la cuisse, étalé sur le ventre,
qui se traînait sur les coudes, en demandant qu'on l'achevât, d'une voix aiguë, effrayante de supplication. D'autres,
d'autres encore souffraient abominablement, semaient les
sentiers herbus en si grand nombre, qu'il fallait prendre
garde, pour ne pas les écraser au passage. Mais les blessés,
les morts ne comptaient plus. Le camarade qui tombait,
était abandonné, oublié. Pas même un regard en arrière.
C'était le sort. A un autre, à soi peut-être!

Tout d'un coup, comme on atteignait la lisière du bois,
un cri d'appel retentit.

— A moi!

C'était le sous-lieutenant, porteur du drapeau, qui
venait de recevoir une balle dans le poumon gauche. Il
était tombé, crachant le sang à pleine bouche. Et, voyant
que personne ne s'arrêtait, il eut la force de se reprendre
et de crier :

— Au drapeau!

D'un bond, Rochas, revenu sur ses pas, prit le drapeau,
dont la hampe s'était brisée; tandis que le sous-lieutenant
murmurait, les mots empâtés d'une écume sanglante :

— Moi, j'ai mon compte, je m'en fous!... Sauvez le
drapeau!

Et il resta seul, à se tordre sur la mousse, dans ce coin
délicieux du bois, arrachant les herbes de ses mains cris-
pées, la poitrine soulevée par un râle qui dura pendant
des heures.

Enfin, on était hors de ce bois d'épouvante. Avec Maurice et Jean, il ne restait de la petite bande que le lieutenant Rochas, Pache et Lapoulle. Gaude, qu'on avait
perdu, sortit à son tour d'un fourré, galopa pour rejoindre
les camarades, son clairon pendu à l'épaule. Et c'était un
vrai soulagement, de se retrouver en rase campagne, res-

pirant à l'aise. Le sifflement des balles avait cessé, les obus ne tombaient pas, de ce côté du vallon.

Tout de suite, devant la porte charretière d'une ferme, ils entendirent des jurons, ils aperçurent un général qui se fâchait, monté sur un cheval fumant de sueur. C'était le général Bourgain-Desfeuilles, le chef de leur brigade, couvert lui-même de poussière et l'air brisé de fatigue. Sa grosse figure colorée de bon vivant exprimait l'exaspération où le jetait le désastre, qu'il regardait comme une malchance personnelle. Depuis le matin, ses soldats ne l'avaient plus revu. Sans doute il s'était égaré sur le champ de bataille, courant après les débris de sa brigade, très capable de se faire tuer, dans sa colère contre ces batteries prussiennes qui balayaient l'Empire et sa fortune d'officier aimé des Tuileries.

— Tonnerre de Dieu! criait-il, il n'y a donc plus personne, on ne peut donc pas avoir un renseignement, dans ce fichu pays!

Les habitants de la ferme devaient s'être enfuis au fond des bois. Enfin, une femme très vieille parut sur la porte, quelque servante oubliée, que ses mauvaises jambes avaient clouée là.

— Eh! la mère, par ici!... Où est-ce, la Belgique ?

Elle le regardait, hébétée, n'ayant pas l'air de comprendre. Alors, il perdit toute mesure, oublia qu'il s'adressait à une paysanne, gueulant qu'il n'avait pas envie de se faire prendre au piège comme un serin, en rentrant à Sedan, qu'il allait foutre le camp à l'étranger, lui, et raide! Des soldats s'étaient approchés, qui l'écoutaient.

— Mais, mon général, dit un sergent, on ne peut plus passer, il y a des Prussiens partout... C'était bon ce matin, de filer.

Des histoires, en effet, circulaient déjà, des compagnies séparées de leurs régiments, qui, sans le vouloir, avaient passé la frontière, d'autres qui, plus tard, étaient même parvenues à percer bravement les lignes ennemies, avant la jonction complète.

Le général, hors de lui, haussait les épaules.

— Voyons, avec des bons bougres comme vous, est-ce qu'on ne passe pas où l'on veut ?... Je trouverai bien cinquante bons bougres pour se faire encore casser la gueule.

Puis, se retournant vers la vieille paysanne :

— Eh! tonnerre de Dieu! la mère, répondez donc!... La Belgique, où est-ce ?

Cette fois, elle avait compris. Elle tendit vers les
grands bois sa main décharnée.

— Là-bas, là-bas!

— Hein? qu'est-ce que vous dites?... Ces maisons
qu'on aperçoit, au bout des champs?

— Oh! plus loin, beaucoup plus loin!... Là-bas, tout
là-bas!

Du coup, le général étouffa de rage.

— Mais, c'est dégoûtant, un sacré pays pareil! On ne
sait jamais comment il est fait... La Belgique était là, on
craignait de sauter dedans, sans le vouloir; et, maintenant
qu'on veut y aller, elle n'y est plus... Non, non! c'est trop
à la fin! qu'ils me prennent, qu'ils fassent de moi ce qu'ils
voudront, je vais me coucher!

Et, poussant son cheval, sautant sur la selle comme une
outre gonflée d'un vent de colère, il galopa du côté de
Sedan.

Le chemin tournait, et l'on descendait dans le Fond de
Givonne, un faubourg encaissé entre des coteaux, où la
route qui montait vers les bois, était bordée de petites
maisons et de jardins. Un tel flot de fuyards l'encombrait
à ce moment, que le lieutenant Rochas se trouva comme
bloqué, avec Pache, Lapoulle et Gaude, contre une
auberge, à l'angle d'un carrefour. Jean et Maurice eurent
de la peine à les rejoindre. Et tous furent surpris d'entendre une voix épaisse d'ivrogne qui les interpellait.

— Tiens! cette rencontre!... Ohé, la coterie!... Ah!
c'est une vraie rencontre tout de même!

Ils reconnurent Chouteau, dans l'auberge, accoudé à
une des fenêtres du rez-de-chaussée. Très ivre, il continua,
entre deux hoquets:

— Dites donc, vous gênez pas, si vous avez soif... Y en
a encore pour les camarades...

D'un geste vacillant, par-dessus son épaule, il appelait
quelqu'un resté au fond de la salle.

— Arrive, feignant... Donne à boire à ces messieurs...

Ce fut Loubet qui parut à son tour, tenant dans chaque
main une bouteille pleine, qu'il agitait en rigolant. Il
était moins ivre que l'autre, il cria de sa voix de blague
parisienne, avec le nasillement des marchands de coco,
un jour de fête publique:

— A la fraîche, à la fraîche, qui veut boire!

On ne les avait pas revus, depuis qu'ils s'en étaient
allés, sous le prétexte de porter à l'ambulance le sergent
Sapin. Sans doute, ils avaient erré ensuite, flânant, évi-

tant les coins où tombaient les obus. Et ils venaient
d'échouer là, dans cette auberge mise au pillage.

Le lieutenant Rochas fut indigné.

— Attendez, bandits, je vas vous faire siroter, pendant
que nous tous, nous crevons à la peine!

Mais Chouteau n'accepta pas la réprimande.

— Ah! tu sais espèce de vieux toqué, il n'y a plus de
lieutenant, il n'y a que des hommes libres... Les Prussiens ne t'en ont donc pas fichu assez, que tu veux t'en
faire coller encore?

Il fallut retenir Rochas, qui parlait de lui casser la
tête. D'ailleurs, Loubet lui-même, avec ses bouteilles dans
les bras, s'efforçait de mettre la paix.

— Laissez donc! faut pas se manger, on est tous
frères!

Et, avisant Lapoulle et Pache, les deux camarades de
l'escouade:

— Faites pas les serins, entrez, vous autres, qu'on vous
rince le gosier!

Un instant, Lapoulle hésita, dans l'obscure conscience
que ce serait mal, de faire la fête, lorsque tant de pauvres
bougres avalaient leur langue. Mais il était si éreinté,
si épuisé de faim et de soif! Tout d'un coup, il se décida,
entra dans l'auberge d'un saut, sans une parole, en poussant devant lui Pache, également silencieux et tenté, qui
s'abandonnait. Et ils ne reparurent pas.

— Tas de brigands! répétait Rochas. On devrait tous
les fusiller!

Maintenant, il n'avait plus avec lui que Jean, Maurice et
Gaude, et tous quatre étaient peu à peu dérivés, malgré
leur résistance, dans le torrent des fuyards qui coulait
à plein chemin. Déjà, ils se trouvaient loin de l'auberge.
C'était la déroute roulant vers les fossés de Sedan, en un
flot bourbeux, pareil à l'amas de terres et de cailloux
qu'un orage, battant les hauteurs, entraîne au fond des
vallées. De tous les plateaux environnants, par toutes les
pentes, par tous les plis de terrain, par la route de
Floing, par Pierremont, par le cimetière, par le Champ
de Mars, aussi bien que par le Fond de Givonne, la même
cohue ruisselait en un galop de panique sans cesse accru.
Et que reprocher à ces misérables hommes, qui, depuis
douze heures, attendaient immobiles, sous la foudroyante
artillerie d'un ennemi invisible, contre lequel ils ne pouvaient rien? A présent, les batteries les prenaient de face,
de flanc et de dos, les feux convergeaient de plus en plus,

à mesure que l'armée battait en retraite sur la ville, c'était
l'écrasement en plein tas, la bouillie humaine au fond du
trou scélérat, où l'on était balayé. Quelques régiments
du 7e corps, surtout du côté de Floing, se repliaient en
assez bon ordre. Mais, dans le Fond de Givonne, il n'y
avait plus ni rangs, ni chefs, les troupes se bousculaient,
éperdues, faites de tous les débris, de zouaves, de turcos,
de chasseurs, de fantassins, le plus grand nombre sans
armes, les uniformes souillés et déchirés, les mains
noires, les visages noirs, avec des yeux sanglants qui sortaient des orbites, des bouches enflées, tuméfiées d'avoir
hurlé des gros mots. Par moments, un cheval sans cavalier
se ruait, galopait, renversant des soldats, trouant la foule
d'un long remous d'effroi. Puis, des canons passaient d'un
train de folie, des batteries débandées, dont les artilleurs,
comme emportés par l'ivresse, sans crier gare, écrasaient
tout. Et le piétinement de troupeau ne cessait pas, un
défilé compact, flanc contre flanc, une fuite en masse où
tout de suite les vides se comblaient, dans la hâte instinctive d'être là-bas, à l'abri, derrière un mur.

Jean, de nouveau, leva la tête, se tourna vers le couchant. Au travers de l'épaisse poussière que les pieds
soulevaient, les rayons de l'astre brûlaient encore les
faces en sueur. Il faisait très beau, le ciel était d'un bleu
admirable.

— C'est crevant tout de même, répéta-t-il, ce cochon
de soleil qui ne se décide pas à foutre le camp!

Soudain, Maurice, dans une jeune femme qu'il regardait, collée contre une maison, sur le point d'y être écrasée
par le flot, eut la stupeur de reconnaître sa sœur Henriette.
Depuis près d'une minute, il la voyait, restait béant.
Et ce fut elle qui parla la première, sans paraître surprise.

— Ils l'ont fusillé à Bazeilles... Oui, j'étais là... Alors,
comme je veux que le corps me soit rendu, j'ai eu une
idée...

Elle ne nommait ni les Prussiens, ni Weiss. Tout le
monde devait comprendre. Maurice, en effet, comprit. Il
l'adorait, il eut un sanglot.

— Ma pauvre chérie!

Vers deux heures, lorsqu'elle était revenue à elle,
Henriette s'était trouvée, à Balan, dans la cuisine de gens
qu'elle ne connaissait pas, la tête tombée sur une table,
pleurant. Mais ses larmes cessèrent. Chez cette silencieuse, si frêle, déjà l'héroïne se réveillait. Elle ne craignait rien, elle avait une âme ferme, invincible. Dans sa

douleur, elle ne songeait plus qu'à ravoir le corps de son
mari, pour l'ensevelir. Son premier projet fut, simplement, de retourner à Bazeilles. Tout le monde l'en
détourna, lui en démontra l'impossibilité absolue. Aussi
finit-elle par chercher quelqu'un, un homme qui l'accompagnerait, ou qui se chargerait des démarches nécessaires. Son choix tomba sur un cousin à elle, autrefois
sous-directeur de la Raffinerie générale, au Chêne, à
l'époque où Weiss y était employé. Il avait beaucoup aimé
son mari, il ne lui refuserait pas son assistance. Depuis
deux ans, à la suite d'un héritage fait par sa femme, il
s'était retiré dans une belle propriété, l'Ermitage, dont
les terrasses s'étageaient près de Sedan, de l'autre côté
du Fond de Givonne. Et c'était à l'Ermitage qu'elle se
rendait, au milieu des obstacles, arrêtée à chaque pas, en
continuel danger d'être piétinée et tuée.

Maurice, à qui elle expliquait brièvement son projet,
l'approuva.

— Le cousin Dubreuil a toujours été bon pour nous...
Il te sera utile...

Puis, une idée lui vint à lui-même. Le lieutenant
Rochas voulait sauver le drapeau. Déjà, l'on avait proposé
de le couper, d'en emporter chacun un morceau sous sa
chemise, ou bien de l'enfouir au pied d'un arbre, en
prenant des points de repère, qui auraient permis de
l'exhumer plus tard. Mais ce drapeau lacéré, ce drapeau
enterré comme un mort, leur serrait trop le cœur. Ils
auraient voulu trouver autre chose.

Aussi, lorsque Maurice leur proposa de remettre le
drapeau à quelqu'un de sûr, qui le cacherait, le défendrait au besoin, jusqu'au jour où il le rendrait intact,
tous acceptèrent.

— Eh bien! reprit le jeune homme en s'adressant à sa
sœur, nous allons avec toi voir si Dubreuil est à l'Ermitage... D'ailleurs, je ne veux plus te quitter.

Ce n'était pas facile de se dégager de la cohue. Ils y
parvinrent, se jetèrent dans un chemin creux qui montait vers la gauche. Alors, ils tombèrent au milieu d'un
véritable dédale de sentiers et de ruelles, tout un faubourg fait de cultures maraîchères, de jardins, de maisons
de plaisance, de petites propriétés enchevêtrées les unes
dans les autres; et ces sentiers, ces ruelles, filaient entre
des murs, tournaient à angles brusques, aboutissaient à
des impasses : un merveilleux camp retranché pour la
guerre d'embuscade, des coins que dix hommes pouvaient

défendre pendant des heures contre un régiment. Déjà, des coups de feu y pétillaient, car le faubourg dominait Sedan, et la garde prussienne arrivait, de l'autre côté du vallon.

Lorsque Maurice et Henriette, que suivaient les autres, eurent tourné à gauche, puis à droite, entre deux interminables murailles, ils débouchèrent tout d'un coup devant la porte grande ouverte de l'Ermitage. La propriété, avec son petit parc, s'étageait en trois larges terrasses; et c'était sur une de ces terrasses que le corps de logis se dressait, une grande maison carrée, à laquelle conduisait une allée d'ormes séculaires. En face, séparées par l'étroit vallon, profondément encaissé, se trouvaient d'autres propriétés, à la lisière d'un bois.

Henriette s'inquiéta de cette porte brutalement ouverte.

— Ils n'y sont plus, ils auront dû partir.

En effet, Dubreuil s'était résigné, la veille, à emmener sa femme et ses enfants à Bouillon, dans la certitude du désastre qu'il prévoyait. Pourtant, la maison n'était pas vide, une agitation s'y faisait remarquer de loin, à travers les arbres. Comme la jeune femme se hasardait dans la grande allée, elle recula, devant le cadavre d'un soldat prussien.

— Fichtre! s'écria Rochas, on s'est donc cogné déjà par ici!

Tous alors voulurent savoir, poussèrent jusqu'à l'habitation; et ce qu'ils virent les renseigna : les portes et les fenêtres du rez-de-chaussée avaient dû être enfoncées à coups de crosse, les ouvertures bâillaient sur les pièces mises à sac, tandis que des meubles, jetés dehors, gisaient sur le gravier de la terrasse, au bas du perron. Il y avait surtout là tout un meuble de salon bleu ciel, le canapé et les douze fauteuils, rangés au petit bonheur, pêle-mêle, autour d'un grand guéridon, dont le marbre blanc s'était fendu. Et des zouaves, des chasseurs, des soldats de la ligne, d'autres appartenant à l'infanterie de marine, couraient derrière les bâtiments et dans l'allée, lâchant des coups de feu sur le petit bois d'en face, par-dessus le vallon.

— Mon lieutenant, expliqua un zouave à Rochas, ce sont des salauds de Prussiens, que nous avons trouvés en train de tout saccager ici. Vous voyez, nous leur avons réglé leur compte... Seulement, les salauds reviennent dix contre un, ça ne va pas être commode.

Trois autres cadavres de soldats prussiens s'allongeaient

sur la terrasse. Comme Henriette, cette fois, les regardait
fixement, sans doute avec la pensée de son mari, qui lui
aussi dormait là-bas, défiguré dans le sang et la poussière,
une balle, près de sa tête, frappa un arbre qui se trouvait
derrière elle. Jean s'était précipité.

— Ne restez pas là!... Vite, vite, cachez-vous dans la
maison!

Depuis qu'il l'avait revue, si changée, si éperdue de
détresse, il la regardait d'un cœur crevé de pitié, en se
la rappelant telle qu'elle lui était apparue, la veille, avec
son sourire de bonne ménagère. D'abord, il n'avait rien
trouvé à lui dire, ne sachant même pas si elle le reconnaissait. Il aurait voulu se dévouer pour elle, lui rendre
de la tranquillité et de la joie.

— Attendez-nous dans la maison... Dès qu'il y aura
du danger, nous trouverons bien à vous faire sauver par
là-haut.

Mais elle eut un geste d'indifférence.

— A quoi bon ?

Cependant, son frère la poussait lui aussi, et elle dut
monter les marches, rester un instant au fond du vestibule,
d'où son regard enfilait l'allée. Dès lors, elle assista au
combat.

Derrière un des premiers ormes, se tenaient Maurice et
Jean. Les troncs centenaires, d'une ampleur géante, pouvaient aisément abriter deux hommes. Plus loin, le clairon
Gaude avait rejoint le lieutenant Rochas, qui s'obstinait à
garder le drapeau, puisqu'il ne pouvait le confier à personne; et il l'avait posé près de lui, contre l'arbre, pendant qu'il faisait le coup de feu. Chaque tronc, d'ailleurs,
était habité. Les zouaves, les chasseurs, les soldats de
l'infanterie de marine, d'un bout de l'allée à l'autre, s'ef-
façaient, n'allongeaient la tête que pour tirer.

En face, dans le petit bois, le nombre des Prussiens
devait augmenter sans cesse, car la fusillade devenait plus
vive. On ne voyait personne, à peine le profil rapide d'un
homme, par instants, qui sautait d'un arbre à un autre.
Une maison de campagne, aux volets verts, se trouvait
également occupée par des tirailleurs, dont les coups de
feu partaient des fenêtres entrouvertes du rez-de-chaussée. Il était environ quatre heures, le bruit du canon se
ralentissait, se taisait peu à peu; et l'on était là, à se tuer
encore, comme pour une querelle personnelle, au fond
de ce trou écarté, d'où l'on ne pouvait apercevoir le
drapeau blanc, hissé sur le Donjon. Jusqu'à la nuit noire,

malgré l'armistice, il y eut ainsi des coins de bataille qui
s'entêtèrent, on entendit la fusillade persister dans le
faubourg du Fond de Givonne et dans les jardins du Petit-
Pont.

Longtemps, on continua de la sorte à se cribler de
balles, d'un bord du vallon à l'autre. De temps en temps,
dès qu'il avait l'imprudence de se découvrir, un homme
tombait, la poitrine trouée. Dans l'allée, il y avait trois
nouveaux morts. Un blessé, étendu sur la face, râlait
affreusement, sans que personne songeât à l'aller retourner, pour lui adoucir l'agonie.

Soudain, comme Jean levait les yeux, il vit Henriette,
qui était tranquillement revenue, glisser un sac sous la
tête du misérable, en guise d'oreiller, après l'avoir couché sur le dos. Il courut, la ramena violemment derrière
l'arbre, où il s'abritait avec Maurice.

— Vous voulez donc vous faire tuer ?

Elle parut ne pas avoir conscience de sa témérité
folle.

— Mais non... C'est que j'ai peur, toute seule dans ce
vestibule... J'aime bien mieux être dehors.

Et elle resta avec eux. Ils la firent asseoir à leurs pieds,
contre le tronc, tandis qu'ils continuaient à tirer leurs dernières cartouches, à droite, à gauche, dans un enragement
tel, que la fatigue et la peur s'en étaient allées. Une
inconscience complète leur venait, ils n'agissaient plus que
machinalement, la tête vide, ayant perdu jusqu'à l'instinct
de la conservation.

— Regarde donc, Maurice, dit brusquement Henriette,
est-ce que ce n'est pas un soldat de la garde prussienne,
ce mort, devant nous ?

Depuis un instant, elle examinait un des corps que l'ennemi avait laissés là, un garçon trapu, aux fortes moustaches, couché sur le flanc, dans le gravier de la terrasse.
Le casque à pointe avait roulé à quelques pas, la jugulaire
rompue. Et le cadavre portait en effet l'uniforme de la
garde : le pantalon gris foncé, la tunique bleue, aux galons
blancs, le manteau roulé, noué en bandoulière.

— Je t'assure, c'est de la garde... J'ai une image, chez
nous... Et puis, la photographie que nous a envoyée le
cousin Gunther...

Elle s'interrompit, s'en alla de son air paisible jusqu'au
mort, avant même qu'on pût l'en empêcher. Elle s'était
penchée.

— La patte est rouge, cria-t-elle, ah! je l'aurais parié.

Et elle revint, pendant qu'une grêle de balles sifflait à ses oreilles.

— Oui, la patte est rouge, c'était fatal... Le régiment du cousin Gunther.

Dès lors, ni Maurice ni Jean n'obtinrent qu'elle se tînt à l'abri, immobile. Elle se remuait, avançait la tête, voulait quand même regarder vers le petit bois, dans une préoccupation constante. Eux, tiraient toujours, la repoussaient du genou, quand elle se découvrait trop. Sans doute, les Prussiens commençaient à s'estimer en nombre suffisant, prêts à l'attaque, car ils se montraient, un flot moutonnait et débordait entre les arbres; et ils subissaient des pertes terribles, toutes les balles françaises portaient, culbutaient des hommes.

— Tenez! dit Jean, le voilà peut-être, votre cousin... Cet officier qui vient de sortir de la maison aux volets verts, en face.

Un capitaine était là, en effet, reconnaissable au collet d'or de sa tunique et à l'aigle d'or que le soleil oblique faisait flamber sur son casque. Sans épaulettes, le sabre à la main, il criait un ordre d'une voix sèche; et la distance était si faible, deux cents mètres à peine, qu'on le distinguait très nettement, la taille mince, le visage rose et dur, avec de petites moustaches blondes.

Henriette le détaillait de ses yeux perçants.

— C'est parfaitement lui, répondit-elle sans s'étonner. Je le reconnais très bien.

D'un geste fou, Maurice l'ajustait déjà.

— Le cousin... Ah! tonnerre de Dieu! il va payer pour Weiss.

Mais, frémissante, elle s'était soulevée, avait détourné le chassepot, dont le coup alla se perdre au ciel.

— Non, non, pas entre parents, pas entre gens qui se connaissent... C'est abominable!

Et, redevenue femme, elle s'abattit, derrière l'arbre, en pleurant à gros sanglots. L'horreur la débordait, elle n'était plus qu'épouvante et douleur.

Rochas, cependant, triomphait. Autour de lui, le feu des quelques soldats, qu'il excitait de sa voix tonnante, avait pris une telle vivacité, à la vue des Prussiens, que ceux-ci, reculant, rentraient dans le petit bois.

— Tenez ferme, mes enfants! ne lâchez pas!... Ah! les capons, les voilà qui filent! nous allons leur régler leur compte!

Et il était gai, et il semblait repris d'une confiance

immense. Il n'y avait pas eu de défaites. Cette poignée
d'hommes, en face de lui, c'étaient les armées allemandes,
qu'il allait culbuter d'un coup, très à l'aise. Son grand
corps maigre, sa longue figure osseuse, au nez busqué,
tombant dans une bouche violente et bonne, riait d'une
allégresse vantarde, la joie du troupier qui a conquis le
monde entre sa belle et une bouteille de bon vin.

— Parbleu! mes enfants, nous ne sommes là que pour
leur foutre une raclée... Et ça ne peut pas finir autrement.
Hein ? ça nous changerait trop, d'être battus!... Battus!
est-ce que c'est possible ? Encore un effort, mes enfants,
et ils ficheront le camp comme des lièvres!

Il gueulait, gesticulait, si brave homme dans l'illusion
de son ignorance, que les soldats s'égayaient avec lui.
Brusquement, il cria :

— A coups de pied au cul! à coups de pied au cul,
jusqu'à la frontière!... Victoire, victoire!

Mais, à ce moment, comme l'ennemi, de l'autre côté
du vallon, paraissait en effet se replier, une fusillade terrible éclata sur la gauche. C'était l'éternel mouvement
tournant, tout un détachement de la garde qui avait fait le
tour par le Fond de Givonne. Dès lors, la défense de
l'Ermitage devenait impossible, la douzaine de soldats qui
en défendaient encore les terrasses, se trouvaient entre
deux feux, menacés d'être coupés de Sedan. Des hommes
tombèrent, il y eut un instant de confusion extrême.
Déjà des Prussiens franchissaient le mur du parc, accou-
raient par les allées, en si grand nombre, que le combat
s'engagea, à la baïonnette. Tête nue, la veste arrachée, un
zouave, un bel homme à barbe noire, faisait surtout une
besogne effroyable, trouant les poitrines qui craquaient,
les ventres qui mollissaient, essuyant sa baïonnette rouge
du sang de l'un, dans le flanc de l'autre; et, comme elle
se cassa, il continua, en broyant des crânes, à coups de
crosse; et, comme un faux pas le désarma définitivement,
il sauta à la gorge d'un gros Prussien, d'un tel bond, que
tous deux roulèrent sur le gravier, jusqu'à la porte
défoncée de la cuisine, dans une embrassade mortelle.
Entre les arbres du parc, à chaque coin des pelouses,
d'autres tueries entassaient les morts. Mais la lutte
s'acharna devant le perron, autour du canapé et des
fauteuils bleu ciel, une bousculade enragée d'hommes qui
se brûlaient la face à bout portant, qui se déchiraient des
dents et des ongles, faute d'un couteau pour s'ouvrir la
poitrine.

Et Gaude, avec sa face douloureuse d'homme qui avait eu des chagrins dont il ne parlait jamais, fut pris d'une folie héroïque. Dans cette défaite dernière, tout en sachant que la compagnie était anéantie, que pas un homme ne pouvait venir à son appel, il empoigna son clairon, l'emboucha, sonna au ralliement, d'une telle haleine de tempête, qu'il semblait vouloir faire se dresser les morts. Et les Prussiens arrivaient, et il ne bougeait pas, sonnant plus fort, à toute fanfare. Une volée de balles l'abattit, son dernier souffle s'envola en une note de cuivre, qui emplit le ciel d'un frisson.

Debout, sans pouvoir comprendre, Rochas n'avait pas fait un mouvement pour fuir. Il attendait, il bégaya :

— Eh bien! quoi donc? quoi donc?

Cela ne lui entrait pas dans la cervelle, que ce fût la défaite encore. On changeait tout, même la façon de se battre. Ces gens n'auraient-ils pas dû attendre, de l'autre côté du vallon, qu'on allât les vaincre? On avait beau en tuer, il en arrivait toujours. Qu'est-ce que c'était que cette fichue guerre, où l'on se rassemblait dix pour en écraser un, où l'ennemi ne se montrait que le soir, après vous avoir mis en déroute par toute une journée de prudente canonnade? Ahuri, éperdu, n'ayant jusque-là rien compris à la campagne, il se sentait enveloppé, emporté par quelque chose de supérieur, auquel il ne résistait plus, bien qu'il répétât machinalement, dans son obstination :

— Courage, mes enfants, la victoire est là-bas!

D'un geste prompt, cependant, il avait repris le drapeau. C'était sa pensée dernière, le cacher, pour que les Prussiens ne l'eussent pas. Mais, bien que la hampe fût rompue, elle s'embarrassa dans ses jambes, il faillit tomber. Des balles sifflaient, il sentit la mort, il arracha la soie du drapeau, la déchira, cherchant à l'anéantir. Et ce fut à ce moment que, frappé au cou, à la poitrine, aux jambes, il s'affaissa par minces lambeaux tricolores, comme vêtu d'eux. Il vécut encore une minute, les yeux élargis, voyant peut-être monter à l'horizon la vision vraie de la guerre, l'atroce lutte vitale qu'il ne faut accepter que d'un cœur résigné et grave, ainsi qu'une loi. Puis, il eut un petit hoquet, il s'en alla dans son ahurissement d'enfant, tel qu'un pauvre être borné, un insecte joyeux, écrasé sous la nécessité de l'énorme et impassible nature. Avec lui, finissait une légende.

Tout de suite, dès l'arrivée des Prussiens, Jean et Mau-

rice avaient battu en retraite, d'arbre en arbre, en protégeant le plus possible Henriette, derrière eux. Ils ne
cessaient pas de tirer, lâchaient un coup, puis gagnaient
un abri. En haut du parc, Maurice connaissait une petite
porte, qu'ils eurent la chance de trouver ouverte. Vivement, ils s'échappèrent tous les trois. Ils étaient tombés
dans une étroite traverse qui serpentait entre deux hautes
murailles. Mais, comme ils arrivaient au bout, des coups
de feu les firent se jeter à gauche, dans une autre ruelle.
Le malheur voulut que ce fût une impasse. Ils durent
revenir au galop, tourner à droite, sous une grêle de
balles. Et, plus tard, jamais ils ne se souvinrent du chemin qu'ils avaient suivi. On se fusillait encore à chaque
angle de mur, dans ce lacis inextricable. Des batailles
s'attardaient sous les portes charretières, les moindres
obstacles étaient défendus et emportés d'assaut, avec un
acharnement terrible. Puis, tout d'un coup, ils débouchèrent sur la route du Fond de Givonne, près de Sedan.

Une dernière fois, Jean leva la tête, regarda vers l'ouest,
d'où montait une grande lueur rose; et il eut enfin un
soupir de soulagement immense.

— Ah! ce cochon de soleil, le voilà donc qui se couche!

D'ailleurs, tous les trois galopaient, galopaient, sans
reprendre haleine. Autour d'eux, la queue extrême des
fuyards coulait toujours à pleine route, d'un train sans
cesse accru de torrent débordé. Quand ils arrivèrent à la
porte de Balan, ils durent attendre, au milieu d'une
bousculade féroce. Les chaînes du pont-levis s'étaient
rompues, il ne restait de praticable que la passerelle
pour les piétons; de sorte que les canons et les chevaux
ne pouvaient passer. A la poterne du Château, à la porte
de la Cassine, l'encombrement, disait-on, était plus
effroyable encore. C'était l'engouffrement fou, tous les
débris de l'armée roulant sur les pentes, venant se jeter
dans la ville, y tomber avec un bruit d'écluse lâchée,
comme au fond d'un égout. L'attrait funeste de ces murs
achevait de pervertir les plus braves.

Maurice avait pris Henriette entre ses bras; et, frémissant d'impatience :

— Ils ne vont pas fermer la porte au moins, avant que
tout le monde soit rentré.

Telle était la crainte de la foule. A droite, à gauche,
cependant, des soldats campaient déjà sur les talus; tandis
que, dans les fossés, des batteries, un pêle-mêle de pièces,
de caissons et de chevaux étaient venu s'échouer.

Mais des appels répétés de clairons retentirent, suivis bientôt de la sonnerie claire de la retraite. On appelait les soldats attardés. Plusieurs arrivaient encore au pas de course, des coups de feu éclataient, isolés, de plus en plus rares, dans le faubourg. Sur la banquette intérieure du parapet, on laissa des détachements, pour défendre les approches ; et la porte fut enfin fermée. Les Prussiens n'étaient pas à plus de cent mètres. On les voyait aller et venir sur la route de Balan, en train d'occuper tranquillement les maisons et les jardins.

Maurice et Jean, qui poussaient devant eux Henriette, pour la protéger des bourrades, étaient rentrés parmi les derniers dans Sedan. Six heures sonnaient. Depuis près d'une heure déjà, la canonnade avait cessé. Peu à peu, les coups de fusil isolés eux-mêmes se turent. Alors, du vacarme assourdissant, de l'exécrable tonnerre qui grondait depuis le lever du soleil, rien ne demeura, qu'un néant de mort. La nuit venait, tombait à un lugubre, un effrayant silence.

VIII

Vers cinq heures et demie, avant la fermeture des portes, Delaherche était de nouveau retourné à la Sous-Préfecture, dans son anxiété des conséquences, maintenant qu'il savait la bataille perdue. Il resta là pendant près de trois heures, à piétiner au travers du pavé de la cour, guettant, interrogeant tous les officiers qui passaient; et ce fut ainsi qu'il apprit les événements rapides : la démission envoyée, puis retirée par le général de Wimpffen, les pleins pouvoirs qu'il avait reçus de l'empereur, pour aller obtenir, du grand quartier prussien, en faveur de l'armée vaincue, les conditions les moins fâcheuses, enfin la réunion d'un conseil de Guerre, chargé de décider si l'on devait essayer de continuer la lutte, en défendant la forteresse. Durant ce conseil, où se trouvaient réunis une vingtaine d'officiers supérieurs, et qui lui parut durer un siècle, le fabricant de drap monta plus de vingt fois les marches du perron. Et, brusquement, à huit heures un quart, il en vit descendre le général de Wimpffen très rouge, les yeux gonflés, suivi d'un colonel et de deux autres généraux. Ils sautèrent en selle, ils s'en allèrent par le pont de Meuse. C'était la capitulation acceptée, inévitable.

Delaherche, rassuré, songea qu'il mourait de faim et résolut de retourner chez lui. Mais, dès qu'il se retrouva dehors, il demeura hésitant, devant l'encombrement effroyable qui avait achevé de se produire. Les rues, les places étaient gorgées, bondées, emplies à un tel point d'hommes, de chevaux, de canons, que cette masse compacte semblait y avoir été entrée de force, à coups de quelque pilon gigantesque. Pendant que, sur les remparts, bivouaquaient les régiments qui s'étaient repliés en bon ordre, les débris épars de tous les corps, les fuyards de

toutes les armes, une tourbe grouillante avait submergé
la ville, un entassement, un flot épaissi, immobilisé, où
l'on ne pouvait plus remuer ni bras ni jambes. Les
roues des canons, des caissons, des voitures innom-
brables, s'enchevêtraient. Les chevaux fouaillés, poussés
dans tous les sens, n'avaient plus la place pour avancer
ou reculer. Et les hommes, sourds aux menaces, envahissaient les maisons, dévoraient ce qu'ils trouvaient, se
couchaient où ils pouvaient, dans les chambres, dans les
caves. Beaucoup étaient tombés sous les portes, barrant
les vestibules. D'autres, sans avoir la force d'aller plus
loin, gisaient sur les trottoirs, y dormaient d'un sommeil de mort, ne se levant même pas sous les pieds
qui leur meurtrissaient un membre, aimant mieux se
faire écraser que de se donner la peine de changer de
place.

Alors, Delaherche comprit la nécessité impérieuse de
la capitulation. Dans certains carrefours, les caissons se
touchaient, un seul obus prussien, tombant sur un d'eux,
aurait fait sauter les autres ; et Sedan entier se serait allumé
comme une torche. Puis, que faire d'un pareil amas de
misérables, foudroyés de faim et de fatigue, sans cartouches, sans vivres ? Rien que pour déblayer les rues,
il eût fallu tout un jour. La forteresse elle-même n'était
pas armée, la ville n'avait pas d'approvisionnements. Dans
le conseil, c'étaient là les raisons que venaient de donner
les esprits sages, gardant la vue nette de la situation, au
milieu de leur grande douleur patriotique ; et les officiers
les plus téméraires, ceux qui frémissaient en criant
qu'une armée ne pouvait se rendre ainsi, avaient dû baisser la tête, sans trouver les moyens pratiques de recommencer la lutte, le lendemain.

Place Turenne et place du Rivage, Delaherche parvint
à se frayer péniblement un passage dans la cohue. En
passant devant l'hôtel de la Croix d'Or, il eut une vision
morne de la salle à manger, où des généraux étaient assis,
muets, devant la table vide. Il n'y avait plus rien, pas
même du pain. Cependant, le général Bourgain-Desfeuilles, qui tempêtait dans la cuisine, dut trouver quelque
chose, car il se tut et monta vivement l'escalier, les mains
embarrassées d'un papier gras. Une telle foule était là,
à regarder de la place, au travers des vitres, cette table
d'hôte lugubre, balayée par la disette, que le fabricant de
drap dut jouer des coudes, comme englué, reperdant
parfois, sous une poussée, le chemin qu'il avait gagné

déjà. Mais, dans la Grande-Rue, le mur devint infranchissable, il désespéra un instant. Toutes les pièces d'une
batterie semblaient y avoir été jetées les unes par-dessus
les autres. Il se décida à monter sur les affûts, il enjamba
les pièces, sauta de roue en roue, au risque de se rompre
les jambes. Ensuite, ce furent des chevaux qui lui bar-
rèrent le chemin; et il se baissa, se résigna à filer parmi
les pieds, sous les ventres de ces lamentables bêtes, à
demi mortes d'inanition. Puis, après un quart d'heure
d'efforts, comme il arrivait à la hauteur de la rue Saint-
Michel, les obstacles grandissants l'effrayèrent, il projeta
de s'engager dans cette rue, pour faire le tour par la rue
des Laboureurs, espérant que ces voies écartées seraient
moins envahies. La malchance voulut qu'il y eût là une
maison louche, dont une bande de soldats ivres faisaient
le siège; et, craignant d'attraper quelque mauvais coup,
dans la bagarre, il revint sur ses pas. Dès lors, il s'entêta,
il poussa jusqu'au bout de la Grande-Rue, tantôt marchant en équilibre sur des timons de voiture, tantôt esca-
ladant des fourgons. Place du Collège, il fut porté sur
des épaules pendant une trentaine de pas. Il retomba,
faillit avoir les côtes défoncées, ne se sauva qu'en se his-
sant aux barreaux d'une grille. Et, lorsqu'il atteignit enfin
la rue Maqua, en sueur, en lambeaux, il y avait plus
d'une heure qu'il s'épuisait, depuis son départ de la Sous-
Préfecture, pour faire un chemin qui lui demandait,
d'habitude, moins de cinq minutes.

Le major Bouroche, voulant éviter l'envahissement du
jardin et de l'ambulance, avait eu la précaution de faire
placer deux factionnaires à la porte. Cela fut un soulagement pour Delaherche, qui venait de penser tout d'un
coup que sa maison était peut-être livrée au pillage. Dans
le jardin, la vue de l'ambulance à peine éclairée par
quelques lanternes, et d'où s'exhalait une mauvaise
haleine de fièvre, lui fit de nouveau froid au cœur. Il
butta contre un soldat endormi sur le pavé, il se rappela
le trésor du 7e corps, que gardait cet homme depuis le
matin, oublié là sans doute par ses chefs, rompu d'une
telle fatigue, qu'il s'était couché. D'ailleurs, la maison
semblait vide, toute noire au rez-de-chaussée, les portes
ouvertes. Les servantes devaient être restées à l'ambulance, car il n'y avait personne dans la cuisine, où fumait
seulement une petite lampe triste. Il alluma un bougeoir, il monta doucement le grand escalier, pour ne pas
réveiller sa mère et sa femme, qu'il avait suppliées de se

mettre au lit, après une journée si laborieuse et d'une
si terrible émotion.

Mais, en entrant dans son cabinet, il eut un saisissement.
Un soldat se trouvait allongé sur le canapé où le capitaine Beaudoin avait dormi pendant quelques heures, la
veille; et il ne comprit que lorsqu'il eut reconnu Maurice, le frère d'Henriette. D'autant plus que, s'étant
retourné, il venait de voir, sur un tapis, enveloppé d'une
couverture, un autre soldat encore, ce Jean, aperçu avant
la bataille. Tous deux, écrasés, semblaient morts. Il ne
s'arrêta point, alla jusqu'à la chambre de sa femme, qui
était voisine. Une lampe y brûlait, sur un coin de table, au
milieu d'un silence frissonnant. En travers du lit, Gilberte
s'était jetée toute vêtue, dans la crainte sans doute de
quelque catastrophe. Très calme, elle dormait, tandis que,
près d'elle, assise sur une chaise, et la tête seulement
tombée au bord du matelas, Henriette sommeillait aussi,
d'un sommeil agité de cauchemars, avec de grosses
larmes sous les paupières. Un moment, il les regarda,
tenté de réveiller la jeune femme, pour savoir. Etait-
elle allée à Bazeilles ? Peut-être, s'il l'interrogeait, lui
donnerait-elle des nouvelles de sa teinturerie ? Mais
une pitié lui vint, il se retirait, lorsque sa mère, silencieuse, parut sur le seuil de la porte, et lui fit signe de la
suivre.

Dans la salle à manger, qu'ils traversèrent, il témoigna
son étonnement.

— Comment, vous ne vous êtes pas couchée ?

Elle dit non d'abord de la tête; puis, à demi-voix :

— Je ne peux pas dormir, je me suis installée dans un
fauteuil, près du colonel... Une très forte fièvre vient de
le prendre, et il s'éveille à chaque instant, il me ques-
tionne... Moi, je ne sais que lui répondre. Entre donc le
voir.

M. de Vineuil, déjà, s'était rendormi. Sur l'oreiller, on
distinguait à peine sa longue face rouge, que ses moustaches barraient d'un flot de neige. Madame Delaherche
avait mis un journal devant la lampe, et tout ce coin de
la chambre se trouvait à demi obscur; pendant que la
clarté vive tombait sur elle, sévèrement assise au fond du
fauteuil, les mains abandonnées, les yeux au loin, dans
une rêverie tragique.

— Attends, murmura-t-elle, je crois qu'il t'a entendu,
le voici qui se réveille encore.

En effet, le colonel rouvrait les yeux, les fixait sur Delaherche, sans remuer la tête. Il le reconnut, il demanda aussitôt d'une voix que la fièvre faisait trembler :

— C'est fini, n'est-ce pas ? on capitule.

Le fabricant, qui rencontra un regard de sa mère, fut sur le point de mentir. Mais à quoi bon ? Il eut un geste découragé.

— Que voulez-vous qu'on fasse ? Si vous pouviez voir les rues de la ville!... Le général de Wimpffen vient de se rendre au grand quartier prussien, pour débattre les conditions.

Les yeux de M. de Vineuil s'étaient refermés, un long frisson l'agita, pendant que cette lamentation sourde lui échappait :

— Ah! mon Dieu, ah! mon Dieu...

Et, sans rouvrir les paupières, il continua d'une voix saccadée :

— Ah! ce que je voulais, c'était hier qu'on aurait dû le faire... Oui, je connaissais le pays, j'ai dit mes craintes au général; mais, lui-même, on ne l'écoutait pas... Là-haut, au-dessus de Saint-Menges, jusqu'à Fleigneux, toutes les hauteurs occupées, l'armée dominant Sedan, maîtresse du défilé de Saint-Albert... Nous attendons là, nos positions sont inexpugnables, la route de Mézières reste ouverte...

Sa parole s'embarrassait, il balbutia encore quelques mots inintelligibles, pendant que la vision de bataille, née de la fièvre, se brouillait peu à peu, emportée dans le sommeil. Il dormait, peut-être continuait-il à rêver la victoire.

— Est-ce que le major répond de lui ? demanda Delaherche à voix basse.

Madame Delaherche fit un signe de tête affirmatif.

— N'importe, c'est terrible, ces blessures au pied, reprit-il. Le voilà au lit pour longtemps, n'est-ce pas ?

Cette fois, elle resta silencieuse, comme perdue elle-même dans la grande douleur de la défaite. Elle était déjà d'un autre âge, de cette vieille et rude bourgeoisie des frontières, si ardente autrefois à défendre ses villes. Sous la vive clarté de la lampe, son visage sévère, au nez sec, aux lèvres minces, disait sa colère et sa souffrance, toute la révolte qui l'empêchait de dormir.

Alors, Delaherche se sentit isolé, envahi d'une détresse affreuse. La faim le reprenait, intolérable, et il crut que la faiblesse seule lui ôtait ainsi tout courage. Sur la pointe des pieds, il quitta la chambre, descendit de nouveau dans

la cuisine, avec le bougeoir. Mais il y trouva plus de
mélancolie encore, le fourneau éteint, le buffet vide, les
torchons jetés en désordre, comme si le vent du désastre
avait soufflé là aussi, emportant toute la gaieté vivante de
ce qui se mange et de ce qui se boit. D'abord, il crut qu'il
ne découvrirait pas même une croûte, les restes de pain
ayant passé à l'ambulance, dans la soupe. Puis, au fond
d'une armoire, il tomba sur des haricots de la veille,
oubliés. Et il les mangea sans beurre, sans pain, debout,
n'osant remonter pour faire un pareil repas, se hâtant au
milieu de cette cuisine morne, que la petite lampe vacillante empoisonnait d'une odeur de pétrole.

Il n'était guère plus de dix heures, et Delaherche resta
désœuvré, en attendant de savoir si la capitulation allait
être signée enfin. Une inquiétude persistait en lui, la
crainte que la lutte ne fût reprise, toute une terreur de ce
qui se passerait alors, dont il ne parlait pas, qui lui pesait
sourdement sur la poitrine. Quand il fut remonté dans
son cabinet, où Maurice et Jean n'avaient pas bougé, vainement il essaya de s'allonger au fond d'un fauteuil : le
sommeil ne venait pas, des bruits d'obus le redressaient
en sursaut, dès qu'il était sur le point de perdre connaissance. C'était l'effroyable canonnade de la journée qu'il
avait gardée dans les oreilles; et il écoutait un instant,
effaré, et il restait tremblant du grand silence qui, maintenant, l'entourait. Ne pouvant dormir, il préféra se
remettre debout, il erra par les pièces noires, évitant
d'entrer dans la chambre où sa mère veillait le colonel,
car le regard fixe dont elle suivait sa marche, finissait par
le gêner. A deux reprises, il retourna voir si Henriette ne
s'était point éveillée, il s'arrêta devant le visage de sa
femme, si paisible. Jusqu'à deux heures du matin, ne
sachant que faire, il redescendit, remonta, changea de
place.

Cela ne pouvait durer. Delaherche résolut de retourner
encore à la Sous-Préfecture, sentant bien que tout repos
lui serait impossible, tant qu'il ne saurait pas. Mais, en
bas devant la rue encombrée, il fut pris d'un désespoir :
jamais il n'aurait la force d'aller et de revenir, au milieu
des obstacles dont le souvenir seul lui cassait les membres.
Et il hésitait, lorsqu'il vit arriver le major Bouroche,
soufflant, jurant.

— Tonnerre de Dieu! c'est à y laisser les pattes!

Il avait dû se rendre à l'Hôtel de Ville, pour supplier
le maire de réquisitionner du chloroforme et de lui en

envoyer dès le jour, car sa provision se trouvait épuisée,
des opérations étaient urgentes, et il craignait, comme il
disait, d'être obligé de charcuter les pauvres bougres,
sans les endormir.

— Eh bien ? demanda Delaherche.

— Eh bien, ils ne savent seulement pas si les pharma-
ciens en ont encore!

Mais le fabricant se moquait du chloroforme. Il
reprit :

— Non, non... Est-ce fini, là-bas ? a-t-on signé avec les
Prussiens ?

Le major eut un geste violent.

— Rien de fait! cria-t-il. Wimpffen vient de rentrer...
Il paraît que ces brigands-là ont des exigences à leur
flanquer des gifles... Ah! qu'on recommence donc, et que
nous crevions tous, ça vaudra mieux!

Delaherche l'écoutait, pâlissant.

— Mais est-ce bien certain, ce que vous me racontez ?

— Je le tiens de ces bourgeois du conseil municipal,
qui sont là-bas en permanence... Un officier était venu de
la Sous-Préfecture leur tout dire.

Et il ajouta des détails. C'était au château de Bellevue,
près de Donchery, que l'entrevue avait eu lieu, entre le
général de Wimpffen, le général de Moltke et Bismarck. Un
terrible homme, ce général Moltke, sec et dur, avec
sa face glabre de chimiste mathématicien, qui gagnait les
batailles du fond de son cabinet, à coups d'algèbre! Tout
de suite, il avait tenu à établir qu'il connaissait la situation désespérée de l'armée française : pas de vivres, pas
de munitions, la démoralisation et le désordre, l'impossibilité absolue de rompre le cercle de fer où elle était
enserrée; tandis que les armées allemandes occupaient
les positions les plus fortes, pouvaient brûler la ville en
deux heures. Froidement, il dictait sa volonté : l'armée
française tout entière prisonnière, avec armes et bagages.
Bismarck, simplement, l'appuyait, de son air de dogue
bon enfant. Et, dès lors, le général de Wimpffen s'était
épuisé à combattre ces conditions, les plus rudes qu'on
eût jamais imposées à une armée battue. Il avait dit sa
malchance, l'héroïsme des soldats, le danger de pousser
à bout un peuple fier; il avait, pendant trois heures,
menacé, supplié, parlé avec une éloquence désespérée et
superbe, demandant qu'on se contentât d'interner les
vaincus au fond de la France, en Algérie même; et
l'unique concession avait fini par être que ceux d'entre

les officiers qui prendraient, par écrit et sur l'honneur, l'engagement de ne plus servir, pourraient se rendre dans leurs foyers. Enfin, l'armistice devait être prolongé jusqu'au lendemain matin, à dix heures. Si, à cette heure-là, les conditions n'étaient pas acceptées, les batteries prussiennes ouvriraient le feu de nouveau, la ville serait brûlée.

— C'est stupide! cria Delaherche, on ne brûle pas une ville qui n'a rien fait pour ça!

Le major acheva de le mettre hors de lui, en ajoutant que des officiers qu'il venait de voir, à l'hôtel de l'Europe, parlaient d'une sortie en masse, avant le jour. Depuis que les exigences allemandes étaient connues, une surexcitation extrême se déclarait, on risquait les projets les plus extravagants. L'idée même qu'il ne serait pas loyal de profiter des ténèbres pour rompre la trêve, sans avertissement aucun, n'arrêtait personne; et c'étaient des plans fous, la marche reprise sur Carignan, au travers des Bavarois, grâce à la nuit noire, le plateau d'Illy reconquis, par une surprise, la route de Mézières débloquée, ou encore un élan irrésistible, pour se jeter d'un saut en Belgique. D'autres, à la vérité, ne disaient rien, sentaient la fatalité du désastre, auraient tout accepté, tout signé, pour en finir, dans un cri heureux de soulagement.

— Bonsoir! conclut Bouroche. Je vais tâcher de dormir deux heures, j'en ai grand besoin.

Resté seul, Delaherche suffoqua. Eh quoi? c'était vrai, on allait recommencer à se battre, incendier et raser Sedan! Cela devenait inévitable, l'effrayante chose aurait certainement lieu, dès que le soleil serait assez haut sur les collines, pour éclairer l'horreur du massacre. Et, machinalement, il escalada une fois encore l'escalier raide des greniers, il se retrouva parmi les cheminées, au bord de l'étroite terrasse qui dominait la ville. Mais, à cette heure, il était là-haut en pleines ténèbres, dans une mer infinie et roulante de grandes vagues sombres, où d'abord il ne distingua absolument rien. Puis, ce furent les bâtiments de la fabrique, au-dessous de lui, qui se dégagèrent les premiers, en masses confuses qu'il reconnaissait : la chambre de la machine, les salles des métiers, les séchoirs, les magasins; et cette vue, ce pâté énorme de constructions, qui était son orgueil et sa richesse, le bouleversa de pitié sur lui-même, quand il eut songé que, dans quelques heures, il n'en resterait que des cendres. Ses regards remontèrent vers l'horizon, firent le tour de cette immensité noire, où dormait la menace du lendemain. Au midi, du côté de Bazeilles, des flammèches s'envolaient, au-dessus des maisons qui tombaient en braise; tandis que, vers le nord, la ferme du bois de la Garenne, incendiée le soir, brûlait toujours, ensanglantant les arbres d'une grande clarté rouge. Pas d'autres feux, rien que ces deux flamboiements, un insondable abîme, traversé de la seule épouvante des rumeurs éparses. Là-bas, peut-être très loin, peut-être sur les remparts, quelqu'un pleurait. Vainement, il tâchait de percer le voile, de voir le Liry, la Marfée, les batteries de Frénois et de Wadelincourt, cette ceinture de bêtes de bronze qu'il sentait là, le cou tendu, la gueule béante. Et, comme il ramenait les regards sur la ville, autour de lui, il en entendit le souffle d'angoisse. Ce n'était pas seulement le mauvais sommeil des soldats tombés par les rues, le sourd craquement de cet amas d'hommes, de bêtes et de canons. Ce qu'il croyait saisir, c'était l'insomnie anxieuse des bourgeois, ses voisins, qui eux non plus ne pouvaient dormir, secoués de fièvre, dans l'attente du jour. Tous devaient savoir que la capitulation n'était pas signée, et tous comptaient les heures, grelottaient à l'idée que, si elle ne se signait pas, ils n'auraient qu'à descendre dans leurs caves, pour y mourir, écrasés, murés sous les décombres. Il lui sembla qu'une voix éperdue montait de la rue des Voyards, criant à l'assassin, au milieu d'un brusque cliquetis d'armes. Il se pencha, il resta dans l'épaisse nuit, perdu en plein ciel de brume, sans une étoile, enveloppé d'un tel frisson, que tout le poil de sa chair se hérissait.

En bas, sur le canapé, Maurice s'éveilla, au petit jour. Courbaturé, il ne bougea pas, les yeux sur les vitres, peu à peu blanchies d'une aube livide. Les abominables souvenirs lui revenaient, la bataille perdue, la fuite, le désastre, dans la lucidité aiguë du réveil. Il revit tout, jusqu'au moindre détail, il souffrit affreusement de la défaite, dont le retentissement descendait aux racines de son être, comme s'il s'en était senti le coupable. Et il raisonnait le mal, s'analysant, retrouvant aiguisée la faculté de se dévorer lui-même. N'était-il pas le premier venu, un des passants de l'époque, certes d'une instruction brillante, mais d'une ignorance crasse en tout ce qu'il aurait fallu savoir, vaniteux avec cela au point d'en être aveugle, perverti par l'impatience de jouir et par la prospérité menteuse du règne ? Puis, c'était une autre évoca-

tion : son grand-père, né en 1780, un des héros de la
Grande Armée, un des vainqueurs d'Austerlitz, de
Wagram et de Friedland; son père, né en 1811, tombé à la
bureaucratie, petit employé médiocre, percepteur au
Chêne-Populeux, où il s'était usé; lui, né en 1841, élevé en
monsieur, reçu avocat, capable des pires sottises et des
plus grands enthousiasmes, vaincu à Sedan, dans une
catastrophe qu'il devinait immense, finissant un monde;
et cette dégénérescence de la race, qui expliquait comment
la France victorieuse avec les grands-pères avait pu être
battue dans les petits-fils, lui écrasait le cœur, telle qu'une
maladie de famille, lentement aggravée, aboutissant à la
destruction fatale, quand l'heure avait sonné. Dans
la victoire, il se serait senti si brave et triomphant!
Dans la défaite, d'une faiblesse nerveuse de femme, il
cédait à un de ces désespoirs immenses, où le monde
entier sombrait. Il n'y avait plus rien, la France était
morte. Des sanglots l'étouffèrent, il pleura, il joignit les
mains, retrouvant les bégaiements de prière de son
enfance :

— Mon Dieu! prenez-moi donc... Mon Dieu! prenez
donc tous ces misérables qui souffrent...

Par terre, roulé dans la couverture, Jean s'agita. Etonné,
il finit par s'asseoir sur son séant.

— Quoi donc, mon petit ?... Tu es malade ?

Puis, comprenant que c'étaient encore des idées à coucher dehors, selon son expression, il se fit paternel.

— Voyons, qu'est-ce que tu as ? faut pas se faire pour
rien un chagrin pareil!

— Ah! s'écria Maurice, c'est bien fichu, va! nous pouvons nous apprêter à être Prussiens.

Et, comme le camarade, avec sa tête dure d'illettré,
s'étonnait, il tâcha de lui faire comprendre l'épuisement
de la race, la disparition sous le flot nécessaire d'un sang
nouveau. Mais le paysan, d'un branle têtu de la tête,
refusait l'explication.

— Comment! mon champ ne serait plus à moi ? je laisserais les Prussiens me le prendre, quand je ne suis pas
tout à fait mort et que j'ai encore mes deux bras ?...
Allons donc!

Puis, à son tour, il dit son idée, péniblement, au petit
bonheur des mots. On avait reçu une sacrée roulée, ça
c'était certain! Mais on n'était pas tous morts peut-être,
il en restait, et ceux-là suffiraient bien à rebâtir la maison, s'ils étaient de bons bougres, travaillant dur, ne

buvant pas ce qu'ils gagnaient. Dans une famille, lorsqu'on prend de la peine et qu'on met de côté, on parvient
toujours à se tirer d'affaire, au milieu des pires malchances.
Même il n'est pas mauvais, parfois, de recevoir une bonne
gifle : ça fait réfléchir. Et, mon Dieu! si c'était vrai qu'on
avait quelque part de la pourriture, des membres gâtés,
eh bien! ça valait mieux de les voir par terre, abattus
d'un coup de hache, que d'en crever comme d'un choléra.

— Fichu, ah! non, non! répéta-t-il à plusieurs
reprises. Moi, je ne suis pas fichu, je ne sens pas ça!

Et, tout éclopé qu'il était, les cheveux collés encore par
le sang de son éraflure, il se redressa, dans un besoin
vivace de vivre, de reprendre l'outil ou la charrue, pour
rebâtir la maison, selon sa parole. Il était du vieux sol
obstiné et sage, du pays de la raison, du travail et de
l'épargne.

— Tout de même, reprit-il, ça me fait de la peine pour
l'empereur... Les affaires avaient l'air de marcher, le blé
se vendait bien... Mais sûrement qu'il a été trop bête, on
ne se fourre pas dans des histoires pareilles!

Maurice, qui demeurait anéanti, eut un nouveau geste
de désolation.

— Ah! l'empereur, je l'aimais au fond, malgré mes
idées de liberté et de république... Oui, j'avais ça dans le
sang, à cause de mon grand-père sans doute... Et, voilà
que c'est également pourri de ce côté-là, où allons-nous
tomber?

Ses yeux s'égaraient, il eut une plainte si douloureuse,
que Jean, pris d'inquiétude, se décidait à se mettre
debout, lorsqu'il vit entrer Henriette. Elle venait de se
réveiller, en entendant le bruit des voix, de la chambre
voisine. Un jour blême, maintenant, éclairait la pièce.

— Vous arrivez à propos pour le gronder, dit-il, affectant de rire. Il n'est guère sage.

Mais la vue de sa sœur, si pâle, si affligée, avait déterminé chez Maurice une crise salutaire d'attendrissement.
Il ouvrit les bras, l'appela sur sa poitrine; et, lorsqu'elle
se fut jetée à son cou, une grande douceur le pénétra.
Elle pleurait elle-même, leurs larmes se mêlèrent.

— Ah! ma pauvre, pauvre chérie, que je m'en veux de
n'avoir pas plus de courage pour te consoler!... Ce bon
Weiss, ton mari qui t'aimait tant! que vas-tu devenir?
Toujours, tu as été la victime, sans que jamais tu te sois
plainte... Moi-même, t'en ai-je causé déjà du chagrin, et
qui sait si je ne t'en causerai pas encore!

Elle le faisait taire, lui mettait la main sur la bouche, lorsque Delaherche entra, bouleversé, hors de lui. Il avait fini par descendre de la terrasse, repris d'une fringale, d'une de ces faims nerveuses, que la fatigue exaspère ; et, comme il était retourné dans la cuisine pour boire quelque chose de chaud, il venait de trouver là, avec la cuisinière, un parent à elle, un menuisier de Bazeilles, à qui elle servait justement du vin chaud. Alors, cet homme, un des derniers habitants restés là-bas, au milieu des incendies, lui avait conté que sa teinturerie était absolument détruite, un tas de décombres.

— Hein ? les brigands, croyez-vous ! bégaya-t-il en s'adressant à Jean et à Maurice. Tout est bien perdu, ils vont incendier Sedan ce matin, comme ils ont incendié Bazeilles hier... Je suis ruiné, je suis ruiné !

La meurtrissure qu'Henriette avait au front, le frappa, et il se souvint qu'il n'avait pu encore causer avec elle.

— C'est vrai, vous y êtes allée, vous avez attrapé ça... Ah ! ce pauvre Weiss !

Et, brusquement, comprenant aux yeux rouges de la jeune femme, qu'elle savait la mort de son mari, il lâcha un affreux détail, conté à l'instant par le menuisier.

— Ce pauvre Weiss ! il paraît qu'ils l'ont brûlé... Oui, ils ont ramassé le corps des habitants passés par les armes, ils les ont jetés dans le brasier d'une maison qui flambait, arrosée de pétrole.

Saisie d'horreur, Henriette l'écoutait. Mon Dieu ! pas même la consolation d'aller reprendre et d'ensevelir son cher mort, dont le vent disperserait les cendres ! Maurice, de nouveau, l'avait serrée entre ses bras, et il l'appelait sa pauvre Cendrillon, d'une voix de caresse, il la suppliait de ne pas se faire tant de chagrin, elle si brave.

Au bout d'un silence, Delaherche, qui regardait à la fenêtre le jour grandir, se retourna vivement, pour dire aux deux soldats :

— A propos, j'oubliais... J'étais monté vous prévenir qu'il y a, en bas, dans la remise où l'on a déposé le trésor, un officier qui est en train de distribuer l'argent aux hommes, pour que les Prussiens ne l'aient pas... Vous devriez descendre, ça peut être utile, de l'argent, si nous ne sommes pas tous morts ce soir.

L'avis était bon, Maurice et Jean descendirent, après qu'Henriette eut consenti à prendre la place de son frère sur le canapé. Quant à Delaherche, il traversa la chambre

voisine, où il retrouva Gilberte avec son calme visage,
dormant toujours son sommeil d'enfant, sans que le bruit
des paroles ni les sanglots l'eussent même fait changer
de position. Et de là, il allongea la tête dans la pièce où
sa mère veillait M. de Vineuil; mais celle-ci s'était assou-
pie au fond de son fauteuil, tandis que le colonel, les
paupières closes, n'avait pas bougé, anéanti de fièvre.

Il ouvrit les yeux tout grands, il demanda :

— Eh bien, c'est fini, n'est-ce pas ?

Contrarié par la question, qui le retenait au moment
où il espérait s'échapper, Delaherche eut un geste de
colère, en étouffant sa voix.

— Ah! oui, fini! jusqu'à ce que ça recommence!...
Rien n'est signé.

D'une voix très basse, le colonel continuait, dans un
commencement de délire :

— Mon Dieu! que je meure avant la fin!... Je n'entends
pas le canon. Pourquoi ne tire-t-on plus ?... Là-haut, à
Saint-Menges, à Fleigneux, nous commandons toutes les
routes, nous jetterons les Prussiens à la Meuse, s'ils
veulent tourner Sedan pour nous attaquer. La ville est
à nos pieds, ainsi qu'un obstacle, qui renforce encore nos
positions... En marche! le 7e corps prendra la tête, le
12e protégera la retraite...

Et ses mains sur le drap s'agitaient, allaient comme
au trot du cheval qui le portait, dans son rêve. Peu à peu,
elles se ralentirent, à mesure que ses paroles devenaient
lourdes et qu'il se rendormait. Elles s'arrêtèrent, il restait
sans un souffle, assommé.

— Reposez-vous, avait chuchoté Delaherche, je reviendrai, quand j'aurai des nouvelles.

Puis, après s'être assuré qu'il n'avait pas réveillé sa
mère, il s'esquiva, il disparut.

Dans la remise, en bas, Jean et Maurice venaient en
effet de trouver, assis sur une chaise de la cuisine, protégé par une seule petite table de bois blanc, un officier
payeur qui, sans plume, sans reçu, sans paperasse d'aucune sorte, distribuait des fortunes. Il puisait simplement
au fond des sacoches débordantes de pièces d'or; et, ne
prenant pas même la peine de compter, à poignées
rapides, il emplissait les képis de tous les sergents du
7e corps, qui défilaient devant lui. Ensuite, il était
convenu que les sergents partageaient les sommes entre
les soldats de leur demi-section. Chacun d'eux recevait ça
d'un air gauche, ainsi qu'une ration de café ou de viande,

puis s'en allait, embarrassé, vidant le képi dans leurs
poches, pour ne pas se retrouver par les rues, avec tout
cet or au grand jour. Et pas une parole n'était dite, on
n'entendait que le ruissellement cristallin des pièces, au
milieu de la stupeur de ces pauvres diables, à se voir
accabler de cette richesse, quand il n'y avait plus, dans
la ville, un pain ni un litre de vin à acheter.

Lorsque Jean et Maurice s'avancèrent, l'officier d'abord
retira la poignée de louis qu'il tenait.

— Vous n'êtes sergent ni l'un ni l'autre... Il n'y a que
les sergents qui aient le droit de toucher...

Puis, lassé déjà, ayant hâte d'en finir :

— Ah! tenez, vous le caporal, prenez tout de même...
Dépêchons-nous, à un autre!

Et il avait laissé tombé les pièces d'or dans le képi que
Jean lui tendait. Celui-ci remué par le chiffre de la
somme, près de six cents francs, voulut tout de suite que
Maurice en prît la moitié. On ne savait pas, ils pouvaient
être brusquement séparés l'un de l'autre.

Ce fut dans le jardin qu'ils firent le partage, devant
l'ambulance; et ils y entrèrent ensuite, en reconnaissant
sur la paille, presque à la porte, le tambour de leur
compagnie, Bastian, un gros garçon gai, qui avait eu la
malchance d'attraper une balle perdue dans l'aine, vers
cinq heures, lorsque la bataille était finie. Il agonisait
depuis la veille.

Sous le petit jour blanc du matin, à ce moment du
réveil, la vue de l'ambulance les glaça. Trois blessés
encore étaient morts pendant la nuit, sans qu'on s'en
aperçût; et les infirmiers se hâtaient de faire de la place
aux autres, en emportant les cadavres. Les opérés de la
veille, dans leur somnolence, rouvraient de grands yeux,
regardaient avec hébétement ce vaste dortoir de souffrance, où, sur de la litière, gisait tout un troupeau à demi
égorgé. On avait eu beau donner un coup de balai, le
soir, faire un bout de ménage, après la cuisine sanglante
des opérations : le sol mal essuyé gardait des traînées de
sang, une grosse éponge tachée de rouge, pareille à une
cervelle, nageait dans un seau; une main oubliée, avec
ses doigts cassés, traînait à la porte, sous le hangar.
C'étaient les miettes de la boucherie, l'affreux déchet d'un
lendemain de massacre, dans le morne lever de l'aube.
Et l'agitation, ce besoin de vie turbulent des premières
heures, avait fait place à une sorte d'écrasement, sous la
fièvre lourde. A peine, troublant le moite silence, une

plainte, s'élevait-elle, bégayée, assourdie de sommeil. Les yeux vitreux s'effaraient de revoir le jour, les bouches empâtées soufflaient une haleine mauvaise, toute la salle tombait à cette suite de journées sans fin, livides, nauséabondes, coupées d'agonie, qu'allaient vivre les misérables éclopés qui s'en tireraient peut-être, au bout de deux ou trois mois, avec un membre de moins.

Bouroche, dont la tournée commençait, après quelques heures de repos, s'arrêta devant le tambour Bastian, puis passa, avec un imperceptible haussement d'épaules. Rien à faire. Pourtant, le tambour avait ouvert les yeux; et, comme ressuscité, il suivait d'un regard vif un sergent qui avait eu la bonne idée d'entrer, son képi plein d'or à la main, pour voir s'il n'y aurait pas quelques-uns de ses hommes, parmi ces pauvres diables. Justement, il en trouva deux, leur donna à chacun vingt francs. D'autres sergents arrivèrent, l'or se mit à pleuvoir sur la paille. Et Bastian, qui était parvenu à se redresser, tendit ses deux mains que l'agonie secouait.

— A moi! à moi!

Le sergent voulut passer outre, comme avait passé Bouroche. A quoi bon? Puis, cédant à une impulsion de brave homme, il jeta des pièces sans compter, dans les deux mains déjà froides.

— A moi! à moi!

Bastian était retombé en arrière. Il tâcha de rattraper l'or qui s'échappait, tâtonna longuement, les doigts raidis. Et il mourut.

— Bonsoir, monsieur a soufflé sa chandelle! dit un voisin, un petit zouave sec et noir. C'est vexant, quand on a de quoi se payer du sirop!

Lui, avait le pied gauche serré dans un appareil. Pourtant, il réussit à se soulever, à se traîner sur les coudes et sur les genoux; et, arrivé près du mort, il ramassa tout, fouilla les mains, fouilla les plis de la capote. Lorsqu'il fut revenu à sa place, remarquant qu'on le regardait, il se contenta de dire :

— Pas besoin, n'est-ce pas? que ça se perde.

Maurice, le cœur étouffé dans cet air de détresse humaine, s'était hâté d'entraîner Jean. Comme ils retraversaient le hangar aux opérations, ils virent Bouroche, exaspéré de n'avoir pu se procurer du chloroforme, qui se décidait à couper tout de même la jambe d'un pauvre petit bonhomme de vingt ans. Et ils s'enfuirent, pour ne pas entendre.

A cette minute, Delaherche revenait de la rue. Il les appela du geste, leur cria :

— Montez, montez vite!... Nous allons déjeuner, la cuisinière a réussi à se procurer du lait. Vraiment, ce n'est pas dommage, on a grand besoin de prendre quelque chose de chaud !

Et, malgré son effort, il ne pouvait renfoncer toute la joie dont il exultait. Il baissa la voix, il ajouta, rayonnant :

— Ça y est, cette fois ! Le général de Wimpffen est reparti, pour signer la capitulation.

Ah! quel soulagement immense, sa fabrique sauvée, l'atroce cauchemar dissipé, la vie qui allait reprendre, douloureuse, mais la vie enfin ! Neuf heures sonnaient, c'était la petite Rose, accourue dans le quartier, chez une tante boulangère, pour avoir du pain, au travers des rues un peu désencombrées, qui venait de lui conter les événements de la matinée, à la Sous-Préfecture. Dès huit heures, le général de Wimpffen avait réuni un nouveau conseil de Guerre, plus de trente généraux, auxquels il avait dit les résultats de sa démarche, ses efforts inutiles, les dures exigences de l'ennemi victorieux. Ses mains tremblaient, une émotion violente lui emplissait les yeux de larmes. Et il parlait encore, lorsqu'un colonel de l'état-major prussien s'était présenté en parlementaire, au nom du général de Moltke, pour rappeler que si, à dix heures, une résolution n'était pas prise, le feu serait rouvert sur la ville de Sedan. Le conseil, alors, devant l'effroyable nécessité, n'avait pu qu'autoriser le général à se rendre de nouveau au château de Bellevue, pour accepter tout. Déjà, le général devait y être, l'armée française entière était prisonnière, avec armes et bagages.

Ensuite, Rose s'était répandue en détails sur l'agitation extraordinaire que la nouvelle soulevait dans la ville. A la Sous-Préfecture, elle avait vu des officiers qui arrachaient leurs épaulettes, en fondant en pleurs comme des enfants. Sur le pont, des cuirassiers jetaient leurs sabres à la Meuse; et tout un régiment avait défilé, chaque homme lançait le sien, regardait l'eau jaillir, puis se refermer. Dans les rues, les soldats saisissaient leur fusil par le canon, en brisaient la crosse contre les murs; tandis que des artilleurs, qui avaient enlevé le mécanisme des mitrailleuses, s'en débarrassaient au fond des égouts. Il y en avait qui enterraient, qui brûlaient des drapeaux. Place Turenne, un vieux sergent, monté sur une borne, insultait les chefs, les traitait de lâches, comme pris d'une folie subite. D'autres semblaient hébétés, avec de grosses larmes silencieuses. Et, il fallait bien l'avouer, d'autres, le plus grand nombre, avaient des yeux qui riaient d'aise, un allégement ravi de toute leur personne. Enfin, c'était donc le bout de leur misère, ils étaient prisonniers, ils ne se battraient plus! Depuis tant de jours, ils souffraient de trop marcher, de ne pas manger! D'ailleurs, à quoi bon se battre, puisqu'on n'était pas les plus forts? Tant mieux si les chefs les avaient vendus, pour en finir tout de suite! Cela était si délicieux, de se dire qu'on allait ravoir du pain blanc et se coucher dans des lits!

En haut, comme Delaherche rentrait dans la salle à manger, avec Maurice et Jean, sa mère l'appela.

— Viens donc, le colonel m'inquiète.

M. de Vineuil, les yeux ouverts, avait repris tout haut le rêve haletant de sa fièvre.

— Qu'importe! si les Prussiens nous coupent de Mézières... Les voici qui finissent par tourner le bois de la Falizette, tandis que d'autres montent le long du ruisseau de la Givonne... La frontière est derrière nous, et nous la franchirons d'un saut, lorsque nous en aurons tué le plus possible... Hier, c'était ce que je voulais...

Mais ses regards ardents venaient de rencontrer Delaherche. Il le reconnut, il sembla se dégriser, sortir de l'hallucination de sa somnolence; et, retombé à la réalité terrible, il demanda pour la troisième fois :

— N'est-ce pas ? c'est fini!

Du coup, le fabricant de drap ne put réprimer l'explosion de son contentement.

— Ah! oui, Dieu merci! fini tout à fait... La capitulation doit être signée à cette heure.

Violemment, le colonel s'était mis debout, malgré son pied bandé; et il prit son épée, restée sur une chaise, il voulut la rompre d'un effort. Mais ses mains tremblaient trop, l'acier glissa.

— Prenez garde! il va se couper! criait Delaherche. C'est dangereux, ôte-lui donc ça des mains!

Et ce fut madame Delaherche qui s'empara de l'épée. Puis, devant le désespoir de M. de Vineuil, au lieu de la cacher, comme son fils lui disait de le faire, elle la brisa d'un coup sec, sur son genou, avec une force extraordinaire, dont elle-même n'aurait pas cru capables ses pauvres mains. Le colonel s'était recouché, et il pleura, en regardant sa vieille amie d'un air d'infinie douceur.

Dans la salle à manger, cependant, la cuisinière venait

de servir des bols de café au lait pour tout le monde.
Henriette et Gilberte s'étaient réveillées, cette dernière
reposée par un bon sommeil, le visage clair, les yeux gais ;
et elle embrassait tendrement son amie, qu'elle plaignait,
disait-elle, du plus profond de son âme. Maurice se
plaça près de sa sœur, tandis que Jean, un peu gauche,
ayant dû accepter lui aussi, se trouva en face de Delaherche. Jamais madame Delaherche ne consentit à venir
s'attabler, on lui porta un bol, qu'elle se contenta de
boire. Mais, à côté, le déjeuner des cinq, d'abord silencieux, s'anima bientôt. On était délabré, on avait très
faim, comment ne pas se réjouir de se retrouver là, intacts,
bien portants, lorsque des milliers de pauvres diables couvraient encore les campagnes environnantes ? Dans la
grande salle à manger fraîche, la nappe toute blanche
était une joie pour les yeux, et le café au lait, très chaud,
semblait exquis.

On causa. Delaherche, qui avait déjà repris son aplomb
de riche industriel, d'une bonhomie de patron aimant la
popularité, sévère seulement à l'insuccès, en revint sur
Napoléon III, dont la figure hantait, depuis l'avant-veille,
sa curiosité de badaud. Et il s'adressait à Jean, n'ayant
là que ce garçon simple.

— Ah ! monsieur, oui ! je puis le dire, l'empereur m'a
bien trompé... Car, enfin, ses thuriféraires ont beau
plaider les circonstances atténuantes, il est évidemment
la cause première, l'unique cause de nos désastres.

Déjà, il oubliait que, bonapartiste ardent, il avait,
quelques mois plus tôt, travaillé au triomphe du plébiscite. Et il n'en était même plus à plaindre celui qui allait
devenir l'homme de Sedan, il le chargeait de toutes les
iniquités.

— Un incapable, comme on est forcé d'en convenir à
cette heure ; mais cela ne serait rien encore... Un esprit
chimérique, un cerveau mal fait, à qui les choses ont
semblé réussir, tant la chance a été pour lui... Non,
voyez-vous, il ne faut pas qu'on essaye de nous apitoyer
sur son sort, en nous disant qu'on l'a trompé, que l'opposition lui a refusé les hommes et les crédits nécessaires.
C'est lui qui nous a trompés, dont les vices et les fautes
nous ont jetés dans l'affreux gâchis où nous sommes.

Maurice, qui ne voulait pas parler, ne put réprimer un
sourire ; tandis que Jean, gêné par cette conversation sur
la politique, craignant de dire des sottises, se contenta de
répondre :

— On raconte tout de même que c'est un brave homme.

Mais ces quelques mots, dits modestement, firent bondir Delaherche. Toute la peur qu'il avait eue, toutes ses angoisses éclatèrent, en un cri de passion exaspérée, tournée à la haine.

— Un brave homme, en vérité, c'est bientôt dit !... Savez-vous, monsieur, que ma fabrique a reçu trois obus, et que ce n'est pas la faute à l'empereur, si elle n'a pas été brûlée !... Savez-vous que, moi qui vous parle, j'y vais perdre une centaine de mille francs, à toute cette histoire imbécile !... Ah ! non, non ! la France envahie, incendiée, exterminée, l'industrie forcée au chômage, le commerce détruit, c'est trop ! Un brave homme comme ça, nous en avons assez, que Dieu nous en préserve !... Il est dans la boue et dans le sang, qu'il y reste !

Du poing, il fit le geste énergique d'enfoncer, de maintenir sous l'eau quelque misérable qui se débattait. Puis, il acheva son café, d'une lèvre gourmande. Gilberte avait eu un léger rire involontaire, devant la distraction douloureuse d'Henriette, qu'elle servait comme une enfant. Quand les bols furent vides, on s'attarda, dans la paix heureuse de la grande salle à manger fraîche.

Et, à cette heure même, Napoléon III était dans la pauvre maison du tisserand, sur la route de Donchery. Dès cinq heures du matin, il avait voulu quitter la Sous-Préfecture, mal à l'aise de sentir Sedan autour de lui, comme un remords et une menace, toujours tourmenté du reste par le besoin d'apaiser un peu son cœur sensible, en obtenant pour sa malheureuse armée des conditions meilleures. Il désirait voir le roi de Prusse. Il était monté dans une calèche de louage, il avait suivi la grande route large, bordée de hauts peupliers, cette première étape de l'exil, faite sous le petit froid de l'aube, avec la sensation de toute la grandeur déchue qu'il laissait, dans sa fuite ; et c'était, sur cette route, qu'il venait de rencontrer Bismarck, accouru à la hâte, en vieille casquette et en grosses bottes graissées, uniquement désireux de l'amuser, de l'empêcher de voir le roi, tant que la capitulation ne serait pas signée. Le roi était encore à Vendresse, à quatorze kilomètres. Où aller ? sous quel toit attendre ? Là-bas, perdu dans une nuée d'orage, le palais des Tuileries avait disparu. Sedan semblait s'être reculé déjà à des lieues, comme barré par un fleuve de sang. Il n'y avait plus de châteaux impériaux, en France, plus de demeures officielles, plus même de

coin chez le moindre des fonctionnaires, où il osât s'asseoir. Et c'était dans la maison du tisserand qu'il voulut
échouer, la misérable maison aperçue au bord du chemin,
avec son étroit potager enclos d'une haie, sa façade d'un
étage, aux petites fenêtres mornes. En haut, la chambre,
simplement blanchie à la chaux, était carrelée, n'avait
d'autres meubles qu'une table de bois blanc et deux
chaises de paille. Il y patienta pendant des heures, d'abord
en compagnie de Bismarck qui souriait à l'entendre parler
de générosité, seul ensuite, traînant sa misère, collant sa
face terreuse aux vitres, regardant encore ce sol de France,
cette Meuse qui coulait si belle, au travers des vastes
champs fertiles.

Puis, le lendemain, les jours suivants, ce furent les autres
étapes abominables : le château de Bellevue, ce riant
castel bourgeois, dominant le fleuve, où il coucha, où il
pleura, à la suite de son entrevue avec le roi Guillaume ;
le cruel départ, Sedan évité par crainte de la colère des
vaincus et des affamés, le pont de bateaux que les Prussiens avaient jeté à Iges, le long détour au nord de la
ville, les chemins de traverse, les routes écartées de
Floing, de Fleigneux, d'Illy, toute cette lamentable fuite
en calèche découverte ; et là, sur ce tragique plateau
d'Illy, encombré de cadavres, la légendaire rencontre, le
misérable empereur, qui, ne pouvant plus même supporter le trot du cheval, s'était affaissé sous la violence de
quelque crise, fumant peut-être machinalement son
éternelle cigarette, tandis qu'un troupeau de prisonniers,
hâves, couverts de sang et de poussière, ramenés de
Fleigneux à Sedan, se rangeaient au bord du chemin pour
laisser passer la voiture, les premiers silencieux, les
autres grondant, les autres peu à peu exaspérés, éclatant
en huées, les poings tendus, dans un geste d'insulte et
de malédiction. Ensuite, il y eut encore la traversée
interminable du champ de bataille, il y eut une lieue de
chemins défoncés, parmi les débris, parmi les morts, aux
yeux grands ouverts et menaçants, il y eut la campagne
nue, les vastes bois muets, la frontière en haut d'une
montée, puis la fin de tout qui dévalait au-delà, avec la
route bordée de sapins, au fond de la vallée étroite.

Et quelle première nuit d'exil, à Bouillon, dans une
auberge, l'hôtel de la Poste, entouré d'une telle foule de
Français réfugiés et de simples curieux, que l'empereur
avait cru devoir se montrer, au milieu de murmures et de
coups de sifflet ! La chambre, dont les trois fenêtres don-

naient sur la place et sur la Semoy, était la banale
chambre aux chaises recouvertes de damas rouge, à l'armoire à glace d'acajou, à la cheminée garnie d'une pendule de zinc, que flanquaient des coquillages et des vases
de fleurs artificielles sous globe. A droite et à gauche de
la porte, il y avait deux petits lits jumeaux. Dans l'un,
coucha un aide de camp, que la fatigue fit dormir dès
neuf heures, à poings fermés. Dans l'autre, l'empereur
dut se retourner longuement, sans trouver le sommeil;
et, s'il se releva, pour promener son mal, il n'eut que la
distraction de regarder contre le mur, aux deux côtés de
la cheminée, des gravures qui se trouvaient là, l'une
représentant Rouget de l'Isle chantant *la Marseillaise*,
l'autre, le Jugement dernier, un appel furieux des trompettes des Archanges, qui faisaient sortir de la terre tous
les morts, la résurrection du charnier des batailles montant témoigner devant Dieu.

À Sedan, le train de la maison impériale, les bagages
encombrants et maudits étaient restés en détresse, derrière
les lilas du sous-préfet. On ne savait plus comment les
faire disparaître, les ôter des yeux du pauvre monde qui
crevait de misère, tellement l'insolence aggressive qu'ils
avaient prise, l'ironie affreuse qu'ils devaient à la défaite,
devenaient intolérables. Il fallut attendre une nuit très
noire. Les chevaux, les voitures, les fourgons, avec leurs
casseroles d'argent, leurs tournebroches, leurs paniers de
vins fins, sortirent en grand mystère de Sedan, s'en
allèrent eux aussi en Belgique, par les routes sombres, à
petit bruit, dans un frisson inquiet de vol.

TROISIÈME PARTIE

I

Pendant l'interminable journée de la bataille, Silvine, du coteau de Remilly, où était bâtie la petite ferme du père Fouchard, n'avait cessé de regarder vers Sedan, dans le tonnerre et la fumée des canons, toute frissonnante à la pensée d'Honoré. Et, le lendemain, son inquiétude augmenta encore, accrue par l'impossibilité de se procurer des nouvelles exactes, au milieu des Prussiens qui gardaient les routes, refusant de répondre, ne sachant du reste rien eux-mêmes. Le clair soleil de la veille avait disparu, des averses étaient tombées, qui attristaient la vallée d'un jour livide.

Vers le soir, le père Fouchard, tourmenté également dans son mutisme voulu, ne pensant guère à son fils, mais anxieux de savoir comment le malheur des autres allait tourner pour lui, était sur le pas de sa porte à voir venir les événements, lorsqu'il remarqua un grand gaillard en blouse, qui, depuis un instant, rôdait le long de la route, l'air embarrassé de sa personne. Sa surprise fut si forte, en le reconnaissant, qu'il l'appela tout haut, malgré trois Prussiens qui passaient.

— Comment! c'est toi, Prosper ?

D'un geste énergique, le chasseur d'Afrique lui ferma la bouche. Puis, s'approchant à demi-voix :

— Oui, c'est moi. J'en ai assez de me battre pour rien, et j'ai filé... Dites donc, père Fouchard, vous n'avez pas besoin d'un garçon de ferme ?

Le vieux, du coup, avait retrouvé toute sa prudence. Justement, il cherchait quelqu'un. Mais c'était inutile à dire.

— Un garçon, ma foi, non! pas dans ce moment... Entre tout de même boire un verre. Je ne vais pas, bien sûr, te laisser en peine sur la route.

Dans la salle, Silvine mettait la soupe au feu, tandis que le petit Charlot se pendait à ses jupes, jouant et riant. D'abord, elle ne reconnut pas Prosper, qui pourtant avait déjà servi avec elle, autrefois ; et ce ne fut qu'en apportant deux verres et une bouteille de vin qu'elle le dévisagea. Elle eut un cri, elle ne pensa qu'à Honoré.

— Ah ! vous en venez, n'est-ce pas ?... Est-ce qu'Honoré va bien ?

Prosper allait répondre, ensuite il hésita. Depuis deux jours, il vivait dans un rêve, parmi une violente succession de choses vagues, qui ne lui laissaient aucun souvenir précis. Sans doute, il croyait bien avoir vu Honoré mort, renversé sur un canon ; mais il ne l'aurait plus affirmé ; et à quoi bon désoler le monde, quand on n'est pas certain ?

— Honoré, murmura-t-il, je ne sais pas..., je ne puis pas dire...

Elle le regardait fixement, elle insista.

— Alors, vous ne l'avez pas vu ?

D'un geste lent, il agita les mains, avec un hochement de tête.

— Si vous croyez qu'on peut savoir ! Il y a eu tant de choses, tant de choses ! De toute cette sacrée bataille tenez ! je ne serais pas fichu d'en conter long comme ça... Non ! pas même les endroits par où j'ai passé... On est comme des idiots, ma parole !

Et, après avoir avalé un verre de vin, il resta morne, les yeux perdus, là-bas, dans les ténèbres de sa mémoire.

— Tout ce que je me rappelle, c'est que la nuit déjà tombait, au moment où j'ai repris connaissance... Lorsque j'avais culbuté, en chargeant, le soleil était très haut. Depuis des heures, je devais être là, la jambe droite écrasée sous mon vieux Zéphir, qui, lui, avait reçu une balle en plein poitrail... Je vous assure que ça n'avait rien de gai, cette position-là, des tas de camarades morts, et pas un chat de vivant, et l'idée que j'allais crever moi aussi, si personne ne venait me ramasser... Doucement, j'avais tâcher de dégager ma hanche ; mais impossible, Zéphir pesait bien comme les cinq cent mille diables. Il était chaud encore. Je le caressais, je l'appelais, avec des mots gentils. Et c'est ça, voyez-vous, que jamais je n'oublierai : il a rouvert les yeux, il a fait un effort pour relever sa pauvre tête, qui traînait par terre, à côté de la mienne. Alors, nous avons causé : « Mon pauvre vieux, que je

lui ai dit, ce n'est pas pour te le reprocher, mais tu veux
donc me voir claquer avec toi, que tu me tiens si fort ? »
Naturellement, il n'a pas répondu oui. Ça n'empêche
que j'ai lu dans son regard trouble la grosse peine qu'il
avait de me quitter. Et je ne sais pas comment ça s'est
fait, s'il l'a voulu ou si ça n'a été qu'une convulsion, mais
il a eu une brusque secousse qui l'a jeté de côté. J'ai
pu me mettre debout, ah! dans un sacré état, la jambe
lourde comme du plomb... N'importe, j'ai pris la tête de
Zéphir entre mes bras, en continuant à lui dire des
choses, tout ce qui me venait du cœur, que c'était un bon
cheval, que je l'aimais bien, que je me souviendrais toujours de lui. Il m'écoutait, il paraissait si content! Puis,
il a eu encore une secousse, et il est mort, avec ses
grands yeux vides, qui ne m'avaient pas quitté... Tout de
même, c'est drôle, et l'on ne me croira pas : la vérité
pure est pourtant qu'il avait dans les yeux de grosses
larmes... Mon pauvre Zéphir, il pleurait comme un
homme.

Étranglé de chagrin, Prosper dut s'interrompre, pleurant encore lui-même. Il avala un nouveau verre de vin,
il continua son histoire, en phrases coupées, incomplètes.
La nuit se faisait davantage, il n'y avait plus qu'un rouge
rayon de lumière, au ras du champ de bataille, projetant
à l'infini l'ombre immense des chevaux morts. Lui, sans
doute, était resté longtemps près du sien, incapable de
s'éloigner, avec sa jambe lourde. Puis, une brusque
épouvante l'avait fait marcher quand même, le besoin de
ne pas être seul, de se retrouver avec des camarades,
pour avoir moins peur. Ainsi, de partout, des fossés, des
broussailles, de tous les coins perdus, les blessés oubliés
se traînaient, tâchaient de se rejoindre, faisaient des
groupes à quatre ou cinq, des petites sociétés où il était
moins dur de râler ensemble et de mourir. Ce fut ainsi
que, dans le bois de la Garenne, il tomba sur deux soldats
du 43e, qui n'avaient pas une égratignure, mais qui étaient
là, terrés comme des lièvres, attendant la nuit. Quand ils
surent qu'il connaissait les chemins, ils lui dirent leur
idée, filer en Belgique, gagner la frontière à travers bois,
avant le jour. Il refusa d'abord de les conduire, il aurait
préféré gagner tout de suite Remilly, certain d'y trouver
un refuge; seulement, où se procurer une blouse et un
pantalon ? sans compter que, du bois de la Garenne à
Remilly, d'un bord de la vallée à l'autre, il ne fallait point
espérer traverser les nombreuses lignes prussiennes.

Aussi finit-il par consentir à servir de guide aux deux camarades. Sa jambe s'était échauffée, ils eurent la chance de se faire donner un pain dans une ferme. Neuf heures sonnèrent à un clocher lointain, comme ils se remettaient en route. Le seul grand danger qu'ils coururent, ce fut à la Chapelle, où ils se jetèrent au beau milieu d'un poste ennemi, qui prit les armes et tira dans les ténèbres, tandis que, se glissant à plat ventre, galopant à quatre pattes, ils regagnaient les taillis, sous le sifflement des balles. Dès lors, ils ne quittèrent plus les bois, l'oreille aux aguets, les mains tâtonnantes. Au détour d'un sentier, ils rampèrent, ils sautèrent aux épaules d'une sentinelle perdue, dont ils ouvrirent la gorge d'un coup de couteau. Ensuite, les chemins furent libres, ils continuèrent en riant et en sifflant. Et, vers trois heures du matin, ils arrivèrent dans un petit village belge, chez un fermier brave homme, qui, réveillé, leur ouvrit tout de suite sa grange, où ils dormirent profondément sur des bottes de foin.

Le soleil était déjà très haut, lorsque Prosper se réveilla. En ouvrant les yeux, tandis que les camarades ronflaient encore, il aperçut leur hôte, en train d'atteler un cheval à une grande carriole, chargée de pains, de riz, de café, de sucre, toutes sortes de provisions, cachées sous des sacs de charbon de bois; et il apprit que le brave homme avait en France, à Raucourt, deux filles mariées, auxquelles il allait porter ces provisions, les sachant dans un dénuement complet, à la suite du passage des Bavarois. Dès le matin, il s'était procuré le sauf-conduit nécessaire. Tout de suite, Prosper fut saisi d'un désir fou, s'asseoir lui aussi sur le banc de la carriole, retourner là-bas, dans le coin de terre, dont la nostalgie l'angoissait déjà. Rien n'était plus simple, il descendrait à Remilly, que le fermier se trouvait forcé de traverser. Et ce fut arrangé en trois minutes, on lui prêta le pantalon et la blouse tant souhaités, le fermier le donna partout comme son garçon; de sorte que, vers six heures, il débarqua devant l'église, après n'avoir été arrêté que deux ou trois fois par des postes allemands.

— Non, j'en avais assez! répéta Prosper, après un silence. Encore si l'on avait tiré de nous quelque chose de bon, comme là-bas, en Afrique! Mais aller à gauche pour revenir à droite, sentir qu'on ne sert absolument à rien, ça finit par ne pas être une existence... Et puis, maintenant, mon pauvre Zéphir est mort, je serais tout seul, je n'ai plus qu'à me remettre à la terre. N'est-ce pas ? ça vaudra mieux que d'être prisonnier chez les Prussiens... Vous avez des chevaux, père Fouchard, vous verrez si je les aime et si je les soigne!

L'œil du vieux avait brillé. Il trinqua encore, il conclut sans hâte :

— Mon Dieu! puisque ça te rend service, je veux bien tout de même, je te prends... Mais, quant aux gages, faudra n'en parler que lorsque la guerre sera finie, car je n'ai vraiment besoin de personne, et les temps sont trop durs.

Silvine, qui était restée assise, avec Charlot sur les genoux, n'avait pas quitté Prosper des yeux. Lorsqu'elle le vit se lever, pour se rendre tout de suite à l'écurie et faire la connaissance des bêtes, elle demanda de nouveau :

— Alors, vous n'avez pas vu Honoré ?

Cette question qui revenait si brusquement, le fit tressaillir, comme si elle éclairait d'une lumière subite un coin obscur de sa mémoire. Il hésita encore, se décida pourtant.

— Ecoutez, je n'ai pas voulu vous faire de la peine tout à l'heure, mais je crois bien qu'Honoré est resté là-bas.

— Comment, resté ?

— Oui, je crois que les Prussiens lui ont fait son affaire... Je l'ai vu à moitié renversé sur son canon, la tête droite, avec un trou sous le cœur.

Il y eut un silence. Silvine avait blêmi affreusement, tandis que le père Fouchard, saisi, remettait sur la table son verre, où il avait achevé de vider la bouteille.

— Vous en êtes bien sûr ? reprit-elle d'une voix étranglée.

— Dame! aussi sûr qu'on peut l'être d'une chose qu'on a vue... C'était sur un petit monticule, à côté de trois arbres, et il me semble que j'irais, les yeux fermés.

En elle, c'était un écroulement. Ce garçon qui lui avait pardonné, qui s'était lié d'une promesse, qu'elle devait épouser, dès qu'il rentrerait du service, la campagne finie! Et on le lui avait tué, il était là-bas, avec un trou sous le cœur! Jamais elle n'avait senti qu'elle l'aimait si fort, tellement un besoin de le revoir, de l'avoir malgré tout à elle, même dans la terre, la soulevait, la jetait hors de sa passivité habituelle.

Elle posa rudement Charlot, elle s'écria :

— Bon! je ne croirai ça que lorsque j'aurai vu, moi

aussi... Puisque vous savez où c'est, vous allez m'y conduire. Et, si c'est vrai, si nous le retrouvons, nous le ramènerons.

Des larmes l'étouffaient, elle s'affaissa sur la table, secouée de longs sanglots, pendant que le petit, stupéfait d'avoir été bousculé par sa mère, éclatait aussi en pleurs. Elle le reprit, le serra contre elle, avec des paroles éperdues, bégayées.

— Mon pauvre enfant! mon pauvre enfant!

Le père Fouchard restait consterné. Il aimait tout de même son fils, à sa manière. Des souvenirs anciens durent lui revenir, de très loin, du temps où sa femme vivait, où Honoré allait encore à l'école; et deux grosses larmes parurent également dans ses yeux rouges, coulèrent le long du cuir tanné de ses joues. Depuis plus de dix ans, il n'avait pas pleuré. Des jurons lui échappaient, il finissait par se fâcher de ce fils qui était à lui, qu'il ne verrait plus jamais pourtant.

— Nom de Dieu! c'est vexant, de n'avoir qu'un garçon, et qu'on vous le prenne!

Mais, quand le calme fut un peu revenu, Fouchard fut très ennuyé d'entendre que Silvine parlait toujours d'aller chercher le corps d'Honoré, là-bas. Elle s'obstinait, sans cris maintenant, dans un silence désespéré et invincible; et il ne la reconnaissait plus, elle si docile, faisant toutes les besognes en fille résignée : ses grands yeux de soumission qui suffisaient à la beauté de son visage avaient pris une décision farouche, tandis que son front restait pâle, sous le flot de ses épais cheveux bruns. Elle venait d'arracher un fichu rouge qu'elle avait aux épaules, elle s'était mise toute en noir, comme une veuve. Vainement, il lui représenta la difficulté des recherches, les dangers qu'elle pouvait courir, le peu d'espoir qu'il y avait de retrouver le corps. Elle cessait même de répondre, il voyait bien qu'elle partirait seule, qu'elle ferait quelque folie, s'il ne s'en occupait pas, ce qui l'inquiétait plus encore, à cause des complications où cela pouvait le jeter avec les autorités prussiennes. Aussi finit-il par se décider à se rendre chez le maire de Remilly, qui était un peu son cousin, et à eux deux ils arrangèrent une histoire : Silvine fut donnée pour la veuve véritable d'Honoré, Prosper devint son frère; de sorte que le colonel bavarois, installé en bas du village, à l'hôtel de la Croix de Malte, voulut bien délivrer un laissez-passer pour le frère et la sœur, les autorisant à ramener le corps du mari, s'ils le découvraient.

La nuit était venue, tout ce qu'on put obtenir de la jeune femme, ce fut qu'elle attendrait le jour pour se mettre en marche.

Le lendemain, jamais Fouchard ne voulut laisser atteler un de ses chevaux, dans la crainte de ne pas le revoir. Qui lui disait que les Prussiens ne confisqueraient pas la bête et la voiture ? Enfin, il consentit de mauvaise grâce à prêter l'âne, un petit âne gris, dont l'étroite charrette était encore assez grande pour contenir un mort. Longuement, il donna des instructions à Prosper, qui avait bien dormi, mais que la pensée de l'expédition rendait soucieux, maintenant que, reposé, il tâchait de se souvenir. A la dernière minute, Silvine alla chercher la couverture de son propre lit, qu'elle plia au fond de la charrette. Et, comme elle partait, elle revint en courant embrasser Charlot.

— Père Fouchard, je vous le confie, veillez bien à ce qu'il ne joue pas avec les allumettes.

— Oui, oui! sois tranquille!

Les préparatifs avaient traîné, il était près de sept heures, lorsque Silvine et Prosper, derrière l'étroite charrette que le petit âne gris tirait, la tête basse, descendirent les pentes raides de Remilly. Il avait plu abondamment pendant la nuit, les chemins se trouvaient changés en fleuves de boue; et de grandes nuées livides couraient dans le ciel, d'une tristesse morne.

Prosper, voulant couper au plus court, avait résolu de traverser Sedan. Mais, avant Pont-Maugis, un poste prussien arrêta la charrette, la retint pendant plus d'une heure; et, lorsque le laissez-passer eut circulé entre les mains de quatre ou cinq chefs, l'âne put reprendre sa marche, à la condition de faire le grand tour par Bazeilles, en s'engageant à gauche dans un chemin de traverse. Aucune raison ne fut donnée, sans doute craignait-on d'encombrer la ville davantage. Quand Silvine passa la Meuse sur le pont du chemin de fer, ce pont funeste qu'on n'avait pas fait sauter et qui du reste avait coûté si cher aux Bavarois, elle aperçut le cadavre d'un artilleur descendant d'un air de flânerie, au fil de l'eau. Une touffe d'herbe l'accrocha, il demeura un instant immobile, puis il tourna sur lui-même, il repartit.

Dans Bazeilles, que l'âne traversa au pas, d'un bout à l'autre, c'était la destruction, tout ce que la guerre peut faire d'abominables ruines, quand elle passe, dévastatrice, en furieux ouragan. Déjà, on avait relevé les morts,

il n'y avait plus sur le pavé du village un seul cadavre;
et la pluie lavait le sang, des flaques restaient rouges,
avec des débris louches, des lambeaux où l'on croyait
reconnaître encore des cheveux. Mais l'effroi qui serrait
les cœurs, venait des décombres, de ce Bazeilles si riant
trois jours plus tôt, avec ses gaies maisons au milieu de
ses jardins, à cette heure effondré, anéanti, ne montrant
que des pans de muraille noircis par les flammes. L'église
brûlait toujours, un vaste bûcher de poutres fumantes,
au milieu de la place, d'où s'élevait continuellement une
grosse colonne de fumée noire, élargie au ciel en un
panache de deuil. Des rues entières avaient disparu, plus
rien d'un côté ni de l'autre, rien que des tas de moellons
calcinés bordant les ruisseaux, dans un gâchis de suie
et de cendre, une boue d'encre épaisse noyant tout. Aux
quatre coins des carrefours, les maisons d'angle se trouvaient rasées, comme emportées par le vent de feu qui
avait soufflé là. D'autres avaient moins souffert, une restait debout, isolée, tandis que celles de gauche et de
droite semblaient hachées par la mitraille, dressant leurs
carcasses pareilles à des squelettes vides. Et une insupportable odeur s'exhalait, la nausée de l'incendie, l'âcreté
du pétrole surtout, versé à flots sur les parquets. Puis,
c'était aussi la désolation muette de ce qu'on avait essayé
de sauver, des pauvres meubles jetés par les fenêtres,
écrasés sur le trottoir, les tables infirmes aux jambes
cassées, les armoires aux flancs ouverts, à la poitrine fendue, du linge qui traînait, déchiré, souillé, toutes les
tristes miettes du pillage en train de se fondre sous la
pluie. Par une façade béante, à travers des planchers
écroulés, on apercevait une pendule intacte, sur une
cheminée, tout en haut d'un mur.

— Ah! les cochons! grognait Prosper, en qui le sang
du soldat qu'il était encore l'avant-veille, s'échauffait, à
voir une abomination semblable.

Il serrait les poings, il fallut que Silvine, très pâle, le
calmât du regard, à chaque factionnaire qu'ils rencontraient, le long de la route. Les Bavarois avaient en
effet posé des sentinelles près des maisons qui brûlaient
encore; et ces hommes, le fusil chargé, la baïonnette au
canon, semblaient garder les incendies, pour que la
flamme achevât son œuvre. D'un geste menaçant, d'un cri
guttural, quand on s'entêtait, ils en écartaient les simples
curieux, les intéressés aussi qui rôdaient aux alentours.
Des groupes d'habitants, à distance, restaient muets, avec

des frémissements de rage contenus. Une femme, toute
jeune, les cheveux épars, la robe souillée de boue, s'obstinait devant le tas fumant d'une petite maison, dont elle
voulait fouiller les braises ardentes, malgré le factionnaire
qui en défendait l'approche. On disait que cette femme
avait eu son enfant brûlé dans cette maison. Et, tout d'un
coup, comme le Bavarois l'écartait d'une main brutale,
elle se retourna, elle lui vomit à la face son furieux
désespoir, des injures de sang et de fange, des mots
immondes qui la soulageaient un peu, enfin. Il devait ne
pas comprendre, il la regardait, inquiet, reculant. Trois
camarades accoururent, le délivrèrent de la femme, qu'ils
emmenèrent, hurlante. Devant les décombres d'une
autre maison, un homme et deux fillettes, tous les trois
tombés sur le sol de fatigue et de misère, sanglotaient,
ne sachant où aller, ayant vu là s'envoler en cendre tout
ce qu'ils possédaient. Mais une patrouille passa, qui
dissipa les curieux, et la route redevint déserte, avec les
seules sentinelles, mornes et dures, veillant d'un œil
oblique à faire respecter leur consigne scélérate.

— Les cochons, les cochons! répéta Prosper sourdement. Ça ferait plaisir d'en étrangler un ou deux.

Silvine, de nouveau, le fit taire. Elle frissonna. Dans
une remise épargnée par le feu, un chien, enfermé, oublié
depuis deux jours, hurlait d'une plainte continue, si
lamentable, qu'une terreur traversa le ciel bas, d'où une
petite pluie grise venait de se mettre à tomber. Et ce fut à
ce moment, devant le parc de Montivilliers, qu'ils firent
une rencontre. Trois grands tombereaux étaient là, à la
file, chargés de morts, de ces tombereaux de la salubrité,
que l'on emplit à la pelle, le long des rues, chaque matin,
de la desserte de la veille; et, de même, on venait de les
emplir de cadavres, les arrêtant à chaque corps que l'on
y jetait, repartant avec le gros bruit des roues pour s'arrêter plus loin, parcourant Bazeilles entier, jusqu'à ce que
le tas débordât. Ils attendaient, immobiles sur la route,
qu'on les conduisît à la décharge publique, au charnier
voisin. Des pieds sortaient, dressés en l'air. Une tête
retombait, à demi arrachée. Lorsque les trois tombereaux,
de nouveau, s'ébranlèrent, cahotant dans les flaques, une
main livide qui pendait, très longue, vint frotter contre
une roue; et la main peu à peu s'usait, écorchée, mangée
jusqu'à l'os.

Dans le village de Balan, la pluie cessa. Prosper décida
Silvine à manger un morceau de pain qu'il avait eu la

précaution d'emporter. Il était déjà onze heures. Mais,
comme ils arrivaient près de Sedan, un poste prussien
les arrêta encore ; et, cette fois, ce fut terrible, l'officier
s'emportait, refusait même de rendre le laissez-passer,
qu'il déclarait faux, en un français très correct, d'ailleurs.
Des soldats, sur son ordre, avaient poussé l'âne et la
petite charrette sous un hangar. Que faire ? comment
continuer la route ? Silvine, qui se désespérait, eut alors
une idée, en songeant au cousin Dubreuil, ce parent du
père Fouchard, qu'elle connaissait et dont la propriété,
l'Ermitage, se trouvait à quelques cents pas, en haut des
ruelles dominant le faubourg. Peut-être l'écouterait-on,
lui, un bourgeois. Elle emmena Prosper, puisqu'on les
laissait libres, à la condition de garder la charrette. Ils
coururent, ils trouvèrent la grille de l'Ermitage grande
ouverte. Et, de loin, comme ils s'engageaient dans
l'allée des ormes séculaires, un spectacle qu'ils aperçurent les étonna beaucoup.

— Fichtre ! dit Prosper, en voilà qui se la coulent
douce !

C'était, au bas du perron, sur le gravier fin de la terrasse, toute une réunion joyeuse. Autour d'un guéridon à
tablette de marbre, des fauteuils et un canapé de satin
bleu ciel formaient le cercle, étalant au plein air un
salon étrange, que la pluie devait tremper depuis la veille.
Deux zouaves, vautrés aux deux bouts du canapé, semblaient éclater de rire. Un petit fantassin, qui occupait
un fauteuil, penché en avant, avait l'air de se tenir le
ventre. Trois autres s'accoudaient nonchalamment aux
bras de leurs sièges, tandis qu'un chasseur avançait la
main, comme pour prendre un verre sur le guéridon.
Evidemment, ils avaient vidé la cave et faisaient la fête.

— Comment peuvent-ils encore être là ? murmurait
Prosper, de plus en plus stupéfié, à mesure qu'il avançait.
Les bougres, ils se fichent donc des Prussiens ?

Mais Silvine, dont les yeux se dilataient, jeta un cri,
eut un brusque geste d'horreur. Les soldats ne bougeaient
pas, ils étaient morts. Les deux zouaves, raidis, les mains
tordues, n'avaient plus de visage, le nez arraché, les yeux
sautés des orbites. Le rire de celui qui se tenait le ventre
venait de ce qu'une balle lui avait fendu les lèvres, en
lui cassant les dents. Et cela était vraiment atroce,
ces misérables qui causaient, dans leurs attitudes cassées
de mannequins, les regards vitreux, les bouches ouvertes,
tous glacés, immobiles à jamais. S'étaient-ils traînés

à cette place, vivants encore, pour mourir ensemble ?
Etaient-ce plutôt les Prussiens qui avaient fait la farce
de les ramasser, puis de les asseoir en rond, par une
moquerie de la vieille gaieté française ?

— Drôle de rigolade tout de même! reprit Prosper,
pâlissant.

Et, regardant les autres morts, en travers de l'allée, au
pied des arbres, dans les pelouses, cette trentaine de
braves parmi lesquels le corps du lieutenant Rochas
gisait, troué de blessures, enveloppé du drapeau, il ajouta
d'un air sérieux de grand respect :

— On s'est joliment bûché par ici! Ça m'étonnerait, si
nous y trouvions le bourgeois que vous cherchez.

Déjà, Silvine entrait dans la maison, dont les fenêtres
et les portes défoncées bâillaient à l'air humide. En
effet, il n'y avait évidemment là personne, les maîtres
devaient être partis avant la bataille. Puis, comme elle
s'entêtait et qu'elle pénétrait dans la cuisine, elle laissa
de nouveau échapper un cri d'effroi. Sous l'évier, deux
corps avaient roulé, un zouave, un bel homme à la barbe
noire, et un Prussien énorme, les cheveux rouges, tous
les deux enlacés furieusement. Les dents de l'un étaient
entrées dans la joue de l'autre, les bras raidis n'avaient
pas lâché prise, faisant encore craquer les colonnes verté-
brales rompues, nouant les deux corps d'un tel nœud
d'éternelle rage, qu'il allait falloir les enterrer ensemble.

Alors, Prosper se hâta d'emmener Silvine, puisqu'ils
n'avaient rien à faire dans cette maison ouverte, habitée
par la mort. Et, lorsque, désespérés, ils furent revenus
au poste qui avait retenu l'âne et la charrette, ils eurent
la chance de trouver, avec l'officier si rude, un général,
en train de visiter le champ de bataille. Celui-ci voulut
prendre connaissance du laissez-passer, puis il le rendit
à Silvine, il eut un geste de pitié, pour dire qu'on laissât
aller cette pauvre femme, avec son âne, en quête du corps
de son mari. Sans attendre, suivis de l'étroite charrette,
elle et son compagnon remontèrent vers le Fond de
Givonne, obéissant à la défense nouvelle qui leur était
faite de traverser Sedan.

Ensuite, ils tournèrent à gauche, pour gagner le plateau
d'Illy, par la route qui traverse le bois de la Garenne. Mais,
là encore, ils furent attardés, ils crurent vingt fois qu'ils
ne pourraient franchir le bois, tellement les obstacles se
multipliaient. A chaque pas, des arbres coupés par les
obus, abattus tels que des géants, barraient la route.

C'était la forêt bombardée, au travers de laquelle la
canonnade avait tranché des existences séculaires, comme
au travers d'un carré de la vieille garde, d'une solidité
immobile de vétérans. De toutes parts, des troncs gisaient,
dénudés, troués, fendus, ainsi que des poitrines ; et cette
destruction, ce massacre de branches pleurant leur sève,
avait l'épouvante navrée d'un champ de bataille humain.
Puis, c'étaient aussi des cadavres, des soldats tombés
fraternellement avec les arbres. Un lieutenant, la bouche
sanglante, avait encore les deux mains enfoncées dans la
terre, arrachant des poignées d'herbe. Plus loin, un capitaine était mort sur le ventre, la tête soulevée, en train
de hurler sa douleur. D'autres semblaient dormir parmi
les broussailles, tandis qu'un zouave dont la ceinture bleue
s'était enflammée, avait la barbe et les cheveux grillés
complètement. Et il fallut, à plusieurs reprises, le long
de cet étroit chemin forestier, écarter un corps, pour que
l'âne pût continuer sa route.

Tout d'un coup, dans un petit vallon, l'horreur cessa.
Sans doute, la bataille avait passé ailleurs, sans toucher à
ce coin de nature délicieux. Pas un arbre n'était effleuré,
pas une blessure n'avait saigné sur la mousse. Un ruisseau coulait parmi des lentilles d'eau, le sentier qui le
suivait était ombragé de grands hêtres. C'était d'un
charme pénétrant, d'une paix adorable, cette fraîcheur
des eaux vives, ce silence frissonnant des verdures.

Prosper avait arrêté l'âne, pour le faire boire au ruisseau.

— Ah ! qu'on est bien ici ! dit-il, dans un cri involontaire de soulagement.

D'un œil étonné, Silvine regarda autour d'elle, inquiète
de se sentir, elle aussi, délassée et heureuse. Pourquoi
donc le bonheur si paisible de ce coin perdu, lorsque, à
l'entour, il n'y avait que deuil et souffrance ? Elle eut
un geste désespéré de hâte.

— Vite, vite, allons !... Où est-ce ? où êtes-vous certain
d'avoir vu Honoré ?

Et, à cinquante pas de là, comme ils débouchaient enfin
sur le plateau d'Illy, la plaine rase se déroula brusquement devant eux. Cette fois, c'était le vrai champ de
bataille, les terrains nus s'étalant jusqu'à l'horizon, sous
le grand ciel blafard, d'où ruisselaient de continuelles
averses. Les morts n'y étaient pas entassés, tous les Prussiens déjà avaient dû être ensevelis, car il n'en restait
pas un, parmi les cadavres épars des Français, semés le
long des routes, dans les chaumes, au fond des creux,

selon les hasards de la lutte. Contre une haie, le premier
qu'ils rencontrèrent était un sergent, un homme superbe,
jeune et fort, qui semblait sourire de ses lèvres entrouvertes, le visage calme. Mais, cent pas plus loin, en travers
de la route, ils en virent un autre, mutilé affreusement,
la tête à demi emportée, les épaules couvertes des écla-
boussures de la cervelle. Puis, après les corps isolés, çà
et là, il y avait de petits groupes, ils en aperçurent sept
à la file, le genou en terre, l'arme à l'épaule, frappés
comme ils tiraient; tandis que, près d'eux, un sous-offi-
cier était tombé aussi, dans l'attitude du commandement.
La route ensuite filait le long d'un étroit ravin, et ce fut
là que l'horreur les reprit, en face de cette sorte de fossé
où toute une compagnie semblait avoir culbuté, sous la
mitraille : des cadavres l'emplissaient, un écroulement,
une dégringolade d'hommes, enchevêtrés, cassés, dont
les mains tordues avaient écorché la terre jaune, sans
pouvoir se retenir. Et un vol noir de corbeaux s'envola
avec des croassements; et, déjà, des essaims de mouches
bourdonnaient au-dessus des corps, revenaient obstinément, par milliers, boire le sang frais des blessures.

— Où est-ce donc ? répéta Silvine.

Ils longeaient alors une terre labourée entièrement
couverte de sacs. Quelque régiment avait dû se débarrasser là, serré de trop près, dans un coup de panique. Les
débris dont le sol était semé disaient les épisodes de la
lutte. Dans un champ de betteraves, des képis épars,
semblables à de larges coquelicots, des lambeaux d'uniformes, des épaulettes, des ceinturons, racontaient un
contact farouche, un des rares corps à corps du formidable duel d'artillerie qui avait duré douze heures. Mais,
surtout, ce qu'on heurtait à chaque pas, c'étaient des
débris d'armes, des sabres, des baïonnettes, des chassepots, en si grand nombre, qu'ils semblaient être une
végétation de la terre, une moisson qui aurait poussé, en
un jour abominable. Des gamelles, des bidons également
jonchaient les chemins, tout ce qui s'était échappé des
sacs éventrés, du riz, des brosses, des cartouches. Et les
terres se succédaient au travers d'une dévastation
immense, les clôtures arrachées, les arbres comme brûlés dans un incendie, le sol lui-même creusé par les obus,
piétiné, durci sous le galop des foules, si ravagé, qu'il
paraissait devoir rester à jamais stérile. La pluie noyait
tout de son humidité blafarde, une odeur se dégageait,
persistante, cette odeur des champs de bataille qui sentent

la paille fermentée, le drap brûlé, un mélange de pourriture et de poudre.

Silvine, lasse de ces champs de mort, où elle croyait marcher depuis des lieues, regardait autour d'elle, avec une angoisse croissante.

— Où est-ce ? où est-ce donc ?

Mais Prosper ne répondait pas, devenait inquiet. Lui, ce qui le bouleversait, plus encore que les cadavres des camarades, c'étaient les corps des chevaux, les pauvres chevaux sur le flanc, qu'on rencontrait en grand nombre. Il y en avait vraiment de lamentables, dans des attitudes affreuses, la tête arrachée, les flancs crevés, laissant couler les entrailles. Beaucoup, sur le dos, le ventre énorme, dressaient en l'air leurs quatre jambes raidies, pareilles à des pieux de détresse. La plaine sans bornes en était bossuée. Quelques-uns n'étaient pas morts, après une agonie de deux jours ; et ils levaient au moindre bruit leur tête souffrante, la balançaient à droite, à gauche, la laissaient retomber ; tandis que d'autres, immobiles, jetaient par instants un grand cri, cette plainte du cheval mourant, si particulière, si effroyablement douloureuse, que l'air en tremblait. Et Prosper, le cœur meurtri, songeait à Zéphir, avec l'idée qu'il allait peut-être le revoir.

Brusquement, il sentit le sol frémir sous le galop d'une charge enragée. Il se retourna, il n'eut que le temps de crier à sa compagne :

— Les chevaux, les chevaux !... Jetez-vous derrière ce mur !

Du haut d'une pente voisine, une centaine de chevaux, libres, sans cavaliers, quelques-uns encore portant tout un paquetage, dévalaient, roulaient vers eux, d'un train d'enfer. C'étaient les bêtes perdues, restées sur le champ de bataille, qui se réunissaient ainsi en troupe, par un instinct. Sans foin ni avoine, depuis l'avant-veille, elles avaient tondu l'herbe rare, entamé les haies, rongé l'écorce des arbres. Et, quand la faim les cinglait au ventre comme à coups d'éperon, elles partaient toutes ensemble d'un galop fou, elles chargeaient au travers de la campagne vide et muette, écrasant les morts, achevant les blessés.

La trombe approchait, Silvine n'eut que le temps de tirer l'âne et la charrette à l'abri du petit mur.

— Mon Dieu ! ils vont tout briser !

Mais les chevaux avaient sauté l'obstacle, il n'y eut

qu'un roulement de foudre, et déjà ils galopaient de l'autre côté, s'engouffrant dans un chemin creux, jusqu'à la corne d'un bois, derrière lequel ils disparurent.

Lorsque Silvine eut ramené l'âne dans le chemin, elle exigea que Prosper lui répondît.

— Voyons, où est-ce ?

Lui, debout, jetait des regards aux quatre points de l'horizon.

— Il y avait trois arbres, il faut que je retrouve les trois arbres... Ah ! dame ! on ne voit pas très clair, quand on se bat, et ce n'est guère commode de savoir ensuite les chemins qu'on a pris !

Puis, apercevant du monde à sa gauche, deux hommes et une femme, il eut l'idée de les questionner. Mais, à son approche, la femme s'enfuit, les hommes l'écartèrent du geste, menaçants; et il en vit d'autres, et tous l'évitaient, filaient entre les brousailles, comme des bêtes rampantes et sournoises, vêtus sordidement, d'une saleté sans nom, avec des faces louches de bandits. Alors, en remarquant que les morts, derrière ce vilain monde, n'avaient plus de souliers, les pieds nus et blêmes, il finit par comprendre que c'étaient là de ces rôdeurs qui suivaient les armées allemandes, des détrousseurs de cadavres, toute une basse juiverie de proie, venue à la suite de l'invasion. Un grand maigre fila devant lui en galopant, les épaules chargées d'un sac, les poches sonnantes des montres et des pièces blanches volées dans les goussets.

Pourtant, un garçon de treize à quatorze ans laissa Prosper l'approcher, et comme celui-ci, en reconnaissant un Français, le couvrait d'injures, ce garçon protesta. Quoi donc ! est-ce qu'on ne pouvait plus gagner sa vie ? Il ramassait les chassepots, on lui donnait cinq sous par chassepot qu'il retrouvait. Le matin, ayant fui de son village, le ventre vide depuis la veille, il s'était laissé embaucher par un entrepreneur luxembourgeois, qui avait traité avec les Prussiens, pour cette récolte des fusils sur le champ de bataille. Ceux-ci, en effet, craignaient que les armes, si elles étaient recueillies par les paysans de la frontière, ne fussent portées en Belgique, pour rentrer de là en France. Et toute une nuée de pauvres diables étaient à la chasse des fusils, cherchant des cinq sous, fouillant les herbes, pareils à ces femmes qui, la taille ployée, vont cueillir des pissenlits dans les prés.

— Fichue besogne ! grogna Prosper.

— Dame! faut bien manger, répondit le garçon. Je ne vole personne.

Puis, comme il n'était pas du pays et qu'il ne pouvait donner aucun renseignement, il se contenta de montrer de la main une petite ferme voisine, où il avait vu du monde.

Prosper le remerciait et s'éloignait pour rejoindre Silvine, lorsqu'il aperçut un chassepot à moitié enterré dans un sillon. D'abord, il se garda bien de l'indiquer. Et, brusquement, il revint, il cria comme malgré lui :

— Tiens! il y en a un là, ça te fera cinq sous de plus!

Silvine, en approchant de la ferme, remarqua d'autres paysans, en train de creuser à la pioche de longues tranchées. Mais ceux-là étaient sous les ordres directs d'officiers prussiens, qui, une simple badine aux doigts, raides et muets, surveillaient l'ouvrage. On avait ainsi réquisitionné les habitants des villages pour enterrer les morts, dans la crainte que le temps pluvieux ne hâtât la décomposition. Deux chariots de cadavres étaient là, une équipe les déchargeait, les couchait rapidement côte à côte, en un rang pressé, sans les fouiller ni même les regarder au visage; tandis que trois hommes, armés de grandes pelles, suivaient, recouvraient le rang d'une couche de terre si mince, que déjà, sous les averses, des gerçures fendillaient le sol. Avant quinze jours, tant ce travail était hâtif, la peste soufflerait par toutes ces fentes. Et Silvine ne put s'empêcher de s'arrêter au bord de la fosse, de les dévisager, à mesure qu'on les apportait, ces misérables morts. Elle frémissait d'une horrible crainte, avec l'idée, à chaque visage sanglant, qu'elle reconnaissait Honoré. N'était-ce pas ce malheureux dont l'œil gauche manquait? ou celui-ci peut-être qui avait les mâchoires fendues? Si elle ne se hâtait pas de le découvrir, sur ce plateau vague et sans fin, certainement qu'on allait le lui prendre et l'enfouir dans le tas, parmi les autres.

Aussi courut-elle pour rejoindre Prosper, qui avait marché jusqu'à la porte de la ferme, avec l'âne.

— Mon Dieu! où est-ce donc?... Demandez, interrogez!

Dans la ferme, il n'y avait que des Prussiens, en compagnie d'une servante et de son enfant, revenus des bois, où ils avaient failli mourir de faim et de soif. C'était un coin de patriarcale bonhomie, d'honnête repos, après les fatigues des jours précédents. Des soldats brossaient soigneusement leurs uniformes, étendus sur les cordes à sécher le linge. Un autre achevait une habile reprise à

son pantalon, tandis que le cuisinier du poste, au milieu
de la cour, avait allumé un grand feu, sur lequel bouillait
la soupe, une grosse marmite qui exhalait une bonne
odeur de choux et de lard. Déjà, la conquête s'organisait
avec une tranquillité, une discipline parfaites. On aurait
dit des bourgeois rentrés chez eux, fumant leurs longues
pipes. Sur un banc, à la porte, un gros homme roux avait
pris dans ses bras l'enfant de la servante, un bambin de
cinq à six ans ; et il le faisait sauter, il lui disait en allemand des mots de caresse, très amusé de voir l'enfant
rire de cette langue étrangère, aux rudes syllabes, qu'il
ne comprenait pas.

Tout de suite, Prosper tourna le dos, dans la crainte
de quelque nouvelle mésaventure. Mais ces Prussiens-là
étaient décidément du brave monde. Ils souriaient au
petit âne, ils ne se dérangèrent même pas pour demander
à voir le laissez-passer.

Alors, ce fut une marche folle. Entre deux nuages, le
soleil apparut un instant, déjà bas sur l'horizon. Est-ce
que la nuit allait tomber et les surprendre, dans ce charnier sans fin ? Une nouvelle averse noya le soleil, il ne
resta autour d'eux que l'infini blafard de la pluie, une
poussière d'eau qui effaçait tout, les routes, les champs,
les arbres. Lui, ne savait plus, était perdu, et il l'avoua.
A leur suite, l'âne trottait du même train, la tête basse,
traînant la petite charrette de son pas résigné de bête
docile. Ils montèrent au nord, ils revinrent vers Sedan.
Toute direction leur échappait, ils rebroussèrent chemin
à deux reprises, en s'apercevant qu'ils passaient par les
mêmes endroits. Sans doute ils tournaient en cercle, et
ils finirent, désespérés, épuisés, par s'arrêter à l'angle
de trois routes, flagellés de pluie, sans force pour chercher
davantage.

Mais des plaintes les surprirent, ils poussèrent jusqu'à
une petite maison isolée, sur leur gauche, où ils trouvèrent deux blessés, au fond d'une chambre. Les portes
étaient grandes ouvertes ; et, depuis deux jours qu'ils
grelottaient la fièvre, sans être pansés seulement, ceux-ci
n'avaient vu personne, pas une âme. La soif surtout les
dévorait, au milieu du ruissellement des averses qui battaient les vitres. Ils ne pouvaient bouger, ils jetèrent tout
de suite le cri : « A boire ! à boire ! » ce cri d'avidité douloureuse, dont les blessés poursuivent les passants, au
moindre bruit de pas qui les tire de leur somnolence.

Lorsque Silvine leur eut apporté de l'eau, Prosper qui,

dans le plus maltraité, avait reconnu un camarade, un
chasseur d'Afrique de son régiment, comprit qu'on ne
devait pourtant pas être loin des terrains où la division
Margueritte avait chargé. Le blessé finit par avoir un geste
vague : oui, c'était par là, en tournant à gauche, après
avoir passé un grand champ de luzerne. Et, sans attendre,
Silvine voulut repartir, avec ce renseignement. Elle venait
d'appeler, au secours des deux blessés, une équipe qui
passait, ramassant les morts. Elle avait déjà repris la
bride de l'âne, elle le traînait par les terres glissantes,
avec la hâte d'être là-bas, au-delà des luzernes.

Prosper, brusquement, s'arrêta.

— Ça doit être par ici. Tenez! à droite, voilà les trois
arbres... Voyez-vous la trace des roues ? Là-bas, il y a
un caisson brisé... Enfin, nous y sommes!

Frémissante, Silvine s'était précipitée, et elle regardait au visage deux morts, deux artilleurs tombés sur le
bord du chemin.

— Mais il n'y est pas, il n'y est pas!... Vous aurez mal
vu... Oui! une idée comme ça, une idée fausse qui vous
aura passé par les yeux!

Peu à peu, un espoir fou, une joie délirante l'envahissait.

— Si vous vous étiez trompé, s'il vivait! Et bien sûr
qu'il vit, puisqu'il n'est pas là!

Tout à coup, elle jeta un cri sourd. Elle venait de se
retourner, elle se trouvait sur l'emplacement même de la
batterie. C'était effroyable, le sol bouleversé comme par
un tremblement de terre, des débris traînant partout, des
morts renversés en tous sens, dans d'atroces postures, les
bras tordus, les jambes repliées, la tête déjetée, hurlant
de leur bouche aux dents blanches, grande ouverte. Un
brigadier était mort, les deux mains sur les paupières,
en une crispation épouvantée, comme pour ne pas voir.
Des pièces d'or, qu'un lieutenant portait dans une ceinture, avaient coulé avec son sang, éparses parmi ses
entrailles. L'un sur l'autre, le ménage, Adolphe le conducteur et le pointeur Louis, avec leurs yeux sortis des
orbites, restaient farouchement embrassés, mariés jusque
dans la mort. Et c'était enfin Honoré, couché sur sa pièce
bancale, ainsi que sur un lit d'honneur, foudroyé au flanc
et à l'épaule, la face intacte et belle de colère, regardant
toujours, là-bas, vers les batteries prussiennes.

— Oh! mon ami, sanglota Silvine, mon ami...

Elle était tombée à genoux, sur la terre détrempée, les

mains jointes, dans un élan de folle douleur. Ce mot
d'ami, qu'elle trouvait seul, disait la tendresse qu'elle
venait de perdre, cet homme si bon qui lui avait pardonné,
qui consentait à faire de sa femme, malgré tout. Maintenant, c'était la fin de son espoir, elle ne vivrait plus.
Jamais elle n'en avait aimé un autre, et elle l'aimerait
toujours. La pluie cessait, un vol de corbeaux qui tour-
noyait en croassant au-dessus des trois arbres, l'inquiétait
comme une menace. Est-ce qu'on voulait le lui reprendre,
ce cher mort si péniblement retrouvé ? Elle s'était traînée
sur les genoux, elle chassait, d'une main tremblante, les
mouches voraces bourdonnant au-dessus des deux yeux
grands ouverts, dont elle cherchait encore le regard.

Mais, entre les doigts crispés d'Honoré, elle aperçut un
papier, taché de sang. Alors, elle s'inquiéta, tâcha d'avoir
ce papier, à petites secousses. Le mort ne voulait pas le
rendre, le retenait, si étroitement, qu'on ne l'aurait
arraché qu'en morceaux. C'était la lettre qu'elle lui avait
écrite, la lettre gardée par lui entre sa peau et sa chemise,
serrée ainsi comme pour un adieu, dans la convulsion
dernière de l'agonie. Et, lorsqu'elle l'eut reconnue, elle
fut pénétrée d'une joie profonde, au milieu de sa douleur, toute bouleversée de voir qu'il était mort en pensant
à elle. Ah! certes, oui! elle la lui laisserait, la chère
lettre! elle ne la reprendrait pas, puisqu'il tenait si obstinément à l'emporter dans la terre. Une nouvelle crise de
larmes la soulagea, des larmes tièdes et douces maintenant. Elle s'était relevée, elle lui baisait les mains, elle
lui baisa le front, en ne répétant toujours que ce mot
d'infinie caresse :

— Mon ami..., mon ami...

Cependant le soleil baissait, Prosper était allé chercher la couverture. Et tous deux, avec une pieuse lenteur,
soulevèrent le corps d'Honoré, le couchèrent sur cette
couverture, étalée par terre; puis, après l'avoir enveloppé, ils le portèrent dans la charrette. La pluie menaçait de reprendre, ils se remettaient en marche, avec
l'âne, petit cortège morne, au travers de la plaine scélérate,
lorsqu'un lointain roulement de foudre se fit entendre.

Prosper, de nouveau, cria :

— Les chevaux! les chevaux!

C'était encore une charge des chevaux errants, libres et
affamés. Ils arrivaient cette fois par un vaste chaume plat,
en une masse profonde, les crinières au vent, les naseaux
couverts d'écume; et un rayon oblique du rouge soleil

projetait à l'autre bout du plateau le vol frénétique de
leur course. Tout de suite, Silvine s'était jetée devant la
charrette, les deux bras en l'air, comme pour les arrêter,
d'un geste de furieuse épouvante. Heureusement, ils
dévièrent à gauche, détournés par une pente du terrain. Ils
auraient tout broyé. La terre tremblait, leurs sabots lan-
cèrent une pluie de cailloux, une grêle de mitraille qui
blessa l'âne à la tête. Et ils disparurent, au fond d'un
ravin.

— C'est la faim qui les galope, dit Prosper. Pauvres
bêtes !

Silvine, après avoir bandé l'oreille de l'âne avec son
mouchoir, venait de reprendre la bride. Et le petit cortège lugubre retraversa le plateau, en sens contraire, pour
refaire les deux lieues qui les séparaient de Remilly.
A chaque pas, Prosper s'arrêtait, regardait les chevaux
morts, le cœur gros de s'éloigner ainsi, sans avoir revu
Zéphir.

Un peu au-dessous du bois de la Garenne, comme ils
tournaient à gauche, pour reprendre la route du matin,
un poste allemand exigea leur laissez-passer. Et, au lieu
de les écarter de Sedan, ce poste-ci leur ordonna de passer par la ville, sous peine d'être arrêtés. Il n'y avait pas
à répondre, c'étaient les ordres nouveaux. D'ailleurs, leur
retour allait en être raccourci de deux kilomètres, et ils
en étaient heureux, brisés de fatigue.

Mais, dans Sedan, leur marche fut singulièrement
entravée. Dès qu'ils eurent franchi les fortifications, une
puanteur les enveloppa, un lit de fumier leur monta aux
genoux. C'était la ville immonde, un cloaque où, depuis
trois jours, s'entassaient les déjections et les excréments
de cent mille hommes. Toutes sortes de détritus avaient
épaissi cette litière humaine, de la paille, du foin, que
faisait fermenter le crottin des bêtes. Et, surtout, les
carcasses des chevaux, abattus et dépecés en pleins carrefours, empoisonnaient l'air. Les entrailles se pourris-
saient au soleil, les têtes, les os traînaient sur le pavé,
grouillants de mouches. Certainement, la peste allait
souffler, si l'on ne se hâtait pas de balayer à l'égout cette
couche d'effroyable ordure, qui, rue du Ménil, rue Maqua,
même sur la place Turenne, atteignait jusqu'à vingt centimètres. Des affiches blanches, du reste, posées par les
autorités prussiennes, réquisitionnaient les habitants
pour le lendemain, ordonnant à tous, quels qu'ils fussent,
ouvriers, marchands, bourgeois, magistrats de se mettre

à la besogne, armés de balais et de pelles, sous la menace des peines les plus sévères, si la ville n'était pas propre le soir; et, déjà, l'on pouvait voir, devant sa porte, le président du tribunal qui raclait le pavé, jetant les immondices dans une brouette, avec une pelle à feu.

Silvine et Prosper, qui avaient pris par la Grande-Rue, ne purent avancer qu'à petits pas, au milieu de cette boue fétide. Puis, toute une agitation emplissait la ville, leur barrait le chemin à chaque minute. C'était le moment où les Prussiens fouillaient les maisons, pour en faire sortir les soldats cachés, qui s'obstinaient à ne pas se rendre. La veille, lorsque, vers deux heures, le général de Wimpffen était revenu du château de Bellevue, après y avoir signé la capitulation, le bruit avait circulé tout de suite que l'armée prisonnière allait être enfermée dans la presqu'île d'Iges, en attendant qu'on organisât des convois pour la conduire en Allemagne. Quelques rares officiers comptaient profiter de la clause qui les faisait libres, à la condition de s'engager par écrit à ne plus servir. Seul, un général, disait-on, le général Bourgain-Desfeuilles, prétextant ses rhumatismes, venait de prendre cet engagement; et, le matin même, des huées avaient salué son départ, quand il était monté en voiture, devant l'hôtel de la Croix d'Or. Depuis le petit jour, le désarmement s'opérait, les soldats devaient défiler sur la place Turenne, pour jeter chacun ses armes, les fusils, les baïonnettes, au tas qui grandissait, pareil à un écroulement de ferraille, dans un angle de la place. Il y avait là un détachement prussien, commandé par un jeune officier, un grand garçon pâle, en tunique bleu ciel, coiffé d'une toque à plume de coq, qui surveillait ce désarmement, d'un air de correction hautaine, les mains gantées de blanc. Un zouave ayant, d'un mouvement de révolte, refusé son chassepot, l'officier l'avait fait emmener, en disant, sans le moindre accent : « Qu'on me fusille cet homme-là! » Les autres, mornes, continuaient à défiler, jetaient leurs fusils d'un geste mécanique, dans leur hâte d'en finir. Mais combien, déjà, étaient désarmés, ceux dont les chassepots traînaient là-bas, par la campagne! Et combien, depuis la veille, se cachaient, faisaient le rêve de disparaître, au milieu de l'inexprimable confusion! Les maisons, envahies, en restaient pleines, de ces entêtés qui ne répondaient pas, qui se terraient dans les coins. Les patrouilles allemandes, fouillant la ville, en trouvaient de blottis jusque sous des meubles. Et, comme beaucoup, même découverts, s'obstinaient à ne pas sortir des caves, elles s'étaient décidées à tirer des coups de feu par les soupiraux. C'était une chasse à l'homme, toute une battue abominable.

Au pont de Meuse, l'âne fut arrêté par un encombrement de foule. Le chef du poste qui gardait le pont, méfiant, croyant à quelque commerce de pain ou de viande, voulut s'assurer du contenu de la charrette; et, lorsqu'il eut écarté la couverture, il regarda un instant le cadavre, d'un air saisi; puis, d'un geste, il livra le passage. Mais on ne pouvait toujours pas avancer, l'encombrement augmentait, c'était un des premiers convois de prisonniers, qu'un détachement prussien conduisait à la presqu'île d'Iges. Le troupeau ne cessait pas, des hommes se bousculaient, se marchaient sur les talons, dans leurs uniformes en lambeaux, la tête basse, les regards obliques, avec le dos rond et les bras ballants des vaincus qui n'ont même plus de couteau pour s'ouvrir la gorge. La voix rude de leur gardien les poussait comme à coups de fouet, au travers de la débandade silencieuse, où l'on n'entendait que le clapotement des gros souliers dans la boue épaisse. Une ondée venait de tomber encore, et rien n'était plus lamentable, sous la pluie, que ce troupeau de soldats déchus, pareils aux vagabonds et aux mendiants des grandes routes.

Brusquement, Prosper, dont le cœur de vieux chasseur d'Afrique battait à se rompre, de rage étouffée, poussa du coude Silvine, en lui montrant deux soldats qui passaient. Il avait reconnu Maurice et Jean, emmenés avec les camarades, marchant fraternellement côte à côte; et, la petite charrette, enfin, ayant repris sa marche derrière le convoi, il put les suivre du regard jusqu'au faubourg de Torcy, sur cette route plate qui conduit à Iges, au milieu des jardins et des cultures maraîchères.

— Ah! murmura Silvine, les yeux vers le corps d'Honoré, bouleversée de ce qu'elle voyait, les morts peut-être sont plus heureux!

La nuit, qui les surprit à Wadelincourt, était noire depuis longtemps, lorsqu'ils rentrèrent à Remilly. Devant le cadavre de son fils, le père Fouchard resta stupéfait, car il était convaincu qu'on ne le retrouverait pas. Lui, venait d'occuper sa journée à conclure une bonne affaire. Les chevaux des officiers, volés sur le champ de bataille, se vendaient couramment vingt francs pièce; et il en avait acheté trois pour quarante-cinq francs.

II

Au moment où la colonne de prisonniers sortait de Torcy, il y eut une telle bousculade, que Maurice fut séparé de Jean. Il eut beau courir ensuite, il s'égara davantage. Et, lorsqu'il arriva enfin au pont, jeté sur le canal qui coupe la presqu'île d'Iges à sa base, il se trouva mêlé à des chasseurs d'Afrique, il ne put rejoindre son régiment.

Deux canons, tournés vers l'intérieur de la presqu'île, défendaient le passage du pont. Tout de suite après le canal, dans une maison bourgeoise, l'état-major prussien avait installé un poste, sous les ordres d'un commandant, chargé de la réception et de la garde des prisonniers. Du reste, les formalités étaient brèves, on comptait simplement comme des moutons les hommes qui entraient, au petit bonheur de la cohue, sans trop s'inquiéter des uniformes ni des numéros; et les troupeaux s'engouffraient, allaient camper où les poussait le hasard des routes.

Maurice crut pouvoir s'adresser à un officier bavarois, qui fumait, tranquillement assis à califourchon sur une chaise.

— Le 106ᵉ de ligne, monsieur, par où faut-il passer?

L'officier, par exception, ne comprenait-il pas le français? s'amusa-t-il à égarer un pauvre diable de soldat? Il eut un sourire, il leva la main, fit le signe d'aller tout droit.

Bien que Maurice fût du pays, il n'était jamais venu dans la presqu'île, il marcha dès lors à la découverte, comme jeté par un coup de vent au fond d'une île lointaine. D'abord, à gauche, il longea la Tour à Glaire, une belle propriété, dont le petit parc avait un charme infini, ainsi planté sur le bord de la Meuse. La route suivait ensuite la rivière, qui coulait à droite, au bas de hautes berges escarpées. Peu à peu, elle montait avec de lents

circuits, pour contourner le monticule qui occupait le
milieu de la presqu'île ; et il y avait là d'anciennes carrières, des excavations, où se perdaient d'étroits sentiers.
Plus loin, au fil de l'eau, se trouvait un moulin. Puis,
la route obliquait, redescendait jusqu'au village d'Iges,
bâti sur la pente, et qu'un bac reliait à l'autre rive, devant
la filature de Saint-Albert. Enfin, des terres labourées,
des prairies s'élargissaient, toute une étendue de vastes
terrains plats et sans arbres, qu'enfermait la boucle arron-
die de la rivière. Vainement, Maurice avait fouillé des
yeux le versant accidenté du coteau : il ne voyait là que
de la cavalerie et de l'artillerie, en train de s'installer.
Il questionna de nouveau, s'adressa à un brigadier de
chasseurs d'Afrique, qui ne savait rien. La nuit commençait à se faire, il s'assit un instant sur une borne de la
route, les jambes lasses.

Alors, dans le brusque désespoir qui le saisissait, il
aperçut, en face, de l'autre côté de la Meuse, les champs
maudits où il s'était battu l'avant-veille. C'était, sous le
jour finissant de cette journée de pluie, une évocation
livide, le morne déroulement d'un horizon noyé de boue.
Le défilé de Saint-Albert, l'étroit chemin par lequel les
Prussiens étaient venus, filait le long de la boucle, jusqu'à un éboulis blanchâtre de carrières. Au-delà de la
montée du Seugnon, moutonnaient les cimes du bois de la
Falizette. Mais, droit devant lui, un peu sur la gauche,
c'était surtout Saint-Menges, dont le chemin descendant
aboutissait au bac ; c'était le mamelon du Hattoy au
milieu, Illy très loin, au fond, Fleigneux enfoncé derrière
un pli de terrain, Floing plus rapproché, à droite. Il
reconnaissait le champ dans lequel il avait attendu des
heures, couché parmi les choux, le plateau que l'artillerie de réserve avait essayé de défendre, la crête où il
avait vu Honoré mourir sur sa pièce fracassée. Et l'abomination du désastre renaissait, l'abreuvait de souffrance
et de dégoût, jusqu'au vomissement.

Cependant, la crainte d'être surpris par la nuit noire,
lui fit reprendre ses recherches. Peut-être le 106e cam-
pait-il dans les parties basses, au-delà du village. Il n'y
découvrait que des rôdeurs, il se décida à faire le tour de
la presqu'île, en suivant la boucle. Comme il traversait
un champ de pommes de terre, il eut la précaution d'en
déterrer quelques pieds et de s'emplir les poches : elles
n'étaient pas mûres encore, mais il n'avait rien autre
chose, Jean ayant voulu, pour comble de malchance,

se charger des deux pains que Delaherche leur avait
remis, au départ. Ce qui le frappait maintenant, c'était la
quantité considérable de chevaux qu'il rencontrait, parmi
les terres nues dont la pente douce descendait du monticule central à la Meuse, vers Donchery. Pourquoi avoir
amené toutes ces bêtes ? comment allait-on les nourrir ? Et
la nuit noire s'était faite, lorsqu'il atteignit un petit bois,
au bord de l'eau, dans lequel il fut surpris de trouver les
cent-gardes de l'escorte de l'empereur, installés déjà, se
séchant devant de grands feux. Ces messieurs, ainsi campés à l'écart, avaient de bonnes tentes, des marmites qui
bouillaient, une vache attachée à un arbre. Tout de suite,
il sentit qu'on le regardait de travers, dans son lamentable abandon de fantassin en lambeaux, couvert de boue.
Pourtant, on lui permit de faire cuire ses pommes de terre
sous la cendre, et il se retira au pied d'un arbre, à une
centaine de mètres pour les manger. Il ne pleuvait plus,
le ciel s'était découvert, des étoiles luisaient très vives, au
fond des ténèbres bleues. Alors, il comprit qu'il passerait
la nuit là, quitte à continuer ses recherches, le lendemain
matin. Il était brisé de fatigue, l'arbre le protégerait toujours un peu, si la pluie recommençait.

Mais il ne put s'endormir, hanté par la pensée de cette
prison vaste, ouverte au plein air de la nuit, dans laquelle
il se sentait enfermé. Les Prussiens avaient eu une idée
d'une intelligence vraiment singulière, en poussant là les
quatre-vingt mille hommes qui restaient de l'armée de
Châlons. La presqu'île pouvait mesurer une lieue de long
sur un kilomètre et demi de large, de quoi parquer à l'aise
l'immense troupeau débandé des vaincus. Et il se rendait
parfaitement compte de l'eau ininterrompue qui les entourait, la boucle de la Meuse sur trois côtés, puis le canal
de dérivation à la base, unissant les deux lits rapprochés de la rivière. Là seulement, se trouvait une porte, le
pont, que les deux canons défendaient. Aussi rien n'allait-
il être plus facile que de garder ce camp, malgré son étendue. Déjà, il avait remarqué, à l'autre bord, le cordon des
sentinelles allemandes, un soldat tous les cinquante pas,
planté près de l'eau, avec l'ordre de tirer sur tout homme
qui tenterait de s'échapper à la nage. Des uhlans galopaient derrière, reliaient les différents postes ; tandis que,
plus loin, éparses dans la vaste campagne, on aurait pu
compter les lignes noires des régiments prussiens, une
triple enceinte vivante et mouvante qui murait l'armée
prisonnière.

Maintenant, d'ailleurs, les yeux grands ouverts par l'insomnie, Maurice ne voyait plus que les ténèbres, où s'allumaient les feux des bivouacs. Pourtant, au-delà du ruban pâle de la Meuse, il distinguait encore les silhouettes immobiles des sentinelles. Sous la clarté des étoiles, elles restaient droites et noires ; et, à des intervalles réguliers, leur cri guttural lui arrivait, un cri de veille menaçante qui se perdait au loin dans le gros bouillonnement de la rivière. Tout le cauchemar de l'avant-veille renaissait en lui, à ces dures syllabes étrangères traversant une belle nuit étoilée de France, tout ce qu'il avait revu une heure plus tôt, le plateau d'Illy encore encombré de morts, cette banlieue scélérate de Sedan où venait de crouler un monde. La tête appuyée contre une racine, dans l'humidité de cette lisière de bois, il retomba au désespoir qui l'avait saisi la veille, sur le canapé de Delaherche ; et ce qui, aggravant les souffrances de son orgueil, le torturait maintenant, c'était la question du lendemain, le besoin de mesurer la chute, de savoir au milieu de quelles ruines ce monde d'hier avait croulé. Puisque l'empereur avait rendu son épée au roi Guillaume, cette abominable guerre n'était-elle pas finie ? Mais il se rappelait ce que lui avaient répondu deux soldats bavarois, qui conduisaient les prisonniers à Iges : « Nous tous en France, nous tous à Paris ! » Dans son demi-sommeil, il eut la vision brusque de ce qui se passait, l'Empire balayé, emporté, sous le coup de l'exécration universelle, la République proclamée au milieu d'une explosion de fièvre patriotique, tandis que la légende de 92 faisait défiler des ombres, les soldats de la levée en masse, les armées de volontaires purgeant de l'étranger le sol de la patrie. Et tout se confondait dans sa pauvre tête malade, les exigences des vainqueurs, l'âpreté de la conquête, l'obstination des vaincus à donner jusqu'à leur dernière goutte de sang, la captivité pour les quatre-vingt mille hommes qui étaient là, cette presqu'île d'abord, les forteresses de l'Allemagne ensuite, pendant des semaines, des mois, des années peut-être. Tout craquait, s'effondrait, à jamais, au fond d'un malheur sans bornes.

Le cri des sentinelles, grandi peu à peu, éclata devant lui, alla se perdre au loin. Il s'était réveillé, il se retournait sur la terre dure, lorsqu'un coup de feu déchira le grand silence. Un râle de mort, tout de suite, avait traversé la nuit noire ; et il y eut un éclaboussement d'eau, la courte lutte d'un corps qui coule à pic. Sans doute

quelque malheureux qui venait de recevoir une balle en
pleine poitrine, comme il tentait de se sauver, en passant
la Meuse à la nage.

Le lendemain, dès le lever du soleil, Maurice fut debout.
Le ciel restait clair, il avait hâte de rejoindre Jean et
les camarades de la compagnie. Un instant, il eut l'idée
de fouiller de nouveau l'intérieur de la presqu'île; puis,
il résolut d'en achever le tour. Et, comme il se retrouvait
au bord du canal, il aperçut les débris du 106e, un millier
d'hommes campés sur la berge, que protégeait seule une
file maigre de peupliers. La veille, s'il avait tourné à
gauche, au lieu de marcher droit devant lui, il aurait
rattrapé tout de suite son régiment. Presque tous les
régiments de ligne s'étaient entassés là, le long de cette
berge qui va de la Tour à Glaire au château de Villette,
une autre propriété bourgeoise, entourée de quelques
masures, du côté de Donchery; tous bivouaquaient près
du pont, près de l'issue unique, dans cet instinct de la
liberté qui fait s'écraser les grands troupeaux, au seuil
des bergeries, contre la porte.

Jean eut un cri de joie.

— Ah! c'est toi enfin! je t'ai cru dans la rivière!

Il était là, avec ce qui restait de l'escouade, Pache et
Lapoulle, Loubet et Chouteau. Ceux-ci, après avoir dormi
sous une porte de Sedan, s'étaient trouvés réunis de nouveau par le grand coup de balai. Dans la compagnie, d'ailleurs, ils n'avaient plus d'autre chef que le caporal, la
mort ayant fauché le sergent Sapin, le lieutenant Rochas
et le capitaine Beaudoin. Et, bien que les vainqueurs
eussent aboli les grades, en décidant que les prisonniers
ne devaient obéissance qu'aux officiers allemands, tous les
quatre ne s'en étaient pas moins serrés autour de lui,
le sachant prudent et expérimenté, bon à suivre dans les
circonstances difficiles. Aussi, ce matin-là, la concorde et
la belle humeur régnaient-elles, malgré la bêtise des uns
et la mauvaise tête des autres. Pour la nuit, d'abord, il
leur avait trouvé un endroit à peu près sec, entre deux
rigoles, où ils s'étaient allongés, n'ayant plus, à eux tous,
qu'une toile. Ensuite, il venait de se procurer du bois et
une marmite, dans laquelle Loubet leur avait fait du café,
dont la bonne chaleur les ragaillardissait. La pluie ne tombait plus, la journée s'annonçait superbe, on avait encore
un peu de biscuit et de lard; et puis, comme disait Chouteau, ça faisait plaisir, de ne plus obéir à personne, de
flâner à sa fantaisie. On avait beau être enfermé, il y avait

de la place. Du reste, dans deux ou trois jours, on serait parti. Si bien que cette première journée, la journée du 4, qui était un dimanche, se passa gaiement.

Maurice lui-même, raffermi depuis qu'il avait rejoint les camarades, ne souffrit guère que des musiques prussiennes, qui jouèrent tout l'après-midi, de l'autre côté du canal. Vers le soir, il y eut des chœurs. On voyait, au-delà du cordon des sentinelles, les soldats se promenant par petits groupes, chantant d'une voix lente et haute, pour célébrer le dimanche.

— Ah! ces musiques! finit par crier Maurice exaspéré. Elles m'entrent dans la peau!

Moins nerveux, Jean haussa les épaules.

— Dame! ils ont des raisons pour être contents. Et puis, peut-être qu'ils croient nous distraire... La journée n'a pas été mauvaise, ne nous plaignons pas.

Mais, à la tombée du jour, la pluie recommença. C'était un désastre. Quelques soldats avaient envahi les rares maisons abandonnées de la presqu'île. Quelques autres étaient parvenus à dresser des tentes. Le plus grand nombre, sans abri d'aucune sorte, sans couverture même, durent passer la nuit, au plein air, sous cette pluie diluvienne.

Vers une heure du matin, Maurice que la fatigue avait assoupi, se réveilla au milieu d'un véritable lac. Les rigoles, enflées par les averses, venaient de déborder, submergeant le terrain où il s'était étendu. Chouteau et Loubet juraient de colère, tandis que Pache secouait Lapoulle, qui dormait quand même à poings fermés, dans cette noyade. Alors, Jean, ayant songé aux peupliers plantés le long du canal, courut s'y abriter, avec ses hommes, qui achevèrent là cette nuit affreuse, à demi ployés, le dos contre l'écorce, les jambes ramenées sous eux, pour les garer des grosses gouttes.

Et la journée du lendemain, et la journée du surlendemain, furent vraiment abominables, sous les continuelles ondées, si drues et si fréquentes, que les vêtements n'avaient pas le temps de sécher sur le corps. La famine commençait, il ne restait plus un biscuit, plus de lard ni de café. Pendant ces deux jours, le lundi et le mardi, on vécut de pommes de terre volées dans les champs voisins; et encore, vers la fin du deuxième jour, se faisaient-elles si rares, que les soldats ayant de l'argent les achetaient jusqu'à cinq sous pièce. Des clairons sonnaient bien à la distribution, le caporal s'était même hâté de se rendre

devant un grand hangar de la Tour à Glaire, où le bruit
courait qu'on délivrait des rations de pain. Mais, une première fois, il avait attendu là, pendant trois heures, inutilement ; puis, une seconde, il s'était pris de querelle
avec un Bavarois. Si les officiers français ne pouvaient
rien, dans l'impuissance où ils étaient d'agir, l'état-major
allemand avait-il donc parqué l'armée vaincue sous la
pluie, avec l'intention de la laisser crever de faim ? Pas
une précaution ne semblait avoir été prise, pas un effort
n'était fait pour nourrir les quatre-vingt mille hommes
dont l'agonie commençait, dans cet enfer effroyable que
les soldats allaient nommer le Camp de la Misère, un nom
de détresse dont les plus braves devaient garder le frisson.

Au retour de ses longues stations inutiles devant le
hangar, Jean, malgré son calme habituel, s'emportait.

— Est-ce qu'ils se fichent de nous, à sonner, quand il
n'y a rien ? Du tonnerre de Dieu si je me dérange encore !

Pourtant, au moindre appel, il se hâtait de nouveau.
C'était inhumain, ces sonneries réglementaires ; et elles
avaient un autre effet, qui crevait le cœur de Maurice.
Chaque fois que sonnaient les clairons, les chevaux français, abandonnés et libres de l'autre côté du canal, accou-
raient, se jetaient dans l'eau pour rejoindre leurs régiments, affolés par ces fanfares connues qui leur arrivaient
ainsi que des coups d'éperon. Mais, épuisés, entraînés,
bien peu atteignaient la berge. Ils se débattaient, lamentables, se noyaient en si grand nombre, que leurs corps
déjà, enflés et surnageant, encombraient le canal. Quant
à ceux qui abordaient, ils étaient comme pris de folie,
galopaient, se perdaient au travers des champs vides de la
presqu'île.

— Encore de la viande pour les corbeaux ! disait douloureusement Maurice, qui se rappelait la quantité inquiétante de chevaux, rencontrée par lui. Si nous restons
quelques jours, nous allons tous nous dévorer... Ah ! les
pauvres bêtes !

La nuit du mardi au mercredi fut surtout terrible. Et
Jean qui commençait à s'inquiéter sérieusement de l'état
fébrile de Maurice, l'obligea à s'envelopper dans un lambeau de couverture, qu'ils avaient acheté dix francs à un
zouave ; tandis que lui, dans sa capote trempée comme
une éponge, recevait le déluge qui ne cessa point, cette
nuit-là. Sous les peupliers, la position devenait intenable :
un fleuve de boue coulait, la terre gorgée gardait l'eau en
flaques profondes. Le pis était qu'on avait l'estomac vide,

le repas du soir ayant consisté en deux betteraves pour
les six hommes, qu'ils n'avaient même pu faire cuire,
faute de bois sec, et dont la fraîcheur sucrée s'était
changée bientôt en une intolérable sensation de brûlure.
Sans compter que la dysenterie se déclarait, causée par
la fatigue, la mauvaise nourriture, l'humidité persistante.
A plus de dix reprises, Jean, adossé contre le tronc du
même arbre, les jambes sous l'eau, avait allongé la main,
pour tâter si Maurice ne s'était pas découvert, dans l'agitation de son sommeil. Depuis que, sur le plateau d'Illy,
son compagnon l'avait sauvé des Prussiens, en l'emportant
entre ses bras, il payait sa dette au centuple. C'était, sans
qu'il le raisonnât, le don entier de sa personne, l'oubli
total de lui-même pour l'amour de l'autre; et cela obscur
et vivace, chez ce paysan resté près de la terre, qui ne
trouvait pas de mots pour exprimer ce qu'il sentait. Déjà, il
s'était retiré les morceaux de la bouche, comme disaient
les hommes de l'escouade; maintenant, il aurait donné
sa peau pour en revêtir l'autre, lui abriter les épaules,
lui réchauffer les pieds. Et, au milieu du sauvage égoïsme
qui les entourait, de ce coin d'humanité souffrante dont
la faim enrageait les appétits, il devait peut-être à cette
complète abnégation de lui-même ce bénéfice imprévu de
conserver sa tranquille humeur et sa belle santé; car lui
seul, solide encore, ne perdait pas trop la tête.

Aussi, après cette nuit affreuse, Jean mit-il à exécution
une idée qui le hantait.

— Ecoute, mon petit, puisqu'on ne nous donne rien à
manger et qu'on nous oublie dans ce sacré trou, faut
pourtant se remuer un peu, si l'on ne veut pas crever
comme des chiens... As-tu encore des jambes ?

Heureusement, le soleil avait reparu, et Maurice en
était tout réchauffé.

— Mais oui, j'ai des jambes !

— Alors, nous allons partir à la découverte... Nous
avons de l'argent, c'est bien le diable si nous ne trouvons
pas quelque chose à acheter. Et ne nous embarrassons pas
des autres, ils ne sont pas assez gentils, qu'ils se
débrouillent !

En effet, Loubet et Chouteau le révoltaient par leur
égoïsme sournois, volant ce qu'ils pouvaient, ne partageant
jamais avec les camarades; de même qu'il n'y avait rien
à tirer de bon de Lapoulle, la brute, ni de Pache, le
cafard.

Tous les deux donc, Jean et Maurice, s'en allèrent par

le chemin que ce dernier avait suivi déjà, le long de la Meuse. Le parc de la Tour à Glaire et la maison d'habitation étaient dévastés, pillés, les pelouses ravinées comme par un orage, les arbres abattus, les bâtiments envahis. Une foule en guenilles, des soldats couverts de boue, les joues creuses, les yeux luisants de fièvre, y campaient en bohémiens, vivaient en loups dans les chambres souillées, n'osant sortir, de peur de perdre leur place pour la nuit. Et, plus loin, sur les pentes, ils traversèrent la cavalerie, et l'artillerie, si correctes jusque-là, déchues elles aussi, se désorganisant sous cette torture de la faim, qui affolait les chevaux et jetait les hommes à travers champs, en bandes dévastatrices. A droite, ils virent, devant le moulin, une queue interminable d'artilleurs et de chasseurs d'Afrique défilant avec lenteur : le meunier leur vendait de la farine, deux poignées dans leur mouchoir pour un franc. Mais la crainte de trop attendre les fit passer outre, avec l'espoir de trouver mieux, dans le village d'Iges ; et ce fut une consternation, lorsqu'ils l'eurent visité, nu et morne, pareil à un village d'Algérie, après un passage de sauterelles : plus une miette de vivres, ni pain, ni légumes, ni viande, les misérables maisons comme raclées avec les ongles. On disait que le général Lebrun était descendu chez le maire. Vainement, il s'était efforcé d'organiser un service de bons, payables après la campagne, de façon à faciliter l'approvisionnement des troupes. Il n'y avait plus rien, l'argent devenait inutile. La veille encore, on payait un biscuit deux francs, une bouteille de vin sept francs, un petit verre d'eau-de-vie vingt sous, une pipe de tabac dix sous. Et, maintenant, des officiers devaient garder la maison du général, ainsi que les masures voisines, le sabre au poing car de continuelles bandes de rôdeurs enfonçaient les portes, volaient jusqu'à l'huile des lampes pour la boire.

Trois zouaves appelèrent Maurice et Jean. A cinq, on ferait de la besogne.

— Venez donc... Y a des chevaux qui claquent, et si on avait seulement du bois sec...

Puis, ils se ruèrent sur une maison de paysan, cassèrent les portes des armoires, arrachèrent le chaume de la toiture. Des officiers qui arrivaient au pas de course, en les menaçant de leurs revolvers, les mirent en fuite.

Jean, quand il vit les quelques habitants restés à Iges aussi misérables et affamés que les soldats, regretta d'avoir dédaigné la farine, au moulin.

— Faut retourner, peut-être qu'il y en a encore.

Mais Maurice commençait à être si las, si épuisé d'inanition, que Jean le laissa dans un trou des carrières, assis sur une roche, en face du large horizon de Sedan. Lui, après une queue de trois quarts d'heure, revint enfin avec un torchon plein de farine. Et ils ne trouvèrent rien autre chose que de la manger ainsi, à poignées. Ce n'était pas mauvais, ça ne sentait rien, un goût fade de pâte. Pourtant, ce déjeuner les réconforta un peu. Ils eurent même la chance de trouver, dans la roche, un réservoir naturel d'eau de pluie, assez pure, auquel ils se désaltérèrent avec délices.

Puis, comme Jean proposait de rester là l'après-midi, Maurice eut un geste violent.

— Non, non pas là!... J'en tomberais malade, d'avoir ça longtemps sous les yeux...

De sa main tremblante, il indiquait l'horizon immense, le Hattoy, les plateaux de Floing et d'Illy, le bois de la Garenne, ces champs exécrables du massacre et de la défaite.

— Tout à l'heure, pendant que je t'attendais, j'ai dû me décider à tourner le dos, car j'aurais fini par hurler de rage, oui! hurler comme un chien qu'on exaspère... Tu ne peux t'imaginer le mal que ça me fait, ça me rend fou!

Jean le regardait, étonné de cet orgueil saignant, inquiet de surprendre de nouveau dans ses yeux cet égarement de folie qu'il avait remarqué déjà. Il affecta de plaisanter.

— Bon! c'est facile, nous allons changer de pays.

Alors, ils errèrent jusqu'à la fin du jour, au hasard des sentiers. Ils visitèrent la partie plate de la presqu'île, dans l'espérance d'y trouver des pommes de terre encore; mais les artilleurs, ayant pris les charrues, avaient retourné les champs, glanant, ramassant tout. Ils revinrent, sur leurs pas, ils traversèrent de nouveau des foules désœuvrées et mourantes, des soldats promenant leur faim, semant le sol de leurs corps engourdis, tombés d'épuisement par centaines, au grand soleil. Eux-mêmes, à chaque heure, succombaient, devaient s'asseoir. Puis, une sourde exaspération les remettait debout, ils recommençaient à rôder, comme aiguillonnés par l'instinct de l'animal qui cherche sa nourrtiture. Cela semblait durer depuis des mois, et les minutes coulaient pourtant, rapides. Dans l'intérieur des terres, du côté de Donchery, ils eurent

peur des chevaux, ils durent s'abriter derrière un mur, ils
restèrent là longtemps, à bout de forces, regardant de leurs
yeux vagues ces galops de bêtes folles passer sur le ciel
rouge du couchant.

Ainsi que Maurice l'avait prévu, les milliers de chevaux emprisonnés avec l'armée, et qu'on ne pouvait
nourrir, étaient un danger qui croissait de jour en jour.
D'abord, ils avaient mangé l'écorce des arbres, ensuite ils
s'étaient attaqués aux treillages, aux palissades, à toutes
les planches qu'ils rencontraient, et maintenant ils se
dévoraient entre eux. On les voyait se jeter les uns sur
les autres, pour s'arracher les crins de la queue, qu'ils
mâchaient furieusement, au milieu d'un flot d'écume.
Mais, la nuit surtout, ils devenaient terribles, comme si
l'obscurité les eût hantés de cauchemars. Ils se réunissaient, se ruaient sur les rares tentes debout, attirés par
la paille. Vainement, les hommes, pour les écarter,
avaient allumé de grands feux, qui semblaient les exciter
davantage. Leurs hennissements étaient si lamentables,
si effrayants, qu'on aurait dit des rugissements de bêtes
fauves. On les chassait, ils revenaient plus nombreux et
plus féroces. Et, à chaque instant, dans les ténèbres, on
entendait le long cri d'agonie de quelque soldat perdu,
que l'enragé galop venait d'écraser.

Le soleil était encore sur l'horizon, lorsque Jean et
Maurice, en route pour retourner au campement, eurent
la surprise de rencontrer les quatre hommes de l'escouade,
terrés dans un fossé, ayant l'air de comploter là quelque
mauvais coup. Loubet, tout de suite, les appela, et
Chouteau leur dit :

— C'est par rapport au dîner de ce soir... Nous allons
crever, voici trente-six heures que nous ne nous sommes
rien mis dans le ventre... Alors, comme il y a là des chevaux, et que ce n'est pas mauvais, la viande des chevaux...

— N'est-ce pas ? caporal, vous en êtes, continua
Loubet, parce que plus nous serons, mieux ça vaudra,
avec une si grosse bête... Tenez ! il y en a un, là-bas, que
nous guettons depuis une heure, ce grand rouge qui a
l'air malade. Ce sera plus facile de l'achever.

Et il montrait un cheval que la faim venait d'abattre,
au bord d'un champ ravagé de betteraves. Tombé sur le
flanc, il relevait par moments la tête, promenait ses yeux
mornes, avec un grand souffle triste.

— Ah ! comme c'est long ! grogna Lapoulle, que son
gros appétit torturait. Je vas l'assommer, voulez-vous ?

Mais Loubet l'arrêta. Merci! pour se faire une sale histoire avec les Prussiens, qui avaient défendu, sous peine
de mort, de tuer un seul cheval, dans la crainte que la
carcasse abandonnée n'engendrât la peste. Il fallait
attendre la nuit close. Et c'était pourquoi, tous les quatre,
ils étaient dans le fossé, à guetter, les yeux luisants, ne
quittant pas la bête.

— Caporal, demanda Pache, d'une voix un peu tremblante, vous qui avez de l'idée, si vous pouviez le tuer
sans lui faire du mal?

D'un geste de révolte, Jean refusa la cruelle besogne.
Cette pauvre bête agonisante, oh! non, non! Son premier
mouvement venait d'être de fuir, d'emmener Maurice,
pour ne prendre part ni l'un ni l'autre à l'affreuse boucherie. Mais, en voyant son compagnon, si pâle, il se
gronda ensuite de sa sensibilité. Après tout, mon Dieu!
les bêtes, c'était fait pour nourrir les gens. On ne pouvait pas se laisser mourir de faim, quand il y avait là de
la viande. Et il fut content de voir Maurice se ragaillardir
un peu à l'espoir qu'on dînerait, il dit lui-même de son
air de bonne humeur :

— Ma foi, non, je n'ai pas d'idée, et s'il faut le tuer,
sans lui faire du mal...

— Oh! moi, je m'en fiche, interrompit Lapoulle. Vous
allez voir!

Quand les deux nouveaux venus se furent assis dans le
fossé, l'attente recommença. De temps à autre, un des
hommes se levait, s'assurait que le cheval était bien toujours là, tendant le cou vers les souffles frais de la Meuse,
vers le soleil couchant, pour en boire encore toute la vie.
Puis, enfin, lorsque le crépuscule vint lentement, les six
furent debout, dans ce guet sauvage, impatients de la nuit
si paresseuse, regardant de toutes parts, avec une inquiétude effarée, si personne ne les voyait.

— Ah! zut! cria Chouteau, c'est le moment!

La campagne restait claire, d'une clarté louche d'entre
chien et loup. Et Lapoulle courut le premier, suivi des
cinq autres. Il avait pris dans le fossé une grosse pierre
ronde, il se rua sur le cheval, se mit à lui défoncer le
crâne, de ses deux bras raidis, comme avec une massue.
Mais, dès le second coup, le cheval fit un effort pour se
remettre debout. Chouteau et Loubet s'étaient jetés en
travers de ses jambes, tâchaient de le maintenir, criaient
aux autres de les aider. Il hennissait d'une voix presque
humaine, éperdue et douloureuse, se débattait, les aurait

cassés comme verre, s'il n'avait pas été déjà à demi mort
d'inanition. Cependant, sa tête remuait trop, les coups ne
portaient plus, Lapoulle ne pouvait le finir.

— Nom de Dieu! qu'il a les os durs!... Tenez-le donc,
que je le crève!

Jean et Maurice, glacés, n'entendaient pas les appels de
Chouteau, restaient les bras ballants, sans se décider à
intervenir.

Et Pache, brusquement, dans un élan instinctif de religieuse pitié, tomba sur la terre à deux genoux, joignit les
mains, se mit à bégayer des prières, comme on en dit au
chevets des agonisants.

— Seigneur, prenez pitié de lui...

Une fois encore, Lapoulle frappa à faux, n'enleva
qu'une oreille au misérable cheval, qui se renversa, avec
un grand cri.

— Attends, attends! gronda Chouteau. Il faut en finir,
il nous ferait pincer... Ne le lâche pas, Loubet!

Dans sa poche, il venait de prendre son couteau, un
petit couteau dont la lame n'était guère plus longue que le
doigt. Et, vautré sur le corps de la bête, un bras passé à
son coup, il enfonça cette lame, fouilla dans cette chair
vivante, tailla des morceaux jusqu'à ce qu'il eût trouvé
et tranché l'artère. D'un bond, il s'était jeté de côté, le
sang jaillissait, se dégorgeait comme du canon d'une
fontaine, tandis que les pieds s'agitaient et que de grands
frissons convulsifs couraient sur la peau. Il fallut près de
cinq minutes au cheval pour mourir. Ses grands yeux
élargis, pleins d'une épouvante triste, s'étaient fixés sur
les hommes hagards qui attendaient qu'il fût mort. Ils se
troublèrent et s'éteignirent.

— Mon Dieu, bégayait Pache toujours à genoux, secou-
rez-le, ayez-le en votre sainte garde...

Ensuite, quand il ne remua plus, ce fut un gros embarras, pour en tirer un bon morceau. Loubet, qui avait fait
tous les métiers, indiquait bien comment il fallait s'y
prendre, si l'on voulait avoir le filet. Mais, boucher maladroit, n'ayant d'ailleurs que le petit couteau, il se perdit
dans cette chair toute chaude, encore palpitante de vie. Et
Lapoulle, impatient, s'étant mis à l'aider en ouvrant le
ventre, sans nécessité aucune, le carnage devint abominable. Une hâte féroce dans le sang et les entrailles
répandues, des loups qui fouillaient à pleins crocs la
carcasse d'une proie.

— Je ne sais pas bien quel morceau ça peut être, dit

enfin Loubet en se relevant, les bras chargés d'un lambeau
énorme de viande. Mais voilà tout de même de quoi nous
en mettre par-dessus les yeux.

Jean et Maurice, saisis d'horreur, avaient détourné la
tête. Cependant, la faim les pressait, ils suivirent la bande,
quand elle galopa, pour ne point se faire surprendre
près du cheval entamé. Chouteau venait de faire une
trouvaille, trois grosses betteraves, oubliées, qu'il emportait. Loubet, pour se décharger les bras, avait jeté la viande
sur les épaules de Lapoulle; tandis que Pache portait la
marmite de l'escouade, qu'ils traînaient avec eux, en cas
de chasse heureuse. Et les six galopaient, galopaient, sans
reprendre haleine, comme poursuivis.

Tout d'un coup, Loubet arrêta les autres.

— C'est bête, faudrait savoir où nous allons faire cuire
ça.

Jean, qui se calmait, proposa les carrières. Elles
n'étaient pas à plus de trois cents mètres, il y avait là des
trous cachés, où l'on pouvait allumer du feu, sans être vu.
Mais, quand ils y furent, toutes sortes de difficultés se
présentèrent. D'abord, la question du bois; et heureusement qu'ils découvrirent la brouette d'un cantonnier, dont
Lapoulle fendit les planches, à coups de talon. Ensuite,
ce fut l'eau potable qui manquait absolument. Dans la
journée, le grand soleil avait séché les petits réservoirs
naturels d'eau de pluie. Il existait bien une pompe, mais
elle était trop loin, au château de la Tour à Glaire, et l'on
y faisait queue jusqu'à minuit, heureux encore lorsqu'un
camarade, dans la bousculade, ne renversait pas du coude
votre gamelle. Quant aux quelques puits du voisinage, ils
étaient taris depuis deux jours, on n'en tirait plus que de
la boue. Restait seulement l'eau de la Meuse, dont la
berge se trouvait de l'autre côté de la route.

— J'y vas avec la marmite, proposa Jean.

Tous se récrièrent.

— Ah! non! nous ne voulons pas être empoisonnés,
c'est plein de morts!

La Meuse, en effet, roulait des cadavres d'hommes
et de chevaux. On en voyait, à chaque minute, passer, le
ventre ballonné, déjà verdâtres, en décomposition. Beaucoup s'étaient arrêtés dans les herbes, sur les bords,
empestant l'air, agités par le courant d'un frémissement
continu. Et presque tous les soldats qui avaient bu de cette
eau abominable, s'étaient trouvés pris de nausées et de
dysenterie, à la suite d'affreuses coliques.

Il fallait se résigner pourtant. Maurice expliqua que l'eau, après avoir bouilli, ne serait plus dangereuse.

— Alors, j'y vas, répéta Jean, qui emmena Lapoulle.

Lorsque la marmite fut enfin au feu, pleine d'eau, avec la viande dedans, la nuit noire était venue. Loubet avait épluché les betteraves, pour les faire cuire dans le bouillon, un vrai fricot de l'autre monde, comme il disait; et tous activaient la flamme, en poussant sous la marmite les débris de la brouette. Leurs grandes ombres dansaient bizarrement, au fond de ce trou de roches. Puis, il leur devint impossible d'attendre davantage, ils se jetèrent sur le bouillon immonde, ils se partagèrent la viande avec leurs doigts égarés et tremblants, sans prendre le temps d'employer le couteau. Mais, malgré eux, leur cœur se soulevait. Ils souffraient surtout du manque de sel, leur estomac se refusait à garder cette bouillie fade des betteraves, ces morceaux de chair à moitié cuite, gluante, d'un goût d'argile. Presque tout de suite, des vomissements se déclarèrent. Pache ne put continuer, Chouteau et Loubet injurièrent cette satanée rosse de cheval, qu'ils avaient eu tant de peine à mettre en pot-au-feu, et qui leur fichait la colique. Seul, Lapoulle dîna copieusement; mais il faillit en crever, la nuit, lorsqu'il fut retourné avec les trois autres, sous les peupliers du canal, pour y dormir.

En chemin, Maurice, sans une parole, saisissant le bras de Jean, l'avait entraîné par un sentier de traverse. Les camarades lui causaient une sorte de dégoût furieux, il venait de faire un projet, celui d'aller coucher dans le petit bois, où il avait passé la première nuit. C'était une bonne idée, que Jean approuva beaucoup, lorsqu'il se fut allongé sur le sol en pente, très sec, abrité par d'épais feuillages. Ils y restèrent jusqu'au grand jour, ils y dormirent même d'un profond sommeil, ce qui leur rendit quelque force.

Le lendemain était un jeudi. Mais ils ne savaient plus comment ils vivaient, ils furent simplement heureux de ce que le beau temps semblait se rétablir. Jean décida Maurice, malgré sa répugnance, à retourner au bord du canal, pour voir si leur régiment ne devait pas partir ce jour-là. Chaque jour, maintenant, il y avait des départs de prisonniers, des colonnes de mille à douze cents hommes, qu'on dirigeait sur les forteresses de l'Allemagne. L'avant-veille, ils avaient vu, devant le poste prussien, un convoi d'officiers et de généraux qui allaient, à

Pont-à-Mousson, prendre le chemin de fer. C'était, chez tous, une fièvre, une furieuse envie de quitter cet effroyable Camp de la Misère. Ah! si leur tour pouvait être venu! Et, quand ils retrouvèrent le 106ᵉ toujours campé sur la berge, dans le désordre croissant de tant de souffrances, ils en eurent un véritable désespoir.

Pourtant, ce jour-là, Jean et Maurice crurent qu'ils mangeraient. Depuis le matin, tout un commerce s'était établi entre les prisonniers et les Bavarois, par-dessus le canal : on leur jetait de l'argent dans un mouchoir, et ils renvoyaient le mouchoir avec du gros pain bis ou du tabac grossier, à peine sec. Même des soldats qui n'avaient pas d'argent, étaient arrivés à faire des affaires, en leur lançant des gants blancs d'ordonnance, dont ils semblaient friands. Pendant deux heures, le long du canal, ce moyen barbare d'échange fit voler les paquets. Mais, Maurice ayant envoyé une pièce de cent sous dans sa cravate, le Bavarois qui lui renvoyait un pain, le jeta de telle sorte, soit maladresse, soit farce méchante, que le pain tomba à l'eau. Alors, parmi les Allemands, ce furent des rires énormes. Deux fois, Maurice s'entêta, et deux fois le pain fit un plongeon. Puis, attirés par les rires, des officiers accoururent, qui défendirent à leurs hommes de rien vendre aux prisonniers, sous peine de punitions sévères. Le commerce cessa, Jean dut calmer Maurice qui montrait les deux poings à ces voleurs, en leur criant de lui renvoyer ses pièces de cent sous.

La journée, malgré son grand soleil, fut terrible encore. Il y eut deux alertes, deux appels de clairon, qui firent courir Jean devant le hangar, où les distributions étaient censées avoir lieu. Mais, les deux fois, il ne reçut que des coups de coude, dans la bousculade. Les Prussiens, si remarquablement organisés, continuaient à montrer une incurie brutale à l'égard de l'armée vaincue. Sur les réclamations des généraux Douay et Lebrun, ils avaient bien fait amener quelques moutons, ainsi que des voitures de pains; seulement, les précautions étaient si mal prises, que les moutons se trouvaient enlevés, les voitures pillées, dès le pont, de sorte que les troupes campées à plus de cent mètres, ne recevaient toujours rien. Il n'y avait guère que les rôdeurs, les détrousseurs de convois, qui mangeaient. Aussi Jean, comprenant le truc, comme il disait, finit-il par amener Maurice près du pont, pour guetter eux aussi la nourriture.

Il était quatre heures déjà, ils n'avaient rien mangé

encore, par ce beau dimanche ensoleillé, lorsqu'ils eurent
la joie, tout d'un coup, d'apercevoir Delaherche. Quelques bourgeois de Sedan obtenaient ainsi, à grand-peine,
l'autorisation d'aller voir les prisonniers, auxquels ils
portaient des provisions; et Maurice, plusieurs fois déjà,
avait dit sa surprise de n'avoir aucune nouvelle de sa
sœur. Dès qu'ils reconnurent de loin Delaherche, chargé
d'un panier, ayant un pain sous chaque bras, ils se
ruèrent; mais ils arrivèrent encore trop tard, une telle
poussée s'était produite, que le panier et un des pains
venaient d'y rester, enlevés, disparus, sans que le fabricant
de drap eût pu lui-même se rendre compte de cet arrachement.

— Ah! mes pauvres amis! balbutia-t-il, stupéfait, bouleversé, lui qui arrivait le sourire aux lèvres, l'air bonhomme et pas fier, dans son désir de popularité.

Jean s'était emparé du dernier pain, le défendait; et,
tandis que Maurice et lui, assis au bord de la route, le
dévoraient à grosses bouchées, Delaherche donnait des
nouvelles. Sa femme, Dieu merci! allait très bien. Seulement, il avait des inquiétudes pour le colonel, qui était
tombé dans un grand accablement, bien que sa mère
continuât à lui tenir compagnie du matin au soir.

— Et ma sœur? demanda Maurice.

— Votre sœur, c'est vrai!... Elle m'accompagnait,
c'était elle qui portait les deux pains. Seulement, elle a
dû rester là-bas, de l'autre côté du canal. Jamais le poste
n'a consenti à la laisser passer... Vous savez que les Prussiens ont rigoureusement interdit aux femmes l'entrée
de la presqu'île.

Alors, il parla d'Henriette, de ses tentatives vaines
pour voir son frère et lui venir en aide. Un hasard l'avait
mise, dans Sedan, face à face avec le cousin Gunther, le
capitaine de la garde prussienne. Il passait de son air sec
et dur, en affectant de ne pas la reconnaître. Elle-même,
le cœur soulevé, comme devant un des assassins de son
mari, avait d'abord hâté le pas. Puis, dans un brusque
revirement, qu'elle ne s'expliquait point, elle était revenue, lui avait tout dit, la mort de Weiss, d'une voix
rude de reproche. Et il n'avait eu qu'un geste vague, en
apprenant cette mort affreuse d'un parent : c'était le
sort de la guerre, lui aussi aurait pu être tué. Sur son
visage de soldat, à peine un frémissement avait-il couru.
Ensuite, lorsqu'elle lui avait parlé de son frère prisonnier, en le suppliant d'intervenir, pour qu'elle pût le

voir, il s'était refusé à toute démarche. La consigne était formelle, il parlait de la volonté allemande comme d'une religion. En le quittant elle avait eu la sensation nette qu'il se croyait en France comme un justicier, avec l'intolérance et la morgue de l'ennemi héréditaire, grandi dans la haine de la race qu'il châtiait.

— Enfin, conclut Delaherche, vous aurez toujours mangé, ce soir ; et ce qui me désespère, c'est que je crains bien de ne pouvoir obtenir une autre permission.

Il leur demanda s'ils n'avaient pas de commissions à lui donner, il se chargea obligeamment de lettres écrites au crayon, que d'autres soldats lui confièrent, car on avait vu des Bavarois allumer leur pipe, en riant, avec les lettres qu'ils avaient promis de faire parvenir.

Puis, comme Maurice et Jean l'accompagnaient jusqu'au pont, Delaherche s'écria :

— Mais tenez ! la voici là-bas, Henriette !... Vous la voyez bien qui agite son mouchoir.

Au-delà de la ligne des sentinelles, en effet, parmi la foule, on distinguait une petite figure mince, un point blanc qui palpitait dans le soleil. Et tous deux, très émus, les yeux humides, levèrent les bras, répondirent d'un furieux branle de la main.

Ce fut le lendemain, un vendredi, que Maurice passa la plus abominable des journées. Pourtant, après une nouvelle nuit tranquille dans le petit bois, il avait eu la chance de manger encore du pain, Jean ayant découvert, au château de Villette, une femme qui en vendait, à dix francs la livre. Mais, ce jour-là, ils assistèrent à une effrayante scène, dont le cauchemar les hanta longtemps.

La veille, Chouteau avait remarqué que Pache ne se plaignait plus, l'air étourdi et content, comme un homme qui aurait dîné à sa faim. Tout de suite, il eut l'idée que le sournois devait avoir une cachette quelque part, d'autant plus que, ce matin-là, il venait de le voir s'éloigner pendant près d'une heure, puis reparaître, avec un sourire en dessous, la bouche pleine. Sûrement, une aubaine lui était tombée, des provisions ramassées dans quelque bagarre. Et Chouteau exaspérait Loubet et Lapoulle, ce dernier surtout. Hein ? quel sale individu, s'il avait à manger, de ne pas partager avec les camarades !

— Vous ne savez pas, ce soir, nous allons le suivre... Nous verrons s'il ose s'emplir tout seul, quand de pauvres bougres crèvent à côté de lui.

— Oui, oui ! c'est ça, nous le suivrons ! répéta violemment Lapoulle. Nous verrons bien !

Il serrait les poings, le seul espoir de manger enfin le rendait fou. Son gros appétit le torturait plus que les autres, son tourment devenait tel, qu'il avait essayé de mâcher de l'herbe. Depuis l'avant-veille, depuis la nuit où la viande de cheval aux betteraves lui avait donné une dysenterie affreuse, il était à jeun, si maladroit de son grand corps, malgré sa force, que, dans la bousculade du pillage des vivres, il n'attrapait jamais rien. Il aurait payé de son sang une livre de pain.

Comme la nuit tombait, Pache se glissa parmi les arbres de la Tour à Glaire, et les trois autres, prudemment, filèrent derrière lui.

— Faut pas qu'il se doute, répétait Chouteau. Méfiez-vous, s'il se retourne.

Mais, cent pas plus loin, Pache, évidemment, se crut seul, car il se mit à marcher d'un pas rapide, sans même jeter un regard en arrière. Et ils purent aisément le suivre jusque dans les carrières voisines, ils arrivèrent sur son dos, comme il dérangeait deux grosses pierres, pour prendre une moitié de pain dessous. C'était la fin de ses provisions, il avait encore de quoi faire un repas.

— Nom de Dieu de cafard ! hurla Lapoulle, voilà donc pourquoi tu te caches !... Tu vas me donner ça, c'est ma part !

Donner son pain, pourquoi donc ? Si chétif qu'il fût, une colère le redressa, tandis qu'il serrait le morceau de toutes ses forces sur son cœur. Lui aussi avait faim.

— Fiche-moi la paix, entends-tu ! c'est à moi !

Puis, devant le poing levé de Lapoulle, il prit sa course, galopant, dévalant des carrières dans les terres nues, du côté de Donchery. Les trois autres le poursuivaient haletants, à toutes jambes. Mais il gagnait du terrain, plus léger, pris d'une telle peur, si entêté à garder son bien, qu'il semblait emporté par le vent. Il avait franchi près d'un kilomètre, il approchait du petit bois, au bord de l'eau, lorsqu'il rencontra Jean et Maurice, qui revenaient à leur gîte de la nuit. Au passage, il leur jeta un cri de détresse, tandis que ceux-ci, étonnés de cette chasse à l'homme, dont l'enragé galop passait devant eux, restaient plantés au bord d'un champ. Et ce fut ainsi qu'ils virent tout.

Le malheur voulut que Pache, buttant contre une pierre, s'abattit. Déjà les trois autres arrivaient, hur-

lant, fouettés par la course, pareils à des loups lâchés sur
une proie.

— Donne ça, nom de Dieu! cria Lapoulle, ou je te fais
ton affaire!

Et il levait de nouveau le poing, lorsque Chouteau
lui passa, grand ouvert, le couteau mince, qui lui avait
servi à saigner le cheval.

— Tiens! le couteau!

Mais Jean s'était précipité, pour empêcher un malheur,
perdant la tête lui aussi, parlant de les fourrer tous au
bloc; ce qui le fit traiter par Loubet de Prussien, avec un
mauvais rire, puisqu'il n'y avait plus de chefs et que les
Prussiens seuls commandaient.

— Tonnerre de Dieu! répétait Lapoulle, veux-tu me
donner ça!

Malgré la terreur dont il était blême, Pache serra
davantage le pain contre sa poitrine, dans son obstination
de paysan affamé qui ne lâche rien de ce qui est à lui.

— Non!

Alors, ce fut fini, la brute lui planta le couteau dans la
gorge, si violemment, que le misérable ne cria même
pas. Ses bras se détendirent, le morceau de pain roula
par terre, dans le sang qui avait jailli.

Devant ce meurtre imbécile et fou, Maurice, immobile
jusque-là, parut lui-même être pris brusquement de folie.
Il menaçait les trois hommes du geste, il les traitait
d'assassins, avec une telle véhémence, que tout son corps
en tremblait. Mais Lapoulle ne semblait même pas l'entendre. Resté par terre, accroupi près du corps, il dévorait le pain, éclaboussé de gouttes rouges; il avait un air
de stupidité farouche, comme étourdi par le gros bruit de
ses mâchoires; tandis que Chouteau et Loubet, à le voir
si terrible dans son assouvissement, n'osaient pas même
lui réclamer leur part.

La nuit était complètement venue, une nuit claire, au
beau ciel étoilé; et Maurice et Jean, qui avaient gagné
leur petit bois, ne virent bientôt plus que Lapoulle, rôdant
le long de la Meuse. Les deux autres avaient disparu,
retournés sans doute au bord du canal, inquiets de ce
corps qu'ils laissaient derrière eux. Lui, au contraire,
semblait craindre d'aller là-bas, rejoindre les camarades.
Après l'étourdissement du meurtre, alourdi par la digestion du gros morceau de pain avalé trop vite, il était évidemment saisi d'une angoisse, qui le faisait s'agiter,
n'osant reprendre la route que barrait le cadavre, piéti-

nant sans fin sur la berge, d'un pas vacillant d'irrésolution. Le remords s'éveillait-il, au fond de cette âme
obscure ? ou bien n'était-ce que la terreur d'être découvert ? Il allait et venait ainsi qu'une bête devant les barreaux de sa cage, avec un besoin subit et grandissant de
fuir, un besoin douloureux comme un mal physique, dont
il sentait qu'il mourrait, s'il ne le contentait pas. Au
galop, au galop, il lui fallait sortir tout de suite de cette
prison où il venait de tuer. Pourtant, il s'affaissa, il resta
longtemps vautré parmi les herbes de la rive.

Dans sa révolte, Maurice, lui aussi, disait à Jean :

— Ecoute, je ne puis plus rester. Je t'assure que je
vais devenir fou... Ça m'étonne que le corps ait résisté,
je ne me porte pas trop mal. Mais la tête déménage, oui!
elle déménage, c'est certain. Si tu me laisses encore un
jour dans cet enfer, je suis perdu... Je t'en prie, partons,
partons tout de suite!

Et il se mit à lui expliquer des plans extravagants
d'évasion. Ils allaient traverser la Meuse à la nage, se
jeter sur les sentinelles, les étrangler avec un bout de
corde qu'il avait dans sa poche; ou encore ils les assom-
meraient à coups de pierre; ou encore ils les achèteraient
à prix d'argent, revêtiraient leurs uniformes, pour franchir les lignes prussiennes.

— Mon petit, tais-toi! répétait Jean désespéré, ça me
fait peur de t'entendre dire des bêtises. Est-ce que c'est
raisonnable, est-ce que c'est possible, tout ça!... Demain,
nous verrons. Tais-toi!

Lui, bien qu'il eût également le cœur abreuvé de colère
et de dégoût, gardait son bon sens, dans l'affaiblissement
de la faim, parmi les cauchemars de cette vie qui touchait
le fond de la misère humaine. Et, comme son compagnon
s'affolait davantage, voulait se jeter à la Meuse, il dut le
retenir, le violenter même, les yeux pleins de larmes,
suppliant et grondant. Puis, tout d'un coup :

— Tiens! regarde!

Un clapotement d'eau venait de se faire entendre. Ils
virent Lapoulle, qui s'était décidé à se laisser glisser
dans la rivière, après avoir enlevé sa capote, pour qu'elle
ne gênât pas ses mouvements; et la tache de sa chemise
faisait une blancheur très visible, au fil du courant mouvant et noir. Il nageait, il remontait doucement, guettant
sans doute le point où il pourrait aborder; tandis que,
sur l'autre berge, on distinguait très bien les minces
silhouettes des sentinelles immobiles. Déchirant la nuit,

il y eut un brusque éclair, un coup de feu qui alla rouler jusqu'aux roches de Montimont. L'eau, simplement, bouillonna, comme sous le choc de deux rames affolées qui l'auraient battue. Et ce fut tout, le corps de Lapoulle, la tache blanche se mit à descendre, abandonnée et molle dans le courant.

Le lendemain, un samedi, dès l'aube, Jean ramena Maurice au campement du 106e, avec le nouvel espoir qu'on partirait ce jour-là. Mais il n'y avait pas d'ordre, le régiment semblait comme oublié. Beaucoup étaient partis, la presqu'île se vidait, et ceux qu'on laissait là tombaient à une maladie noire. Depuis huit grands jours, la démence germait et montait dans cet enfer. La cessation des pluies, le lourd soleil de plomb n'avait fait que changer le supplice. Des chaleurs excessives achevaient d'épuiser les hommes, donnaient aux cas de dysenterie un caractère épidémique inquiétant. Les déjections, les excréments de toute cette armée malade empoisonnaient l'air d'émanations infectes. On ne pouvait plus longer la Meuse ni le canal, tellement la puanteur des chevaux et des soldats noyés, pourrissant parmi les herbes, était forte. Et, dans les champs, les chevaux morts d'inanition se décomposaient, soufflaient si violemment la peste, que les Prussiens, qui commençaient à craindre pour eux, avaient apporté des pioches et des pelles, en forçant les prisonniers à enterrer les corps.

Ce samedi-là, d'ailleurs, la disette cessa. Comme on était moins nombreux et que des vivres arrivaient de toutes parts, on passa d'un coup de l'extrême dénuement à l'abondance la plus large. On eut à volonté du pain, de la viande, du vin même, on mangea du lever au coucher du soleil, à en mourir. La nuit tomba, qu'on mangeait encore, et l'on mangea jusqu'au lendemain matin. Beaucoup en crevèrent.

Pendant la journée, Jean n'avait eu que la préoccupation de surveiller Maurice, qu'il sentait capable de toutes les extravagances. Il avait bu, il parlait de souffleter un officier allemand, pour qu'on l'emmenât. Et, le soir, Jean, ayant découvert, dans les dépendances de la Tour à Glaire, un coin de cave libre, il crut sage d'y venir coucher avec son compagnon, qu'une bonne nuit calmerait peut-être. Mais ce fut la nuit la plus affreuse de leur séjour, une nuit d'épouvantement, durant laquelle ils ne purent fermer les yeux. D'autres soldats emplissaient la cave, deux étaient allongés dans le même coin, qui se mouraient,

vidés par la dysenterie; et, dès que l'obscurité fut complète, ils ne cessèrent plus, des plaintes sourdes, des cris
inarticulés, une agonie dont le râle allait en grandissant.
Au fond des ténèbres, ce râle prenait une telle abomination, que les autres hommes couchés à côté voulant dormir, se fâchaient, criaient aux mourants de se taire.
Ceux-ci n'entendaient pas, le râle continuait, revenait,
emportait tout; pendant que, du dehors, arrivait la clameur d'ivresse des camarades qui mangeaient encore, sans
pouvoir se rassasier.

Alors, la détresse commença pour Maurice. Il avait
tâché de fuir cette plainte d'horrible douleur qui lui mettait
à la peau une sueur d'angoisse; mais, comme il se levait, à
tâtons, il avait marché sur des membres, il était retombé
par terre, muré avec ces mourants. Et il n'essayait même
plus de s'échapper. Tout l'effroyable désastre s'évoquait,
depuis le départ de Reims, jusqu'à l'écrasement de Sedan.
Il lui semblait que la passion de l'armée de Châlons s'achevait seulement cette nuit-là, dans la nuit d'encre de cette
cave, où râlaient deux soldats qui empêchaient les camarades de dormir. L'armée de la désespérance, le troupeau
expiatoire, envoyé en holocauste, avait payé les fautes de
tous du flot rouge de son sang, à chacune de ses stations.
Et, maintenant, égorgée sans gloire, couverte de crachats,
elle tombait au martyre, sous ce châtiment qu'elle n'avait
pas mérité si rude. C'était trop, il en était soulevé de
colère, affamé de justice, dans un besoin brûlant de se
venger du destin.

Lorsque l'aube parut, l'un des soldats était mort,
l'autre râlait toujours.

— Allons, viens, mon petit, dit Jean avec douceur.
Nous allons prendre l'air, ça vaudra mieux.

Mais, dehors, par la belle matinée déjà chaude, lorsque
tous deux eurent suivi la berge et se trouvèrent près du
village d'Iges, Maurice s'exalta davantage, le poing tendu,
là-bas, vers le vaste horizon ensoleillé du champ de
bataille, le plateau d'Illy en face, Saint-Menges à gauche,
le bois de la Garenne à droite.

— Non, non! je ne peux plus, je ne peux plus voir ça!
C'est d'avoir ça devant moi qui me troue le cœur et me
fend le crâne... Emmène-moi, emmène-moi tout de suite!

Ce jour-là était encore un dimanche, des volées de
cloche venaient de Sedan, tandis qu'on entendait déjà au
loin une musique allemande. Mais le 106e n'avait toujours
pas d'ordre, et Jean, effrayé du délire croissant de Mau-

rice, se décida à tenter un moyen qu'il mûrissait depuis
la veille. Devant le poste prussien, sur la route, un départ
se préparait, celui d'un autre régiment, le 5ᵉ de ligne.
Une grande confusion régnait dans la colonne, dont un
officier, parlant mal le français, n'arrivait pas à faire le
recensement. Et, tous deux alors, ayant arraché de leur
uniforme le collet et les boutons, pour n'être pas trahis
par le numéro, filèrent au milieu de la cohue, passèrent
le pont, se trouvèrent dehors. Sans doute, Chouteau et
Loubet avaient eu la même idée, car ils les aperçurent
derrière eux, avec leurs regards inquiets d'assassin.

Ah! quel soulagement, à cette première minute heureuse! Dehors, il semblait que ce fût une résurrection, la
lumière vivante, l'air sans bornes, le réveil fleuri de
toutes les espérances. Quel que pût être leur malheur à
présent, ils ne le redoutaient plus, ils en riaient, au sortir de cet effrayant cauchemar du Camp de la Misère.

III

Pour la dernière fois, le matin, Jean et Maurice venaient d'entendre les sonneries si gaies des clairons français ; et ils marchaient maintenant, en route pour l'Allemagne, parmi le troupeau des prisonniers, que précédaient et suivaient des pelotons de soldats prussiens, tandis que d'autres les surveillaient, à gauche et à droite, la baïonnette au fusil. On n'entendait plus, à chaque poste, que les trompettes allemandes, aux notes aigres et tristes.

Maurice fut heureux de constater que la colonne tournait à gauche et qu'elle traverserait Sedan. Peut-être aurait-il la chance d'apercevoir une fois encore sa sœur Henriette. Mais les cinq kilomètres qui séparaient la presqu'île d'Iges de la ville, suffirent pour gâter sa joie de se sentir hors du cloaque, où il avait agonisé pendant neuf jours. C'était un autre supplice, ce convoi pitoyable de prisonniers, des soldats sans armes, les mains ballantes, menés comme des moutons, dans un piétinement hâtif et peureux. Vêtus de loques, souillés d'avoir été abandonnés dans leur ordure, amaigris par un jeûne d'une grande semaine, ils ne ressemblaient plus qu'à des vagabonds, des rôdeurs louches, que des gendarmes auraient ramassés par les routes, d'un coup de filet. Dès le faubourg de Torcy, comme des hommes s'arrêtaient et que des femmes se mettaient sur les portes, d'un air de sombre commisération, un flot de honte étouffa Maurice, il baissa la tête, la bouche amère.

Jean, d'esprit pratique et de peau plus dure, ne songeait qu'à leur sottise, de n'avoir pas emporté chacun un pain. Dans l'effarement de leur départ, ils s'en étaient même allés à jeun ; et la faim, une fois encore, leur cassait les jambes. D'autres prisonniers devaient être dans le même cas, car plusieurs tendaient de l'argent, sup-

pliaient qu'on leur vendît quelque chose. Il y en avait un,
très grand, l'air très malade, qui agitait une pièce d'or,
l'offrant au bout de son long bras, par-dessus la tête des
soldats de l'escorte, avec le désespoir de ne rien trouver
à acheter. Et ce fut alors que Jean, qui guettait, aperçut
de loin, devant une boulangerie, une douzaine de pains
en tas. Tout de suite, avant les autres, il jeta cent sous,
voulut prendre deux de ces pains. Puis, comme le Prussien qui se trouvait près de lui, le repoussait brutalement,
il s'entêta à ramasser au moins sa pièce. Mais, déjà, le
capitaine, auquel la surveillance de la colonne était confiée,
un petit chauve, de figure insolente, accourait. Il leva
sur Jean la crosse de son revolver, il jura qu'il fendrait
la tête au premier qui oserait bouger. Et tous avaient
plié les épaules, baissé les yeux, tandis que la marche
continuait, avec le sourd roulement des pieds, dans cette
soumission frémissante du troupeau.

— Oh! le gifler, celui-là! murmura ardemment Maurice, le gifler, lui casser les dents d'un revers de main!

Dès lors, la vue de ce capitaine, de cette méprisante
figure à gifles, lui devint insupportable. D'ailleurs, on
entrait dans Sedan, on passait sur le pont de la Meuse; et
les scènes de brutalité se renouvelaient, se multipliaient.
Une femme, une mère sans doute, qui voulait embrasser
un sergent tout jeune, venait d'être écartée d'un coup de
crosse, si violemment, qu'elle en était tombée à terre.
Sur la place Turenne, ce furent des bourgeois qu'on
bouscula, parce qu'ils jetaient des provisions aux prisonniers. Dans la Grande-Rue, un de ceux-ci, ayant glissé
en prenant une bouteille qu'une dame lui offrait, fut
relevé à coups de botte. Sedan, qui depuis huit jours
voyait passer ainsi ce misérable bétail de la défaite,
conduit au bâton, ne s'y accoutumait pas, était agité, à
chaque défilé nouveau, d'une fièvre sourde de pitié et de
révolte.

Cependant, Jean, lui aussi, songeait à Henriette; et,
brusquement, l'idée de Delaherche lui vint. Il poussa du
coude son ami.

— Hein? tout à l'heure, ouvre l'œil, si nous passons
dans la rue!

En effet, dès qu'ils entrèrent dans la rue Maqua, ils
aperçurent de loin plusieurs têtes, penchées à une des
fenêtres monumentales de la fabrique. Puis, ils reconnurent Delaherche et sa femme Gilberte, accoudés,
ayant, derrière eux, debout, la haute figure sévère de

madame Delaherche. Ils avaient des pains, le fabricant les lançait aux affamés qui tendaient des mains tremblantes, implorantes.

Maurice, tout de suite, avait remarqué que sa sœur n'était pas là; tandis que Jean, inquiet de voir les pains voler, craignit qu'il n'en restât pas un pour eux. Il agita le bras, criant :

— A nous! à nous!

Ce fut chez les Delaherche, une surprise presque joyeuse. Leur visage, pâli de pitié, s'éclaira, tandis que des gestes, heureux de la rencontre, leur échappaient. Et Gilberte tint à jeter elle-même le dernier pain dans les bras de Jean, ce qu'elle fit avec une si aimable maladresse, qu'elle en éclata d'un joli rire.

Ne pouvant s'arrêter, Maurice se retourna, demandant à la volée, d'un ton inquiet d'interrogation :

— Et Henriette ? Henriette ?

Alors Delaherche répondit par une longue phrase. Mais sa voix se perdit, au milieu du roulement des pieds. Il dut comprendre que le jeune homme ne l'avait pas entendu, car il multiplia les signes, il en répéta un surtout, là-bas, vers le Sud. Déjà, la colonne s'engageait dans la rue du Ménil, la façade de la fabrique disparut, avec les trois têtes qui se penchaient, tandis qu'une main agitait un mouchoir.

— Qu'est-ce qu'il a dit ? demanda Jean.

Maurice, tourmenté, regardait en arrière, vainement.

— Je ne sais pas, je n'ai pas compris... Me voilà dans l'inquiétude, tant que je n'aurai pas de nouvelles.

Et le piétinement continuait, les Prussiens hâtaient encore la marche avec leur brutalité de vainqueurs, le troupeau sortit de Sedan par la porte du Ménil, allongé en une file étroite qui galopait, comme dans la peur des chiens.

Lorsqu'ils traversèrent Bazeilles, Jean et Maurice songèrent à Weiss, cherchèrent les cendres de la petite maison, si vaillamment défendue. On leur avait conté, au Camp de la Misère, la dévastation du village, les incendies, les massacres; et ce qu'ils voyaient dépassait les abominations rêvées. Après douze jours, les tas de décombres fumaient encore. Des murs croulants s'étaient abattus, il ne restait pas dix maisons intactes. Mais ce qui les consola un peu, ce fut de rencontrer des brouettes, des charrettes pleines de casques et de fusils bavarois, ramassés après la lutte. Cette preuve qu'on en avait tué

beaucoup, de ces égorgeurs et de ces incendiaires, les
soulageait.

C'était à Douzy que devait avoir lieu la grande halte,
pour permettre aux hommes de déjeuner. On n'y arriva
point sans souffrance. Très vite, les prisonniers se fati-
guaient, épuisés par leur jeûne. Ceux qui, la veille,
s'étaient gorgés de nourriture, avaient des vertiges, alourdis, les jambes cassées; car cette gloutonnerie, loin de
réparer leurs forces perdues, n'avait fait que les affaiblir
davantage. Aussi, lorsqu'on s'arrêta dans un pré, à gauche
du village, les malheureux se laissèrent-ils tomber sur
l'herbe, sans courage pour manger. Le vin manquait, des
femmes charitables qui voulurent s'approcher avec des
bouteilles, furent chassées par les sentinelles. Une d'elles,
prise de peur, tomba, se démit le pied; et il y eut des
cris, des larmes, toute une scène révoltante, pendant que
les Prussiens, qui avaient confisqué les bouteilles, les
buvaient. Cette tendresse pitoyable des paysans pour les
pauvres soldats emmenés en captivité, se manifestait
ainsi à chaque pas, tandis qu'on les disait d'une rudesse
farouche envers les généraux. A Douzy même, quelques
jours auparavant, les habitants avaient hué un convoi de
généraux qui se rendaient, sur parole, à Pont-à-Mousson.
Les routes n'étaient pas sûres pour les officiers : des
hommes en blouse, des soldats évadés, des déserteurs
peut-être, sautaient sur eux avec des fourches, voulaient
les massacrer, ainsi que des lâches et des vendus, dans
cette légende de la trahison, qui, vingt ans plus tard,
devait encore vouer à l'exécration de ces campagnes tous
les chefs ayant porté l'épaulette.

Maurice et Jean mangèrent la moitié de leur pain, qu'ils
eurent la chance d'arroser de quelques gorgées d'eau-de-
vie, un brave fermier étant parvenu à emplir leur gourde.
Mais, ce qui fut terrible ensuite, ce fut de se remettre en
route. On devait coucher à Mouzon, et bien que l'étape se
trouvât courte, l'effort à faire paraissait excessif. Les
hommes ne purent se relever sans crier, tellement leurs
membres las se raidissaient au moindre repos. Beaucoup,
dont les pieds saignaient, se déchaussèrent, pour continuer la marche. La dysenterie les ravageait toujours, il
en tomba un, dès le premier kilomètre, qu'on dut pousser
contre un talus. Deux autres, plus loin, s'affaissèrent au
pied d'une haie, où une vieille femme ne les ramassa que
le soir. Tous chancelaient, en s'appuyant sur des cannes,
que les Prussiens, par dérision peut-être, leur avaient

permis de couper, à la lisière d'un petit bois. Ce n'était
plus qu'une débandade de gueux, couverts de plaies,
hâves et sans souffle. Et les violences se renouvelaient,
ceux qui s'écartaient, même pour quelque besoin naturel,
étaient ramenés à coups de bâton. A la queue, le peloton
formant l'escorte avait l'ordre de pousser les traînards,
la baïonnette dans les reins. Un sergent ayant refusé
d'aller plus loin, le capitaine commanda à deux hommes
de le prendre sous les bras, de le traîner, jusqu'à ce que
le misérable consentît à marcher de nouveau. Et c'était
surtout le supplice, cette figure à gifles, ce petit officier
chauve, qui abusait de ce qu'il parlait très correctement
le français, pour injurier les prisonniers dans leur langue,
en phrases sèches et cinglantes comme des coups de cravache.

— Oh! répétait rageusement Maurice, le tenir, celui-là,
et lui tirer tout son sang, goutte à goutte!

Il était à bout de force, plus malade encore de colère
rentrée que d'épuisement. Tout l'exaspérait, jusqu'à ces
sonneries aigres des trompettes prussiennes, qui l'auraient fait hurler comme une bête, dans l'énervement de
sa chair. Jamais il n'arriverait à la fin du cruel voyage,
sans se faire casser la tête. Déjà, lorsqu'on traversait le
moindre des hameaux, il souffrait affreusement, en
voyant les femmes qui le regardaient d'un air de grande
pitié. Que serait-ce, quand on entrerait en Allemagne,
que les populations des villes se bousculeraient, pour
l'accueillir, au passage, d'un rire insultant ? Et il évoquait
les wagons à bestiaux où l'on allait les entasser, les
dégoûts et les tortures de la route, la triste existence des
forteresses, sous le ciel d'hiver, chargé de neige. Non,
non! plutôt la mort tout de suite, plutôt risquer de laisser sa peau au détour d'un chemin, sur la terre de France,
que de pourrir là-bas, au fond d'une casemate noire, pendant des mois peut-être!

— Ecoute, dit-il tout bas à Jean, qui marchait près
de lui, nous allons attendre de passer le long d'un bois, et
d'un saut nous filerons parmi les arbres... La frontière
belge n'est pas loin, nous trouverons bien quelqu'un pour
nous y conduire.

Jean eut un frémissement, d'esprit plus net et plus
froid, malgré la révolte qui finissait par le faire rêver
aussi d'évasion.

— Es-tu fou! ils tireront, nous y resterons tous les
deux.

Mais d'un geste, Maurice disait qu'il y avait des chances pour qu'on les manquât, et puis, après tout, que s'ils y restaient, ce serait tant pis!

— Bon! continua Jean, mais qu'est-ce que nous deviendrons, ensuite, avec nos uniformes? Tu vois bien que la campagne est pleine de postes prussiens. Il faudrait au moins d'autres vêtements... C'est trop dangereux, mon petit, jamais je ne te laisserai faire une pareille folie.

Et il dut le retenir, il lui avait pris le bras, il le serrait contre lui, comme s'ils se fussent soutenus mutuellement, pendant qu'il continuait à le calmer, de son air bourru et tendre.

Derrière leur dos, à ce moment, des voix chuchotantes leur firent tourner la tête. C'étaient Chouteau et Loubet, partis le matin, en même temps qu'eux, de la presqu'île d'Iges, et qu'ils avaient évités jusque-là. Maintenant, les deux gaillards marchaient sur leurs talons. Chouteau devait avoir entendu les paroles de Maurice, son plan de fuite au travers d'un taillis, car il le reprenait pour son compte. Il murmurait dans leur cou :

— Dites-donc, nous en sommes. C'est une riche idée, de foutre le camp. Déjà, des camarades sont partis, nous n'allons bien sûr pas nous laisser traîner comme des chiens jusque dans le pays à ces cochons... Hein? à nous quatre, ça va-t-il, de prendre un courant d'air?

Maurice s'enfiévrait de nouveau, et Jean dut se retourner, pour dire au tentateur :

— Si tu es pressé, cours devant... Qu'est-ce que tu espères donc?

Devant le clair regard du caporal, Chouteau se troubla un peu. Il lâcha la raison vraie de son insistance.

— Dame! si nous sommes quatre, ça sera plus commode... Y en aura toujours bien un ou deux qui passeront.

Alors, d'un signe énergique de la tête, Jean refusa tout à fait. Il se méfiait du monsieur, comme il disait, il craignait quelque traîtrise. Et il lui fallut employer toute son autorité sur Maurice, pour l'empêcher de céder, car une occasion se présentait justement, on longeait un petit bois très touffu, qu'un champ obstrué de broussailles séparait seul de la route. Traverser ce champ au galop, disparaître dans le fourré, n'était-ce pas le salut?

Jusque-là, Loubet n'avait rien dit. Son nez inquiet flairait le vent, ses yeux vifs de garçon adroit guettaient la minute favorable, dans sa résolution bien arrêtée de ne pas

aller moisir en Allemagne. Il devait se fier à ses jambes
et à sa malignité, qui l'avaient toujours tiré d'affaire. Et,
brusquement, il se décida.

— Ah! zut! j'en ai assez, je file!

D'un bond, il s'était jeté dans le champ voisin, lorsque
Chouteau l'imita, galopant à son côté. Tout de suite, deux
Prussiens de l'escorte se mirent à leur poursuite, sans
qu'aucun autre songeât à les arrêter d'une balle. Et la
scène fut si brève, qu'on ne put d'abord s'en rendre
compte. Loubet, faisant des crochets parmi les broussailles
allait s'échapper sûrement, tandis que Chouteau, moins
agile, était déjà sur le point d'être pris. Mais, d'un
suprême effort, celui-ci regagna du terrain, se jeta entre
les jambes du camarade, qu'il culbuta; et, pendant que
les deux Prussiens se précipitaient sur l'homme à terre,
pour le maintenir, l'autre sauta dans le bois, disparut.
Quelques coups de feu partirent, on se souvenait des
fusils. Il y eut même, parmi les arbres, une tentative de
battue, inutile.

A terre, cependant, les deux soldats assommaient Loubet. Hors de lui, le capitaine s'était précipité, parlant de
faire un exemple; et, devant cet encouragement, les coups
de pied, les coups de crosse continuaient de pleuvoir, si
bien que, lorsqu'on releva le malheureux, il avait un bras
cassé et la tête fendue. Il expira, avant d'arriver à Mouzon,
dans la petite charrette d'un paysan, qui avait bien voulu
le prendre.

— Tu vois, se contenta de murmurer Jean à l'oreille
de Maurice.

D'un regard, là-bas, vers le bois impénétrable, tous
deux disaient leur colère contre le bandit qui galopait,
libre maintenant; tandis qu'ils finissaient par se sentir
pleins de pitié pour le pauvre diable, sa victime, un fricoteur qui ne valait sûrement pas cher, mais tout de
même un garçon gai, débrouillard et pas bête. Voilà
comment il se faisait que, si malin qu'on fût, on se laissait
tout de même manger un jour!

A Mouzon, malgré cette leçon terrible, Maurice fut de
nouveau hanté par son idée fixe de fuir. On était arrivé
dans un tel état de lassitude, que les Prussiens durent
aider les prisonniers, pour dresser les quelques tentes
mises à leur disposition. Le campement se trouvait, près
de la ville, dans un terrain bas et marécageux; et le pis
était qu'un autre convoi y ayant campé la veille, le sol disparaissait sous l'ordure : un véritable cloaque, d'une saleté

immonde. Il fallut, pour se protéger, étaler à terre de
larges pierres plates, qu'on eut la chance de découvrir
près de là. La soirée, d'ailleurs, fut moins dure, la surveillance des Prussiens se relâchait un peu, depuis que
le capitaine avait disparu, installé sans doute dans
quelque auberge. D'abord, les sentinelles tolérèrent que
des enfants jetassent aux prisonniers des fruits, des
pommes et des poires, par-dessus leurs têtes. Ensuite,
elles laissèrent les habitants du voisinage envahir le campement, de sorte qu'il y eut bientôt une foule de marchands improvisés, des hommes et des femmes qui débi-
taient du pain, du vin, même des cigares. Tous ceux qui
avaient de l'argent, mangèrent, burent, fumèrent. Sous
le pâle crépuscule, cela mettait comme un coin de marché
forain, d'une bruyante animation.

Mais, derrière leur tente, Maurice s'exaltait, répétait
à Jean :

— Je ne peux plus, je filerai, dès que la nuit va être
noire... Demain, nous nous éloignerons de la frontière, il
ne sera plus temps.

— Eh bien! filons, finit par dire Jean, à bout de résistance, cédant lui aussi à cette hantise de la fuite. Nous
le verrons, si nous y laissons la peau.

Seulement, il dévisagea dès lors les vendeurs, autour
de lui. Des camarades venaient de se procurer des blouses
et des pantalons, le bruit courait que des habitants charitables avaient créé de véritables magasins de vêtements,
pour faciliter les évasions de prisonniers. Et, presque tout
de suite, son attention fut attiré par une belle fille, une
grande blonde de seize ans, aux yeux superbes, qui tenait
à son bras trois pains dans un panier. Elle ne criait pas sa
marchandise comme les autres, elle avait un sourire engageant et inquiet, la démarche hésitante. Lui, la regarda
fixement, et leurs regards se rencontrèrent, restèrent un
instant l'un dans l'autre. Alors, elle s'approcha, avec son
sourire embarrassé de belle fille qui s'offrait.

— Voulez-vous du pain ?

Il ne répondit pas, l'interrogea d'un petit signe. Puis,
comme elle disait oui, de la tête, il se hasarda, à voix très
basse.

— Il y a des vêtements ?

— Oui, sous les pains.

Et, très haut, elle se décida à crier sa marchandise :
« Du pain! du pain! qui achète du pain ? » Mais, quand
Maurice voulut lui glisser vingt francs, elle retira la main

d'un geste brusque, elle se sauva, après leur avoir laissé
le panier. Ils la virent pourtant qui se retournait encore,
qui leur jetait le rire tendre et ému de ses beaux yeux.

Lorsqu'ils eurent le panier, Jean et Maurice tombèrent
dans un trouble extrême. Ils s'étaient écartés de leur
tente, et jamais ils ne purent la retrouver, tellement ils
s'effaraient. Où se mettre ? comment changer de vêtements ? Ce panier, que Jean portait d'un air gauche, il
leur semblait que tout le monde le fouillait des yeux, en
voyait au grand jour le contenu. Enfin, ils se décidèrent,
entrèrent dans la première tente vide, où, éperdument, ils
passèrent chacun un pantalon et une blouse, après avoir
remis sous les pains leurs effets d'uniforme. Et ils abandonnèrent le tout. Mais il n'avaient trouvé qu'une casquette de laine, dont Jean avait forcé Maurice à se coiffer.
Lui, nu-tête, exagérant le péril, se croyait perdu. Aussi
s'attardait-il, en quête d'une coiffure quelconque, lorsque
l'idée lui vint d'acheter son chapeau à un vieil homme
très sale qui vendait des cigares.

— A trois sous pièce, à cinq sous les deux, les cigares
de Bruxelles !

Depuis la bataille de Sedan, il n'y avait plus de douane,
tout le flot belge entrait librement ; et le vieil homme en
guenilles venait de réaliser de très beaux bénéfices, ce
qui ne l'empêcha pas d'avoir de grosses prétentions, lorsqu'il eut compris pourquoi l'on voulait acheter son chapeau, un feutre graisseux, troué de part en part. Il ne le
lâcha que contre deux pièces de cent sous, en geignant
qu'il allait sûrement s'enrhumer.

Jean, d'ailleurs, venait d'avoir une autre idée, celle de
lui acheter aussi son fonds de magasin, les trois douzaines
de cigares qu'il promenait encore. Et, sans attendre, le
chapeau enfoncé sur les yeux, il cria, d'une voix traînante :

— A trois sous les deux, à trois sous les deux, les
cigares de Bruxelles !

Cette fois, c'était le salut. Il fit signe à Maurice de le
précéder. Celui-ci avait eu la chance de ramasser par terre
un parapluie ; et, comme il tombait quelques gouttes d'eau,
il l'ouvrit tranquillement, pour traverser la ligne des sentinelles.

— A trois sous les deux, à trois sous les deux, les
cigares de Bruxelles !

En quelques minutes, Jean fut débarrassé de sa marchandise. On se pressait, on riait : en voilà donc un qui était
raisonnable, qui ne volait pas le pauvre monde ! Attirés

par le bon marché, des Prussiens s'approchèrent aussi,
et il dut faire du commerce avec eux. Il avait manœuvré
de façon à franchir l'enceinte gardée, il vendit ses deux
derniers cigares à un gros sergent barbu, qui ne parlait pas
un mot de français.

— Ne marche donc pas si vite, sacré bon Dieu! répétait Jean dans le dos de Maurice. Tu vas nous faire
reprendre.

Leurs jambes, malgré eux, les emportaient. Il leur
fallut un effort immense pour s'arrêter un instant à l'angle
de deux routes, parmi des groupes qui stationnaient
devant une auberge. Des bourgeois causaient là, l'air paisible, avec des soldats allemands; et il affectèrent d'écouter, ils risquèrent même quelques mots, sur la pluie
qui pourrait bien se remettre à tomber toute la nuit. Un
homme, un monsieur gras, qui les regardait avec persis-
tance, les faisait trembler. Puis, comme il souriait d'un
air très bon, ils se risquèrent tout bas.

— Monsieur, le chemin pour aller en Belgique est-il
gardé ?

— Oui, mais traversez d'abord ce bois, puis prenez à
gauche, à travers champs.

Dans le bois, dans le grand silence noir des arbres
immobiles, quand ils n'entendirent plus rien, que plus rien
ne remua et qu'ils se crurent sauvés, une émotion extraordinaire les jeta aux bras l'un de l'autre. Maurice pleurait
à gros sanglots, tandis que des larmes lentes ruisselaient
sur les joues de Jean. C'était la détente de leur long tourment, la joie de se dire que la douleur allait peut-être
avoir pitié d'eux. Et ils se serraient d'une étreinte éperdue, dans la fraternité de tout ce qu'ils venaient de souffrir ensemble; et le baiser qu'ils échangèrent alors leur
parut le plus doux et le plus fort de leur vie, un baiser
tel qu'ils n'en recevraient jamais d'une femme, l'immortelle amitié, l'absolue certitude que leurs deux cœurs n'en
faisaient plus qu'un, pour toujours.

— Mon petit, reprit Jean d'une voix tremblante, quand
ils se furent dégagés, c'est déjà très bon d'être ici, mais
nous ne sommes pas au bout... Faudrait s'orienter un
peu.

Maurice, bien qu'il ne connût pas ce point de la frontière, jura qu'il suffisait de marcher devant soi. Tous deux
alors, l'un derrière l'autre, se glissèrent, filèrent avec précaution, jusqu'à la lisière des taillis. Là, se rappelant l'indication du bourgeois obligeant, ils voulurent tourner à

gauche, pour couper à travers des chaumes. Mais, comme
ils rencontraient une route, bordée de peupliers, ils aperçurent le feu d'un poste prussien, qui barrait le passage.
La baïonnette d'une sentinelle luisait, des soldats achevaient leur soupe en causant. Et ils rebroussèrent chemin, se rejetèrent au fond du bois, avec la terreur d'être
poursuivis. Ils croyaient entendre des voix, des pas, ils
battirent ainsi les fourrés pendant près d'une heure, perdant toute direction, tournant sur eux-mêmes, emportés
parfois dans un galop, comme des bêtes fuyant sous les
broussailles, parfois immobilisés, suant l'angoisse, devant
des chênes immobiles qu'ils prenaient pour des Prussiens.
Enfin, ils débouchèrent de nouveau sur le chemin bordé
de peupliers, à dix pas de la sentinelle, près des soldats,
en train de se chauffer tranquillement.

— Pas de chance! gronda Maurice, c'est un bois
enchanté.

Mais, cette fois, on les avait entendus. Des branches
s'étaient cassées, des pierres roulaient. Et, comme au qui
vive de la sentinelle, ils se mirent à galoper, sans répondre,
le poste prit les armes, des coups de feu partirent,
criblant de balles le taillis.

— Nom de Dieu! jura d'une voix sourde Jean, qui
retint un cri de douleur.

Il venait de recevoir dans le mollet gauche un coup de
fouet, dont la violence l'avait culbuté contre un arbre.

— Touché? demanda Maurice, anxieux.

— Oui, à la jambe, c'est foutu!

Tous deux écoutaient encore, haletants, avec l'épouvante d'entendre un tumulte de poursuite, sur leurs talons.
Mais les coups de feu avaient cessé, et rien ne bougeait
plus, dans le grand silence frissonnant qui retombait. Le
poste, évidemment, ne se souciait pas de s'engager parmi
les arbres.

Jean, qui s'efforçait de se remettre debout, étouffa une
plainte. Et Maurice le soutint.

— Tu ne peux plus marcher?

— Je crois bien que non!

Une colère l'envahit, lui si calme. Il serrait les poings,
il se serait battu.

— Ah! bon Dieu de bon Dieu! si ce n'est pas une malchance! se laisser abîmer la patte, lorsqu'on a tant besoin
de courir! Ma parole, c'est à se ficher au fumier!... File
tout seul, toi!

Gaiement, Maurice se contenta de répondre :

— Tu es bête!

Il lui avait pris le bras, il l'aidait, tous les deux ayant la hâte de s'éloigner. Au bout de quelques pas, faits péniblement, d'un héroïque effort, ils s'arrêtèrent, de nouveau inquiets, en apercevant devant eux une maison, une sorte de petite ferme, à la lisière du bois. Pas une lumière ne luisait aux fenêtres, la porte de la cour était grande ouverte, sur le bâtiment vide et noir. Et, quand ils se furent enhardis jusqu'à pénétrer dans cette cour, ils s'étonnèrent d'y trouver un cheval tout sellé, sans que rien indiquât pourquoi ni comment il était là. Peut-être le maître allait-il revenir, peut-être gisait-il derrière quelque buisson, la tête trouée. Jamais ils ne le surent.

Mais un projet brusque était né chez Maurice, qui en parut tout ragaillardi.

— Ecoute, la frontière est trop loin, et puis, décidément, il faudrait un guide... Tandis que, si nous allions à Remilly, chez l'oncle Fouchard, je serais certain de t'y conduire les yeux fermés, tellement je connais les moindres chemins de traverse... Hein ? c'est une idée, je vais te hisser sur ce cheval, et l'oncle Fouchard nous prendra bien toujours.

D'abord, il voulut lui examiner la jambe. Il y avait deux trous, la balle devait être ressortie après avoir cassé le tibia. L'hémorragie était faible, il se contenta de bander fortement le mollet avec son mouchoir.

— File donc tout seul! répétait Jean.

— Tais-toi, tu es bête!

Lorsque Jean fut solidement installé sur la selle, Maurice prit la bride du cheval, et l'on partit. Il devait être près de onze heures, il comptait bien faire en trois heures le trajet, même si l'on ne marchait qu'au pas. Mais la pensée d'une difficulté imprévue le désespéra un instant: comment allaient-ils traverser la Meuse, pour passer sur la rive gauche? Le pont de Mouzon était certainement gardé. Enfin, il se rappela qu'il y avait un bac, en aval, à Villers; et, au petit bonheur, comptant que la chance leur serait enfin favorable, il se dirigea vers ce village, à travers les prairies et les labours de la rive droite. Tout se présenta assez bien d'abord, ils n'eurent qu'à éviter une patrouille de cavalerie, ils restèrent près d'un quart d'heure immobiles, dans l'ombre d'un mur. La pluie s'était remise à tomber, la marche devenait seulement très pénible pour lui, forcé de piétiner parmi les terres détrempées, à côté du cheval, heureusement un brave homme

de cheval, fort docile. A Villers, la chance fut en effet
pour eux : le bac, qui venait justement, à cette heure de
nuit, de passer un officier bavarois, put les prendre tout
de suite, les déposer sur l'autre rive, sans encombre. Et
les dangers, les fatigues terribles ne commencèrent qu'au
village, où ils faillirent rester entre les mains des sentinelles, échelonnées tout le long de la route de Remilly.
De nouveau, ils se rejetèrent dans les champs, au hasard
des petits chemins creux, des sentiers étroits, à peine
frayés. Les moindres obstacles les obligeaient à des
détours énormes. Ils franchissaient les haies et les fossés,
s'ouvraient un passage au cœur des taillis impénétrables.
Jean, pris par la fièvre, sous la pluie fine, s'était affaissé
en travers de la selle, à moitié évanoui, cramponné des
deux mains à la crinière du cheval; tandis que Maurice,
qui avait passé la bride dans son bras droit, devait lui soutenir les jambes, pour qu'il ne glissât pas. Pendant plus
d'une lieue, pendant près de deux heures encore, cette
marche épuisante s'éternisa, au milieu des cahots, des
glissements brusques, des pertes d'équilibre, dans lesquelles, à chaque instant, la bête et les deux hommes
manquaient de s'effondrer. Ils n'étaient plus qu'un convoi
d'extrême misère, couverts de boue, le cheval tremblant
sur les pieds, l'homme qu'il portait inerte, comme expiré
dans un dernier hoquet, l'autre, éperdu, hagard, allant
toujours, par l'unique effort de sa charité fraternelle. Le
jour se levait, il pouvait être cinq heures, lorsqu'ils arrivèrent enfin à Remilly.

Dans la cour de sa petite ferme, qui dominait le village,
au sortir du défilé d'Haraucourt, le père Fouchard chargeait sa carriole de deux moutons tués la veille. La vue de
son neveu, dans un si triste équipage, le bouscula à un tel
point, qu'il s'écria brutalement, après les premières explications :

— Que je vous garde, toi et ton ami ?... Pour avoir des
histoires avec les Prussiens, ah! non, par exemple! J'aimerais mieux crever tout de suite!

Pourtant, il n'osa empêcher Maurice et Prosper de descendre Jean de cheval et de l'allonger sur la grande table
de la cuisine. Silvine courut chercher son propre traversin, qu'elle glissa sous la tête du blessé, toujours évanoui.
Mais le vieux grondait, exaspéré de voir cet homme sur sa
table, disant qu'il y était fort mal, demandant pourquoi on
ne le portait pas tout de suite à l'ambulance, puisqu'on
avait la chance d'avoir une ambulance à Remilly, près

de l'église, dans l'ancienne maison d'école, un reste de couvent, où se trouvait une grande salle très commode.

— A l'ambulance! se récria Maurice à son tour, pour que les Prussiens l'envoient en Allemagne, après sa guérison, puisque tout blessé leur appartient!... Est-ce que vous vous fichez de moi, l'oncle ? Je ne l'ai pas amené jusqu'ici pour le leur rendre.

Les choses se gâtaient, l'oncle parlait de les flanquer à la porte, lorsque le nom d'Henriette fut prononcé.

— Comment, Henriette ? demanda le jeune homme.

Et il finit par savoir que sa sœur était à Remilly depuis l'avant-veille, si mortellement triste de son deuil, que le séjour de Sedan, où elle avait vécu heureuse, lui était devenu intolérable. Une rencontre avec le docteur Dalichamp, de Raucourt, qu'elle connaissait, l'avait décidée à venir s'installer chez le père Fouchard, dans une petite chambre, pour se donner tout entière aux blessés de l'ambulance voisine. Cela seul, disait-elle, la distrairait. Elle payait sa pension, elle était, à la ferme, la source de mille douceurs qui la faisaient regarder par le vieux d'un œil de complaisance. Quand il gagnait, c'était toujours beau.

— Ah! ma sœur est ici! répétait Maurice. C'est donc ça que monsieur Delaherche voulait me dire, avec son grand geste que je ne comprenais pas!... Eh bien! si elle est ici, ça va tout seul, nous restons.

Tout de suite, il voulut aller lui-même, malgré sa fatigue, la chercher à l'ambulance, où elle avait passé la nuit; tandis que l'oncle se fâchait maintenant de ne pouvoir filer avec sa carriole et ses deux moutons, pour son commerce de boucher ambulant, au travers des villages, tant que cette sacrée affaire de blessé qui lui tombait sur les bras, ne serait pas finie.

Lorsque Maurice ramena Henriette, ils surprirent le père Fouchard en train d'examiner soigneusement le cheval, que Prosper venait de conduire à l'écurie. Une bête fatiguée, mais diablement solide, et qui lui plaisait! En riant, le jeune homme dit qu'il lui en faisait cadeau. Henriette, de son côté, le prit à part, lui expliqua que Jean payerait, qu'elle-même se chargeait de lui, qu'elle le soignerait dans la petite chambre, derrière l'étable, où certes pas un Prussien n'irait le chercher. Et le père Fouchard, maussade, mal convaincu encore qu'il trouverait au fond de tout ça un vrai bénéfice, finit cependant par monter dans sa carriole et par s'en aller, en la laissant libre d'agir à sa guise.

Alors, en quelques minutes, aidée de Silvine et de Prosper, Henriette organisa la chambre, y fit porter Jean, que l'on coucha dans un lit tout frais, sans qu'il donnât d'autres signes de vie que des balbutiements vagues. Il ouvrait les yeux, regardait, ne semblait voir personne. Maurice achevait de boire un verre de vin et de manger un reste de viande, tout d'un coup anéanti, dans la détente de sa fatigue, lorsque le docteur Dalichamp arriva, comme tous les matins, pour sa visite à l'ambulance; et le jeune homme trouva encore la force de le suivre, avec sa sœur, au chevet du blessé, anxieux de savoir.

Le docteur était un homme court, à la grosse tête ronde, dont le collier de barbe et les cheveux grisonnaient. Son visage coloré s'était durci, pareil à ceux des paysans, dans sa continuelle vie au grand air, toujours en marche pour le soulagement de quelque souffrance; tandis que ses yeux vifs, son nez têtu, ses lèvres bonnes disaient son existence entière de brave homme charitable, un peu braque parfois, médecin sans génie, dont une longue pratique avait fait un excellent guérisseur.

Lorsqu'il eut examiné Jean, toujours assoupi, il murmura :

— Je crains bien que l'amputation ne devienne nécessaire.

Ce fut un chagrin pour Maurice et Henriette. Pourtant, il ajouta :

— Peut-être pourra-t-on lui conserver sa jambe, mais il faudra de grands soins, et ce sera très long... En ce moment, il est sous le coup d'une telle dépression physique et morale, que l'unique chose à faire est de le laisser dormir... Nous verrons demain.

Puis, quand il l'eut pansé, il s'intéressa à Maurice, qu'il avait connu enfant, autrefois.

— Et vous, mon brave, vous seriez mieux dans un lit que sur cette chaise.

Comme s'il n'entendait pas, le jeune homme regardait fixement devant lui, les yeux perdus. Dans l'ivresse de sa fatigue, une fièvre remontait, une surexcitation nerveuse extraordinaire, toutes les souffrances, toutes les révoltes amassées depuis le commencement de la campagne. La vue de son ami agonisant, le sentiment de sa propre défaite, nu, sans armes, bon à rien, la pensée que tant d'héroïques efforts avaient abouti à une pareille détresse, le jetaient dans un besoin frénétique de rébellion contre le destin. Enfin, il parla.

— Non, non! ce n'est pas fini, non! il faut que je m'en
aille... Non! puisque lui, maintenant, en a pour des
semaines, pour des mois peut-être, à être là, je ne puis pas
rester, je veux m'en aller tout de suite... N'est-ce pas ? docteur, vous m'aiderez, vous me donnerez bien les moyens
de m'échapper et de rentrer à Paris.

Tremblante, Henriette l'avait saisi entre ses bras.

— Que dis-tu ? affaibli comme tu l'es, ayant tant souffert! mais je te garde, jamais je ne te permettrai de partir!...
Est-ce que tu n'as pas payé ta dette ? Songe à moi aussi,
que tu laisserais seule, et qui n'ai plus que toi désormais.

Leurs larmes se confondirent. Ils s'embrassèrent éperdument, dans leur adoration, cette tendresse des jumeaux,
plus étroite, comme venue de par-delà la naissance. Mais
il s'exaltait davantage.

— Je t'assure, il faut que je parte... On m'attend, je
mourrais d'angoisse, si je ne partais pas... Tu ne peux
t'imaginer ce qui bouillonne en moi, à l'idée de me tenir
tranquille. Je te dis que ça ne peut pas finir ainsi, qu'il
faut nous venger, contre qui, contre quoi? ah! je ne sais
pas, mais nous venger enfin de tant de malheur, pour
que nous ayons encore le courage de vivre!

D'un signe, le docteur Dalichamp qui suivait la scène
avec un vif intérêt, empêcha Henriette de répondre.
Quand Maurice aurait dormi, il serait sans doute plus
calme; et il dormit toute la journée, toute la nuit suivante, pendant plus de vingt heures, sans remuer un
doigt. Seulement, à son réveil, le lendemain matin, sa
résolution de partir reparut, inébranlable. Il n'avait plus
la fièvre, il était sombre, inquiet, pressé d'échapper à
toutes les tentations de calme qu'il sentait autour de lui.
Sa sœur en larmes comprit qu'elle ne devait pas insister.
Et le docteur Dalichamp, lors de sa visite, promit de
faciliter la fuite, grâce aux papiers d'un aide ambulancier
qui venait de mourir à Raucourt. Maurice prendrait la
blouse grise, le brassard à croix rouge, et il passerait par
la Belgique, pour se rabattre ensuite sur Paris, qui était
ouvert encore.

Ce jour-là, il ne quitta pas la ferme, se cachant, attendant la nuit. Il ouvrit à peine la bouche, il tenta seulement
d'emmener Prosper.

— Dites donc, ça ne vous tente pas, de retourner
voir les Prussiens ?

L'ancien chasseur d'Afrique, qui achevait une tartine
de fromage, leva son couteau en l'air.

— Ah! pour ce qu'on nous les a montrés, ça ne vaut guère la peine!... Puisque ça n'est plus bon à rien, la cavalerie, qu'à se faire tuer quand tout est fini, pourquoi voulez-vous que je retourne là-bas ?... Ma foi, non! ils m'ont trop embêté, à ne rien me faire faire de propre!

Il y eut un silence, et il reprit, sans doute pour étouffer le malaise de son cœur de soldat :

— Puis, il y a trop de travail ici, maintenant. Voilà les grands labours qui viennent, ensuite ce seront les semailles. Faut aussi songer à la terre, n'est-ce pas ? parce que ça va bien de se battre, mais qu'est-ce qu'on deviendrait, si l'on ne labourait plus ?... Vous comprenez, je ne peux pas lâcher l'ouvrage. Ce n'est pas que le père Fouchard soit raisonnable, car je me doute que je ne verrai guère la couleur de son argent; mais les bêtes commencent à m'aimer, et ma foi! ce matin, pendant que j'étais, là-haut, dans la pièce du Vieux-Clos, je regardais au loin ce sacré Sedan, je me sentais quand même tout réconforté, d'être tout seul, au grand soleil, avec mes bêtes, à pousser ma charrue!

Dès la nuit tombée, le docteur Dalichamp fut là, avec son cabriolet. Il voulait lui-même conduire Maurice jusqu'à la frontière. Le père Fouchard, content d'en voir filer au moins un, descendit faire le guet sur la route; pour être certain qu'aucune patrouille ne rôdait; tandis que Silvine achevait de recoudre la vieille blouse d'ambulancier, garnie, sur la manche, du brassard à croix rouge. Avant de partir, le docteur, qui examina de nouveau la jambe de Jean, ne put encore promettre de la lui conserver. Le blessé était toujours dans une somnolence invincible, ne reconnaissant personne, ne parlant pas. Et Maurice allait s'éloigner, sans lui avoir dit adieu, lorsque, s'étant penché pour l'embrasser, il le vit ouvrir les yeux très grands, les lèvres remuantes, parlant d'une voix faible :

— Tu t'en vas ?

Puis comme on s'étonnait :

— Oui, je vous ai entendus, pendant que je ne pouvais pas bouger... Alors, prends tout l'argent. Fouille dans la poche de mon pantalon.

Sur l'argent du trésor, qu'ils avaient partagé, il leur restait à peu près à chacun deux cents francs.

— L'argent! se récria Maurice, mais tu en as plus besoin que moi, qui ai mes deux jambes! Avec deux cents francs, j'ai de quoi rentrer à Paris, et pour me faire casser la tête ensuite, ça ne me coûtera rien... Au revoir, tout de même, mon vieux, et merci de ce que tu as fait de raisonnable et de bon, car, sans toi, je serais sûrement resté au bord de quelque champ, comme un chien crevé.

D'un geste, Jean le fit taire.

— Tu ne me dois rien, nous sommes quittes... C'est moi que les Prussiens auraient ramassé, là-bas, si tu ne m'avais pas emporté sur ton dos. Et, hier encore, tu m'as arraché de leurs pattes... Tu as payé deux fois, ce serait à mon tour de donner ma vie... Ah! que je vais être inquiet de n'être plus avec toi!

Sa voix tremblait, des larmes parurent dans ses yeux.

— Embrasse-moi, mon petit.

Et ils se baisèrent, et comme dans le bois, la veille, il y avait, au fond de ce baiser, la fraternité des dangers courus ensemble, ces quelques semaines d'héroïque vie commune qui les avaient unis, plus étroitement que des années d'ordinaire amitié n'auraient pu le faire. Les jours sans pain, les nuits sans sommeil, les fatigues excessives, la mort toujours présente, passaient dans leur attendrissement. Est-ce que jamais deux cœurs peuvent se reprendre, quand le don de soi-même les a de la sorte fondus l'un dans l'autre ? Mais le baiser, échangé sous les ténèbres des arbres, était plein de l'espoir nouveau que la fuite leur ouvrait; tandis que ce baiser, à cette heure, restait frissonnant des angoisses de l'adieu. Se reverrait-on, un jour ? et comment, dans quelles circonstances de douleur ou de joie ?

Déjà, le docteur Dalichamp, remonté dans son cabriolet, appelait Maurice. Celui-ci, de toute son âme, embrassa enfin sa sœur Henriette, qui le regardait avec des larmes silencieuses, très pâle sous ses noirs vêtements de veuve.

— C'est mon frère que je te confie... Soigne-le bien, aime-le comme je l'aime!

IV

La chambre était une grande pièce carrelée, badigeonnée simplement à la chaux, qui avait autrefois servi de fruitier. On y sentait encore la bonne odeur des pommes et des poires; et, pour tout meuble, il y avait là un lit de fer, une table de bois blanc et deux chaises, sans compter une vieille armoire en noyer, aux flancs immenses, où tenait tout un monde. Mais le calme y était d'une douceur profonde, on n'entendait que les bruits sourds de l'étable voisine, des coups affaiblis de sabots, des meuglements de bêtes. Par la fenêtre, tournée au midi, le clair soleil entrait. On voyait seulement un bout de coteau, un champ de blé que bordait un petit bois. Et cette chambre close, mystérieuse, était si bien cachée à tous les yeux, que personne au monde ne pouvait en soupçonner là l'existence.

Tout de suite, Henriette régla les choses : il fut entendu que, pour éviter les soupçons, elle seule et le docteur pénétreraient auprès de Jean. Jamais Silvine ne devait entrer, sans qu'elle l'appelât. De grand matin, le ménage était fait par les deux femmes; puis, la journée entière, la porte restait comme murée. La nuit, si le blessé avait eu besoin de quelqu'un, il n'aurait eu qu'à taper au mur, car la pièce occupée par Henriette était voisine. Et ce fut ainsi que Jean se trouva brusquement séparé du monde, après des semaines de cohue violente, ne voyant plus que cette jeune femme si douce, dont le pas léger ne faisait aucun bruit. Il la revoyait telle qu'il l'avait vue, là-bas, à Sedan, pour la première fois, pareille à une apparition avec sa bouche un peu grande, ses traits menus, ses beaux cheveux d'avoine mûre, s'occupant de lui d'un air d'infinie bonté.

Les premiers jours, la fièvre du blessé fut si intense,

qu'Henriette ne le quitta guère. Chaque matin, en passant, le docteur Dalichamp entrait, sous le prétexte de la
prendre, pour se rendre avec elle à l'ambulance; et il
examinait Jean, le pansait. La balle, après avoir cassé le
tibia, étant ressortie, il s'étonnait du mauvais aspect de la
plaie, il craignait que la présence d'une esquille, introu-
vable pourtant sous la sonde, ne l'obligeât à une résection
de l'os. Il en avait causé avec Jean; mais celui-ci, à la
pensée d'un raccourcissement de la jambe, qui l'aurait
rendu boiteux, s'était révolté : non, non! il préférait
mourir que de rester infirme. Et le docteur, laissant la
blessure en observation, se contentait donc de la panser
avec de la charpie imbibée d'huile d'olive et d'acide phé-
nique, après avoir placé au fond de la plaie un drain, un
tube de caoutchouc, pour l'écoulement du pus. Seulement, il l'avait averti que, s'il n'intervenait pas, la guérison pourrait être extrêmement longue. Dès la seconde
semaine, cependant, la fièvre diminua, l'état devint meilleur, à la condition d'une immobilité complète.

Et l'intimité de Jean et d'Henriette, alors, se trouva
réglée. Des habitudes leur vinrent, il leur semblait qu'ils
n'avaient jamais vécu autrement, qu'ils devaient toujours
vivre ainsi. Elle passait avec lui toutes les heures qu'elle
ne donnait pas à l'ambulance, veillait à ce qu'il bût, à ce
qu'il mangeât régulièrement, l'aidait à se retourner, d'une
force de poignet qu'on n'aurait pas soupçonnée dans ses
bras minces. Parfois ils causaient ensemble, le plus
souvent ils ne disaient rien, surtout dans les commence-
ments. Mais jamais ils n'avaient l'air de s'ennuyer, c'était
une vie très douce, au fond de ce grand repos, lui tout
massacré encore de la bataille, elle en robe de deuil, le
cœur broyé par la perte qu'elle venait de faire. D'abord,
il avait éprouvé quelque gêne, car il sentait bien qu'elle
était au-dessus de lui, presque une dame, tandis qu'il
n'avait jamais été qu'un paysan et qu'un soldat. A peine
savait-il lire et écrire. Puis, il s'était rassuré un peu, en
voyant qu'elle le traitait sans fierté, comme son égal, ce
qui l'avait enhardi à se montrer ce qu'il était, intelligent
à sa manière, à force de tranquille raison. D'ailleurs, lui-
même s'étonnait d'avoir la sensation de s'être aminci,
allégé, avec des idées nouvelles : était-ce l'abominable
vie qu'il menait depuis deux mois ? il sortait affiné de
tant de souffrances physiques et morales. Mais ce qui
acheva de le conquérir, ce fut de comprendre qu'elle n'en
savait pas beaucoup plus que lui. Toute jeune, après la

mort de sa mère, devenue la cendrillon, la petite ménagère ayant la charge de ses trois hommes, comme elle
disait, son grand-père, son père et son frère, elle n'avait
pas eu le temps d'apprendre. La lecture, l'écriture, un
peu d'orthographe et de calcul, il ne fallait point lui en
demander davantage. Et elle ne l'intimidait encore, elle
ne lui apparaissait bien au-dessus de toutes les autres,
que parce qu'il la savait d'une bonté supérieure, d'un courage extraordinaire, sous son apparence de petite femme
effacée qui se plaisait aux menus soins de la vie.

Ils s'entendirent tout de suite, en causant de Maurice.
Si elle se dévouait ainsi, c'était pour l'ami, pour le frère
de Maurice, le brave homme secourable envers qui elle
payait à son tour une dette de son cœur. Elle était pleine
de gratitude, d'une affection qui grandissait, à mesure
qu'elle le connaissait mieux, simple et sage, de cerveau
solide; et lui, qu'elle soignait comme un enfant, contrac-
tait une dette d'infinie reconnaissance, lui aurait baisé les
mains, pour chaque tasse de bouillon qu'elle lui donnait.
Entre eux, ce lien de tendre sympathie allait en se res-
serrant chaque jour, dans cette solitude profonde où ils
vivaient, agités des mêmes peines. Quand ils avaient
épuisé les souvenirs, les détails qu'elle lui demandait
sans se lasser sur leur douloureuse marche de Reims à
Sedan, la même question revenait toujours : que faisait
Maurice à cette heure ? pourquoi n'écrivait-il pas ? Paris
était-il donc complètement investi, qu'ils ne recevaient
plus de nouvelles ? Ils n'avaient encore eu de lui qu'une
lettre, datée de Rouen, trois jours après son départ, dans
laquelle il expliquait, en quelques lignes, comment il
venait de débarquer dans cette ville, à la suite d'un large
détour pour atteindre Paris. Et plus rien depuis une
semaine, l'absolu silence.

Le matin, lorsque le docteur Dalichamp avait pansé
le blessé, il aimait à s'oublier là, pendant quelques
minutes. Même il revenait parfois le soir, s'attardait
davantage; et il était ainsi le seul lien avec le monde, ce
vaste monde du dehors, si bouleversé de catastrophes. Les
nouvelles n'entraient que par lui, il avait un cœur ardent
de patriote qui débordait de colère et de chagrin, à
chaque défaite. Aussi ne parlait-il guère que de la marche
envahissante des Prussiens, dont le flot, depuis Sedan,
s'étendait peu à peu sur toute la France, comme une
marée noire. Chaque jour apportait son deuil, et il restait
accablé sur l'une des deux chaises, contre le lit, il disait

la situation de plus en plus grave, avec des gestes tremblants. Souvent il avait les poches bourrées de journaux belges, qu'il laissait. A des semaines de distance, l'écho de chaque désastre arrivait ainsi au fond de cette chambre perdue, rapprochant encore, dans une commune angoisse, les deux pauvres êtres souffrants qui s'y trouvaient renfermés.

Et ce fut de la sorte qu'Henriette, dans de vieux journaux, lut à Jean les événements de Metz, les grandes batailles héroïques qui avaient recommencé par trois fois, à un jour de distance. Elles dataient de cinq semaines déjà, mais il les ignorait encore, il les écoutait, le cœur serré de retrouver là-bas les misères et les défaites dont il avait souffert. Dans le silence frissonnant de la pièce, pendant qu'Henriette, de sa voix un peu chantante d'écolière appliquée, détachait nettement chaque phrase, l'histoire lamentable se déroulait. Après Frœschwiller, après Spickeren, au moment où le 1er corps, écrasé, entraînait le 5e dans sa déroute, les autres corps, échelonnés de Metz à Bitche, hésitaient, refluaient dans la consternation de ces désastres, finissaient par se concentrer en avant du camp retranché, sur la rive droite de la Moselle. Mais quel temps précieux perdu, au lieu de hâter, vers Paris, une retraite qui allait devenir si difficile! L'empereur avait dû céder le commandement au maréchal Bazaine, dont on attendait la victoire. Alors, le 14, c'était Borny, l'armée attaquée au moment où elle se décidait enfin à passer sur la rive gauche, ayant contre elle deux armées allemandes, celle de Steinmetz immobile en face du camp retranché qu'elle menaçait, celle de Frédéric-Charles qui avait franchi le fleuve en amont et qui remontait le long de la rive gauche, pour couper Bazaine du reste de la France, Borny dont les premiers coups de feu n'avaient éclaté qu'à trois heures du soir, Borny cette victoire sans lendemain, qui laissa les corps français maîtres de leurs positions, mais qui les immobilisa, à cheval sur la Moselle, pendant que le mouvement tournant de la deuxième armée allemande s'achevait. Puis, le 16, c'était Rézonville, tous les corps enfin sur la rive gauche, le 3e et le 4e seulement en arrière, attardés dans l'effroyable encombrement qui se produisait au carrefour des routes d'Etain et de Mars-la-Tour, l'attaque audacieuse de la cavalerie et de l'artillerie prussiennes coupant ces routes dès le matin, la bataille lente et confuse que, jusqu'à deux heures, Bazaine aurait pu gagner, n'ayant qu'une poignée d'hommes à culbuter devant lui, et qu'il avait fini par perdre, dans son inexplicable crainte d'être coupé de Metz, la bataille immense, couvrant des lieues de coteaux et de plaines, où les Français, attaqués de front et de flanc, avaient fait des prodiges pour ne pas marcher en avant, laissant à l'ennemi le temps de se concentrer, travaillant d'eux-mêmes au plan prussien qui était de les faire rétrograder de l'autre côté du fleuve. Le 18 enfin, après le retour devant le camp retranché, c'était Saint-Privat; la lutte suprême, un front d'attaque de treize kilomètres, deux cent mille Allemands, avec sept cents canons, contre cent vingt mille Français, n'ayant que cinq cents pièces, les Allemands la face tournée vers l'Allemagne, les Français, vers la France, comme si les envahisseurs étaient devenus les envahis, dans le singulier pivotement qui venait de se produire, la plus effrayante mêlée à partir de deux heures, la garde prussienne repoussée, hachée, Bazaine longtemps victorieux, fort de son aile gauche inébranlable, jusqu'au moment, vers le soir, où l'aile droite, plus faible, avait dû abandonner Saint-Privat, au milieu d'un horrible carnage, entraînant avec elle toute l'armée, battue, rejetée sous Metz, enserrée désormais dans un cercle de fer.

A chaque instant, pendant qu'Henriette lisait, Jean l'interrompait pour dire :

— Ah bien! nous autres qui, depuis Reims, attendions Bazaine!

La dépêche du maréchal, datée du 19, après Saint-Privat, dans laquelle il parlait de reprendre son mouvement de retraite, par Montmédy, cette dépêche qui avait décidé la marche en avant de l'armée de Châlons, ne paraissait être que le rapport d'un général battu, désireux d'atténuer sa défaite; et plus tard, le 29 seulement, lorsque la nouvelle de cette approche d'une armée de secours lui était parvenue, au travers des lignes prussiennes, il avait bien tenté un dernier effort, sur la rive droite, à Noiseville, mais si mollement, que, le 1er septembre, le jour même où l'armée de Châlons était écrasée à Sedan, celle de Metz se repliait, définitivement paralysée, morte pour la France. Le maréchal, qui, jusque-là, avait pu n'être qu'un capitaine médiocre, négligeant de passer lorsque les routes restaient ouvertes, véritablement barré ensuite par des forces supérieures, allait devenir maintenant, sous l'empire de préoccupations politiques, un conspirateur et un traître.

Mais, dans les journaux que le docteur Dalichamp apportait, Bazaine restait le grand homme, le brave soldat, dont la France attendait encore son salut. Et Jean se faisait relire des passages, pour bien comprendre comment la IIIe armée allemande, avec le prince royal de Prusse, avait pu les poursuivre, tandis que la Ire et la IIe bloquaient Metz, toutes les deux si fortes en hommes et en canons, qu'il était devenu possible d'y puiser et d'en détacher cette IVe armée, qui, sous les ordres du prince royal de Saxe, avait achevé le désastre de Sedan. Puis, renseigné enfin, sur ce lit de douleur où le clouait sa blessure, il se forçait quand même à l'espoir.

— C'est donc ça que nous n'avons pas été les plus forts!... N'importe, on donne les chiffres : Bazaine a cent cinquante mille hommes, trois cent mille fusils, plus de cinq cents canons ; et bien sûr qu'il leur ménage un sacré coup de sa façon.

Henriette hochait la tête, se rangeait à son avis, pour ne pas l'assombrir davantage. Elle se perdait au milieu de ces vastes mouvements de troupes, mais elle sentait le malheur inévitable. Sa voix restait claire, elle aurait lu ainsi pendant des heures, simplement heureuse de l'amuser. Parfois, pourtant, à un récit de massacre, elle bégayait, les yeux emplis d'un brusque flot de larmes. Sans doute, elle venait de penser à son mari foudroyé là-bas, poussé du pied par l'officier bavarois, contre le mur.

— Si ça vous fait trop de peine, disait Jean surpris, il ne faut plus me lire les batailles.

Mais elle se remettait tout de suite, très douce et complaisante.

— Non, non, pardonnez-moi, je vous assure que ça me fait plaisir aussi.

Un soir des premiers jours d'octobre, comme un vent furieux soufflait au-dehors, elle revint de l'ambulance, elle entra dans la chambre, très émue, en disant :

— Une lettre de Maurice! c'est le docteur qui vient de me la remettre.

Chaque matin, tous deux s'étaient inquiétés davantage, de ce que le jeune homme ne donnait aucun signe d'existence ; et surtout, depuis une grande semaine que le bruit courait du complet investissement de Paris, ils désespéraient de recevoir des nouvelles, anxieux, se demandant ce qu'il avait pu devenir, après avoir quitté Rouen. Maintenant, ce silence leur était expliqué, la lettre qu'il avait adressé de Paris au docteur Dalichamp, le 18, le jour même où partaient les derniers trains pour Le Havre, venait de faire un détour énorme et n'arrivait que par miracle, après s'être égarée vingt fois en route.

— Ah! le cher petit! s'écria Jean, tout heureux. Lisez-moi ça bien vite.

Le vent redoublait de violence, la fenêtre craquait comme sous des coups de bélier. Et Henriette, ayant apporté la lampe sur la table, contre le lit, se mit à lire, si près de Jean, que leurs cheveux se touchaient. Il faisait là très doux, très bon, dans cette chambre si calme, au milieu de la tempête du dehors.

C'était une longue lettre de huit pages, dans laquelle Maurice, d'abord expliquait comment, dès son arrivée, le 16, il avait eu la chance de se faire engager dans un régiment de ligne, dont on complétait l'effectif. Ensuite, il revenait sur les faits, il racontait avec une fièvre extraordinaire ce qu'il avait appris, les événements de ce mois terrible, Paris calmé après la stupeur douloureuse de Wissembourg et de Frœschwiller, se reprenant à l'espoir d'une revanche, retombant dans des illusions nouvelles, la légende victorieuse de l'armée, le commandement de Bazaine, la levée en masse, des victoires imaginaires, des hécatombes de Prussiens que les ministres eux-mêmes racontaient à la tribune. Et, tout d'un coup, il disait comment la foudre, une seconde fois, venait d'éclater sur Paris, le 3 septembre : les espérances broyées, la ville ignorante, confiante, abattue sous cet écrasement du destin, les cris de : Déchéance! déchéance! retentissant dès le soir sur les boulevards, la courte et lugubre séance de nuit où Jules Favre avait lu la proposition de cette déchéance réclamée par le peuple. Puis, le lendemain, c'était le 4 septembre, l'effondrement d'un monde, le Second Empire emporté dans la débâcle de ses vices et de ses fautes, le peuple entier par les rues, un torrent d'un demi-million d'hommes emplissant la place de la Concorde, au grand soleil de ce beau dimanche, roulant jusqu'aux grilles du Corps législatif que barraient à peine une poignée de soldats, la crosse en l'air, défonçant les portes, envahissant la salle des séances, d'où Jules Favre, Gambetta et d'autres députés de la gauche allaient partir pour proclamer la République à l'Hôtel de Ville, tandis que, sur la place Saint-Germain-l'Auxerrois, une petite porte du Louvre s'entrouvrait, donnait passage à l'impératrice régente, vêtue de noir, accompagnée d'une seule amie, toutes les deux tremblantes, fuyantes, blotties au

fond du fiacre de rencontre qui les cahotait loin des
Tuileries, au travers desquelles, maintenant, coulait la
foule. Ce même jour, Napoléon III avait quitté l'auberge
de Bouillon où il venait de passer la première nuit d'exil,
en route pour Wilhelmshœ.

D'un air grave, Jean interrompit Henriette.

— Alors, à cette heure, nous sommes en République ?...
Tant mieux si ça nous aide à battre les Prussiens !

Mais il branlait la tête, on lui avait toujours fait peur de
la République, lorsqu'il était paysan. Et puis, devant
l'ennemi, ça ne lui semblait guère bon, de n'être pas
d'accord. Enfin, il fallait bien qu'il vînt autre chose,
puisque l'Empire était pourri décidément, et que personne n'en voulait plus.

Henriette acheva la lettre, qui finissait en signalant
l'approche des Allemands. Le 13, le jour même où une
délégation du gouvernement de la Défense nationale
s'installait à Tours, on les avait vus, à l'est de Paris,
s'avancer jusqu'à Lagny. Le 14 et le 15, ils étaient aux
portes, à Créteil et à Joinville-le-Pont. Mais, le 18, le
matin où il avait écrit, Maurice ne paraissait pas croire
encore à la possibilité d'investir Paris complètement,
repris d'une belle confiance, regardant le siège comme
une tentative insolente et hasardée qui échouerait avant
trois semaines, comptant sur les armées de secours que la
province allait sûrement envoyer, sans parler de l'armée
de Metz, en marche déjà, par Verdun et Reims. Et les
anneaux de la ceinture de fer s'étaient rejoints, avaient
bouclé Paris, et Paris maintenant, séparé du monde,
n'était plus que la prison géante de deux millions de
vivants, d'où ne venait qu'un silence de mort.

— Ah ! mon Dieu ! murmura Henriette oppressée,
combien de temps tout cela durera-t-il, et le reverrons-
nous jamais !

Une rafale plia les arbres, au loin, fit gémir les vieilles
charpentes de la ferme. Si l'hiver devait être dur, quelles
souffrances pour les pauvres soldats, sans feu, sans pain,
qui se battraient dans la neige !

— Bah ! conclut Jean, elle est très gentille, sa lettre,
et ça fait plaisir d'avoir des nouvelles... Il ne faut jamais
désespérer.

Alors, jour à jour, le mois d'octobre s'écoula, des cieux
gris et tristes, où le vent ne cessait que pour ramener
bientôt des vols plus sombres de nuages. La plaie de Jean
se cicatrisait avec une lenteur infinie, le drain ne donnait

toujours pas le pus louable, qui aurait permis au docteur
de l'enlever; et le blessé s'était beaucoup affaibli, s'obsti-
nant à refuser toute opération, dans sa peur de rester
infirme. Une attente résignée, que parfois coupaient
des anxiétés brusques, sans cause précise, semblait à présent
endormir la petite chambre perdue, au fond de laquelle
les nouvelles n'arrivaient que lointaines, vagues, comme
au réveil d'un cauchemar. L'abominable guerre, les massacres, les désastres, continuaient là-bas, quelque part,
sans qu'on sût jamais la vérité vraie, sans qu'on entendît
autre chose que la grande clameur sourde de la patrie
égorgée. Et le vent emportait les feuilles sous le ciel
livide, et il y avait de longs silences profonds, dans la
campagne nue, où ne passaient que les croassements des
corbeaux, annonçant un hiver rigoureux.

Un des sujets de conversation était devenu l'ambulance, dont Henriette ne sortait guère que pour tenir compagnie à Jean. Le soir, quand elle était de retour, il la questionnait, connaissait chacun de ses blessés, voulait savoir
ceux qui mouraient, ceux qui guérissaient; et elle-même,
sur ces choses dont son cœur était plein, ne tarissait
pas, racontait ses journées jusque dans leurs infimes
détails.

— Ah! répétait-elle toujours, les pauvres enfants, les
pauvres enfants!

Ce n'était plus, en pleine bataille, l'ambulance où coulait le sang frais, où les amputations se faisaient dans
les chairs saines et rouges. C'était l'ambulance tombée à
la pourriture d'hôpital, sentant la fièvre et la mort, toute
moite des lentes convalescences, des agonies interminables. Le docteur Dalichamp avait eu les plus grandes
peines à se procurer les lits, les matelas, les draps nécessaires; et, chaque jour encore, l'entretien de ses malades,
le pain, la viande, les légumes secs, sans parler des
bandes, des compresses, des appareils, l'obligeait à des
miracles. Les Prussiens établis à l'hôpital militaire de
Sedan lui ayant tout refusé, même du chloroforme, il faisait tout venir de Belgique. Pourtant, il avait accueilli les
blessés allemands aussi bien que les blessés français, il
soignait surtout une douzaine de Bavarois, ramassés à
Bazeilles. Ces hommes ennemis, qui s'étaient rués les uns
à la gorge des autres, gisaient maintenant côte à côte,
dans la bonne entente de leurs communes souffrances. Et
quel séjour d'épouvante et de misère, ces deux longues
salles de l'ancienne école de Remilly, qui contenaient une

cinquantaine de lits chacune, sous la grande clarté pâle
des hautes fenêtres!

Dix jours après la bataille, on avait encore amené des
blessés, oubliés, retrouvés dans les coins. Quatre étaient
restés dans une maison vide de Balan, sans aucun soin
médical, vivant on ne savait comment, grâce à la charité
de quelque voisin sans doute; et leurs blessures fourmil-
laient de vers, ils étaient morts, empoisonnés par ces
plaies immondes. C'était cette purulence que rien ne
pouvait combattre, qui soufflait et vidait des rangées de
lits. Dès la porte, une odeur de nécrose prenait à la gorge.
Les drains suppuraient, laissaient tomber goutte à goutte
le pus fétide. Souvent, il fallait rouvrir les chairs, en
extraire encore des esquilles ignorées. Puis, des abcès
se déclaraient, des flux qui allaient crever plus loin.
Epuisés, amaigris, la face terreuse, les misérables endu-
raient toutes les tortures. Les uns, abattus, sans souffle,
passaient leurs journées sur le dos, les paupières closes
et noires, ainsi que des cadavres à demi décomposés déjà.
Les autres, sans sommeil, agités d'une insomnie inquiète,
trempés d'abondantes sueurs, s'exaltaient, comme si la
catastrophe les eût frappés de folie. Et, qu'ils fussent
violents ou calmes, quand le frisson de la fièvre infectieuse
les gagnait, c'était la fin, le poison triomphant, volant des
uns aux autres, les emportant tous dans le même flot de
pourriture victorieuse.

Mais il y avait surtout la salle des damnés, de ceux qui
étaient frappés de dysenterie, de typhus, de variole. Beaucoup avaient la variole noire. Ils se remuaient, criaient
dans un délire incessant, se dressaient sur leur lit,
debout comme des spectres. D'autres, touchés aux poumons, se mouraient de pneumonie, avec des toux affreuses.
D'autres, qui hurlaient, n'étaient soulagés que sous le
filet d'eau froide, dont on rafraîchissait continuellement leurs blessures. C'était l'heure attendue, l'heure du
pansement, qui seule amenait un peu de calme, aérait
les lits, délassait les corps raidis à la longue dans la
même position. Et c'était aussi l'heure redoutée, car pas
un jour ne se passait, sans que le docteur, en examinant
les plaies, eût le chagrin de remarquer sur la peau de
quelque pauvre diable des points bleuâtres, les taches de
la gangrène envahissante. L'opération avait lieu le lendemain. Encore un bout de jambe ou de bras coupé.
Parfois même, la gangrène montait plus haut, il fallait
recommencer, jusqu'à ce qu'on eût rogné tout le membre.

Puis, l'homme entier y passait, il avait le corps envahi
par les plaques livides du typhus, il fallait l'emmener,
vacillant, ivre et hagard, dans la salle des damnés, où
il succombait, la chair morte déjà et sentant le cadavre,
avant l'agonie.

Chaque soir, à son retour, Henriette répondait aux
questions de Jean, la voix tremblante de la même émotion :

— Ah! les pauvres enfants, les pauvres enfants!

Et c'étaient des détails toujours semblables, les quoti-
diens tourments de cet enfer. On avait désarticulé une
épaule, tranché un pied, procédé à la résection d'un
humérus; mais la gangrène ou l'infection purulente par-
donnerait-elle ? Ou bien, on venait encore d'en enterrer
un, le plus souvent un Français, parfois un Allemand.
Il était rare qu'une journée s'achevât sans qu'une bière
furtive, faite à la hâte de quatre planches, sortît de l'ambulance au crépuscule, accompagnée d'un seul infirmier,
souvent de la jeune femme elle-même, pour qu'un homme
ne fût pas enfoui comme un chien. Dans le petit cimetière de Remilly, on avait ouvert deux tranchées; et ils
dormaient tous côte à côte, les Allemands à gauche, les
Français à droite, réconciliés dans la terre.

Jean, sans les avoir jamais vus, finissait par s'intéresser
à certains blessés. Il demandait de leurs nouvelles.

— Et « Pauvre enfant », comment va-t-il, aujourd'hui ?

C'était un petit troupier, un soldat du 5e de ligne,
engagé volontaire, qui n'avait pas vingt ans. Le surnom
de « Pauvre enfant » lui était resté, parce que, sans cesse,
il répétait ces mots en parlant de lui; et, comme, un
jour, on lui en demandait la raison, il avait répondu que
c'était sa mère qui l'appelait toujours ainsi. Pauvre
enfant en effet, car il se mourait d'une pleurésie, détermi-
née par une blessure au flanc gauche.

— Ah! le cher garçon, disait Henriette, qui s'était
prise pour lui d'une affection maternelle, il ne va pas
bien, il a toussé toute la journée... Ça me fend le cœur,
de l'entendre.

— Et votre ours, votre Gutmann ? reprenait Jean,
avec un faible sourire. Le docteur a-t-il meilleur espoir ?

— Oui, peut-être le sauvera-t-on. Mais il souffre horriblement.

Bien que la pitié fût grande, tous deux ne pouvaient
parler de Gutmann sans une sorte de gaieté attendrie.
Lorsque la jeune femme était entrée à l'ambulance, le

premier jour, elle avait eu le saisissement de reconnaître,
dans ce soldat bavarois, l'homme à la barbe et aux cheveux rouges, aux gros yeux bleus, au large nez carré, qui
l'avait emportée entre ses bras, à Bazeilles, pendant qu'on
fusillait son mari. Lui, également, la reconnut; mais il
ne pouvait parler, une balle, entrée par la nuque, lui
avait enlevé la moitié de la langue. Et, après deux jours
d'un recul d'horreur, d'un involontaire frisson, chaque
fois qu'elle s'approchait de son lit, elle fut conquise par
les regards désespérés et très doux dont il la suivait.
N'était-ce donc plus le monstre, au poil éclaboussé de
sang, aux prunelles chavirées de rage, qui la hantait d'un
affreux souvenir ? Il lui fallait un effort pour le retrouver
maintenant chez ce malheureux, l'air si bonhomme, si
docile, au milieu de ses atroces souffrances. Son cas, peu
fréquent, cette infirmité brusque, touchait l'ambulance
entière. On n'était même pas bien sûr qu'il se nommât
Gutmann, on l'appelait ainsi, parce que l'unique son
qu'il arrivait à proférer était un grognement de deux syllabes qui faisait à peu près ce nom. Sur tout le reste, on
croyait seulement savoir qu'il était marié et qu'il avait
des enfants. Il devait comprendre quelques mots de français, il répondait parfois d'un signe violent de la tête.
Marié ? oui, oui! Des enfants ? oui, oui! Son attendrissement, un jour, à voir de la farine, avait encore fait sup-
poser qu'il pouvait être meunier. Et rien d'autre. Où
était-il, le moulin ? Dans quel lointain village de la Bavière
pleuraient-ils à cette heure, les enfants et la femme ?
Allait-il donc mourir, inconnu, sans nom, laissant les
siens, là-bas, dans une éternelle attente ?

— Aujourd'hui, raconta un soir Henriette à Jean, Gutmann m'a envoyé des baisers... Je ne lui donne plus à
boire, je ne lui rends plus le moindre service, sans qu'il
porte les doigts à ses lèvres, dans un geste fervent de
reconnaissance... Il ne faut pas sourire, c'est trop terrible,
que d'être ainsi comme enterré, avant l'heure.

Cependant, vers la fin d'octobre, Jean alla mieux. Le
docteur consentit à enlever le drain, bien qu'il restât
soucieux; et la plaie parut pourtant se cicatriser assez
vite. Déjà, le convalescent se levait, passait des heures
à marcher dans la chambre, à s'asseoir devant la fenêtre,
attristé par le vol des nuages. Puis, il s'ennuya, il parla
de s'occuper à quelque chose, de se rendre utile dans
la ferme. Un de ses malaises secrets était la question
d'argent, car il pensait bien que ses deux cents francs

avaient dû être dépensés, depuis six grandes semaines. Pour que le père Fouchard continuât à lui faire bonne mine, il fallait donc qu'Henriette payât. Cette pensée lui devenait pénible, il n'osait s'en expliquer avec elle, et il éprouva un véritable soulagement, lorsqu'il fut convenu qu'on le donnerait comme un nouveau garçon, chargé, avec Silvine, des soins intérieurs, pendant que Prosper s'occupait de la culture, au-dehors.

Malgré l'abomination des temps, un garçon de plus n'était pas de trop, chez le père Fouchard, dont les affaires prospéraient. Tandis que râlait le pays entier, saigné aux quatre membres, il avait trouvé le moyen d'élargir tellement son commerce de boucher ambulant, qu'il abattait à cette heure le triple et le quadruple de bêtes. On racontait comment, dès le 31 août, il avait fait des marchés superbes avec les Prussiens. Lui, qui, le 30, défendait sa porte contre les soldats du 7e corps, le fusil au poing, refusant de leur vendre une miche, leur criant que la maison était vide, s'était établi marchand de tout, le 31, à l'apparition du premier soldat ennemi, avait déterré de ses caves des provisions extraordinaires, ramené des trous inconnus, où il les avait cachés, de véritables troupeaux. Et, depuis ce jour, il était un des plus gros fournisseurs de viande des armées allemandes, étonnant d'adresse pour placer sa marchandise et se la faire payer, entre deux réquisitions. Les autres souffraient de l'exigence parfois brutale des vainqueurs : lui n'avait pas encore fourni un boisseau de farine, un hectolitre de vin, un quartier de bœuf, sans trouver au bout du bel argent sonnant. On en causait bien, dans Remilly, on trouvait cela vilain de la part d'un homme qui venait de perdre à la guerre son fils, dont il ne visitait point la tombe, que Silvine seule entretenait. Mais, tout de même, on le respectait, de s'enrichir, quand les plus malins y laissaient leur peau. Et lui, goguenard, haussait les épaules, grognait, avec sa carrure têtue :

— Patriote, patriote, je le suis plus qu'eux tous!... C'est donc être patriote que de foutre gratis aux Prussiens de la nourriture, par-dessus la tête ? Moi, je leur fais tout payer... On verra, on verra ça, plus tard!

Jean, dès le second jour, resta trop longtemps debout, et les sourdes craintes du docteur se réalisèrent : la plaie s'était rouverte, une inflammation considérable fit enfler la jambe, il dut reprendre le lit. Dalichamp finit par soup-çonner la présence d'une esquille, que l'effort des deux

journées d'exercice avait achevé de détacher. Il la chercha, fut assez heureux pour l'extraire. Mais cela n'alla
pas sans une secousse, une fièvre violente, qui épuisèrent
Jean de nouveau. Jamais encore, il n'était tombé à un
pareil état de faiblesse. Et Henriette reprit sa place de
garde fidèle, dans la chambre, que l'hiver attristait et glaçait. On était aux premiers jours de novembre, le vent
d'est avait apporté déjà une bourrasque de neige, il faisait
très froid, entre les quatre murs vides, sur le carreau nu.
Comme il n'y avait pas de cheminée, ils se décidèrent à
faire mettre un poêle, dont le ronflement égaya un peu
leur solitude.

Les jours coulaient, monotones, et cette première
semaine de la rechute fut certainement pour Jean et pour
Henriette la plus mélancolique de leur longue intimité
forcée. La souffrance ne cesserait donc pas ? toujours le
danger allait-il renaître, sans qu'on pût espérer la fin de
tant de misères ? Leur pensée volait à chaque heure vers
Maurice, dont ils n'avaient plus eu de nouvelles. On leur
disait bien que d'autres recevaient des lettres, des billets
minces apportés par des pigeons voyageurs. Sans doute,
le coup de feu de quelque Allemand avait tué, au passage,
dans le grand ciel libre, le pigeon qui portait leur joie et
leur tendresse, à eux. Tout semblait se reculer, s'éteindre
et disparaître, au fond de l'hiver précoce. Les bruits de
la guerre ne leur parvenaient qu'après des retards considérables, les rares journaux que le docteur Dalichamp
leur apportait encore, dataient souvent d'une semaine. Et
leur tristesse était faite beaucoup de leur ignorance, de ce
qu'ils ne savaient pas et de ce qu'ils devinaient, du long
cri de mort qu'ils entendaient malgré tout, dans le silence
de la campagne, autour de la ferme.

Un matin, le docteur arriva bouleversé, les mains tremblantes. Il tira un journal belge de sa poche, le jeta sur
le lit, en s'écriant :

— Ah! mes amis, la France est morte, Bazaine vient de
trahir!

Jean, adossé contre deux oreillers, somnolent, se
réveilla.

— Comment de trahir ?

— Oui, il a livré Metz et l'armée. C'est le coup de
Sedan qui recommence, et cette fois c'est le reste de notre
chair et de notre sang.

Puis, reprenant le journal, lisant :

— Cent cinquante mille prisonniers, cent cinquante-

trois aigles et drapeaux, cinq cent quarante et un canons
de campagne, soixante-seize mitrailleuses, huit cents
canons de forteresse, trois cent mille fusils, deux mille
voitures d'équipages militaires, du matériel pour quatre-
vingt-cinq batteries...

Et il continua donnant les détails : le maréchal Bazaine,
enfermé dans Metz avec l'armée, réduit à l'impuissance,
ne faisant aucun effort pour rompre le cercle de fer qui
l'enserrait; ses rapports suivis avec le prince Frédéric-
Charles, ses troubles et hésitantes combinaisons politiques, son ambition de jouer un rôle décisif qu'il ne semblait pas avoir bien déterminé lui-même; puis, toute la
complication des pourparlers, des envois d'émissaires,
louches et menteurs, à M. de Bismarck, au roi Guillaume,
à l'impératrice régente, qui, finalement, devait refuser de
traiter avec l'ennemi, sur les bases d'une cession de territoire; et la catastrophe inéluctable, le destin achevant son
œuvre, la famine dans Metz, la capitulation forcée, les
chefs et les soldats réduits à accepter les dures conditions
des vainqueurs. La France n'avait plus d'armée.

— Nom de Dieu! jura sourdement Jean, qui ne comprenait pas tout, mais pour qui, jusque-là, Bazaine était
resté le grand capitaine, l'unique sauveur possible. Alors,
quoi, qu'est-ce qu'on va faire ? qu'est-ce qu'ils deviennent,
à Paris ?

Le docteur, justement, passait aux nouvelles de Paris,
qui étaient désastreuses. Il fit remarquer que le journal
portait la date du 5 novembre. La reddition de Metz était
du 27 octobre, et la nouvelle n'en avait été connue à Paris
que le 30. Après les échecs subis déjà à Chevilly, à
Bagneux, à la Malmaison, après le combat et la perte du
Bourget, cette nouvelle avait éclaté en coup de foudre,
au milieu de la population désespérée, irritée de la faiblesse et de l'impuissance du gouvernement de la Défense
nationale. Aussi, le lendemain, le 31 octobre, toute une
insurrection avait-elle grondé, une foule immense s'étouffant sur la place de l'Hôtel-de-Ville, envahissant les
salles, retenant prisonniers les membres du gouvernement, que la garde nationale avait enfin délivrés, dans
la crainte de voir triompher les révolutionnaires qui récla-
maient la Commune. Et le journal belge ajoutait les
réflexions les plus insultantes pour le grand Paris, que
la guerre civile déchirait, au moment où l'ennemi était aux
portes. N'était-ce pas la décomposition finale, la flaque de
boue et de sang où allait s'effondrer un monde ?

— C'est bien vrai, murmura Jean tout pâle, on ne se cogne pas, quand les Prussiens sont là!

Henriette, qui n'avait rien dit encore, évitant d'ouvrir la bouche, dans ces choses de la politique, ne put retenir un cri. Elle ne pensait qu'à son frère.

— Mon Dieu! pourvu que Maurice, qui a mauvaise tête, ne se mêle pas à toutes ces histoires!

Il y eut un silence, et le docteur, ardent patriote, reprit :

— N'importe, s'il n'y a plus de soldats, il en poussera d'autres. Metz s'est rendu, Paris lui-même peut se rendre, la France ne finira pas... Oui, comme disent nos paysans, le coffre est bon, et nous vivrons quand même!

Mais on voyait qu'il se forçait à l'espérance. Il parla de la nouvelle armée qui se formait sur la Loire, et dont les débuts, du côté d'Arthenay, n'avaient pas été très heureux : elle allait s'aguerrir, elle marcherait au secours de Paris. Il était surtout enfiévré par les proclamations de Gambetta, parti en ballon de Paris le 7 octobre, dès le surlendemain installé à Tours, appelant tous les citoyens sous les armes, parlant un langage si mâle et si sage à la fois, que le pays entier se donnait à cette dictature de salut public. Et n'était-il pas question de former une autre armée dans le Nord, une autre armée dans l'Est, de faire sortir des soldats de terre, par la seule force de la foi? C'était le réveil de la province, l'indomptable volonté de créer tout ce qui manquait, de lutter jusqu'au dernier sou et jusqu'à la dernière goutte de sang.

— Bah! conclut le docteur, en se levant pour partir, j'ai souvent condamné des malades qui étaient debout huit jours plus tard.

Jean eut un sourire.

— Docteur, guérissez-moi vite, que j'aille là-bas reprendre mon poste.

Cependant, Henriette et lui gardèrent une grande tristesse de ces mauvaises nouvelles. Il y eut, le soir même, une rafale de neige, et le lendemain, lorsque Henriette, toute frissonnante, rentra de l'ambulance, elle annonça que Gutmann était mort. Ce grand froid décimait les blessés, vidait les rangées de lits. Le misérable muet, la bouche amputée de sa langue, avait râlé deux jours. Pendant les dernières heures, elle était restée à son chevet, tant il la regardait d'un regard suppliant. Il lui parlait de ses yeux en larmes, il lui disait peut-être son vrai nom, le nom du village lointain, dans lequel une femme et des enfants l'attendaient. Et il s'en était allé inconnu, en lui envoyant, de ses doigts tâtonnants, un dernier baiser, comme pour la remercier encore de ses bons soins. Elle fut seule à l'accompagner au cimetière, où la terre gelée, cette lourde terre étrangère, tomba sourdement sur son cercueil de sapin, avec des paquets de neige.

Puis, de nouveau, le lendemain, Henriette dit à son retour :

— « Pauvre enfant » est mort.

Pour celui-ci, elle était en pleurs.

— Si vous l'aviez vu, dans son délire! Il m'appelait : Maman! maman! et il me tendait des bras si tendres, que j'ai dû le prendre sur mes genoux... Ah! le malheureux, la souffrance l'avait tellement diminué qu'il ne pesait pas plus lourd qu'un petit garçon... Et je l'ai bercé pour qu'il mourût content, oui! je l'ai bercé, moi qu'il appelait sa mère et qui n'avais que quelques années de plus que lui... Il pleurait, je ne pouvais me retenir de pleurer moi-même, et je pleure encore...

Elle suffoquait, elle dut s'interrompre.

— Quand il est mort, il a balbutié à plusieurs reprises ces mots dont il se surnommait : Pauvre enfant, pauvre enfant... Oh! oui, certes, de pauvres enfants, tous ces braves garçons, quelques-uns si jeunes, dont votre abominable guerre emporte les membres et qu'elle fait tant souffrir, avant de les coucher dans la terre!

Chaque jour, maintenant, Henriette rentrait de la sorte, bouleversée par quelque agonie, et cette souffrance des autres les rapprochait encore, pendant les tristes heures qu'ils vivaient si seuls, au fond de la grande chambre paisible. Heures bien douces pourtant, car la tendresse était venue, une tendresse qu'ils croyaient fraternelle, entre leurs deux cœurs qui avaient peu à peu appris à se connaître. Lui, d'un esprit si réfléchi, s'était haussé, dans leur intimité continue; et elle, à le voir bon et raisonnable, ne songeait même plus qu'il était un humble, ayant conduit la charrue avant de porter le sac. Ils s'entendaient très bien, ils faisaient un excellent ménage, comme disait Silvine, avec son sourire grave. Aucune gêne d'ailleurs n'était née entre eux, elle continuait à lui soigner sa jambe, sans que jamais leurs regards clairs se fussent détournés. Toujours en noir, dans ses vêtements de veuve, elle semblait avoir cessé d'être une femme.

Jean, toutefois, durant les longs après-midi où il se retrouvait seul, ne pouvait s'empêcher de songer. Ce qu'il éprouvait pour elle, c'était une reconnaissance infinie, une sorte de respect dévôt, qui lui aurait fait écarter, comme sacrilège, toute pensée d'amour. Et, cependant, il se disait que, s'il avait eu une femme comme celle-là, si tendre, si douce, si active, la vie serait devenue une véritable existence de paradis. Son malheur, les années mauvaises qu'il avait passées à Rognes, le désastre de son mariage, la mort violente de sa femme, tout ce passé lui revenait dans un regret de tendresse, dans un espoir vague, à peine formulé, de tenter encore le bonheur. Il fermait les yeux, il laissait un demi-sommeil le reprendre, et alors il se voyait confusément à Remilly, remarié, propriétaire d'un champ qui suffisait à nourrir un ménage de braves gens sans ambition. Cela était si léger, que cela n'existait pas, n'existerait certainement jamais. Il ne se croyait plus capable que d'amitié, il n'aimait ainsi Henriette que parce qu'il était le frère de Maurice. Puis, ce rêve indéterminé de mariage avait fini par être comme une consolation, une de ces imaginations qu'on sait irréalisables et dont on caresse ses heures de tristesse.

Henriette, elle, n'en était pas même effleurée. Au lendemain du drame atroce de Bazeilles, son cœur restait meurtri; et, s'il y entrait un soulagement, une tendresse nouvelle, ce ne pouvait être qu'à son insu : tout un de ces sourds cheminements de la graine qui germe, sans que rien, au regard, révèle le travail caché. Elle ignorait jusqu'au plaisir qu'elle avait fini par prendre à rester des heures près du lit de Jean, à lui lire ces journaux, qui ne leur apportaient pourtant que du chagrin. Jamais sa main, en rencontrant la sienne, n'avait eu même une tiédeur; jamais l'idée du lendemain ne l'avait laissée rêveuse, avec le souhait d'être aimée encore. Pourtant, elle n'oubliait, elle n'était consolée que dans cette chambre. Quand elle se trouvait là, s'occupant avec sa douceur active, son cœur se calmait, il lui semblait que son frère reviendrait prochainement, que tout s'arrangerait très bien, qu'on finirait par être tous heureux, en ne se quittant plus. Et elle en parlait sans trouble, tellement il lui paraissait naturel que les choses fussent ainsi, sans qu'il lui vînt à la pensée de s'interroger davantage, dans le don chaste et ignoré de tout son cœur.

Mais, un après-midi, comme elle se rendait à l'ambulance, la terreur qui la glaça, en apercevant dans la cuisine un capitaine prussien et deux autres officiers, lui fit comprendre la grande affection qu'elle éprouvait pour Jean. Ces hommes, évidemment, avaient appris la pré-

sence du blessé à la ferme, et ils venaient le réclamer :
c'était le départ inévitable, la captivité en Allemagne, au
fond de quelque forteresse. Elle écouta, tremblante, le
cœur battant à grands coups.

Le capitaine, un gros homme qui parlait français,
faisait de violents reproches au père Fouchard.

— Ça ne peut pas durer, vous vous fichez de nous... Je
suis venu moi-même pour vous avertir que, si le cas se
reproduit, je vous en rendrai responsable, oui! je saurai
prendre des mesures!

Très tranquille, le vieux affectait l'ahurissement,
comme s'il n'avait pas compris, les mains ballantes.

— Comment ça, monsieur, comment ça ?

— Ah! ne m'échauffez pas les oreilles, vous savez très
bien que les trois vaches que vous nous avez vendues
dimanche étaient pourries... Parfaitement, pourries, enfin
malades, crevées de maladie infecte, car elles ont empoisonné mes hommes, et il y en a deux qui doivent en être
morts à l'heure qu'il est.

Du coup, Fouchard joua la révolte, l'indignation.

— Pourries, mes vaches! de la si belle viande, de la
viande que l'on donnerait à une accouchée, pour lui
refaire des forces!

Et il larmoya, se tapa sur la poitrine, cria qu'il était
honnête, qu'il aimerait mieux se couper de sa propre
chair, à lui, que d'en vendre de la mauvaise. Depuis
trente ans, on le connaissait, personne au monde ne pouvait dire qu'il n'avait pas eu son poids, en bonne qualité.

— Elles étaient saines comme l'œil, monsieur, et si vos
soldats ont eu la colique, c'est peut-être qu'ils en ont trop
mangé; à moins que des malfaiteurs n'aient mis de la
drogue dans la marmite...

Il l'étourdissait ainsi d'un flot de paroles, d'hypothèses
si saugrenues, que le capitaine, hors de lui, finit par
couper court.

— En voilà assez! Vous êtes averti, prenez garde!... Et
il y a autre chose, nous vous soupçonnons, dans ce village,
de faire tous bon accueil aux francs-tireurs des bois de
Dieulet, qui nous ont encore tué une sentinelle avant-
hier... Entendez-vous, prenez garde!

Quand les Prussiens furent partis, le père Fouchard
haussa les épaules, avec un ricanement d'infini dédain.
Des bêtes crevées, bien sûr qu'il leur en vendait, il ne leur
faisait même manger que de ça! Toutes les charognes que
les paysans lui apportaient, ce qui mourait de maladie et

ce qu'il ramassait dans les fossés, est-ce que ce n'était pas
bon pour ces sales bougres ?

Il cligna un œil, il murmura d'un air de triomphe
goguenard, en se tournant vers Henriette rassurée :

— Dis donc, petite, quand on pense qu'il y a des gens
qui racontent, comme ça, que je ne suis pas patriote!...
Hein ? qu'ils en fassent autant, qu'ils leur foutent donc de
la carne, et qu'ils empochent leurs sous... Pas patriote!
mais, nom de Dieu! j'en aurai plus tué avec mes vaches
malades que bien des soldats avec leurs chassepots!

Jean, lorsqu'il sut l'histoire, s'inquiéta pourtant. Si les
autorités allemandes se doutaient que les habitants de
Remilly accueillaient les francs-tireurs des bois de Dieulet, elles pouvaient d'une heure à l'autre faire des perquisitions et le découvrir. L'idée de compromettre ses
hôtes, de causer le moindre ennui à Henriette, lui était
insupportable. Mais elle le supplia, elle obtint qu'il resterait quelques jours encore, car sa blessure se cicatrisait
lentement, il n'avait pas les jambes assez solides pour
rejoindre un des régiments en campagne, dans le Nord
ou sur la Loire.

Et ce furent alors, jusqu'au milieu de décembre, les
journées les plus frissonnantes, les plus navrées de leur
solitude. Le froid était devenu si intense, que le poêle
n'arrivait pas à chauffer la grande pièce nue. Quand ils
regardaient par la fenêtre épaisse la neige qui croulait le
sol, ils songeaient à Maurice, enseveli, là-bas, dans ce
Paris glacé et mort, dont ils n'avaient aucune nouvelle
certaine. Toujours, les mêmes questions revenaient : que
faisait-il, pourquoi ne donnait-il aucun signe de vie ? Ils
n'osaient se dire leurs affreuses craintes, une blessure,
une maladie, la mort peut-être. Les quelques renseignements vagues qui continuaient à leur parvenir par les
journaux, n'étaient point faits pour les rassurer. Après de
prétendues sorties heureuses, démenties sans cesse, le
bruit avait couru d'une grande victoire, remportée le
2 décembre, à Champigny, par le général Ducrot; mais ils
surent ensuite que, dès le lendemain, abandonnant les
positions conquises, il s'était vu forcé de repasser la
Marne. C'était, à chaque heure, Paris étranglé d'un lien
plus étroit, la famine commençante, la réquisition des
pommes de terre après celle des bêtes à cornes, le gaz
refusé aux particuliers, bientôt les rues noires, sillonnées
par le vol rouge des obus. Et tous deux ne se chauffaient
plus, ne mangeaient plus, sans être hantés par l'image de

Maurice et de ces deux millions de vivants, enfermés dans
cette tombe géante.

De toutes parts, d'ailleurs, du Nord comme du Centre,
les nouvelles s'aggravaient. Dans le Nord, le 22e corps
d'armée, formé de gardes mobiles, de compagnies de
dépôt, de soldats et d'officiers échappés aux désastres de
Sedan et de Metz, avait dû abandonner Amiens, pour se
retirer du côté d'Arras; et, à son tour, Rouen venait de
tomber entre les mains de l'ennemi, sans que cette poignée d'hommes, débandés, démoralisés, l'eussent défendu
sérieusement. Dans le Centre, la victoire de Coulmiers,
remportée le 3 novembre par l'armée de la Loire, avait
fait naître d'ardentes espérances : Orléans réoccupé, les
Bavarois en fuite, la marche par Etampes, la délivrance
prochaine de Paris. Mais, le 5 décembre, le prince Frédéric-Charles reprenait Orléans, coupait en deux l'armée
de la Loire, dont trois corps se repliaient sur Vierzon et
Bourges, tandis que deux autres, sous les ordres du général Chanzy, reculaient jusqu'au Mans, dans une retraite
héroïque, toute une semaine de marches et de combats.
Les Prussiens était partout, à Dijon comme à Dieppe,
au Mans comme à Vierzon. Puis c'était, presque chaque
matin, le lointain fracas de quelque place forte qui capi-
tulait sous les obus. Dès le 28 septembre, Strasbourg avait
succombé, après quarante-six jours de siège et trente-
sept jours de bombardement, les murs hachés, les monuments
criblés par près de deux cent mille projectiles. Déjà, la
citadelle de Laon avait sauté, Toul s'était rendu; et venait
ensuite le défilé sombre : Soissons avec ses cent vingt-
huit canons, Verdun qui en comptait cent trente-six,
Neufbrisach cent, La Fère soixante-dix, Montmédy
soixante-cinq. Thionville était en flammes, Phalsbourg
n'ouvrait ses portes que dans sa douzième semaine de
furieuse résistance. Il semblait que la France entière brûlât, s'effondrât, au milieu de l'enragée canonnade.

Un matin que Jean voulait absolument partir, Henriette
lui prit les mains, le retint d'une étreinte désespérée.

— Non, non! je vous en supplie, ne me laissez pas
seule... Vous être trop faible, attendez quelques jours,
rien que quelques jours encore... Je promets de vous
laisser partir, quand le docteur dira que vous êtes assez
fort pour retourner vous battre.

Par cette soirée glacée de décembre, Silvine et Prosper
se trouvaient seuls, avec Charlot, dans la grande cuisine
de la ferme, elle cousant, lui en train de se fabriquer un
beau fouet. Il était sept heures, on avait dîné à six, sans
attendre le père Fouchard, qui devait s'être attardé à
Raucourt, où la viande manquait; et Henriette, dont
c'était, cette nuit-là, le tour de veillée à l'ambulance, venait
de partir, en recommandant bien à Silvine de ne pas se
coucher, sans aller garnir de charbon le poêle de Jean.

Dehors, le ciel était très noir, sur la neige blanche.
Pas un bruit ne venait du village enseveli, on n'entendait dans la salle que le couteau de Prosper, très appli-
qué à orner de losanges et de rosaces le manche de cor-
nouiller. Par moments, il s'arrêtait, il regardait Charlot,
dont la grosse tête blonde vacillait, prise de sommeil.
L'enfant ayant fini par s'endormir, il sembla que le
silence augmentait encore. Doucement, la mère avait
écarté la chandelle, pour que son petit n'en eût pas la
clarté sur les paupières; puis, cousant toujours, elle était
tombée dans une rêverie profonde.

Et ce fut alors, après avoir encore hésité, que Prosper
se décida.

— Ecoutez donc, Silvine, j'ai quelque chose à vous
dire... Oui, j'ai attendu d'être seul avec vous...

Inquiète déjà, elle avait levé les yeux.

— Voici la chose... Pardonnez-moi de vous faire de la
peine, mais il vaut mieux que vous soyez prévenue... J'ai
vu ce matin, à Remilly, au coin de l'église, j'ai vu Goliath,
comme je vous vois en ce moment, oh! en plein, il n'y a
pas d'erreur!

Elle devint toute blême, les mains tremblantes, ne
trouvant à bégayer qu'une plainte sourde.

— Mon Dieu! mon Dieu!

Prosper continua en phrases prudentes, raconta ce qu'il avait appris dans la journée, en questionnant les uns et les autres. Personne ne doutait plus que Goliath fût un espion, qui s'était installé autrefois dans le pays, pour en connaître les routes, les ressources, les moindres façons d'être. On rappelait son séjour à la ferme du père Fouchard, la façon brusque dont il en était parti, les places qu'il avait faites ensuite, du côté de Beaumont et de Raucourt. Et, maintenant, le voilà qui était revenu, occupant à la commandature de Sedan une situation indéterminée, parcourant de nouveau les villages, comme chargé de dénoncer les uns, de taxer les autres, de veiller au bon fonctionnement des réquisitions dont on écrasait les habitants. Ce matin-là, il avait terrorisé Remilly, au sujet d'une livraison de farine, incomplète et trop lente.

— Vous êtes prévenue, répéta Prosper en finissant, et vous saurez, comme ça, ce que vous aurez à faire, quand il viendra ici...

Elle l'interrompit, d'un cri de terreur.

— Vous croyez qu'il viendra ?

— Dame! ça me semble indiqué... Il faudrait qu'il ne fût guère curieux, puisqu'il n'a jamais vu le petit, tout en sachant qu'il existe... Et, en outre, il y a vous, pas plus laide que ça, qui êtes bonne à revoir.

Mais, d'un geste de supplication, elle le fit taire. Réveillé par le bruit, Charlot avait levé la tête. Les yeux vagues, comme au sortir d'un rêve, il se rappela l'injure que lui avait apprise quelque farceur du village, il déclara de son air grave de petit bonhomme de trois ans :

— Cochons, les Prussiens!

Sa mère, follement, le prit dans ses bras, l'assit sur ses genoux. Ah! le pauvre être, sa joie et son désespoir, qu'elle aimait de toute son âme et qu'elle ne pouvait regarder sans pleurer, ce fils de sa chair qu'elle souffrait d'entendre appeler méchamment le Prussien par les gamins de son âge, lorsqu'ils jouaient avec lui sur la route! Elle le baisa, comme pour lui rentrer les paroles dans la bouche.

— Qui est-ce qui t'a appris de vilains mots ? C'est défendu, il ne faut pas les répéter, mon chéri.

Alors, avec l'obstination des enfants, Charlot, étouffant de rire, se hâta de recommencer :

— Cochons, les Prussiens!

Puis, voyant sa mère éclater en larmes, il se mit à

pleurer lui aussi, pendu à son cou. Mon Dieu! de quel
malheur nouveau était-elle donc menacée ? N'était-ce
point assez d'avoir perdu, avec Honoré, le seul espoir de
sa vie, la certitude d'oublier et d'être heureuse encore ?
Il fallait que l'autre homme ressuscitât, pour achever
son malheur.

— Allons, murmura-t-elle, viens dormir, mon chéri.
Je t'aime bien tout de même, car tu ne sais pas la peine
que tu me fais.

Et elle laissa un instant seul Prosper, qui, pour ne pas
la gêner en la regardant, avait affecté de se remettre à
sculpter soigneusement le manche de son fouet.

Mais, avant d'aller coucher Charlot, Silvine le menait
d'habitude dire bonsoir à Jean, avec qui l'enfant était
grand ami. Ce soir-là, comme elle entrait, sa chandelle
à la main, elle aperçut le blessé assis sur son séant, les
yeux grands ouverts au milieu des ténèbres. Tiens, il ne
dormait donc pas ? Ma foi, non! il rêvassait à toutes sortes
de choses, seul dans le silence de cette nuit d'hiver. Et,
pendant qu'elle bourrait le poêle de charbon, il joua un
instant avec Charlot, qui se roulait sur le lit, ainsi qu'un
jeune chat. Il connaissait l'histoire de Silvine, il avait
de l'amitié pour cette fille brave et soumise, si éprouvée
par le malheur, en deuil du seul homme qu'elle eût aimé,
n'ayant gardé d'autre consolation que ce pauvre petit,
dont la naissance restait son tourment. Aussi, lorsque,
le poêle couvert, elle s'approcha pour le lui reprendre
des bras, remarqua-t-il, à ses yeux rouges, qu'elle avait
pleuré. Quoi donc ? on venait encore de lui faire du
souci ? Mais elle ne voulut pas répondre : plus tard, elle
lui dirait ça, si ça en valait la peine. Mon Dieu! est-ce
que l'existence, pour elle, maintenant, n'était pas un
continuel chagrin ?

Enfin, Silvine emportait Charlot, quand un bruit de
pas et de voix se fit entendre, dans la cour de la ferme.
Et Jean, surpris, écoutait.

— Qu'y a-t-il donc ? Ce n'est point le père Fouchard
qui rentre, je n'ai pas entendu les roues de la carriole.

Du fond de sa chambre écartée, il avait fini par se
rendre ainsi compte de la vie intérieure de la ferme,
dont les moindres rumeurs lui étaient devenues familières.
L'oreille tendue, il reprit tout de suite :

— Ah! oui, ce sont ces hommes, les francs-tireurs des
bois de Dieulet, qui viennent aux provisions.

— Vite! murmura Silvine en s'en allant et en le laissant de nouveau dans l'obscurité, il faut que je me dépêche, pour qu'ils aient leurs pains.

En effet, des poings tapaient à la porte de la cuisine, et Prosper, ennuyé d'être seul, hésitait, parlementait. Quand le maître n'était pas là, il n'aimait guère ouvrir, par crainte des dégâts dont on l'aurait rendu responsable. Mais il eut la chance que, justement, à cette minute, la carriole du père Fouchard dévala par la route en pente, avec le trot assourdi du cheval dans la neige. Et ce fut le vieux qui reçut les hommes.

— Ah! bon! c'est vous trois... Qu'est-ce que vous m'apportez, sur cette brouette?

Sambuc, avec sa maigreur de bandit, enfoncé dans une blouse de laine bleue, trop large, ne l'entendit même pas, exaspéré contre Prosper, son honnête homme de frère, comme il disait, qui se décidait seulement à ouvrir la porte.

— Dis donc, toi! est-ce que tu nous prends pour des mendiants, à nous laisser dehors par un temps pareil?

Mais, tandis que Prosper, très calme, haussant les épaules sans répondre, faisait rentrer le cheval et la carriole, ce fut de nouveau le père Fouchard qui intervint, penché sur la brouette.

— Alors, c'est deux moutons crevés que vous m'apportez... Ça va bien qu'il gèle, sans quoi ils ne sentiraient guère bon.

Cabasse et Ducat, les deux lieutenants de Sambuc, qui l'accompagnaient dans toutes ses expéditions, se récrièrent.

— Oh! dit le premier, avec sa vivacité de Provençal, ils n'ont pas plus de trois jours... C'est des bêtes mortes à la ferme des Raffins, où il y a un sale coup de maladie sur les animaux.

— *Procumbit humi bos*, déclama l'autre, l'ancien huissier que son goût trop vif pour les petites filles avait déclassé et qui aimait à citer du latin.

D'un hochement de tête, le père Fouchard continuait à déprécier la marchandise, qu'il affectait de trouver trop avancée. Et il conclut, en entrant dans la cuisine avec les trois hommes :

— Enfin, il faudra qu'ils s'en contentent... Ça va bien qu'à Raucourt ils n'ont plus une côtelette. Quand on a faim, n'est-ce pas? on mange de tout.

Et, ravi au fond, il appela Silvine qui revenait de coucher Charlot.

— Donne des verres, nous allons boire un coup à la crevaison de Bismarck.

Fouchard entretenait ainsi de bonnes relations avec les francs-tireurs des bois de Dieulet, qui, depuis bientôt trois mois, sortaient au crépuscule de leurs taillis impénétrables, rôdaient par les routes, tuaient et dévalisaient les Prussiens qu'ils pouvaient surprendre, se rabattaient sur les fermes, rançonnaient les paysans, quand le gibier ennemi venait à manquer. Ils étaient la terreur des villages, d'autant plus qu'à chaque convoi attaqué, à chaque sentinelle égorgée, les autorités allemandes se vengeaient sur les bourgs voisins, qu'ils accusaient de connivence, les frappant d'amendes, emmenant les maires prisonniers, brûlant les chaumières. Et, si les paysans, malgré la bonne envie qu'ils en avaient, ne livraient pas Sambuc et sa bande, c'était simplement par crainte de recevoir quelque balle, au détour d'un sentier, dans le cas où le coup n'aurait pas réussi.

Lui, Fouchard, avait eu l'extraordinaire idée de faire du commerce avec eux. Battant le pays en tous sens, aussi bien les fossés que les étables, ils étaient devenus ses pourvoyeurs de bêtes crevées. Pas un bœuf ni un mouton ne mourait, dans un rayon de trois lieues, sans qu'ils vinssent l'enlever, de nuit, pour le lui apporter. Et il les payait en provisions, en pains surtout, des fournées de pains que Silvine cuisait exprès. D'ailleurs, s'il ne les aimait guère, il avait une admiration secrète pour les francs-tireurs, des gaillards adroits qui faisaient leurs affaires en se fichant du monde ; et, bien qu'il tirât une fortune de ses marchés avec les Prussiens, il riait en dedans, d'un rire de sauvage, quand il apprenait qu'on venait encore d'en trouver un, au bord d'une route, la gorge ouverte.

— A votre santé ! reprit-il en trinquant avec les trois hommes.

Puis, se torchant les lèvres d'un revers de main :

— Dites donc, ils en ont fait une histoire, pour ces deux uhlans qu'ils ont ramassés sans tête, près de Villecourt... Vous savez que Villecourt brûle depuis hier : une sentence, comme ils disent, qu'ils ont portée contre le village, pour le punir de vous avoir accueillis... Faut être prudent, vous savez, et ne pas revenir tout de suite. On vous portera le pain là-bas.

Sambuc ricanait violemment, en haussant les épaules. Ah, ouiche ! les Prussiens pouvaient courir ! Et, tout d'un coup, il se fâcha, tapa du poing sur la table.

— Tonnerre de Dieu! les uhlans, c'est gentil, mais c'est l'autre que je voudrais tenir entre quatre-z-yeux, vous le connaissez bien, l'autre, l'espion, celui qui a servi chez vous...

— Goliath, dit le père Fouchard.

Toute saisie, Silvine, qui venait de reprendre sa couture, s'arrêta, écoutant.

— C'est ça, Goliath!... Ah! le brigand, il connaît les bois de Dieulet comme ma poche, il est capable de nous faire pincer, un de ces matins; d'autant plus qu'il s'est vanté, aujourd'hui, à la Croix de Malte, de nous régler notre compte avant huit jours... Un sale bougre qui a pour sûr conduit les Bavarois, la veille de Beaumont, n'est-ce pas? vous autres?

— Aussi vrai que voilà une chandelle qui nous éclaire! confirma Cabasse.

— *Per amica silentia lunæ*, ajouta Ducat, dont les citations s'égaraient parfois.

Mais Sambuc, d'un nouveau coup de poing, ébranlait la table.

— Il est jugé, il est condamné, le brigand!... Si vous savez un jour par où il doit passer, prévenez-moi donc, et sa tête ira rejoindre celle des uhlans dans la Meuse, ah! tonnerre de Dieu, oui, je vous en réponds!

Il y eut un silence. Silvine les regardait, les yeux fixes, très pâle.

— Tout ça, c'est des choses dont on ne doit pas causer, reprit prudemment le père Fouchard. A votre santé, et bonsoir!

Ils achevèrent la seconde bouteille. Prosper, étant revenu de l'écurie, donna un coup de main, pour charger, en travers de la brouette, à la place des deux moutons morts, les pains que Silvine avait mis dans un sac. Mais il ne répondit même pas, il tourna le dos, quand son frère et les deux autres s'en allèrent, disparurent avec la brouette, dans la neige, en répétant :

— Bien le bonsoir, au plaisir!

Le lendemain, après le déjeuner, comme le père Fouchard se trouvait seul, il vit entrer Goliath en personne, grand, gros, le visage rose, avec son tranquille sourire. S'il éprouva un saisissement à cette brusque apparition, il n'en laissa rien paraître. Il clignait les paupières, tandis que l'autre s'avançait et lui serrait rondement la main.

— Bonjour, père Fouchard.

Alors seulement, il sembla le reconnaître.

— Tiens! c'est toi, mon garçon... Oh! tu as encore
forci. Comme te voilà gras!

Et il le dévisageait, vêtu d'une sorte de capote en gros
drap bleu, coiffé d'une casquette de même étoffe, l'air
cossu et content de lui. Du reste, il n'avait aucun accent,
parlait avec la lenteur empâtée des paysans du pays.

— Mais oui, c'est moi, père Fouchard... Je n'ai pas
voulu revenir par ici, sans vous dire un petit bonjour.

Le vieux restait méfiant. Qu'est-ce qu'il venait faire,
celui-là ? Avait-il su la visite des francs-tireurs à la ferme,
la veille ? Il fallait voir. Tout de même, comme il se présentait poliment, le mieux était de lui rendre sa politesse.

— Eh bien! mon garçon, puisque tu es si gentil, nous
boirons un coup.

Il prit la peine d'aller chercher deux verres et une
bouteille. Tout ce vin bu lui saignait le cœur, mais il fallait savoir offrir, dans les affaires. Et la scène de la soirée recommença, ils trinquèrent avec les mêmes gestes,
les mêmes paroles.

— A votre santé, père Fouchard.

— A la tienne, mon garçon.

Puis, Goliath, complaisamment, s'oublia. Il regardait
autour de lui, en homme qui a du plaisir à se rappeler
les choses anciennes. Il ne parla pourtant point du passé,
pas plus que du présent, d'ailleurs. La conversation roula
sur le grand froid qui allait gêner les travaux de la campagne; heureusement que la neige avait du bon, ça tuait
les insectes. A peine eut-il une expression de vague
chagrin, en faisant allusion à la haine sourde, au mépris
épouvanté qu'on lui avait témoignés dans les autres maisons de Remilly. N'est-ce pas ? chacun est de son pays,
c'est tout simple qu'on serve son pays comme on l'entend.
Mais, en France, il y avait des choses sur lesquelles on
avait de drôles idées. Et le vieux le regardait, l'écoutait,
si raisonnable, si conciliant, avec sa large figure gaie, en
se disant que ce brave homme-là n'était sûrement pas
venu dans de mauvaises intentions.

— Alors, vous êtes donc tout seul aujourd'hui, père
Fouchard ?

— Oh! non, Silvine est là-bas qui donne à manger aux
vaches... Est-ce que tu veux la voir, Silvine ?

Goliath se mit à rire.

— Ma foi, oui... Je vais vous dire ça franchement, c'est
pour Silvine que je suis venu.

Du coup, le père Fouchard se leva, soulagé, criant à pleine voix :

— Silvine! Silvine!... Il y a quelqu'un pour toi!

Et il s'en alla, sans crainte désormais, puisque la fille était là pour protéger la maison. Quand ça tient un homme si longtemps, après des années, il est fichu.

Lorsque Silvine entra, elle ne fut pas surprise de trouver Goliath, qui était resté assis et qui la regardait avec son bon sourire, un peu gêné pourtant. Elle l'attendait, elle s'arrêta simplement, après avoir franchi le seuil, dans un raidissement de tout son être. Et Charlot qui la rejoignait en courant, se jeta dans ses jupes, étonné d'apercevoir un homme qu'il ne connaissait pas.

Il y eut un silence, un embarras de quelques secondes.

— Alors, c'est le petit ? finit par demander Goliath, de sa voix conciliante.

— Oui, répondit Silvine durement.

Le silence recommença. Il était parti au septième mois de sa grossesse, il savait bien qu'il avait un enfant, mais il le voyait pour la première fois. Aussi voulut-il s'expliquer, en garçon de sens pratique qui est convaincu d'avoir de bonnes raisons.

— Voyons, Silvine, je comprends bien que tu m'as gardé de la rancune. Ce n'est pourtant pas très juste... Si je suis parti, et si je t'ai fait cette grosse peine, tu aurais dû te dire déjà que c'était peut-être parce que je n'étais pas mon maître. Quand on a des chefs, on doit leur obéir, n'est-ce pas ? Ils m'auraient envoyé à cent lieues, à pied, que j'aurais fait le chemin. Et, naturellement, je ne pouvais pas parler : ça m'a assez crevé le cœur, de m'en aller ainsi, sans te souhaiter le bonsoir... Aujourd'hui, mon Dieu! je ne te raconterai pas que j'étais certain de revenir. Cependant, j'y comptais bien, et, tu le vois, me revoilà...

Elle avait détourné la tête, elle regardait la neige de la cour, par la fenêtre, comme résolue à ne pas entendre. Lui, que ce mépris, ce silence obstiné troublaient, interrompit ses explications, pour dire :

— Sais-tu que tu as encore embelli!

En effet, elle était très belle, dans sa pâleur, avec ses grands yeux superbes qui éclairaient tout son visage. Ses lourds cheveux noirs la coiffaient comme d'un casque de deuil éternel.

— Sois gentille, voyons! Tu devrais sentir que je ne te veux pas de mal... Si je ne t'aimais plus, je ne serais

pas revenu, bien sûr... Puisque me revoilà et que tout
s'arrange, nous allons nous revoir, n'est-ce pas ?

D'un mouvement brusque, elle s'était reculée, et le
regardant en face :

— Jamais !

— Pourquoi jamais ? est-ce que tu n'es pas ma femme,
est-ce que cet enfant n'est pas à nous ?

Elle ne le quittait pas des yeux, elle parla lentement.

— Ecoutez, il vaut mieux en finir tout de suite... Vous
avez connu Honoré, je l'aimais, je n'ai toujours aimé que
lui. Et il est mort, vous me l'avez tué, là-bas... Jamais
plus je ne serai à vous. Jamais !

Elle avait levé la main, elle en faisait le serment, d'une
telle voix de haine, qu'il resta un moment interdit, ces-
sant de la tutoyer, murmurant :

— Oui, je savais, Honoré est mort. C'était un très gentil garçon. Seulement, que voulez-vous ? il y en a d'autres
qui sont morts, c'est la guerre... Et puis, il me semblait
que, du moment où il était mort, il n'y avait plus d'obstacle ; car, enfin, Silvine, laissez-moi vous le rappeler, je
n'ai pas été brutal, vous avez consenti...

Mais il n'acheva pas, tellement il la vit bouleversée, les
mains au visage, prête à se déchirer elle-même.

— Oh ! c'est bien ça, oui ! c'est bien ça qui me rend
folle. Pourquoi ai-je consenti, puisque je ne vous aimais
point ?... Je ne puis pas me souvenir, j'étais si triste, si
malade du départ d'Honoré, et ç'a été peut-être parce
que vous me parliez de lui et que vous aviez l'air de l'aimer... Mon Dieu ! que de nuits j'ai passées à pleurer
toutes les larmes de mon corps, en songeant à ça ! C'est
abominable d'avoir fait une chose qu'on ne voulait pas
faire, sans pouvoir s'expliquer ensuite pourquoi on l'a
faite... Et il m'avait pardonné, il m'avait dit que, si ces
cochons de Prussiens ne le tuaient pas, il m'épouserait
tout de même, quand il rentrerait du service... Et vous
croyez que je vais retourner avec vous ? Ah ! tenez ! sous
le couteau, je dirai non, non, jamais !

Cette fois, Goliath s'assombrit. Il l'avait connue soumise, il la sentait inébranlable, d'une résolution farouche.
Tout bon enfant qu'il fût, il la voulait même par la force,
maintenant qu'il était le maître ; et, s'il n'imposait pas sa
volonté violemment, c'était par une prudence innée, un
instinct de ruse et de patience. Ce colosse, aux gros
poings, n'aimait pas les coups. Aussi songea-t-il à un autre
moyen de la soumettre.

— Bon! puisque vous ne voulez pas de moi, je vais prendre le petit.

— Comment, le petit ?

Charlot, oublié, était resté dans les jupes de sa mère, se retenant pour ne pas éclater en sanglots, au milieu de la querelle. Et Goliath, qui avait enfin quitté sa chaise, s'approcha.

— N'est-ce pas ? tu es mon petit à moi, un petit Prussien... Viens, que je t'emmène!

Mais, déjà, Silvine, frémissante, l'avait saisi dans ses bras, le serrait contre sa poitrine.

— Lui, un Prussien, non! un Français, né en France!

— Un Français, regardez-le donc, regardez-moi donc! C'est tout mon portrait. Est-ce qu'il vous ressemble, à vous ?

Elle vit alors seulement ce grand gaillard blond, à la barbe et aux cheveux frisés, à l'épaisse face rose, dont les gros yeux bleus luisaient d'un éclat de faïence. Et c'était bien vrai, le petit avait la même tignasse jaune, les mêmes joues, les mêmes yeux clairs, toute la race de là-bas en lui. Elle-même se sentait autre, avec les mèches de ses cheveux noirs, qui glissaient de son chignon sur son épaule, dans son désordre.

— Je l'ai fait, il est à moi! reprit-elle furieusement. Un Français qui ne saura jamais un mot de votre sale allemand, oui! un Français qui ira un jour vous tuer tous, pour venger ceux que vous avez tués!

Charlot s'était mis à pleurer et à crier, cramponné à son cou.

— Maman, maman! j'ai peur, emmène-moi!

Alors, Goliath, qui ne voulait sans doute pas de scandale, recula, se contenta de déclarer, en reprenant le tutoiement, d'une voix dure :

— Retiens bien ce que je vais te dire, Silvine... Je sais tout ce qui se passe ici. Vous recevez les francs-tireurs des bois de Dieulet, ce Sambuc qui est le frère de votre garçon de ferme, un bandit que vous fournissez de pain. Et je sais que ce garçon, ce Prosper, est un chasseur d'Afrique, un déserteur, qui nous appartient; et je sais encore que vous cachez un blessé, un autre soldat qu'un mot de moi ferait conduire en Allemagne, dans une forteresse... Hein ? tu le vois, je suis bien renseigné...

Elle l'écoutait maintenant, muette, terrifiée, tandis que Charlot répétait dans son cou, de sa petite voix bégayante :

— Oh! maman, maman, emmène-moi, j'ai peur!

— Eh bien! reprit Goliath, je ne suis certainement pas méchant, et je n'aime guère les querelles, tu peux le dire; mais je te jure que je les ferai tous arrêter, le père Fouchard et les autres, si tu ne me reçois pas dans ta chambre, lundi prochain... Et je prendrai le petit, je l'enverrai là-bas à ma mère qui sera très contente de l'avoir; car, du moment que tu veux rompre, il est à moi... N'est-ce pas? tu entends bien, je n'aurai qu'à venir et à l'emporter, lorsqu'il n'y aura plus personne ici. Je suis le maître, je fais ce qui me plaît... Que décides-tu, voyons?

Mais elle ne répondait pas, elle serrait l'enfant plus fort, comme si elle eût craint qu'on ne le lui arrachât tout de suite; et, dans ses grands yeux, montait une exécration épouvantée.

— C'est bon, je t'accorde trois jours pour réfléchir... Tu laisseras ouverte la fenêtre de ta chambre, qui donne sur le verger... Si lundi soir, à sept heures, je ne trouve pas ouverte la fenêtre, je fais, le lendemain, arrêter tout ton monde, et je reviens prendre le petit... Au revoir, Silvine!

Il partit tranquillement, elle resta plantée à la même place, la tête bourdonnante d'idées si grosses, si terribles, qu'elle en était comme imbécile. Et, pendant la journée entière, ce fut ainsi une tempête en elle. D'abord, elle eut l'instinctive pensée d'emporter son enfant dans ses bras, de s'en aller droit devant elle, n'importe où; seulement, que devenir dès que la nuit tomberait, comment gagner sa vie pour lui et pour elle? sans compter que les Prussiens qui battaient les routes, l'arrêteraient, la ramèneraient peut-être. Puis, le projet lui vint de parler à Jean, d'avertir Prosper et le père Fouchard lui-même; et, de nouveau, elle hésita, elle recula: était-elle assez sûre de l'amitié des gens, pour avoir la certitude qu'on ne la sacrifierait pas à la tranquillité de tous? Non, non! elle ne dirait rien à personne, elle seule se tirerait du danger, puisque seule elle l'avait fait, par l'entêtement de son refus. Mais qu'imaginer, mon Dieu! de quelle façon empêcher le malheur? car son honnêteté se révoltait, elle ne se serait pardonné de la vie, si, par sa faute, il était arrivé des catastrophes à tant de monde, à Jean surtout, qui se montrait si gentil pour Charlot.

Les heures se passèrent, la journée du lendemain s'écoula, sans qu'elle eût rien trouvé. Elle vaquait comme d'ordinaire à sa besogne, balayait la cuisine, soignait les vaches, faisait la soupe. Et, dans son absolu silence, l'ef-

frayant silence qu'elle continuait à garder, ce qui montait
et l'empoisonnait davantage d'heure en heure, c'était sa
haine contre Goliath. Il était son péché, sa damnation.
Sans lui, elle aurait attendu Honoré, et Honoré vivrait,
et elle serait heureuse. De quel ton il avait fait savoir qu'il
était le maître! D'ailleurs, c'était la vérité, il n'y avait
plus de gendarmes, plus de juges à qui s'adresser, la
force seule avait raison. Oh! être la plus forte, le prendre
quand il viendrait, lui qui parlait de prendre les autres!
En elle, il n'y avait que l'enfant, qui était sa chair. Ce
père de hasard ne comptait pas, n'avait jamais compté.
Elle n'était pas épouse, elle ne se sentait soulevée que
d'une colère, d'une rancune de vaincue, quand elle pensait à lui. Plutôt que de le lui donner, elle aurait tué
l'enfant, elle se serait tuée ensuite. Et elle le lui avait
bien dit, cet enfant qu'il lui avait fait comme un cadeau
de haine, elle l'aurait voulu grand déjà, capable de la
défendre, elle le voyait plus tard, avec un fusil, leur
trouant la peau à tous, là-bas. Ah! oui, un Français de
plus, un Français tueur de Prussiens!

Cependant, il ne lui restait qu'un jour, elle devait
prendre un parti. Dès la première minute, une idée
atroce avait bien passé, au travers du bouleversement de
sa pauvre tête malade : avertir les francs-tireurs, donner
à Sambuc le renseignement qu'il attendait. Mais l'idée
était restée fuyante, imprécise, et elle l'avait écartée,
comme monstrueuse, ne souffrant même pas la discussion : cet homme, après tout, n'était-il pas le père de son
enfant ? elle ne pouvait le faire assassiner. Puis, l'idée
était revenue, peu à peu enveloppante, pressante; et,
maintenant, elle s'imposait, de toute la force victorieuse
de sa simplicité et de son absolu. Goliath mort, Jean,
Prosper, le père Fouchard, n'avaient plus rien à craindre.
Elle-même gardait Charlot, que jamais plus personne ne
lui disputait. Et c'était encore autre chose, une chose profonde, ignorée d'elle, qui montait du fond de son être : le
besoin d'en finir, d'effacer la paternité en supprimant le
père, la joie sauvage de se dire qu'elle en sortirait comme
amputée de sa faute, mère et seule maîtresse de l'enfant,
sans partage avec un mâle. Tout un jour encore, elle
roula ce projet, n'ayant plus l'énergie de le repousser,
ramenée quand même aux détails du guet-apens, prévoyant, combinant les moindres faits. C'était, à cette
heure, l'idée fixe, l'idée qui a planté son clou, qu'on cesse
de raisonner; et, lorsqu'elle finit par agir, par obéir à

cette poussée de l'inévitable, elle marcha comme dans
un rêve, sous la volonté d'une autre, de quelqu'un qu'elle
n'avait jamais connu en elle.

Le dimanche, le père Fouchard, inquiet, avait fait
savoir aux francs-tireurs qu'on leur porterait leur sac de
pains dans les carrières de Boisville, un coin très solitaire,
à deux kilomètres; et, Prosper se trouvant occupé, ce fut
Silvine qu'il envoya, avec la brouette. N'était-ce point le
sort qui décidait? Elle vit là un arrêt du destin, elle
parla, donna le rendez-vous à Sambuc pour le lendemain
soir, d'une voix nette, sans fièvre, comme si elle n'avait
pu faire autrement. Le lendemain, il y eut encore des
signes, des preuves certaines que les gens, que les choses
mêmes voulaient le meurtre. D'abord, ce fut le père Fouchard, appelé brusquement à Raucourt, qui laissa l'ordre
de dîner sans lui, prévoyant qu'il ne rentrerait guère
avant huit heures. Ensuite, Henriette, dont le tour de
veillée, à l'ambulance, ne revenait que le mardi, reçut
l'avis, très tard, qu'elle aurait à remplacer le soir la personne de service, indisposée. Et, comme Jean ne quittait
point sa chambre, quels que fussent les bruits, il ne restait donc que Prosper, dont on pouvait craindre l'intervention. Lui, n'était pas pour qu'on égorgeât ainsi un
homme, à plusieurs. Mais, quand il vit arriver son frère
avec ses deux lieutenants, le dégoût qu'il avait de ce
vilain monde s'ajouta à son exécration des Prussiens:
sûrement qu'il n'allait pas en sauver un, de ces sales
bougres, même si on lui faisait son affaire d'une façon
malpropre; et il aima mieux se coucher, enfoncer sa
tête dans le traversin, pour ne pas entendre et n'être pas
tenté de se conduire en soldat.

Il était sept heures moins un quart, et Charlot s'entêtait
à ne point dormir. D'habitude, dès qu'il avait mangé sa
soupe, il tombait, la tête sur la table.

— Voyons, dors, mon chéri, répétait Silvine, qui l'avait
porté dans la chambre d'Henriette, tu vois comme tu es
bien, sur le grand dodo à bonne amie!

Mais l'enfant, égayé justement par cette aubaine, gigo-
tait, riait à s'étouffer.

— Non, non... Reste, petite mère... joue, petite mère...

Elle patientait, elle se montrait très douce, répétant
avec des caresses:

— Fais dodo, mon chéri... Fais dodo, pour me faire
plaisir.

Et l'enfant finit par s'endormir, le rire aux lèvres. Elle

n'avait pas pris la peine de le déshabiller, elle le couvrit chaudement et s'en alla, sans l'enfermer à clef, tellement, d'ordinaire, il dormait d'un gros sommeil.

Jamais Silvine ne s'était sentie si calme, d'esprit si net et si vif. Elle avait une promptitude de décision, une légèreté de mouvement, comme dégagée de son corps, agissant sous cette impulsion de l'autre, qu'elle ne connaissait point. Déjà, elle venait d'introduire Sambuc, avec Cabasse et Ducat, en leur recommandant la plus grande prudence ; et elle les conduisit dans sa chambre, elle les posta à droite et à gauche de la fenêtre, qu'elle ouvrit, malgré le grand froid. Les ténèbres étaient profondes, la pièce ne se trouvait faiblement éclairée que par le reflet de la neige. Un silence de mort venait de la campagne, des minutes interminables s'écoulèrent. Enfin, à un petit bruit de pas qui s'approchaient, Silvine s'en alla, retourna s'asseoir dans la cuisine, où elle attendit immobile, ses grands yeux fixés sur la flamme de la chandelle.

Et ce fut encore très long, Goliath rôda autour de la ferme, avant de se risquer. Il croyait bien connaître la jeune femme, aussi avait-il osé venir, simplement avec un revolver à sa ceinture. Mais un malaise l'avertissait, il poussa entièrement la fenêtre, allongea la tête, en appelant doucement :

— Silvine ! Silvine !

Puisqu'il trouvait la fenêtre ouverte, c'était donc qu'elle avait réfléchi et qu'elle consentait. Cela lui causait un gros plaisir, bien qu'il eût préféré la voir là, l'accueillant, le rassurant. Sans doute, le père Fouchard venait de la rappeler, quelque besogne à finir. Il éleva un peu la voix.

— Silvine ! Silvine !

Rien ne répondait, pas un souffle. Et il enjamba l'appui, il entra, avec l'idée de se fourrer dans le lit, de l'attendre sous les couvertures, tant il faisait froid.

Tout d'un coup, il y eut une furieuse bousculade, des piétinements, des glissements, au milieu de jurons étouffés et de râles. Sambuc et les deux autres s'étaient rués sur Goliath ; et, malgré leur nombre, ils n'arrivaient pas à maîtriser le colosse, dont le danger décuplait les forces. Dans les ténèbres, on entendait les craquements des membres, l'effort haletant des étreintes. Heureusement, le revolver était tombé. Une voix, celle de Cabasse, bégaya, étranglée : « Les cordes, les cordes ! » tandis que Ducat passait à Sambuc le paquet de cordes dont ils avaient eu

la précaution de se pourvoir. Alors, ce fut une opération
sauvage, faite à coups de pied, à coups de poing, les
jambes attachées d'abord, puis les bras liés aux flancs,
puis le corps tout entier ficelé à tâtons, au hasard des
soubresauts, avec un tel luxe de tours et de nœuds, que
l'homme était comme pris en un filet dont les mailles lui
entraient dans la chair. Il continuait de crier, la voix de
Ducat répétait : « Ferme donc ta gueule! » Les cris cessèrent, Cabasse avait noué brutalement sur la bouche
un vieux mouchoir bleu. Enfin, ils soufflèrent, ils l'emportèrent ainsi qu'un paquet dans la cuisine, où ils l'allongèrent sur la grande table, à côté de la chandelle.

— Ah! le salaud de Prussien, jura Sambuc en s'épon-
geant le front nous a-t-il donné du mal!... Dites, Silvine,
allumez donc une seconde chandelle, pour qu'on le voie
en plein, ce nom de Dieu de cochon-là!

Les yeux élargis dans sa face pâle, Silvine s'était levée.
Elle ne prononça pas une parole, elle alluma une chandelle, qu'elle vint poser de l'autre côté de la tête de
Goliath, qui apparut, vivement éclairée, comme entre
deux cierges. Et leurs regards, à ce moment, se rencontrèrent : il la suppliait, éperdu, envahi par la peur; mais
elle ne parut pas comprendre, elle se recula jusqu'au
buffet, resta là debout, de son air têtu et glacé.

— Le bougre m'a mangé la moitié d'un doigt, gronda
Cabasse dont la main saignait. Faut que je lui casse
quelque chose!

Déjà, il levait le revolver qu'il avait ramassé, lorsque
Sambuc le désarma.

— Non, non! pas de bêtises!... Nous ne sommes pas
des brigands, nous autres, nous sommes des juges...
Entends-tu, salaud de Prussien, nous allons te juger; et
n'aie pas peur, nous respectons les droits de la défense...
Ce n'est pas toi qui te défendras, parce que toi, si nous
t'enlevions ta muselière, tu nous casserais les oreilles.
Mais, tout à l'heure, je te donnerai un avocat, et un
fameux!

Il alla chercher trois chaises, les aligna, composa ce
qu'il appelait le tribunal, lui au milieu, flanqué à droite
et à gauche de ses deux lieutenants. Tous trois s'assirent
et il se releva, parla avec une lenteur goguenarde, qui
peu à peu s'élargit, s'enfla d'une colère vengeresse.

— Moi, je suis à la fois le président et l'accusateur
public. Ce n'est pas très correct, mais nous ne sommes
pas assez de monde... Donc, je t'accuse d'être venu nous

moucharder en France, payant ainsi par la plus sale trahison le pain mangé à nos tables. Car c'est toi la cause première du désastre, toi le traître qui, après le combat de Nouart, as conduit les Bavarois jusqu'à Beaumont, pendant la nuit, au travers des bois de Dieulet. Il fallait un homme qui eût longtemps habité le pays, pour connaître ainsi les moindres sentiers ; et notre conviction est faite, on t'a rencontré guidant l'artillerie par les chemins abominables, changés en fleuves de boue, où l'on a dû atteler huit chevaux à chaque pièce. Quand on revoit ces chemins, c'est à ne pas croire, on se demande comment un corps d'armée a pu passer par-là... Sans toi, sans ton crime de t'être gobergé chez nous et de nous avoir vendus, la surprise de Beaumont n'aurait pas eu lieu, nous ne serions pas allés à Sedan, peut-être aurions-nous fini par vous rosser... Et je ne parle pas du métier dégoûtant que tu continues à faire, du toupet avec lequel tu as reparu ici, triomphant, dénonçant et faisant trembler le pauvre monde... Tu es la plus ignoble des canailles, je demande la peine de mort.

Un silence régna. Il s'était assis de nouveau, il dit enfin :

— Je nomme d'office Ducat pour te défendre... Il a été huissier, il serait allé très loin, sans ses passions. Tu vois que je ne te refuse rien et que nous sommes gentils.

Goliath, qui ne pouvait remuer un doigt, tourna les yeux vers son défenseur improvisé. Il n'avait plus que les yeux de vivants, des yeux de supplication ardente, sous le front livide, que trempait une sueur d'angoisse, à grosses gouttes, malgré le froid.

— Messieurs, plaida Ducat en se levant, mon client est en effet la plus infecte des canailles, et je n'accepterais pas de le défendre, si je n'avais à faire remarquer, pour son excuse, qu'ils sont tous comme ça, dans son pays... Regardez-le, vous voyez bien, à ses yeux, qu'il est très étonné. Il ne comprend pas son crime. En France, nous ne touchons nos espions qu'avec des pincettes ; tandis que, là-bas, l'espionnage est une carrière très honorée, une façon méritoire de servir son pays... Je me permettrai même de dire, messieurs, qu'ils n'ont peut-être pas tort. Nos nobles sentiments nous font honneur, mais le pis est qu'ils nous ont fait battre. Si j'ose m'exprimer ainsi, *quos vult perdere Jupiter dementat...* Vous apprécierez, messieurs.

Et il se rassit, tandis que Sambuc reprenait :

— Et toi, Cabasse, n'as-tu rien à dire contre ou pour l'accusé ?

— J'ai à dire, cria le Provençal, que c'est bien des histoires pour régler son compte à ce bougre-là... J'ai eu pas mal d'ennuis dans mon existence; mais je n'aime pas qu'on plaisante avec les choses de la justice, ça porte malheur... A mort! à mort!

Solennellement, Sambuc se remit debout.

— Ainsi, tel est bien votre arrêt à tous les deux... La mort ?

— Oui, oui! la mort!

Les chaises furent repoussées, il s'approcha de Goliath, en disant :

— C'est jugé, tu vas mourir.

Les deux chandelles brûlaient, la mèche haute, comme des cierges, à droite et à gauche du visage décomposé de Goliath. Il faisait, pour crier grâce, pour hurler les mots dont il étouffait, un tel effort, que le mouchoir bleu, sur sa bouche, se trempait d'écume; et c'était terrible, cet homme réduit au silence, muet déjà comme un cadavre, qui allait mourir avec ce flot d'explications et de prières dans la gorge.

Cabasse armait le revolver.

— Faut-il lui casser la gueule ? demanda-t-il.

— Ah! non, non! cria Sambuc, il serait trop content.

Et, revenant vers Goliath :

— Tu n'es pas un soldat, tu ne mérites pas l'honneur de t'en aller avec une balle dans la tête... Non! tu vas crever comme un sale cochon d'espion que tu es.

Il se retourna, il demanda poliment :

— Silvine, sans vous commander, je voudrais bien avoir un baquet.

Pendant la scène du jugement, Silvine n'avait pas bougé. Elle attendait, la face rigide, absente d'elle-même, toute dans l'idée fixe qui la poussait depuis deux jours. Et, quand on lui demanda un baquet, elle obéit simplement, elle disparut une minute dans le cellier voisin, puis revint avec le grand baquet où elle lavait le linge de Charlot.

— Tenez! posez-le sous la table, au bord.

Elle le posa, et comme elle se relevait, ses yeux de nouveau rencontrèrent ceux de Goliath. Ce fut, dans le regard du misérable, une supplication dernière, une révolte aussi de l'homme qui ne voulait pas mourir. Mais, en ce moment, il n'y avait plus en elle rien de la

femme, rien que la volonté de cette mort, attendue comme
une délivrance. Elle recula encore jusqu'au buffet, elle
resta.

Sambuc, qui avait ouvert le tiroir de la table, venait
d'y prendre un large couteau de cuisine, celui avec lequel
on coupait le lard.

— Donc, puisque tu es un cochon, je vas te saigner
comme un cochon.

Et il ne se pressa pas, discuta avec Cabasse et Ducat,
pour que l'égorgement se fît d'une manière convenable.
Même il y eut une querelle, parce que Cabasse disait que
dans son pays, en Provence, on saignait les cochons la
tête en bas, tandis que Ducat se récriait, indigné, esti-
mant cette méthode barbare et incommode.

— Avancez-le bien au bord de la table, au-dessus du
baquet, pour ne pas faire des taches.

Ils l'avancèrent, et Sambuc procéda tranquillement,
proprement. D'un seul coup du grand couteau, il ouvrit
la gorge, en travers. Tout de suite, de la carotide tranchée, le sang se mit à couler dans le baquet, avec un petit
bruit de fontaine. Il avait ménagé la blessure, à peine
quelques gouttes jaillirent-elles, sous la poussée du
cœur. Si la mort en fut plus lente, on n'en vit même pas
les convulsions, car les cordes étaient solides, l'immobilité du corps resta complète. Pas une secousse et pas un
râle. On ne put suivre l'agonie que sur le visage, sur ce
masque labouré par l'épouvante, d'où le sang se retirait
goutte à goutte, la peau décolorée, d'une blancheur de
linge. Et les yeux se vidaient, eux aussi. Ils se troublèrent
et s'éteignirent.

— Dites donc, Silvine, faudra tout de même une
éponge.

Mais elle ne répondit pas, les bras ramenés contre sa
poitrine, dans un geste inconscient, clouée au carreau,
serrée à la gorge comme par un collier de fer. Elle regardait. Puis, tout d'un coup, elle s'aperçut que Charlot était
là, pendu à ses jupes. Sans doute, il s'était réveillé, il
avait pu ouvrir les portes ; et personne ne l'avait vu entrer
à petits pas, en enfant curieux. Depuis combien de temps
se trouvait-il ainsi, caché à demi derrière sa mère ? Lui
aussi regardait. De ses gros yeux bleus, sous sa tignasse
jaune, il regardait couler le sang, la petite fontaine rouge
qui emplissait le baquet peu à peu. Cela l'amusait peut-
être. N'avait-il pas compris d'abord ? fut-il ensuite effleuré
par un souffle de l'horrible, eut-il une instinctive

conscience de l'abomination à laquelle il assistait ? Il jeta
un cri brusque, éperdu.

— Oh! maman, oh! maman, j'ai peur, emmène-moi!

Et Silvine en reçut une secousse, dont la violence
l'ébranla toute. C'était trop, un écroulement se faisait en
elle, l'horreur à la fin emportait cette force, cette exaltation de l'idée fixe qui la tenait debout depuis deux jours.
La femme renaissait, elle éclata en larmes, elle eut un
geste fou, en soulevant Charlot, en le serrant éperdument
sur son cœur. Et elle se sauva avec lui, d'un galop terrifié,
ne pouvant plus entendre, ne pouvant plus voir, n'ayant
plus que le besoin d'aller s'anéantir n'importe où, dans le
premier trou caché où elle tomberait.

A cette minute, Jean se décidait à ouvrir doucement sa
porte. Bien qu'il ne s'inquiétât jamais des bruits de la
ferme, il finissait par être surpris des allées et venues, des
éclats de voix qu'il entendait. Et ce fut chez lui, dans sa
chambre calme, que Silvine vint s'abattre, échevelée, san-
glotante, secouée d'une telle crise de détresse, qu'il ne
put saisir d'abord ses paroles bégayées, coupées entre ses
dents. Toujours elle répétait le même geste, comme pour
écarter l'atroce vision. Enfin, il comprit, il vit à son tour
le guet-apens, l'égorgement, la mère debout, le petit dans
ses jupes, en face du père saigné à la gorge, dont le sang
coulait; et il en restait glacé, son cœur de paysan et de
soldat chaviré d'angoisse. Ah! la guerre, l'abominable
guerre qui changeait tout ce pauvre monde en bêtes
féroces, qui semait ces haines affreuses, le fils éclaboussé
par le sang du père, perpétuant la querelle des races,
grandissant plus tard dans l'exécration de cette famille
paternelle, qu'il irait peut-être un jour exterminer! Des
semences scélérates pour d'effroyables moissons!

Tombée sur une chaise, couvrant de baisers égarés
Charlot qui pleurait à son cou, Silvine répétait à l'infini
la même phrase, le cri de son cœur saignant.

— Ah! mon pauvre petit, on ne dira plus que tu es un
Prussien!... Ah! mon pauvre petit, on ne dira plus que tu
es un Prussien!

Dans la cuisine, le père Fouchard venait d'arriver. Il
avait tapé en maître, on s'était décidé à lui ouvrir. Et, en
vérité, il avait eu une peu agréable surprise, en trouvant
ce mort sur sa table, avec le baquet plein de sang dessous.
Naturellement, d'une nature peu endurante, il s'était
fâché.

— Dites donc, espèces de salauds que vous êtes, est-ce

que vous n'auriez pas pu faire vos saletés dehors ? Hein !
vous prenez donc ma maison pour un fumier, que vous
venez y gâter les meubles, avec des coups pareils ?

Puis, comme Sambuc s'excusait, expliquait les choses,
le vieux continua, gagné par la peur, s'irritant davantage :

— Et qu'est-ce que vous voulez que j'en foute, moi, de
votre mort ? Croyez-vous que c'est gentil, de coller
comme ça un mort chez quelqu'un, sans se demander ce
qu'il en fera ?... Une supposition qu'une patrouille entre,
je serais propre ! Vous vous en fichez, vous autres, vous ne
vous êtes pas demandé si je n'y laisserais pas la peau... Eh
bien ! nom de Dieu, vous aurez affaire à moi, si vous
n'emportez pas votre mort tout de suite ! Vous entendez,
prenez-le par la tête, par les pattes, par ce que vous voudrez, mais que ça ne traîne pas et qu'il n'en reste pas seulement un cheveu dans trois minutes d'ici !

Enfin, Sambuc obtint du père Fouchard un sac, bien
que le cœur de ce dernier saignât de donner encore
quelque chose. Il le choisit parmi les plus mauvais, en
disant qu'un sac troué, c'était trop bon pour un Prussien. Mais Cabasse et Ducat eurent toutes les peines
du monde à faire entrer Goliath dans ce sac : le corps
était trop gros, trop long, et les pieds dépassèrent. Puis,
on le sortit, on le chargea sur la brouette qui servait à
charrier le pain.

— Je vous donne ma parole d'honneur, déclara Sambuc, que nous allons le foutre à la Meuse !

— Surtout, insista Fouchard, collez-lui deux bons
cailloux aux pattes, que le bougre ne remonte pas !

Et, dans la nuit très noire, sur la neige pâle, le petit
cortège s'en alla, disparut, sans autre bruit qu'un léger
cri plaintif de la brouette.

Sambuc jura toujours sur la tête de son père qu'il
avait bien mis les deux bons cailloux aux pattes. Pourtant,
le corps remonta, les Prussiens le découvrirent trois jours
plus tard, à Pont-Maugis, dans de grandes herbes ; et leur
fureur fut extrême, lorsqu'ils eurent tiré du sac ce mort,
saigné au cou comme un pourceau. Il y eut des menaces
terribles, des vexations, des perquisitions. Sans doute,
quelques habitants durent trop causer, car on vint un
soir arrêter le maire de Remilly et le père Fouchard,
coupables d'entretenir de bons rapports avec les francs-
tireurs, qu'on accusait d'avoir fait le coup. Et le père
Fouchard, dans cette circonstance extrême, fut vraiment

très beau, avec son impassiblité de vieux paysan qui
connaissait la force invincible du calme et du silence.
Il marcha, sans s'effarer, sans même demander d'explications. On allait bien voir. Dans le pays, on disait tout
bas qu'il avait tiré déjà des Prussiens une grosse fortune,
des sacs d'écus enfouis quelque part, un à un, à mesure
qu'il les gagnait.

Henriette, quand elle connut toutes ces histoires, fut
terriblement inquiète. De nouveau, redoutant de compromettre ses hôtes, Jean voulait partir, bien que le
docteur le trouvât trop faible encore; et elle tenait à ce
qu'il attendît une quinzaine de jours, envahie elle-même
d'un redoublement de tristesse, devant la nécessité prochaine de la séparation. Lors de l'arrestation du père
Fouchard, Jean avait pu s'échapper, en se cachant au
fond de la grange; mais ne restait-il pas en danger d'être
pris et emmené d'une heure à l'autre, dans le cas possible de nouvelles recherches? D'ailleurs, elle tremblait
aussi sur le sort de l'oncle. Elle résolut donc d'aller
un matin, à Sedan, voir les Delaherche, qui logeaient
chez eux, affirmait-on, un officier prussien très puissant.

— Silvine, dit-elle en partant, soignez bien notre
malade, donnez-lui son bouillon à midi et sa potion à
quatre heures.

La servante, toute à ses besognes accoutumées, était
redevenue la fille courageuse et soumise, dirigeant la
ferme maintenant, en l'absence du maître, pendant que
Charlot sautait et riait autour d'elle.

— N'ayez pas peur, madame, il ne lui manquera rien...
Je suis là pour le dorloter.

VI

A Sedan, rue Maqua, chez les Delaherche, la vie avait
repris, après les terribles secousses de la bataille et de la
capitulation; et, depuis bientôt quatre mois, les jours
suivaient les jours, sous le morne écrasement de l'occupation prussienne.

Mais un coin des vastes bâtiments de la fabrique, surtout, restait clos, comme inhabité : c'était, sur la rue,
à l'extrémité des appartements de maître, la chambre que
le colonel de Vineuil habitait toujours. Tandis que les
autres fenêtres s'ouvraient, laissaient passer tout un va-
et-vient, tout un bruit de vie, celles de cette pièce semblaient mortes, avec leurs persiennes obstinément fermées.
Le colonel s'était plaint de ses yeux, dont la grande
lumière avivait les souffrances, disait-il; et l'on ne savait
s'il mentait, on entretenait près de lui une lampe, nuit et
jour pour le contenter. Pendant deux longs mois, il avait
dû garder le lit, bien que le major Bouroche n'eût dia-
gnostiqué qu'une fêlure de la cheville : la plaie ne se fermait pas, toutes sortes de complications étaient survenues.
Maintenant, il se levait, mais dans un tel accablement
moral, en proie à un mal indéfini, si têtu, si envahissant,
qu'il vivait ses journées étendu sur une chaise longue,
devant un grand feu de bois. Il maigrissait, devenait une
ombre, sans que le médecin qui le soignait, très surpris,
pût trouver une lésion, la cause de cette mort lente. Ainsi
qu'une flamme, il s'éteignait.

Et madame Delaherche, la mère, s'était enfermée avec
lui, dès le lendemain de l'occupation. Sans doute ils
avaient dû s'entendre, en quelques mots, une fois pour
toutes, sur leur formel désir de se cloîtrer ensemble au
fond de cette pièce, tant que des Prussiens logeraient dans
la maison. Beaucoup y avaient passé deux ou trois nuits,

un capitaine, M. de Gartlauben, y couchait encore, à demeure. Du reste, jamais plus ni le colonel ni la vieille dame n'avaient reparlé de ces choses. Malgré ses soixante-dix-huit ans, elle se levait dès l'aube, venait s'installer dans un fauteuil, en face de son ami, à l'autre coin de la cheminée ; et, sous la lumière immobile de la lampe, elle se mettait à tricoter des bas pour les petits pauvres, tandis que lui, les yeux fixés sur les tisons, ne faisait jamais rien, ne semblait vivre et mourir que d'une pensée, dans une stupeur croissante. Ils n'échangeaient sûrement pas vingt paroles en une journée, il l'avait arrêtée du geste, chaque fois que, sans le vouloir, elle qui allait et venait par la maison, laissait échapper quelque nouvelle du dehors ; de sorte que désormais, il ne pénétrait plus rien là de la vie extérieure, et que rien n'était entré du siège de Paris, des défaites de la Loire, des quotidiennes douleurs de l'invasion. Mais, dans cette tombe volontaire, le colonel avait beau refuser la lumière du jour, se boucher les deux oreilles, tout l'effroyable désastre, tout le deuil mortel devait lui arriver par les fentes, avec l'air qu'il respirait ; car, d'heure en heure, il était comme empoisonné quand même, il se mourait davantage.

Pendant ce temps, au très grand jour, lui, et dans son besoin de vivre, Delaherche s'agitait, tâchait de rouvrir sa fabrique. Il n'avait pu encore que remettre en marche quelques métiers, au milieu du désarroi des ouvriers et des clients. Alors, afin d'occuper ses tristes loisirs, il lui était venu une idée, celle de dresser un inventaire total de sa maison et d'y étudier certains perfectionnements, depuis longtemps rêvés. Justement, il avait sous la main, pour l'aider dans ce travail, un jeune homme, échoué chez lui à la suite de la bataille, le fils d'un de ses clients. Edmond Lagarde, grandi à Passy, dans la petite boutique de nouveautés de son père, sergent au 5e de ligne, à peine âgé de vingt-trois ans, et n'en paraissant guère que dix-huit, avait fait le coup de feu en héros, avec un tel acharnement, qu'il était rentré, le bras gauche cassé par une des dernières balles, vers cinq heures, à la porte du Ménil ; et Delaherche, depuis qu'on avait évacué les blessés de ses hangars, le gardait, par bonhomie. C'était de la sorte qu'Edmond faisait partie de la famille, mangeant, couchant, vivant là, guéri à cette heure, servant de secrétaire au fabricant de drap, en attendant de pouvoir rentrer à Paris. Grâce à la protection de ce dernier et sur sa formelle promesse de ne pas fuir, les autori-

tés prussiennes le laissaient tranquille. Il était blond, avec
des yeux bleus, joli comme une femme, d'ailleurs d'une
timidité si délicate, qu'il rougissait au moindre mot. Sa
mère l'avait élevé, s'était saignée, mettant à payer ses
années de collège les bénéfices de leur étroit commerce.
Et il adorait Paris, et il le regrettait passionnément
devant Gilberte, ce chérubin blessé, que la jeune femme
avait soigné en camarade.

Enfin, la maison se trouvait encore augmentée du
nouvel hôte, M. de Gartlauben, capitaine de la landwehr,
dont le régiment avait remplacé à Sedan les troupes
actives. Malgré son grade modeste, c'était là un puissant
personnage, car il avait pour oncle le gouverneur général
installé à Reims, qui exerçait sur toute la région un
pouvoir absolu. Lui aussi se piquait d'aimer Paris, de
l'avoir habité, de n'en ignorer ni les politesses ni les raffi-
nements; et, en effet, il affectait toute une correction
d'homme bien élevé, cachant sous ce vernis sa rudesse
native. Toujours sanglé dans son uniforme, il était grand
et gros, mentant sur son âge, désespéré de ses quarante-
cinq ans. Avec plus d'intelligence, il aurait pu être terrible; mais sa vanité outrée le mettait dans une continuelle
satisfaction, car jamais il n'en venait à croire qu'on pouvait
se moquer de lui.

Plus tard, il fut pour Delaherche un véritable sauveur.
Mais, dans les premiers temps, après la capitulation,
quelles lamentables journées! Sedan, envahi, peuplé de
soldats allemands, tremblait, craignait le pillage. Puis,
les troupes victorieuses refluèrent vers la vallée de la
Seine, il ne resta qu'une garnison, et la ville tomba à une
paix morte de nécropole : les maisons toujours closes,
les boutiques fermées, les rues désertes dès le crépuscule,
avec les pas lourds et les cris rauques des patrouilles.
Aucun journal, aucune lettre n'arrivait plus. C'était le
cachot muré, la brusque amputation, dans l'ignorance et
l'angoisse des désastres nouveaux dont on sentait l'approche. Pour comble de misère, la disette devenait
menaçante. Un matin, on s'était réveillé sans pain, sans
viande, le pays ruiné, comme mangé par un vol de sauterelles, depuis une semaine que des centaines de mille
hommes y roulaient leur flot débordé. La ville ne possédait plus que pour deux jours de vivres, et l'on avait dû
s'adresser à la Belgique, tout venait maintenant de la
terre voisine, à travers la frontière ouverte, d'où la
douane avait disparu, emportée elle aussi dans la cata-

strophe. Enfin, c'étaient les vexations continuelles, la lutte qui recommençait chaque matin, entre la commandature prussienne installée à la Sous-Préfecture, et le conseil municipal siégeant en permanence à l'Hôtel de Ville. Ce dernier, héroïque dans sa résistance administrative, avait beau discuter, ne céder que pied à pied, les habitants succombaient sous les exigences toujours croissantes, sous la fantaisie et la fréquence excessive des réquisitions.

D'abord, Delaherche souffrit beaucoup des soldats et des officiers qu'il eut à loger. Toutes les nationalités défilaient chez lui, la pipe aux dents. Chaque jour, il tombait sur la ville, à l'improviste, deux mille hommes, trois mille hommes, des fantassins, des cavaliers, des artilleurs; et, bien que ces hommes n'eussent droit qu'au toit et au feu, il fallait souvent courir, se procurer des provisions. Les chambres où ils séjournaient, restaient d'une saleté repoussante. Souvent, les officiers rentraient ivres, se rendaient plus insupportables que leurs soldats. Pourtant, la discipline les tenait, si impérieuse, que les faits de violence et de pillage étaient rares. Dans tout Sedan, on ne citait que deux femmes outragées. Ce fut plus tard seulement, lorsque Paris résista, qu'ils firent sentir durement leur domination, exaspérés de voir que la lutte s'éternisait, inquiets de l'attitude de la province, craignant toujours le soulèvement en masse, cette guerre de loups que leur avaient déclarée les francs-tireurs.

Delaherche venait justement de loger un commandant de cuirassiers, qui couchait avec ses bottes, et qui, en partant, avait laissé de l'ordure jusque sur la cheminée, lorsque, dans la seconde quinzaine de septembre, le capitaine de Gartlauben tomba chez lui, un soir de pluie diluvienne. La première heure fut assez rude. Il parlait haut, exigeait la plus belle chambre, faisait sonner son sabre sur les marches de l'escalier. Mais, ayant aperçu Gilberte, il devint correct, s'enferma, passa d'un air raide, en saluant poliment. Il était très adulé, car on n'ignorait pas qu'un mot de lui au colonel, qui commandait à Sedan, suffisait pour faire adoucir une réquisition ou relâcher un homme. Récemment, son oncle, le gouverneur général, à Reims, avait lancé une proclamation froidement féroce, décrétant l'état de siège et punissant de la peine de mort toute personne qui servirait l'ennemi, soit comme espion, soit en égarant les troupes allemandes qu'elles seraient chargées de conduire, soit en détruisant les ponts et les canons, en endommageant les lignes télégraphiques et les

chemins de fer. L'ennemi, c'étaient les Français; et le
cœur des habitants bondissait, en lisant la grande affiche
blanche, collée à la porte de la commandature, qui leur
faisait un crime de leur angoisse et de leurs vœux. Il
était si dur déjà d'apprendre les nouvelles victoires des
armées allemandes par les hourras de la garnison! Chaque
journée amenait ainsi son deuil, les soldats allumaient de
grands feux, chantaient, se grisaient, la nuit entière,
tandis que les habitants, forcés désormais de rentrer à
neuf heures, écoutaient du fond de leurs maisons noires,
éperdus d'incertitude, devinant un nouveau malheur. Ce
fut même dans une de ces circonstances, vers le milieu
d'octobre, que M. de Gartlauben fit, pour la première
fois, preuve de quelque délicatesse. Depuis le matin,
Sedan renaissait à l'espérance, le bruit courait d'un grand
succès de l'armée de la Loire, en marche pour délivrer
Paris. Mais, tant de fois déjà, les meilleures nouvelles
s'étaient changées en messagères de désastres! Et, dès le
soir, en effet, on apprenait que l'armée bavaroise s'était
emparée d'Orléans. Rue Maqua, dans une maison qui
faisait face à la fabrique, des soldats braillèrent si fort,
que le capitaine, ayant vu Gilberte très émue, alla les faire
taire, en trouvant lui-même ce tapage déplacé.

Le mois s'écoula, M. de Gartlauben fut encore amené
à rendre quelques petits services. Les autorités prussiennes avaient réorganisé les services administratifs, on
venait d'installer un sous-préfet allemand, ce qui n'empêchait pas d'ailleurs les vexations de continuer, bien que
celui-ci se montrât relativement raisonnable. Dans les
continuelles difficultés qui renaissaient entre la commandature et le conseil municipal, une des plus fréquentes
était la réquisition des voitures; et toute une grosse
affaire éclata, un matin que Delaherche n'avait pu envoyer, devant la Sous-Préfecture, sa calèche attelée de
deux chevaux : le maire fut un moment arrêté, lui-même
serait allé le rejoindre à la citadelle, sans M. de Gartlauben, qui apaisa, d'une simple démarche, cette grande
colère. Un autre jour, son intervention fit accorder un
sursis à la ville, condamnée à payer trente mille francs
d'amende, pour la punir des prétendus retards apportés
à la reconstruction du pont de Villette, un pont détruit
par les Prussiens, toute une déplorable histoire qui ruina
et bouleversa Sedan. Mais ce fut surtout après la reddition
de Metz que Delaherche dut une véritable reconnaissance à son hôte. L'affreuse nouvelle avait été pour les

habitants comme un coup de foudre, l'anéantissement
de leurs derniers espoirs ; et, dès la semaine suivante, des
passages écrasants de troupes s'étaient de nouveau produits, le torrent d'hommes descendu de Metz, l'armée du
prince Frédéric-Charles se dirigeant sur la Loire, celle
du général Manteuffel marchant sur Amiens et sur Rouen,
d'autres corps allant renforcer les assiégeants, autour de
Paris. Pendant plusieurs jours, les maisons regorgèrent
de soldats, les boulangeries et les boucheries furent
balayées jusqu'à la dernière miette, jusqu'au dernier os,
le pavé des rues garda une odeur de suint, comme après
le passage des grands troupeaux migrateurs. Seule, la
fabrique de la rue Maqua n'eut pas à souffrir de ce débor-
dement de bétail humain, préservée par une main amie,
désignée simplement pour héberger quelques chefs de
bonne éducation.

Aussi Delaherche finit-il par se départir de son attitude
froide. Les familles bourgeoises s'étaient enfermées au
fond de leurs appartements, évitant tout rapport avec les
officiers qu'elles logeaient. Mais lui, agité de son continuel
besoin de parler, de plaire, de jouir de la vie, souffrait
beaucoup de ce rôle de vaincu boudeur. Sa grande maison
silencieuse et glacée, où chacun vivait à part, dans une
raideur de rancune, lui pesait terriblement aux épaules.
Aussi commença-t-il, un jour, par arrêter M. de Gartlauben
dans l'escalier, pour le remercier de ses services. Et,
peu à peu, l'habitude fut prise, les deux hommes échangèrent quelques paroles, quand ils se rencontrèrent ; de
sorte qu'un soir le capitaine prussien se trouva assis, dans
le cabinet du fabricant, au coin de la cheminée où brûlaient d'énormes bûches de chêne, fumant un cigare,
causant en ami des nouvelles récentes. Pendant les premiers quinze jours, Gilberte ne parut pas, il affecta d'ignorer son existence, bien qu'au moindre bruit il tournât
vivement les yeux vers la porte de la chambre voisine.
Il semblait vouloir oublier sa situation de vainqueur,
se montrait d'esprit dégagé et large, plaisantait volontiers
certaines réquisitions qui prêtaient à rire. Ainsi, un jour
qu'on avait réquisitionné un cercueil et un bandage, ce
bandage et ce cercueil l'amusèrent beaucoup. Pour le
reste, le charbon de terre, l'huile, le lait, le sucre, le
beurre, le pain, la viande, sans compter des vêtements,
des poêles, des lampes, enfin tout ce qui se mange et
tout ce qui sert à la vie quotidienne, il avait un haussement d'épaules : mon Dieu ! que voulez-vous ? c'était

vexatoire sans doute, il convenait même qu'on demandait
trop ; seulement, c'était la guerre, il fallait bien vivre en
pays ennemi. Delaherche, qu'irritaient ces réquisitions
incessantes, gardait son franc parler, les épluchait chaque
soir, comme s'il eût examiné le livre de sa cuisine. Pourtant, ils n'eurent qu'une discussion vive, au sujet de la
contribution d'un million, dont le préfet prussien de
Rethel venait de frapper le département des Ardennes,
sous le prétexte de compenser les pertes causées à l'Allemagne par les vaisseaux de guerre français et par l'expul-
sion des Allemands domiciliés en France. Dans la répar-
tition, Sedan devait payer quarante-deux mille francs. Et
il s'épuisa à faire comprendre à son hôte que cela était
inique, que la situation de la ville se trouvait exception-
nelle, qu'elle avait déjà trop souffert pour être ainsi
frappée. D'ailleurs, tous deux sortaient plus intimes de
ces explications, lui enchanté de s'être étourdi du flot de
sa parole, le Prussien content d'avoir fait preuve d'une
urbanité toute parisienne.

Un soir, de son air gai d'étourderie, Gilberte entra.
Elle s'arrêta, en jouant la surprise. M. de Gartlauben
s'était levé, et il eut la discrétion de se retirer presque
tout de suite. Mais, le lendemain, il trouva Gilberte
installée, il reprit sa place au coin du feu. Alors, commencèrent des soirées charmantes, que l'on passait dans
ce cabinet de travail, et non dans le salon, ce qui établissait une distinction subtile. Même, plus tard, lorsque la
jeune femme eut consenti à faire de la musique à son hôte,
qui l'adorait, elle se rendait seule dans le salon voisin, en
laissant simplement la porte ouverte. Par ce rude hiver,
les vieux chênes des Ardennes brûlaient à grande flamme,
au fond de la haute cheminée, on prenait vers dix heures
une tasse de thé, on causait dans la bonne chaleur de la
vaste pièce. Et M. de Gartlauben était visiblement tombé
amoureux fou de cette jeune femme si rieuse, qui coque-
tait avec lui comme elle faisait autrefois, à Charleville,
avec les amis du capitaine Beaudoin. Il se soignait davantage, se montrait d'une galanterie outrée, se contentait
de la moindre faveur, tourmenté de l'unique souci de
n'être pas pris pour un barbare, un soldat grossier violen-
tant les femmes.

Et la vie se trouva ainsi comme dédoublée, dans la
vaste maison noire de la rue Maqua. Tandis qu'aux repas
Edmond, avec sa jolie figure de chérubin blessé, répondait par monosyllabes au bavardage ininterrompu de

Delaherche, en rougissant dès que Gilberte le priait de
lui passer le sel, tandis que le soir M. de Gartlauben, les
yeux pâmés, assis dans le cabinet de travail, écoutait une
sonate de Mozart que la jeune femme jouait pour lui au
fond du salon, la pièce voisine où vivaient le colonel de
Vineuil et madame Delaherche restait silencieuse, les
persiennes closes, la lampe éternellement allumée, ainsi
qu'un tombeau éclairé par un cierge. Décembre avait
enseveli la ville sous la neige, les nouvelles désespérées
s'y étouffaient dans le grand froid. Après la défaite du
général Ducrot à Champigny, après la perte d'Orléans,
il ne restait plus qu'un sombre espoir, celui que la terre
de France devînt la terre vengeresse, la terre extermi-
natrice, dévorant les vainqueurs. Que la neige tombât
donc à flocons plus épais, que le sol se fendît sous les mor-
sures de la gelée, pour que l'Allemagne entière y trouvât
son tombeau! Et une angoisse nouvelle serrait le cœur
de madame Delaherche. Une nuit que son fils était absent,
appelé en Belgique par ses affaires, elle avait entendu, en
passant devant la chambre de Gilberte, un léger bruit
de voix, des baisers étouffés, mêlés de rires. Saisie, elle
était rentrée chez elle, dans l'épouvante de l'abomination
qu'elle soupçonnait : ce ne pouvait être que le Prussien
qui se trouvait là, elle croyait bien avoir remarqué déjà
des regards d'intelligence, elle restait écrasée sous cette
honte dernière. Ah! cette femme que son fils avait ame-
née, malgré elle, dans la maison, cette femme de plaisir, à qui elle avait déjà pardonné une fois, en ne parlant
pas, après la mort du capitaine Beaudoin! Et cela recommençait, et c'était cette fois la pire infamie! Qu'allait-
elle faire ? une telle monstruosité ne pouvait continuer
sous son toit. Le deuil de la réclusion où elle vivait en
était accru, elle avait des journées d'affreux combat. Les
jours où elle rentrait chez le colonel, plus sombre, muette
pendant des heures, avec des larmes dans les yeux, il la
regardait, il s'imaginait que la France venait de subir
une défaite de plus.

Ce fut à ce moment qu'Henriette tomba un matin rue
Maqua, pour intéresser les Delaherche au sort de l'oncle
Fouchard. Elle avait entendu parler avec des sourires de
l'influence toute-puissante que Gilberte possédait sur
M. de Gartlauben. Aussi resta-t-elle un peu gênée, devant
madame Delaherche, qu'elle rencontra la première, dans
l'escalier, remontant chez le colonel, et à qui elle crut
devoir expliquer le but de sa visite.

— Oh! madame, que vous seriez bonne d'intervenir!... Mon oncle est dans une position terrible, on parle de l'envoyer en Allemagne.

La vieille dame, qui l'aimait pourtant, eut un geste de colère.

— Mais, ma chère enfant, je n'ai aucun pouvoir... Il ne faut pas s'adresser à moi...

Puis, malgré l'émotion où elle la voyait :

— Vous arrivez très mal, mon fils part ce soir pour Bruxelles... D'ailleurs, il est comme moi, sans puissance aucune... Adressez-vous donc à ma belle-fille, qui peut tout.

Et elle laissa Henriette interdite, convaincue maintenant qu'elle tombait dans un drame de famille. Depuis la veille, madame Delaherche avait pris la résolution de tout dire à son fils, avant le départ de celui-ci pour la Belgique, où il allait traiter un achat important de houille, dans l'espoir de remettre en marche les métiers de sa fabrique. Jamais elle ne tolérerait que l'abomination recommençât, à côté d'elle, pendant cette nouvelle absence. Elle attendait donc pour parler d'être certaine qu'il ne renverrait pas son départ à un autre jour, comme il le faisait depuis une semaine. C'était l'écroulement de la maison, le Prussien chassé, la femme elle aussi jetée à la rue, son nom affiché ignominieusement contre les murs, ainsi qu'on avait menacé de le faire, pour toute Française qui se livrerait à un Allemand.

Lorsque Gilberte aperçut Henriette, elle poussa un cri de joie.

— Ah! que je suis heureuse de te voir!... Il me semble qu'il y a si longtemps, et l'on vieillit si vite, au milieu de ces vilaines histoires!

Elle l'avait entraînée dans sa chambre, elle la fit asseoir sur la chaise longue, se serra contre elle.

— Voyons, tu vas déjeuner avec nous... Mais, auparavant, causons. Tu dois avoir tant de choses à me dire!... Je sais que tu es sans nouvelles de ton frère. Hein ? ce pauvre Maurice, comme je le plains, dans ce Paris sans gaz, sans bois, sans pain peut-être!... Et ce garçon que tu soignes, l'ami de ton frère ? Tu vois qu'on m'a déjà fait des bavardages... Est-ce que c'est pour lui que tu viens ?

Henriette tardait à répondre, prise d'un grand trouble intérieur. N'était-ce pas, au fond, pour Jean qu'elle venait, pour être certaine que, l'oncle relâché, on n'inquiéterait

plus son cher malade ? Cela l'avait emplie de confusion,
d'entendre Gilberte parler de lui, et elle n'osait plus dire
le motif véritable de sa visite, la conscience désormais
souffrante, répugnant à employer l'influence louche qu'elle
lui croyait.

— Alors, répéta Gilberte, d'un air de malignité, c'est
pour ce garçon que tu as besoin de nous ?

Et, comme Henriette, acculée, parlait enfin de l'arrestation du père Fouchard :

— Mais, c'est vrai! suis-je assez sotte! moi qui en
causais encore ce matin!... Oh! ma chère, tu as bien
fait de venir, il faut s'occuper de ton oncle tout de suite,
parce que les derniers renseignements que j'ai eus ne
sont pas bons. Ils veulent faire un exemple.

— Oui, j'ai songé à vous autres, continua Henriette
d'une voix hésitante. J'ai pensé que tu me donnerais un
bon conseil, que tu pourrais peut-être agir...

La jeune femme eut un bel éclat de rire.

— Es-tu bête, je vais faire relâcher ton oncle avant
trois jours!... On ne t'a donc pas dit que j'ai ici, dans la
maison, un capitaine prussien qui fait tout ce que je
veux ?... Tu entends, ma chère, il n'a rien à me refuser!

Et elle riait plus fort, simplement écervelée dans son
triomphe de coquette, tenant les deux mains de son amie,
qu'elle caressait, et qui ne trouvait pas de remercie-
ments, pleine de malaise, tourmentée de la crainte que ce
ne fût là un aveu. Quelle sérénité, quelle gaieté fraîche
pourtant!

— Laisse-moi faire, je te renverrai contente ce soir.

Lorsqu'on passa dans la salle à manger, Henriette
resta surprise de la délicate beauté d'Edmond, qu'elle ne
connaissait pas. Il la ravissait comme une jolie chose.
Etait-ce possible que ce garçon se fût battu et qu'on eût
osé lui casser le bras ? La légende de sa grande bravoure achevait de le rendre charmant, et Delaherche,
qui avait accueilli Henriette en homme heureux de voir
une figure nouvelle, ne cessa, pendant qu'on servait
des côtelettes et des pommes de terre en robe de chambre,
de faire l'éloge de son secrétaire, aussi actif et bien élevé
qu'il était beau. Le déjeuner, ainsi à quatre, dans la salle
à manger bien chaude, prit le tour d'une intimité délicieuse.

— Et c'est pour nous intéresser au sort du père Fouchard que vous êtes venue ? reprit le fabricant. Ça m'en-
nuie beaucoup d'être forcé de partir ce soir... Mais ma

femme va vous arranger ça, elle est irrésistible, elle obtient tout ce qu'elle veut.

Il riait, il disait ces choses avec une bonhomie parfaite, simplement flatté de ce pouvoir dont il tirait lui-même quelque orgueil. Puis, brusquement :

— A propos, ma chère, Edmond ne t'a pas dit sa trouvaille ?

— Non, quelle trouvaille ? demanda gaiement Gilberte, en tournant vers le jeune sergent ses jolis yeux de caresse.

Mais celui-ci rougissait, comme sous l'excès du plaisir, chaque fois qu'une femme le regardait de la sorte.

— Mon Dieu ! madame, il ne s'agit simplement que de la vieille dentelle, que vous regrettiez de ne pas avoir, pour garnir votre peignoir mauve... J'ai eu hier la chance de découvrir cinq mètres d'ancien point de Bruges, vraiment très beau, et à bon compte. La marchande viendra vous les montrer tout à l'heure.

Elle fut ravie, elle l'aurait embrassé.

— Oh ! que vous êtes gentil, je vous récompenserai !

Puis, comme on servait encore une terrine de foies gras, achetée en Belgique, la conversation tourna, s'arrêta un instant au poisson de la Meuse qui mourait empoisonné, finit par tomber sur le danger de peste qui menaçait Sedan, au prochain dégel. En novembre, des cas d'épidémie s'étaient déjà déclarés. On avait eu beau, après la bataille, dépenser six mille francs pour balayer la ville, brûler en tas les sacs, les gibernes, tous les débris louches : les campagnes environnantes n'en soufflaient pas moins des odeurs nauséabondes, à la moindre humidité, tellement elles étaient gorgées de cadavres, à peine enfouis, mal recouverts de quelques centimètres de terre. Partout, des tombes bossuaient les champs, le sol se fendait sous la poussée intérieure, la putréfaction suintait et s'exhalait. Et l'on venait, les jours précédents, de découvrir un autre foyer d'infection, la Meuse, d'où l'on avait pourtant retiré déjà plus de douze cents corps de chevaux. L'opinion générale était qu'il n'y restait plus un cadavre humain, lorsqu'un garde champêtre, en regardant avec attention, à plus de deux mètres de profondeur, avait aperçu sous l'eau des blancheurs, qu'on aurait pris pour des pierres : c'étaient des lits de cadavres, des corps éventrés que le ballonnement, rendu impossible, n'avait pu ramener à la surface. Depuis près de quatre mois, ils séjournaient là, dans cette eau, parmi les herbes. Les coups de croc ramenaient des bras, des jambes, des têtes. Rien que la force du courant détachait et emportait parfois une main. L'eau se troublait, de grosses bulles de gaz montaient, crevaient à la surface, empestant l'air d'une odeur infecte.

— Cela va bien qu'il gèle, fit remarquer Delaherche. Mais, dès que la neige disparaîtra, il va falloir procéder à des recherches, désinfecter tout ça, autrement nous y resterions tous.

Et, sa femme l'ayant supplié en riant de passer à des sujets plus propres, pendant qu'on mangeait, il conclut simplement :

— Dame! voilà le poisson de la Meuse compromis pour longtemps.

Mais on avait fini, on servait le café, quand la femme de chambre annonça que M. de Gartlauben demandait la faveur d'entrer un instant. Ce fut un émoi, car il n'était jamais venu à cette heure, en plein jour. Tout de suite, Delaherche avait dit de l'introduire, voyant là une circonstance heureuse qui allait permettre de lui présenter Henriette. Et le capitaine, lorsqu'il aperçut une autre jeune femme, outra encore sa politesse. Il accepta même une tasse de café, qu'il buvait sans sucre, comme il avait vu beaucoup de personnes le boire, à Paris. D'ailleurs, s'il avait insisté pour être reçu, c'était uniquement dans le désir d'apprendre tout de suite à madame qu'il venait d'obtenir la grâce d'un de ses protégés, un malheureux ouvrier de la fabrique, emprisonné à la suite d'une rixe avec un soldat prussien.

Alors, Gilberte profita de l'occasion pour parler du père Fouchard.

— Capitaine, je vous présente une de mes plus chères amies... Elle désire se mettre sous votre protection, elle est la nièce du fermier qu'on a arrêté à Remilly, vous savez bien, à la suite de cette histoire de francs-tireurs.

— Ah! oui, l'affaire de l'espion, le malheureux qu'on a trouvé dans un sac... Oh! c'est grave, très grave! Je crains bien de ne rien pouvoir.

— Capitaine, vous me feriez tant de plaisir!

Elle le regardait de ses yeux de caresse, il eut une satisfaction béate, s'inclina d'un air de galante obéissance. Tout ce qu'elle voudrait!

— Monsieur, je vous en serai bien reconnaissante, articula avec peine Henriette, prise d'un insurmontable

malaise, à la pensée soudaine de son mari, de son pauvre
Weiss, fusillé là-bas, à Bazeilles.

Mais Edmond, qui s'en était allé discrètement, dès l'arrivée du capitaine, venait de reparaître, pour dire un mot
à l'oreille de Gilberte. Elle se leva avec vivacité, conta
l'histoire de la dentelle, que la marchande apportait; et
elle suivit le jeune homme, en s'excusant. Alors, restée
seule en compagnie des deux hommes, Henriette put
s'isoler, assise dans une embrasure de fenêtre, tandis
qu'ils continuaient de causer très haut.

— Capitaine, vous accepterez bien un petit verre...
Voyez-vous, je ne me gêne pas, je vous dis tout ce que je
pense, parce que je connais la largeur de votre esprit.
Eh bien! je vous assure que votre préfet a tort de vouloir
saigner encore la ville de ces quarante-deux mille francs...
Songez donc au total de nos sacrifices, depuis le commencement. D'abord, à la veille de la bataille, toute une
armée française, épuisée, affamée. Ensuite, vous autres,
qui aviez les dents longues aussi. Rien que les passages de
ces troupes, les réquisitions, les réparations, les dépenses
de toute sorte nous ont coûté un million et demi. Mettez-
en autant pour les ruines occasionnées par la bataille, les
destructions, les incendies : ça fait trois millions. Enfin,
j'évalue bien à deux millions la perte éprouvée par l'industrie et le commerce... Hein ? qu'est-ce que vous en
dites ? nous voilà au chiffre de cinq millions, pour une
ville de treize mille habitants! Et vous nous demandez
encore quarante-deux mille francs de contribution, je ne
sais sous quel prétexte! est-ce que c'est juste, est-ce que
c'est raisonnable ?

M. de Gartlauben hochait la tête, se contentait de
répondre :

— Que voulez-vous ? c'est la guerre, c'est la guerre!

Et l'attente se prolongeait, les oreilles d'Henriette
bourdonnaient, toutes sortes de vagues et tristes pensées
l'assoupissaient à demi, dans l'embrasure de la fenêtre,
pendant que Delaherche donnait sa parole d'honneur que
jamais Sedan n'aurait pu faire face à la crise, dans le
manque total du numéraire, sans l'heureuse création d'une
monnaie fiduciaire locale, du papier-monnaie de la Caisse
du Crédit industriel, qui avait sauvé la ville d'un désastre
financier.

— Capitaine, vous reprendrez bien un petit verre de
cognac.

Et il sauta à un autre sujet.

— Ce n'est pas la France qui a fait la guerre, c'est
l'Empire... Ah! l'empereur m'a bien trompé. Tout est fini
avec lui, nous nous laisserions démembrer plutôt... Tenez!
un seul homme a vu clair en juillet, oui! monsieur Thiers,
dont le voyage actuel, au travers des capitales de l'Europe,
est encore un grand acte de sagesse et de patriotisme.
Tous les vœux des gens raisonnables l'accompagnent,
puisse-t-il réussir!

D'un geste, il acheva sa pensée, car il eût jugé mal-
séant, devant un Prussien, même sympathique, d'exprimer un désir de paix. Mais ce désir, il était ardemment en
lui, comme au fond de toute l'ancienne bourgeoisie plébiscitaire et conservatrice. On allait être à bout de sang et
d'argent, il fallait se rendre; et une sourde rancune contre
Paris qui s'entêtait dans sa résistance, montait de toutes
les provinces occupées. Aussi conclut-il à voix plus basse,
faisant allusion aux proclamations enflammées de Gambetta:

— Non, non! nous ne pouvons pas être avec les fous
furieux. Ça devient du massacre... Moi, je suis avec monsieur Thiers, qui veut les élections; et, quant à leur République, mon Dieu! ce n'est pas elle qui me gêne, on la
gardera s'il le faut, en attendant mieux.

Très poliment, M. de Gartlauben continuait à hocher
la tête d'un air d'approbation, en répétant:

— Sans doute, sans doute...

Henriette, dont le malaise avait grandi, ne put rester
davantage. C'était, en elle, une irritation sans cause précise, un besoin de ne plus être là; et elle se leva doucement, elle sortit, à la recherche de Gilberte, qui se faisait
si longtemps attendre.

Mais, comme elle entrait dans la chambre à coucher,
elle resta stupéfaite, en apercevant, étendue sur la chaise
longue, son amie en larmes, bouleversée par une émotion
extraordinaire.

— Eh bien! quoi donc? que t'arrive-t-il?

Les pleurs de la jeune femme redoublèrent, elle se
refusait à parler, envahie maintenant d'une confusion qui
lui jetait tout le sang de son cœur au visage. Et, enfin,
balbutiante, se cachant dans les bras grands ouverts,
tendus vers elle:

— Oh! ma chérie, si tu savais... Jamais je n'oserais te
dire... Et pourtant je n'ai que toi, tu peux seule me donner peut-être un bon conseil...

Elle eut un frémissement, elle bégaya davantage.

— J'étais avec Edmond... Alors, à l'instant, madame Delaherche vient de me surprendre...

— Comment, de te surprendre ?

— Oui, nous étions là, il me tenait, il m'embrassait...

Et, baisant Henriette, la serrant dans ses bras tremblants, elle lui dit tout.

— Oh! ma chérie, ne me juge pas trop mal, ça me ferait tant de peine!... Je sais bien, je t'avais juré que ça ne recommencerait jamais. Mais tu as vu Edmond, il est si brave, et il est si joli! Puis, songe donc, ce pauvre jeune homme, blessé malade, loin de sa mère! Avec ça, il n'a jamais été riche, on a tout mangé chez lui, pour le faire instruire... Je t'assure, je n'ai pas pu refuser.

Henriette l'écoutait, effarée, ne revenant pas de sa surprise.

— Comment! c'était avec le petit sergent!... Mais, ma chère, tout le monde te croit la maîtresse du Prussien!

Du coup, Gilberte se releva, s'essuya les yeux, protestant.

— La maîtresse du Prussien... Ah! non, par exemple! Il est affreux, il me répugne... Pour qui me prend-on ? comment peut-on me croire capable d'une pareille infamie ? Non, non, jamais! j'aimerais mieux mourir!

Dans sa révolte, elle était devenue grave, d'une beauté douloureuse et irritée qui la transfigurait. Et, brusquement, sa gaieté coquette, son insoucieuse légèreté revinrent, au milieu d'un invincible rire.

— Ça, c'est vrai, je m'amuse de lui. Il m'adore, et je n'ai qu'à le regarder, pour qu'il obéisse... Si tu savais comme c'est drôle, de se moquer ainsi de ce gros homme, qui a toujours l'air de croire qu'on va enfin le récompenser!

— Mais c'est un jeu très dangereux, dit sérieusement Henriette.

— Crois-tu ? qu'est-ce que je risque ? Lorsqu'il s'apercevra qu'il ne doit compter sur rien, il ne pourra que se fâcher et s'en aller... Et puis, non! jamais il ne s'en apercevra! Tu ne connais pas l'homme, il est de ceux avec lesquels les femmes vont aussi loin qu'elles veulent, sans danger. Pour ça, vois-tu j'ai un sens qui m'a toujours avertie. Il a bien trop de vanité, jamais il n'admettra que je me sois moquée de lui... Et tout ce que je lui permettrai, ce sera d'emporter mon souvenir, avec la consolation de se dire qu'il a agi correctement, en galant homme qui a longtemps habité Paris.

Elle s'égayait, elle ajouta :

— En attendant, il va faire remettre en liberté l'oncle Fouchard, et il n'aura pour sa peine qu'une tasse de thé, sucrée de ma main.

Mais, tout d'un coup, elle revint à ses craintes, à l'effroi d'avoir été surprise. Des larmes reparurent au bord de ses paupières.

— Mon Dieu! et madame Delaherche ?... Que va-t-il se passer ? Elle ne m'aime guère, elle est capable de tout dire à mon mari.

Henriette avait fini par se remettre. Elle essuya les yeux de son amie, elle la força de réparer le désordre de ses vêtements.

— Ecoute, ma chère, je n'ai pas la force de te gronder, et pourtant tu sais si je te blâme! Mais on m'avait fait une telle peur avec ton Prussien, j'ai redouté des choses si laides, que l'autre histoire, ma foi! est un soulagement... Calme-toi, tout peut s'arranger.

C'était fort sage, d'autant plus que Delaherche, presque aussitôt, entra avec sa mère. Il expliqua qu'il venait d'envoyer chercher la voiture qui devait le conduire en Belgique, décidé à prendre le train pour Bruxelles, le soir même. Il voulait donc faire ses adieux à sa femme. Puis, se tournant vers Henriette :

— Soyez tranquille, monsieur de Gartlauben, en me quittant, m'a promis de s'occuper de votre oncle; et, quand je ne serai plus là, ma femme fera le reste.

Depuis que madame Delaherche était entrée, Gilberte ne la quittait pas des yeux, le cœur serré d'angoisse. Allait-elle parler, dire ce qu'elle venait de voir, empêcher son fils de partir ? La vieille dame, silencieuse, avait, dès la porte, fixé, elle aussi, les regards sur sa belle-fille. Dans son rigorisme, elle éprouvait sans doute le soulagement qui avait rendu Henriette tolérante. Mon Dieu! puisque c'était avec ce jeune homme, ce Français qui s'était battu si bravement, ne devait-elle pas pardonner, comme elle avait pardonné déjà pour le capitaine Beaudoin? Ses yeux s'adoucirent, elle détourna la tête. Son fils pouvait s'absenter, Edmond protégerait Gilberte contre le Prussien. Elle eut même un faible sourire, elle qui ne s'était pas égayée depuis la bonne nouvelle de Coulmiers.

— Au revoir, dit-elle en embrassant Delaherche. Fais tes affaires et reviens-nous vite.

Et elle s'en alla, elle rentra lentement, de l'autre côté du palier, dans la chambre murée, où le colonel, de son

air de stupeur, regardait l'ombre, en dehors du pâle rond
de clarté qui tombait de la lampe.

Le soir même, Henriette retourna à Remilly ; et, trois
jours plus tard, elle eut la joie de voir, un matin, le père
Fouchard rentrer à la ferme tranquillement, comme s'il
revenait à pied de conclure un marché dans le voisinage.
Il s'assit, il mangea un morceau de pain, avec du fromage. Puis, à toutes les questions, il répondit sans hâte,
de l'air d'un homme qui n'avait jamais eu peur. Pourquoi
donc l'aurait-on retenu ? il n'avait rien fait de mal. Ce
n'était pas lui qui avait tué le Prussien, n'est-ce pas ?
Alors, il s'était contenté de dire aux autorités : « Cherchez, moi je ne sais rien. » Et il avait bien fallu le lâcher,
ainsi que le maire, puisqu'on n'avait pas de preuves contre
eux. Mais ses yeux de paysan rusé et goguenard luisaient,
dans sa joie muette d'avoir roulé tous ces sales bougres,
dont il commençait à voir assez, à présent qu'ils le chi-
canaient sur la qualité de sa viande.

Décembre s'acheva, Jean voulut partir. Maintenant, sa
jambe était solide, le docteur déclarait qu'il pouvait aller
se battre. Et ce fut, pour Henriette, une grande peine,
qu'elle s'efforça de cacher. Depuis la désastreuse bataille
de Champigny, aucune nouvelle de Paris ne leur était
venue. Ils savaient simplement que le régiment de Maurice, exposé à un feu terrible, avait perdu beaucoup
d'hommes. Puis, toujours ce grand silence, aucune lettre,
jamais la moindre ligne pour eux, lorsqu'il savait que
des familles de Raucourt et de Sedan avaient reçu des
dépêches, par des voies détournées. Peut-être le pigeon
qui portait les nouvelles si ardemment attendues, avait-il
rencontré quelque épervier vorace ; ou peut-être était-il
tombé, à la lisière d'un bois, traversé par la balle d'un
Prussien. Mais, surtout, ce qui les hantait, c'était la crainte
que Maurice ne fût mort. Ce silence de la grande ville,
là-bas, muette sous l'étreinte de l'investissement, était
devenu, dans l'angoisse de leur attente, un silence de
tombe. Ils avaient perdu l'espoir de rien apprendre, et,
lorsque Jean exprima sa volonté formelle de partir, Henriette n'eut que cette plainte sourde :

— Mon Dieu ! c'est donc fini, je vais donc rester seule !

Le désir de Jean était d'aller rejoindre l'armée du
Nord, que le général Faidherbe venait de reconstituer. Depuis que le corps du général de Manteuffel avait poussé
jusqu'à Dieppe, cette armée défendait trois départements
séparés du reste de la France, le Nord, le Pas-de-Calais

et la Somme; et le projet de Jean, d'une exécution facile, était simplement de gagner Bouillon, puis de faire le tour par la Belgique. Il savait qu'on achevait de former le 23e corps, avec tous les anciens soldats de Sedan et de Metz qu'on pouvait rallier. Il entendait dire que le général Faidherbe reprenait l'offensive, et il fixa définitivement son départ au dimanche suivant, lorsqu'il apprit la bataille de Pont-Noyelle, cette bataille au résultat indécis, que les Français avaient failli gagner.

Ce fut encore le docteur Dalichamp qui offrit de le conduire à Bouillon, dans son cabriolet. Il était d'un courage, d'une bonté inépuisables. A Raucourt, que ravageait le typhus, apporté par les Bavarois, il avait des malades dans toutes les maisons, en dehors des deux ambulances qu'il visitait, celle de Raucourt même et celle de Remilly. Son ardent patriotisme, son besoin de protester contre les inutiles violences, l'avaient deux fois fait arrêter, puis relâcher par les Prussiens. Aussi riait-il d'un bon rire, le matin où il arriva avec sa voiture, pour prendre Jean, heureux de faire échapper un autre de ces vaincus de Sedan, tout ce pauvre et brave monde, comme il disait, qu'il soignait, qu'il aidait de sa bourse. Jean, qui souffrait de la question d'argent, sachant Henriette pauvre, avait accepté les cinquante francs que le docteur lui offrait pour son voyage.

Le père Fouchard, pour les adieux, fit bien les choses. Il envoya Silvine chercher deux bouteilles de vin, il voulut que tout le monde bût un verre à l'extermination des Allemands. Lui, gros monsieur désormais, tenait son magot, caché quelque part; et, tranquille depuis que les francs-tireurs des bois de Dieulet avaient disparu, traqués comme des fauves, il n'avait plus que le désir de jouir de la paix prochaine, lorsqu'elle serait conclue. Même, dans un accès de générosité, il venait de donner des gages à Prosper, pour l'attacher à la ferme, que le garçon, d'ailleurs, n'avait pas l'envie de quitter. Il trinqua avec Prosper, il voulut trinquer aussi avec Silvine, dont il avait eu un instant l'idée de faire sa femme, tant il la voyait sage, tout entière à sa besogne; mais à quoi bon? il sentait bien qu'elle ne se dérangerait plus, qu'elle serait encore là, lorsque Charlot, grandi, partirait comme soldat à son tour. Et, quand il eut trinqué avec le docteur, avec Henriette, avec Jean, il s'écria:

— A la santé de tous! que chacun fasse son affaire et ne se porte pas plus mal que moi!

Henriette avait absolument voulu accompagner Jean jusqu'à Sedan. Il était en bourgeois, avec un paletot et un chapeau rond, prêtés par le docteur. Ce jour-là, le soleil luisait sur la neige, par le grand froid terrible. On ne devait que traverser la ville; mais, lorsque Jean sut que son colonel était toujours chez les Delaherche, une grande envie lui vint d'aller le saluer; et, en même temps, il remercierait le fabricant de ses bontés. Ce fut sa dernière douleur, dans cette ville de désastre et de deuil. Comme ils arrivaient à la fabrique de la rue Maqua, une fin tragique y bouleversait la maison. Gilberte s'effarait, madame Delaherche pleurait de grosses larmes silencieuses, tandis que son fils, remonté de ses ateliers, où le travail avait un peu repris, poussait des exclamations de surprise. On venait de trouver le colonel, sur le parquet de sa chambre, tombé comme une masse, mort. L'éternelle lampe brûlait seule, dans la pièce close. Appelé en hâte, un médecin n'avait pas compris, ne découvrant aucune cause probable, ni anévrisme, ni congestion. Le colonel était mort, foudroyé, sans qu'on sût d'où était venue la foudre; et, le lendemain seulement, on ramassa un morceau de vieux journal, qui avait servi de couverture à un livre, et où se trouvait le récit de la reddition de Metz.

— Ma chère, dit Gilberte à Henriette, monsieur de Gartlauben, tout à l'heure, en descendant l'escalier, a ôté son chapeau devant la porte de la pièce où repose le corps de mon oncle... C'est Edmond qui l'a vu, et, n'est-ce pas ? c'est un homme décidément très bien.

Jamais encore Jean n'avait embrassé Henriette. Avant de remonter dans le cabriolet, avec le docteur, il voulut la remercier de ses bons soins, de l'avoir soigné et aimé comme un frère. Mais il ne trouva pas les mots, il ouvrit les bras, il l'embrassa en sanglotant. Elle était éperdue, elle lui rendit son baiser. Quand le cheval partit, il se retourna, leurs mains s'agitèrent, tandis qu'ils répétaient d'une voix bégayante :

— Adieu! adieu!

Cette nuit-là, Henriette, rentrée à Remilly, était de service à l'ambulance. Pendant sa longue veillée, elle fut encore prise d'une affreuse crise de larmes, et elle pleura, elle pleura infiniment, en étouffant sa peine entre ses deux mains jointes.

VII

Au lendemain de Sedan, les deux armées allemandes s'étaient remises à rouler leurs flots d'hommes vers Paris, l'armée de la Meuse arrivait au nord par la vallée de la Marne, tandis que l'armée du prince royal de Prusse, après avoir passé la Seine à Villeneuve-Saint-Georges, se dirigeait sur Versailles, en contournant la ville au sud. Et, ce tiède matin de septembre, quand le général Ducrot, auquel on avait confié le 14e corps, à peine formé, résolut d'attaquer cette dernière, pendant sa marche de flanc, Maurice qui campait dans les bois, à gauche de Meudon, avec son nouveau régiment, le 115e, ne reçut l'ordre de marcher que lorsque le désastre était déjà certain. Quelques obus avaient suffi, une effroyable panique s'était déclarée dans un bataillon de zouaves composé de recrues, le reste des troupes venait d'être emporté, au milieu d'une débandade telle, que ce galop de déroute ne s'arrêta que derrière les remparts, dans Paris, où l'alarme fut immense. Toutes les positions en avant des forts du sud étaient perdues; et, le soir même, le dernier fil qui reliait la ville à la France, le télégraphe du chemin de fer de l'Ouest, fut coupé. Paris était séparé du monde.

Ce fut, pour Maurice, une soirée d'affreuse tristesse. Si les Allemands avaient osé, ils auraient campé la nuit sur la place du Carrousel. Mais c'étaient des gens d'absolue prudence, résolus à un siège classique, ayant réglé déjà les points exacts de l'investissement, le cordon de l'armée de la Meuse au nord, de Croissy à la Marne, en passant par Epinay, l'autre cordon de la IIIe armée au midi, de Chennevières à Châtillon et à Bougival, pendant que le grand quartier prussien, le roi Guillaume, M. de Bismarck et le général de Moltke régnaient à Versailles. Ce blocus géant, auquel on ne croyait pas, était un fait accompli. Cette ville, avec son enceinte bastionnée de huit lieues et demie de tour, avec ses quinze forts et ses six redoutes détachées, allait se trouver comme en prison. Et l'armée de défense ne comptait que le 13ᵉ corps, sauvé et ramené par le général Vinoy, le 14ᵉ en voie de formation, confié au général Ducrot, réunissant à eux deux un effectif de quatre-vingt mille soldats, auxquels il fallait ajouter les quatorze mille hommes de la marine, les quinze mille des corps francs, les cent quinze mille de la garde mobile, sans parler des trois cent mille gardes nationaux, répartis dans les neuf secteurs des remparts. S'il y avait là tout un peuple, les soldats aguerris et disciplinés manquaient. On équipait les hommes, on les exerçait, Paris n'était plus qu'un immense camp retranché. Les préparatifs de défense s'enfiévraient d'heure en heure, les routes coupées, les maisons de la zone militaire rasées, les deux cents canons de gros calibre et les deux mille cinq cents autres pièces utilisées, d'autres canons fondus, tout un arsenal sortant du sol, sous le grand effort patriotique du ministre Dorian. Après la rupture des négociations de Ferrières, lorsque Jules Favre eut fait connaître les exigences de M. de Bismarck, la cession de l'Alsace, la garnison de Strasbourg prisonnière, trois milliards d'indemnité, un cri de colère s'éleva, la continuation de la guerre, la résistance fut acclamée, comme une condition indispensable à la vie de la France. Même sans espoir de vaincre, Paris devait se défendre, pour que la patrie vécût.

Un dimanche de la fin septembre, Maurice fut envoyé en corvée, à l'autre bout de la ville, et les rues qu'il suivit, les places qu'il traversa, l'emplirent d'une nouvelle espérance. Depuis la déroute de Châtillon, il lui semblait que les cœurs s'étaient haussés pour la grande besogne. Ah! ce Paris qu'il avait connu si âpre à jouir, si près des dernières fautes, il le retrouvait simple, d'une bravoure gaie, ayant accepté tous les sacrifices. On ne rencontrait que des uniformes, les plus désintéressés portaient un képi de garde national. Comme une horloge géante dont le ressort éclate, la vie sociale s'était arrêtée brusquement, l'industrie, le commerce, les affaires; et il ne restait qu'une passion, la volonté de vaincre, l'unique sujet dont on parlait, qui enflammait les cœurs et les têtes, dans les réunions publiques, pendant les veillées des corps de garde, parmi les continuels attroupements de foule barrant les trottoirs. Ainsi mises en commun, les illusions emportaient les âmes, une tension jetait ce peuple au danger des folies généreuses. C'était déjà toute une crise de nervosité maladive qui se déclarait, une épidémique fièvre exagérant la peur comme la confiance, lâchant la bête humaine débridée, au moindre souffle. Et Maurice assista, rue des Martyrs, à une scène qui le passionna : tout un assaut, une bande furieuse se ruant contre une maison dont on avait vu une des fenêtres hautes, la nuit entière, éclairée d'une vive clarté de lampe, un évident signal aux Prussiens de Bellevue, par-dessus Paris. Des bourgeois hantés vivaient sur leurs toits, pour surveiller les environs. La veille, on avait voulu noyer dans le bassin des Tuileries un misérable qui consultait un plan de la ville, ouvert sur un banc.

Cette maladie du soupçon, Maurice, autrefois d'esprit si dégagé, venait de la contracter lui aussi, dans l'ébranlement de tout ce qu'il avait cru jusque-là. Il ne désespérait plus, comme au soir de la panique de Châtillon, anxieux de savoir si l'armée française retrouverait jamais la virilité de se battre : la sortie du 30 septembre sur L'Hay et Chevilly, celle du 13 octobre où les mobiles avaient enlevé Bagneux, enfin celle du 21 octobre, dans laquelle son régiment s'était emparé un instant du parc de la Malmaison, lui avaient rendu toute sa foi, cette flamme de l'espoir qu'une étincelle suffisait à rallumer et qui le consumait. Si les Prussiens l'avaient arrêtée sur tous les points, l'armée ne s'en était pas moins bravement battue, elle pouvait vaincre encore. Mais la souffrance de Maurice venait de ce grand Paris, qui sautait de l'illusion extrême au pire découragement, hanté par la peur de la trahison, dans son besoin de victoire. Est-ce qu'après l'empereur et le maréchal de Mac-Mahon, le général Trochu, le général Ducrot n'allaient pas être les chefs médiocres, les ouvriers inconscients de la défaite ? Le même mouvement qui avait emporté l'Empire, menaçait d'emporter le gouvernement de la Défense nationale, toute une impatience des violents à prendre le pouvoir, pour sauver la France. Déjà, Jules Favre et les autres membres étaient plus impopulaires que les anciens ministres tombés de Napoléon III. Puisqu'ils ne voulaient pas battre les Prussiens, ils n'avaient qu'à céder la place à d'autres, aux révolutionnaires certains de vaincre, en décrétant la levée en masse, en accueillant les inventeurs qui offraient de miner la banlieue ou d'anéantir l'ennemi sous une pluie nouvelle de feu grégeois.

A la veille du 31 octobre, Maurice fut ainsi ravagé par
ce mal de la défiance et du rêve. Il acceptait maintenant
des imaginations dont il aurait souri autrefois. Pourquoi
pas ? est-ce que l'imbécillité et le crime n'étaient pas sans
bornes ? est-ce que le miracle ne devenait pas possible, au
milieu des catastrophes qui bouleversaient le monde ? Il
avait toute une longue rancune amassée, depuis l'heure
où il avait appris Frœschwiller, là-bas, devant Mulhouse ;
il saignait de Sedan, ainsi que d'une plaie vive, toujours
irritée, que le moindre revers suffisait à rouvrir ; il gardait
l'ébranlement de chacune des défaites, le corps appauvri,
la tête affaiblie par une si longue suite de jours sans pain,
de nuits sans sommeil, jeté dans l'effarement de cette
existence de cauchemars, ne sachant même plus s'il
vivait ; et l'idée que tant de souffrances aboutiraient à
une catastrophe nouvelle, irrémédiable, l'affolait, faisait
de ce lettré un être d'instinct, retourné à l'enfance, sans
cesse emporté par l'émotion du moment. Tout, la destruction, l'extermination plutôt que de donner un sou de
la fortune, un pouce du territoire de la France ! En lui,
s'achevait l'évolution qui, sous le coup des premières
batailles perdues, avait détruit la légende napoléonienne,
le bonapartisme sentimental qu'il devait aux récits
épiques de son grand-père. Déjà même, il n'en était
plus à la république théorique et sage, il versait dans les
violences révolutionnaires, croyait à la nécessité de la
terreur, pour balayer les incapables et les traîtres, en
train d'égorger la patrie. Aussi, le 31 octobre, fut-il de
cœur avec les émeutiers, lorsque les nouvelles désastreuses se succédèrent coup sur coup : la perte du Bourget, si vaillamment conquis par les volontaires de la
Presse, dans la nuit du 27 au 28 ; l'arrivée de M. Thiers à
Versailles, de retour de son voyage au travers des capitales
de l'Europe, d'où il revenait, disait-on, pour traiter au
nom de Napoléon III ; enfin, la reddition de Metz, dont
il apportait l'effroyable certitude, au milieu des bruits
vagues qui couraient déjà, le dernier coup de massue, un
autre Sedan, d'une honte plus grande. Et, le lendemain,
quand il apprit les événements de l'Hôtel de Ville, les
émeutiers vainqueurs un instant, les membres du gouvernement de la Défense nationale prisonniers jusqu'à quatre
heures du matin, sauvés seulement alors par un revirement de la population, exaspérée contre eux d'abord,
inquiète ensuite, à la pensée de l'insurrection victorieuse,
il regretta cet avortement, cette Commune, d'où le salut

serait venu peut-être, l'appel aux armes, la patrie en
danger, tous les classiques souvenirs d'un peuple libre
qui ne veut pas mourir. M. Thiers n'osa même pas entrer
dans Paris, et l'on fut sur le point d'illuminer, après la
rupture des négociations.

Alors, le mois de novembre se passa dans une impatience fiévreuse. De petits combats eurent lieu, auxquels
Maurice ne prit aucune part. Il bivouaquait maintenant
du côté de Saint-Ouen, il s'échappait à chaque occasion,
dévoré d'un continuel besoin de nouvelles. Comme lui,
Paris attendait, anxieux. L'élection des maires semblait
avoir apaisé les passions politiques ; mais presque tous
les élus appartenaient aux partis extrêmes, il y avait là,
pour l'avenir, un symptôme redoutable. Et ce que Paris
attendait, dans cette accalmie, c'était la grande sortie tant
réclamée, la victoire, la délivrance. Cela, de nouveau, ne
faisait aucun doute : on culbuterait les Prussiens, on leur
passerait sur le ventre. Des préparatifs étaient faits dans
la presqu'île de Gennevilliers, le point jugé le plus favorable pour une trouée. Puis, un matin, on eut la joie folle
des bonnes nouvelles de Coulmiers, Orléans repris,
l'armée de la Loire en marche, déjà campée à Étampes,
disait-on. Tout fut changé, il ne s'agissait plus que d'aller
lui donner la main, de l'autre côté de la Marne. On avait
réorganisé les forces militaires, créé trois armées, l'une
composée des bataillons de la garde nationale, sous les
ordres du général Clément Thomas, l'autre formée des
13e et 14e corps, augmentée des meilleurs éléments pris
un peu partout, que le général Ducrot devait conduire
à la grande attaque, l'autre enfin, la troisième, l'armée
de réserve, faite uniquement de garde mobile et confiée
au général Vinoy. Et une foi absolue soulevait Maurice,
quand, le 28 novembre, il vint coucher dans le bois de
Vincennes, avec le 115e. Les trois corps de la IIe
armée étaient là, on racontait que le rendez-vous, donné
à l'armée de la Loire, était pour le lendemain, à Fontaine-
bleau. Puis, tout de suite, ce furent les malchances, les
fautes habituelles, une crue subite qui empêcha de jeter
les ponts de bateaux, des ordres fâcheux qui attardèrent
les mouvements. La nuit suivante, le 115e, un des premiers, passa la rivière ; et, dès dix heures, sous un feu
effroyable, Maurice pénétra dans le village de Champigny.
Il était comme fou, son chassepot lui brûlait les doigts,
malgré le froid terrible. Son unique vouloir, depuis qu'il
marchait, était d'aller ainsi en avant, toujours, jusqu'à ce

qu'on eût rejoint les camarades de la province, là-bas.
Mais, en face de Champigny et de Bry, l'armée venait de
se heurter contre les murs des parcs de Cœuilly et de
Villiers, des murs d'un demi-kilomètre, dont les Prussiens
avaient fait des forteresses imprenables. C'était la borne,
où tous les courages échouèrent. Dès lors, il n'y eut plus
qu'hésitation et recul, le 3ᵉ corps s'était attardé, le 1ᵉʳ et
le 2ᵉ, immobilisés déjà, défendirent deux jours Champigny, qu'ils durent abandonner dans la nuit du 2 décembre,
après leur stérile victoire. Cette nuit-là, toute l'armée
revint camper sous les arbres du bois de Vincennes,
blancs de givre ; et Maurice, les pieds morts, la face contre
la terre glacée, pleura.

Ah ! les mornes et tristes journées, après l'avortement
de cet immense effort ! La grande sortie, préparée depuis
si longtemps, la poussée irrésistible qui devait délivrer
Paris, venait d'échouer ; et, trois jours plus tard, une
lettre du général de Moltke annonçait que l'armée de la
Loire, battue, avait de nouveau abandonné Orléans.
C'était le cercle qui se resserrait plus étroit, impossible
désormais à rompre. Mais Paris, dans sa fièvre de désespoir, semblait trouver des forces nouvelles de résistance.
Les menaces de famine commençaient. Dès le milieu
d'octobre, on avait rationné la viande. En décembre, il ne
restait pas une bête des grands troupeaux de bœufs et
de moutons lâchés au travers du Bois de Boulogne, dans
la poussière de leur piétinement continu, et l'on s'était
mis à abattre les chevaux. Les provisions, plus tard les
réquisitions de farine et de blé devaient donner quatre
mois de pain. Quand les farines s'étaient épuisées, il avait
fallu construire des moulins dans les gares. Le combus-
tible aussi manquait, on le réservait pour moudre les
grains, cuire le pain, fabriquer les armes. Et Paris, sans
gaz, éclairé par de rares lampes à pétrole, Paris grelottant
sous son manteau de glace, Paris à qui on rationnait son
pain noir et sa viande de cheval, espérait quand même,
parlait de Faidherbe au Nord, de Chanzy sur la Loire,
de Bourbaki dans l'Est, comme si quelque prodige allait
les amener victorieux sous les murs. Devant les boulangeries et les boucheries, les longues queues qui attendaient, dans la neige, s'égayaient encore parfois, à la
nouvelle de grandes victoires imaginaires. Après l'abattement de chaque défaite, l'illusion tenace renaissait,
flambait plus haute, parmi cette foule hallucinée de souffrance et de faim. Sur la place du Château-d'Eau, un

soldat ayant parlé de se rendre, les passants avaient failli
le massacrer. Tandis que l'armée, à bout de courage et
sentant venir la fin, demandait la paix, la population
réclamait encore la sortie en masse, la sortie torrentielle,
le peuple entier, les femmes, les enfants eux-mêmes, se
ruant sur les Prussiens, en un fleuve débordé qui renverse
et emporte tout.

Et Maurice s'isolait de ses camarades, avait une haine
grandissante contre son métier de soldat, qui le parquait
à l'abri du Mont-Valérien, oisif et inutile. Aussi faisait-il
naître les occasions, s'échappant avec plus de hâte pour
venir dans ce Paris, où était son cœur. Il ne se trouvait à
l'aise qu'au milieu de la foule, il voulait se forcer à espérer
comme elle. Souvent, il allait voir partir les ballons, qui
tous les deux jours, s'enlevaient de la gare du Nord,
emportant des pigeons voyageurs et des dépêches. Dans
le triste ciel d'hiver, les ballons montaient, disparaissaient;
et les cœurs se serraient d'angoisse, lorsque le vent les
poussait vers l'Allemagne. Beaucoup devaient s'être perdus. Lui-même avait écrit deux fois à sa sœur Henriette,
sans savoir si elle recevait ses lettres. Le souvenir de sa
sœur, le souvenir de Jean, étaient si reculés, là-bas, au
fond de ce vaste monde d'où rien n'arrivait plus, qu'il
songeait rarement à eux, comme à des affections laissées
dans une autre existence. Son être était trop plein de la
continuelle tempête d'abattement et d'exaltation où il
vivait. Puis, dès les premiers jours de janvier, ce fut une
autre colère qui le souleva, celle du bombardement des
quartiers de la rive gauche. Il avait fini par attribuer à
des raisons d'humanité les retards des Prussiens, dus
simplement à des difficultés d'installation. Maintenant
qu'un obus avait tué deux petites filles au Val-de-Grâce,
il était plein d'un mépris furieux contre ces barbares qui
assassinaient les enfants, qui menaçaient de brûler les
musées et les bibliothèques. D'ailleurs, après les premiers
jours d'effroi, Paris reprenait sous les bombes sa vie
d'héroïque entêtement.

Depuis l'échec de Champigny, il n'y avait plus eu
qu'une nouvelle tentative malheureuse, du côté du Bourget; et, le soir où, sous le feu des grosses pièces battant les
forts, le plateau d'Avron dut être évacué, Maurice partagea
l'irritation dont la violence gagna toute la ville. Le
souffle d'impopularité croissante qui menaçait d'emporter
le général Trochu et le gouvernement de la Défense
nationale, en fut accru, au point de les forcer à tenter un

suprême et inutile effort. Pourquoi refusaient-ils de
mener au feu les trois cent mille gardes nationaux, qui ne
cessaient de s'offrir, de réclamer leur part au danger ?
C'était la sortie torrentielle qu'on exigeait depuis le premier jour, Paris rompant ses digues, noyant les Prussiens sous le flot colossal de son peuple. Il fallut bien
céder à ce vœu de bravoure, malgré la certitude d'une
nouvelle défaite; mais, pour restreindre le massacre,
on se contenta d'employer, avec l'armée active, les cin-
quante-neuf bataillons de la garde nationale mobilisée.
Et, la veille du 19 janvier, ce fut comme une fête : une
foule énorme, sur les boulevards et dans les Champs-Elysées, regarda défiler les régiments, qui, musique en tête,
chantaient des chants patriotiques. Des enfants, des
femmes les accompagnaient, des hommes montaient sur
les bancs pour leur crier des souhaits enflammés de victoire. Puis, le lendemain, la population entière se porta
vers l'Arc de triomphe, une folie d'espoir l'envahit,
lorsque, le matin, arriva la nouvelle de l'occupation de
Montretout. Des récits épiques couraient sur l'élan irrésistible de la garde nationale, les Prussiens étaient cul-
butés, Versailles allait être pris avant le soir. Aussi quel
effondrement, à la nuit tombante, quand l'échec inévitable fut connu! Tandis que la colonne de gauche occupait Montretout, celle du centre, qui avait franchi le mur
du parc de Buzenval, se brisait contre un second mur
intérieur. Le dégel était venu, une petite pluie persistante
avait détrempé les routes, et les canons, ces canons fondus à l'aide de souscriptions, dans lesquels Paris avait
mis de son âme, ne purent arriver. A droite, la colonne
du général Ducrot, engagée trop tard, restait en arrière.
On était au bout de l'effort, le général Trochu dut donner
l'ordre d'une retraite générale. On abandonna Montretout, on abandonna Saint-Cloud, que les Prussiens incen-
dièrent. Et, dès que la nuit fut noire, il n'y eut plus, à
l'horizon de Paris, que cet incendie immense.

Cette fois, Maurice lui-même sentit que c'était la fin.
Durant quatre heures, sous le terrible feu des retranche-
ments prussiens, il était resté dans le parc de Buzenval,
avec des gardes nationaux; et, les jours suivants, quand il
fut rentré, il exalta leur courage. La garde nationale
s'était en effet bravement conduite. Dès lors, la défaite
ne venait-elle pas forcément de l'imbécillité et de la trahison des chefs ? Rue de Rivoli, il rencontra des attroupements qui criaient : « A bas Trochu! vive la Commune! »

C'était le réveil de la passion révolutionnaire, une nouvelle poussée d'opinion, si inquiétante, que le gouvernement de la Défense nationale, pour ne pas être emporté,
crut devoir forcer le général Trochu à se démettre, et le
remplaça par le général Vinoy. Ce jour même, dans une
réunion publique de Belleville, où il était entré, Maurice
entendit réclamer de nouveau l'attaque en masse. L'idée
était folle, il le savait, et son cœur battit pourtant, devant
cette obstination à vaincre. Quand tout est fini, ne reste-
t-il pas à tenter le miracle ? La nuit entière, il rêva de
prodiges.

Huit longs jours encore s'écoulèrent. Paris agonisait,
sans une plainte. Les boutiques ne s'ouvraient plus, les
rares passants ne rencontraient plus de voitures, dans les
rues désertes. On avait mangé quarante mille chevaux, on
en était arrivé à payer très cher les chiens, les chats et
les rats. Depuis que le blé manquait, le pain, fait de riz
et d'avoine, était un pain noir, visqueux, d'une digestion
difficile ; et, pour en obtenir les trois cents grammes du
rationnement, les queues interminables, devant les boulangeries, devenaient mortelles. Ah ! ces douloureuses
stations du siège, ces pauvres femmes grelottantes sous
les averses, les pieds dans la boue glacée, toute la misère
héroïque de la grande ville, qui ne voulait pas se rendre !
La mortalité avait triplé, les théâtres étaient transformés
en ambulances. Dès la nuit, les anciens quartiers luxueux
tombaient à une paix morne, à des ténèbres profondes,
pareils à des faubourgs de cité maudite, ravagée par la
peste. Et, dans ce silence, dans cette obscurité on n'entendait que le fracas continu du bombardement, on ne
voyait que les éclairs des canons, qui embrasaient le ciel
d'hiver.

Tout d'un coup, le 29 janvier, Paris sut que, depuis
l'avant-veille, Jules Favre traitait avec M. de Bismarck,
pour obtenir un armistice ; et, en même temps, il apprenait qu'il n'y avait plus que dix jours de pain, à peine le
temps de ravitailler la ville. C'était la capitulation brutale
qui s'imposait. Paris, morne, dans la stupeur de la vérité
qu'on lui disait enfin, laissa faire. Ce même jour, à
minuit, le dernier coup de canon fut tiré. Puis, le 29,
lorsque les Allemands eurent occupé les forts, Maurice
revint camper, avec le 115e, du côté de Montrouge, en
dedans des fortifications. Et alors commença pour lui une
existence vague, pleine de paresse et de fièvre. La discipline s'était fort relâchée, les soldats se débandaient,

attendaient en flânant d'être renvoyés chez eux. Mais lui
restait éperdu, d'une nervosité ombrageuse, d'une inquiétude qui se tournait en exaspération, au moindre heurt.
Il lisait avidement les journaux révolutionnaires, et cet
armistice de trois semaines, uniquement conclu pour
permettre à la France de nommer une Assemblée qui
déciderait de la paix, lui semblait un piège, une trahison
dernière. Même si Paris se trouvait forcé de capituler, il
était, avec Gambetta, pour la continuation de la guerre
sur la Loire et dans le Nord. Le désastre de l'armée de
l'Est, oubliée, forcée de passer en Suisse, l'enragea.
Ensuite, ce furent les élections qui achevèrent de l'affoler :
c'était bien ce qu'il avait prévu, la province poltronne,
irritée de la résistance de Paris, voulant la paix quand
même, ramenant la monarchie, sous les canons encore
braqués des Prussiens. Après les premières séances de
Bordeaux, Thiers, élu dans vingt-six départements,
acclamé chef du pouvoir exécutif, devint à ses yeux le
monstre, l'homme de tous les mensonges et de tous les
crimes. Et il ne décoléra plus, cette paix conclue par une
Assemblée monarchique lui paraissait le comble de la
honte, il délirait à la seule idée des dures conditions,
l'indemnité des cinq milliards, Metz livrée, l'Alsace abandonnée, l'or et le sang de la France coulant par cette plaie,
ouverte à son flanc, inguérissable.

Alors, dans les derniers jours de février, Maurice se
décida à déserter. Un article du traité disait que les soldats campés à Paris seraient désarmés et renvoyés chez
eux. Il n'attendit pas, il lui semblait que son cœur serait
arraché, s'il quittait le pavé de ce Paris glorieux, que la
faim seule avait pu réduire; et il disparut, il loua, rue
des Orties, en haut de la butte des Moulins, dans une
maison à six étages, une étroite chambre meublée, une
sorte de belvédère, d'où l'on voyait la mer sans bornes
des toitures, depuis les Tuileries jusqu'à la Bastille. Un
ancien camarade de la Faculté de droit lui avait prêté
cent francs. D'ailleurs, dès qu'il fut installé, il se fit ins-
crire dans un bataillon de la garde nationale, et les
trente sous de la paye devaient lui suffire. La pensée d'une
existence tranquille, égoïste, en province, lui faisait horreur. Même les lettres qu'il recevait de sa sœur Henriette, à laquelle il avait écrit, dès le lendemain de l'armistice, le fâchaient, avec leurs supplications, leur désir
ardent de le voir venir se reposer à Remilly. Il refusait, il
irait plus tard, lorsque les Prussiens ne seraient plus là.

Et la vie de Maurice vagabonda, oisive, dans une fièvre grandissante. Il ne souffrait plus de la faim, il avait dévoré le premier pain blanc avec délices. Paris, alcoolisé, où n'avait manqué ni l'eau-de-vie ni le vin, vivait grassement à cette heure, tombait à une ivrognerie continue. Mais c'était la prison toujours, les portes gardées par les Allemands, une complication de formalités qui empêchait de sortir. La vie sociale n'avait pas repris, aucun travail, aucune affaire encore ; et il y avait là tout un peuple dans l'attente, ne faisant rien, finissant de se détraquer, au clair soleil du printemps naissant. Pendant le siège, au moins, le service militaire fatiguait les membres, occupait la tête ; tandis que, maintenant, la population avait glissé d'un coup à une vie d'absolue paresse, dans l'isolement où elle demeurait du monde entier. Lui, comme les autres, flânait du matin au soir, respirait l'air vicié par tous les germes de folie qui, depuis des mois, montaient de la foule. La liberté illimitée, dont on jouissait, achevait de tout détruire. Il lisait les journaux, fréquentait les réunions publiques, haussait parfois les épaules aux âneries trop fortes, rentrait quand même le cerveau hanté de violences, prêt aux actes désespérés, pour la défense de ce qu'il croyait être la vérité et la justice. Et, de sa petite chambre, d'où il dominait la ville, il faisait encore des rêves de victoire, il se disait qu'on pouvait sauver la France, sauver la République, tant que la paix ne serait pas signée.

Le 1er mars, les Prussiens devaient entrer dans Paris, et un long cri d'exécration et de colère sortait de tous les cœurs. Maurice n'assistait plus à une réunion publique, sans entendre accuser l'Assemblée, Thiers, les hommes du 4 septembre, de cette honte suprême, qu'ils n'avaient pas voulu épargner à la grande ville héroïque. Lui-même, un soir, s'emporta jusqu'à prendre la parole, pour crier que Paris entier devait aller mourir aux remparts, plutôt que de laisser pénétrer un seul Prussien. Dans cette population, détraquée par des mois d'angoisse et de famine, tombée désormais à une oisiveté pleine de cauchemars, ravagée de soupçons, devant les fantômes qu'elle se créait, l'insurrection poussait ainsi naturellement, s'organisait au plein jour. C'était une de ces crises morales, qu'on a pu observer à la suite de tous les grands sièges, l'excès du patriotisme déçu, qui, après avoir vainement enflammé les âmes, se change en un aveugle besoin de vengeance et de destruction. Le Comité central, que les

délégués de la garde nationale avaient élu, venait de protester contre toute tentative de désarmement. Une grande
manifestation se produisit, sur la place de la Bastille, des
drapeaux rouges, des discours de flamme, un concours
immense de foule, le meurtre d'un misérable agent de
police, lié sur une planche, jeté dans le canal, achevé à
coups de pierre. Et, deux jours plus tard, dans la nuit du
26 février, Maurice, réveillé par le rappel et le tocsin, vit
passer sur le boulevard des Batignolles des bandes
d'hommes et de femmes qui traînaient des canons, s'attela
lui-même à une pièce avec vingt autres, en entendant dire
que le peuple était allé prendre ces canons, place Wagram,
pour que l'Assemblée ne les livrât pas aux Prussiens. Il y
en avait cent soixante-dix, les attelages manquaient, le
peuple les tira avec des cordes, les poussa avec les poings,
les monta jusqu'au sommet de Montmartre, dans un élan
farouche de horde barbare qui sauve ses dieux. Lorsque,
le 1er mars, les Prussiens durent se contenter d'occuper
pendant un jour le quartier des Champs-Elysées, parqués
dans les barrières, ainsi qu'un troupeau de vainqueurs
inquiets, Paris lugubre ne bougea pas, les rues désertes,
les maisons closes, la ville entière morte, voilée de l'immense crêpe de son deuil.

Deux autres semaines se passèrent, Maurice ne savait
plus comment coulait sa vie, dans l'attente de cette chose
indéfinie et monstrueuse qu'il sentait venir. La paix était
définitivement conclue, l'Assemblée devait s'installer à
Versailles le 20 mars; et, pour lui, rien n'était fini pourtant, quelque revanche effroyable allait commencer. Le
18 mars, comme il se levait, il reçut une lettre d'Henriette, où elle le suppliait encore de la rejoindre à
Remilly, en le menaçant tendrement de se mettre en
route elle-même, s'il tardait trop à lui faire cette grande
joie. Elle lui parlait ensuite de Jean, elle lui contait comment, après l'avoir quittée dès la fin de décembre pour
rejoindre l'armée du Nord, il était tombé malade d'une
mauvaise fièvre, dans un hôpital de Belgique; et, la
semaine précédente, il venait seulement de lui écrire que,
malgré son état de faiblesse, il partait pour Paris, où il
était résolu à reprendre du service. Henriette terminait
en priant son frère de lui donner des nouvelles bien
exactes sur Jean, dès qu'il l'aurait vu. Alors, Maurice,
cette lettre ouverte sous les yeux, fut envahi d'une rêverie
tendre. Henriette, Jean, sa sœur tant aimée, son frère de
misère et de pitié, mon Dieu! que ces êtres chers étaient

loin de ses pensées de chaque heure, depuis que la tempête habitait en lui! Cependant, comme sa sœur l'avertissait qu'elle n'avait pu donner à Jean l'adresse de la rue des Orties, il se promit de le chercher, ce jour-là, en allant voir aux bureaux militaires. Mais il était à peine descendu, il traversait la rue Saint-Honoré, lorsque deux camarades de son bataillon lui apprirent les événements de la nuit et de la matinée, à Montmartre. Et tous les trois prirent le pas de course, la tête perdue.

Ah! cette journée du 18 mars, de quelle exaltation décisive elle souleva Maurice! Plus tard, il ne put se souvenir nettement de ce qu'il avait dit, de ce qu'il avait fait. D'abord, il se revoyait galopant, furieux de la surprise militaire qu'on avait tentée avant le jour, pour désarmer Paris, en reprenant les canons de Montmartre. Depuis deux jours, Thiers, arrivé de Bordeaux, méditait évidemment ce coup de force, afin que l'Assemblée pût sans crainte proclamer la monarchie, à Versailles. Puis, il se revoyait, à Montmartre même, vers neuf heures, enflammé par les récits de victoire qu'on lui faisait, l'arrivée furtive de la troupe, l'heureux retard des attelages qui avait permis aux gardes nationaux de prendre les armes, les soldats n'osant tirer sur les femmes et les enfants, mettant la crosse en l'air, fraternisant avec le peuple. Puis, il se revoyait courant Paris, comprenant dès midi que Paris appartenait à la Commune, sans même qu'il y eût de bataille : Thiers et les ministres en fuite du ministère des Affaires étrangères où ils s'étaient réunis, tout le gouvernement en déroute sur Versailles, les trente mille hommes de troupes emmenés à la hâte, laissant plus de cinq mille des leurs, au travers des rues. Puis, vers cinq heures et demie, à un angle du boulevard extérieur, il se revoyait au milieu d'un groupe de forcenés, écoutant sans indignation le récit abominable du meurtre des généraux Lecomte et Clément Thomas. Ah! des généraux! il se rappelait ceux de Sedan, des jouisseurs et des incapables! un de plus, un de moins, ça n'importait guère! Et le reste de la journée s'achevait dans la même exaltation, qui déformait pour lui toutes choses, une insurrection que les pavés eux-mêmes semblaient avoir voulue, grandie et d'un coup maîtresse dans la fatalité imprévue de son triomphe, livrant enfin à dix heures du soir l'Hôtel de Ville aux membres du Comité central, étonnés d'y être.

Mais un souvenir, pourtant, restait très net dans la

mémoire de Maurice : sa rencontre brusque avec Jean.
Depuis trois jours, ce dernier se trouvait à Paris, où il
était arrivé sans un sou, hâve encore, épuisé par la fièvre
de deux mois qui l'avait retenu au fond d'un hôpital de
Bruxelles ; et, tout de suite, ayant retrouvé un ancien
capitaine du 106ᵉ, le capitaine Ravaud, il s'était fait
engager dans la nouvelle compagnie du 124ᵉ, que celui-ci
commandait. Il y avait repris ses galons de caporal, il
venait, ce soir-là, de quitter justement la caserne du
Prince-Eugène le dernier, avec son escouade, pour
gagner la rive gauche, où toute l'armée avait reçu l'ordre
de se concentrer, lorsque, sur le boulevard Saint-Martin,
un flot de foule arrêta ses hommes. On criait, on parlait
de les désarmer. Très calme, il répondait qu'on lui fichât
la paix, que tout ça ne le regardait pas, qu'il voulait simplement obéir à sa consigne, sans faire de mal à personne.
Mais il y eut un cri de surprise, Maurice qui s'était approché, se jetait à son cou, l'embrassait fraternellement.

— Comment, c'est toi !... Ma sœur m'a écrit. Moi qui
voulais, ce matin, aller te demander aux bureaux de la
guerre !

De grosses larmes de joie avaient troublé les yeux de
Jean.

— Ah ! mon pauvre petit, que je suis content de te
revoir !... Moi aussi, je t'ai cherché ; mais où aller te prendre
dans cette grande gueuse de ville ?

La foule grondait toujours, et Maurice se retourna.

— Citoyens, laissez-moi donc leur parler ! Ce sont de
braves gens, je réponds d'eux.

Il prit les deux mains de son ami, et à voix plus basse :

— N'est-ce pas, tu restes avec nous ?

Le visage de Jean exprima une surprise profonde.

— Avec vous, comment ça ?

Puis, un instant, il l'écouta s'irriter contre le gouvernement, contre l'armée, rappeler tout ce qu'on avait
souffert, expliquer qu'on allait enfin être les maîtres,
punir les incapables et les lâches, sauver la République.
Et, à mesure qu'il s'efforçait de le comprendre, sa calme
figure de paysan illettré s'assombrissait d'un chagrin
croissant.

— Ah ! non, non ! mon petit, je ne reste pas, si c'est
pour cette belle besogne... Mon capitaine m'a dit d'aller
à Vaugirard, avec mes hommes, et j'y vais. Quand le tonnerre de Dieu y serait, j'irais tout de même. C'est naturel,
tu dois sentir ça.

Il s'était mis à rire, plein de simplicité. Il ajouta :

— C'est toi qui vas venir avec nous.

Mais, d'un geste de furieuse révolte, Maurice lui avait
lâché les mains. Et tous deux restèrent quelques secondes
face à face, l'un dans l'exaspération du coup de démence
qui emportait Paris entier, ce mal venu de loin, des fer-
ments mauvais du dernier règne, l'autre fort de son bon
sens et de son ignorance, sain encore d'avoir poussé à
part, dans la terre du travail et de l'épargne. Tous les
deux étaient frères pourtant, un lien solide les attachait,
et ce fut un arrachement, lorsque, soudain, une bousculade qui se produisit, les sépara.

— Au revoir, Maurice !

— Au revoir, Jean !

C'était un régiment, le 79ᵉ, dont la masse compacte,
débouchant d'une rue voisine, venait de rejeter la foule
sur les trottoirs. Il y eut de nouveaux cris, mais on n'osa
barrer la chaussée aux soldats, que les officiers, entraî-
naient. Et la petite escouade du 124ᵉ, ainsi dégagée, put
suivre, sans être retenue davantage.

— Au revoir, Jean !

— Au revoir, Maurice !

De la main, ils se saluaient encore, cédant à la fatalité
violente de cette séparation, restant quand même le cœur
plein l'un de l'autre.

Les jours suivants, Maurice oublia d'abord, au milieu
des événements extraordinaires qui se précipitaient. Le 19,
Paris s'était réveillé sans gouvernement, plus surpris
qu'effrayé d'apprendre le coup de panique qui venait
d'emporter à Versailles, pendant la nuit, l'armée, les services publics, les ministres ; et, comme le temps était
superbe, par ce beau dimanche de mars, Paris descendit
tranquillement dans les rues regarder les barricades. Une
grande affiche blanche du Comité central, convoquant le
peuple pour des élections communales, semblait très
sage. On s'étonnait simplement de la voir signée par des
noms profondément inconnus. A cette aube de la Commune, Paris était contre Versailles, dans la rancune de
ce qu'il avait souffert et dans les soupçons qui le hantaient. C'était, d'ailleurs, l'anarchie absolue, la lutte des
maires et du Comité central, les inutiles efforts de conciliation tentés par les premiers, tandis que l'autre, peu
sûr encore d'avoir pour lui toute la garde nationale fédé-
rée, continuait à ne revendiquer modestement que les
libertés municipales. Les coups de feu tirés contre la

manifestation pacifique de la place Vendôme, les quelques victimes dont le sang avait rougi le pavé, jetèrent, au travers de la ville, le premier frisson de terreur. Et, pendant que l'insurrection triomphante s'emparait définitivement de tous les ministères et de toutes les administrations publiques, la colère et la peur étaient grandes a Versailles, le gouvernement se pressait de réunir des forces militaires suffisantes, pour repousser une attaque qu'il sentait prochaine. Les meilleures troupes des armées du Nord et de la Loire étaient appelées en hâte, une dizaine de jours avaient suffi pour réunir près de quatre-vingt mille hommes, et la confiance revenait si rapide, que, dès le 2 avril, deux divisions, ouvrant les hostilités, enlevèrent aux fédérés Puteaux et Courbevoie.

Ce fut le lendemain seulement que Maurice, parti avec son bataillon à la conquête de Versailles, revit se dresser, dans la fièvre de ses souvenirs, la figure triste de Jean, lui criant au revoir. L'attaque des Versaillais avait stupéfié et indigné la garde nationale. Trois colonnes, une cinquantaine de mille hommes, s'étaient rués dès le matin, par Bougival et par Meudon, pour s'emparer de l'Assemblée monarchiste et de Thiers l'assassin. C'était la sortie torrentielle, si ardemment exigée pendant le siège, et Maurice se demandait où il allait revoir Jean, si ce n'était pas là-bas, parmi les morts du champ de bataille. Mais la déroute fut trop prompte, son bataillon atteignait à peine le plateau des Bergères, sur la route de Rueil, lorsque, tout d'un coup, des obus, lancés du Mont-Valérien, tombèrent dans les rangs. Il y eut une stupeur, les uns croyaient que le fort était occupé par des camarades, les autres racontaient que le commandant avait pris l'engagement de ne pas tirer. Et une terreur folle s'empara des hommes, les bataillons se débandèrent, rentrèrent au galop dans Paris, tandis que la tête de la colonne, prise par un mouvement tournant du général Vinoy, allait se faire massacrer dans Rueil.

Alors, Maurice, échappé à la tuerie, tout frémissant de s'être battu, n'avait plus eu que de la haine contre ce prétendu gouvernement d'ordre et de légalité, qui, écrasé à chaque rencontre par les Prussiens, retrouvait seulement du courage pour vaincre Paris. Et les armées allemandes étaient encore là, de Saint-Denis à Charenton, assistant à ce beau spectacle de l'effondrement d'un peuple! Aussi, dans la crise sombre de destruction qui l'envahissait, approuva-t-il les premières mesures violentes, la construction de barricades barrant les rues et les places, l'arrestation des otages, l'archevêque, des prêtres, d'anciens fonctionnaires. Déjà, de part et d'autre, les atrocités commençaient : Versailles fusillait les prisonniers, Paris décrétait que, pour la tête d'un de ses combattants, il ferait tomber trois têtes d'otages ; et le peu de raison qui restait à Maurice, après tant de secousses et de ruines, s'en allait au vent de fureur soufflant de partout. La Commune lui apparaissait comme une vengeresse des hontes endurées, comme une libératrice apportant le fer qui ampute, le feu qui purifie. Cela n'était pas très clair dans son esprit, le lettré en lui évoquait simplement des souvenirs classiques, des villes libres et triomphantes, des fédérations de riches provinces imposant leur loi au monde. Si Paris l'emportait, il le voyait, dans une gloire, reconstituant une France de justice et de liberté, réorganisant une société nouvelle, après avoir balayé les débris pourris de l'ancienne. A la vérité, après les élections, les noms des membres de la Commune l'avaient un peu surpris par l'extraordinaire mélange de modérés, de révolutionnaires, de socialistes de toutes sectes, à qui la grande œuvre se trouvait confiée. Il connaissait plusieurs de ces hommes, il les jugeait d'une grande médiocrité. Les meilleurs n'allaient-ils pas se heurter, s'annihiler, dans la confusion des idées qu'ils représentaient ? Mais, le jour où la Commune fut solennellement constituée, sur la place de l'Hôtel-de-Ville, pendant que le canon tonnait et que les trophées de drapeaux rouges claquaient au vent, il avait voulu tout oublier, soulevé de nouveau par un espoir sans bornes. Et l'illusion recommençait, dans la crise aiguë du mal à son paroxysme, au milieu des mensonges des uns et de la foi exaltée des autres.

Pendant tout le mois d'avril, Maurice fit le coup de feu, du côté de Neuilly. Le printemps hâtif fleurissait les lilas, on se battait au milieu de la verdure tendre des jardins ; et des gardes nationaux rentraient le soir avec des bouquets au bout de leur fusil. Maintenant, les troupes réunies à Versailles étaient si nombreuses, qu'on avait pu en former deux armées, l'une de première ligne, sous les ordres du maréchal de Mac-Mahon, l'autre de réserve, commandée par le général Vinoy. Quant à la Commune, elle avait pour elle près de cent mille gardes nationaux mobilisés et presque autant de sédentaires ; mais cinquante mille au plus se battaient réellement. Et, chaque jour, le plan d'attaque des Versaillais s'indiquait davantage : après Neuilly, ils avaient occupé le château de Bécon, puis Asnières, simplement pour resserrer la ligne de l'investissement ; car ils comptaient entrer par le Point-du-Jour, dès qu'ils pourraient y forcer le rempart, sous les feux convergents du Mont-Valérien et du fort d'Issy. Le Mont-Valérien était à eux, tous leurs efforts tendaient à s'emparer du fort d'Issy, qu'ils attaquaient, en utilisant les anciens travaux des Prussiens. Depuis le milieu d'avril, la fusillade, la canonnade ne cessaient plus. A Levallois, à Neuilly, c'était un combat incessant, un feu de tirailleurs de toutes les minutes, le jour et la nuit. De grosses pièces, montées sur des wagons blindés, évoluaient le long du chemin de fer de ceinture, tiraient sur Asnières, par-dessus Levallois. Mais à Vanves, à Issy surtout, le bombardement faisait rage, toutes les vitres de Paris en tremblaient, comme aux journées les plus rudes du siège. Et, le 9 mai, lorsque, après une première alerte, le fort d'Issy tomba définitivement aux mains de l'armée de Versailles, ce fut pour la Commune la défaite certaine, un coup de panique qui la jeta aux pires résolutions.

Maurice approuva la création d'un Comité de salut public. Des pages d'histoire lui revenaient, l'heure n'avait-elle pas sonné des mesures énergiques, si l'on voulait sauver la patrie ? De toutes les violences, une seule lui avait serré le cœur d'une angoisse secrète, le renversement de la colonne Vendôme ; et il s'accusait de cela comme d'une faiblesse d'enfant, il entendait toujours son grand-père lui raconter Marengo, Austerlitz, Iéna, Eylau, Friedland, Wagram, la Moskowa, des récits épiques dont il frémissait encore. Mais que l'on rasât la maison de Thiers l'assassin, que l'on gardât les otages comme une garantie et une menace, est-ce que cela n'était pas de justes représailles, dans cette rage grandissante de Versailles contre Paris, qu'il bombardait, où les obus crevaient les toits, tuaient des femmes ? Le sombre besoin de destruction montait en lui, à mesure que la fin de son rêve approchait. Si l'idée justicière et vengeresse devait être écrasée dans le sang, que s'entrouvrît donc la terre, transformée au milieu d'un de ces bouleversements cosmiques, qui ont renouvelé la vie ! Que Paris s'effondrât, qu'il brûlât comme un immense bûcher d'holocauste, plutôt que d'être rendu à ses vices et à ses misères, à cette vieille société gâtée d'abominable injustice ! Et il

faisait un autre grand rêve noir, la ville géante en cendre,
plus rien que des tisons fumants sur les deux rives, la
plaie guérie par le feu, une catastrophe sans nom, sans
exemple, d'où sortirait un peuple nouveau. Aussi s'en-
fiévrait-il davantage aux récits qui couraient : les quartiers minés, les catacombes bourrées de poudre, tous les
monuments prêts à sauter, des fils électriques réunissant
les fourneaux pour qu'une seule étincelle les allumât tous
d'un coup, des provisions considérables de matières
inflammables, surtout du pétrole, de quoi changer les
rues et les places en torrents, en mers de flammes. La
Commune l'avait juré, si les Versaillais entraient, pas
un n'irait au-delà des barricades qui fermaient les carrefours, les pavés s'ouvriraient, les édifices crouleraient,
Paris flamberait et engloutirait un monde.

Et, lorsque Maurice se jeta à ce rêve fou, ce fut par
un sourd mécontentement contre la Commune elle-même.
Il désespérait des hommes, il la sentait incapable, tiraillée par trop d'éléments contraires, s'exaspérant, devenant
incohérente et imbécile, à mesure qu'elle était menacée
davantage. De toutes les réformes sociales qu'elle avait
promises, elle n'avait pu en réaliser une seule, et il était
déjà certain qu'elle ne laisserait derrière elle aucune
œuvre durable. Mais son grand mal surtout venait des
rivalités qui la déchiraient, du soupçon rongeur dans
lequel vivait chacun de ses membres. Beaucoup déjà, les
modérés, les inquiets, n'assistaient plus aux séances. Les
autres agissaient sous le fouet des événements, tremblaient devant une dictature possible, en étaient à l'heure
où les groupes des Assemblées révolutionnaires s'exter-
minent entre eux, pour sauver la patrie. Après Cluseret,
après Dombrowski, Rossel allait devenir suspect. Delescluze, nommé délégué civil à la Guerre, ne pouvait rien
lui-même, malgré sa grande autorité. Et le grand effort
social entrevu s'éparpillait, avortait ainsi, dans l'isolement qui s'élargissait d'heure en heure autour de ces
hommes frappés d'impuissance, réduits aux coups de
désespoir.

Dans Paris, la terreur montait. Paris, irrité d'abord
contre Versailles, frissonnant des souffrances du siège,
se détachait maintenant de la Commune. L'enrôlement
forcé, le décret qui incorporait tous les hommes au-dessous de quarante ans, avait irrité les gens calmes et déterminé une fuite en masse : on s'en allait, par Saint-Denis,
sous des déguisements, avec de faux papiers alsaciens,

on descendait dans le fossé des fortifications, à l'aide de cordes et d'échelles, pendant les nuits noires. Depuis longtemps, les bourgeois riches étaient partis. Aucune fabrique, aucune usine n'avait rouvert ses portes. Pas de commerce, pas de travail, l'existence d'oisiveté continuait, dans l'attente anxieuse de l'inévitable dénouement. Et le peuple ne vivait toujours que de la solde des gardes nationaux, ces trente sous que payaient maintenant les millions réquisitionnés à la Banque, les trente sous pour lesquels beaucoup se battaient, une des causes au fond et la raison d'être de l'émeute. Des quartiers entiers s'étaient vidés, les boutiques closes, les façades mortes. Sous le grand soleil de l'admirable mois de mai, dans les rues désertes, on ne rencontrait plus que la pompe farouche des enterrements de fédérés, tués à l'ennemi, des convois sans prêtres, des corbillards couverts de drapeaux rouges, suivis de foules portant des bouquets d'immortelles. Les églises, fermées, se transformaient chaque soir en salles de club. Les seuls journaux révolutionnaires paraissaient, on avait supprimé tous les autres. C'était Paris détruit, ce grand et malheureux Paris qui gardait, contre l'Assemblée, sa répulsion de capitale républicaine, et chez lequel grandissait à présent la terreur de la Commune, l'impatience d'en être délivré, au milieu des effrayantes histoires qui couraient, des arrestations quotidiennes d'otages, de tonneaux de poudre descendus dans les égouts, où, disait-on, veillaient des hommes avec des torches, attendant un signal.

Maurice, alors, qui n'avait jamais bu, se trouva pris et comme noyé, dans le coup d'ivresse générale. Il lui arrivait, maintenant, lorsqu'il était de service à quelque poste avancé, ou bien lorsqu'il passait la nuit au corps de garde, d'accepter un petit verre de cognac. S'il en prenait un second, il s'exaltait, parmi les souffles d'alcool qui lui passaient sur la face. C'était l'épidémie envahissante, la soûlerie chronique, léguée par le premier siège, aggravée par le second, cette population sans pain, ayant de l'eau-de-vie et du vin à pleins tonneaux, et qui s'était saturée, délirante désormais à la moindre goutte. Pour la première fois de sa vie, le 21 mai, un dimanche, Maurice rentra ivre, vers le soir, rue des Orties, où il couchait de temps à autre. Il avait passé la journée à Neuilly encore, faisant le coup de feu, buvant avec les camarades, dans l'espoir de combattre l'immense fatigue qui l'accablait. Puis, la tête perdue, à bout de force, il était venu se jeter sur le

lit de sa petite chambre, ramené par l'instinct, car jamais
il ne se rappela comment il était rentré. Et, le lendemain
seulement, le soleil était déjà haut, lorsque des bruits de
tocsins, de tambours et de clairons le réveillèrent. La
veille, au Point-du-Jour, les Versaillais, trouvant une
porte abandonnée, étaient entrés librement dans Paris.

Dès qu'il fut descendu, habillé à la hâte, le fusil en
bandoulière, un groupe effaré de camarades, rencontré à
la mairie de l'arrondissement, lui conta les faits de la
soirée et de la nuit, au milieu d'une confusion telle, qu'il
lui fut d'abord difficile de comprendre. Depuis dix jours
que le fort d'Issy et la grande batterie de Montretout,
aidés par le Mont-Valérien, battaient le rempart, la porte
de Saint-Cloud était devenue intenable; et l'assaut allait
être donné le lendemain, lorsqu'un passant, vers cinq
heures, voyant que personne ne gardait plus la porte,
avait simplement appelé du geste les gardes de tranchée,
qui se trouvaient à peine à cinquante mètres. Sans attendre, deux compagnies du 37e de ligne étaient entrées.
Puis, derrière elles, tout le 4e corps, commandé par le
général Douay, avait suivi. Pendant la nuit entière, des
troupes avaient coulé, d'un flot ininterrompu. A sept
heures, la division Vergé descendait vers le pont de Grenelle et poussait jusqu'au Trocadéro. A neuf heures, le
général Clinchamp prenait Passy et la Muette. A trois
heures du matin, le 1er corps campait dans le Bois de
Boulogne; tandis que, vers le même moment, la division
Bruat passait la Seine, pour enlever la porte de Sèvres et
faciliter l'entrée du 2e corps, qui, sous les ordres du général de Cissey, devait occuper le quartier de Grenelle, une
heure plus tard. C'était ainsi que, le 22 au matin, l'armée
de Versailles était maîtresse du Trocadéro et de la
Muette, sur la rive droite, de Grenelle, sur la rive gauche;
et cela, au milieu de la stupeur, de la colère et du désarroi
de la Commune, criant déjà à la trahison, éperdue à l'idée
de l'écrasement inévitable.

Ce fut le premier sentiment de Maurice, quand il eut
compris : la fin était venue, il n'y avait qu'à se faire tuer.
Mais le tocsin sonnait à la volée, les tambours battaient
plus fort, des femmes et jusqu'à des enfants travaillaient
aux barricades, les rues s'emplissaient de la fièvre des
bataillons, réunis à la hâte, courant à leur poste de
combat. Et, dès midi, l'éternel espoir renaissait au cœur
des soldats exaltés de la Commune, résolus à vaincre, en
constatant que les Versaillais n'avaient presque pas bougé.

Cette armée, qu'ils avaient craint de voir aux Tuileries en
deux heures, opérait avec une prudence extraordinaire,
instruite par ses défaites, exagérant la tactique que les
Prussiens lui avaient si durement apprise. A l'Hôtel de
Ville, le Comité de salut public et Delescluze, délégué à
la Guerre, organisaient, dirigeaient la défense. On racontait qu'ils avaient repoussé dédaigneusement une
suprême tentative de conciliation. Cela enflammait les
courages, le triomphe de Paris redevenait certain, de
toutes parts la résistance allait être farouche, comme
l'attaque devait être implacable, dans la haine grossie
de mensonges et d'atrocités, qui brûlait au cœur des deux
armées. Et, cette journée, Maurice la passa du côté du
Champ de Mars et des Invalides, à se replier lentement,
de rue en rue, en lâchant des coups de feu. Il n'avait pu
retrouver son bataillon, il se battait avec des camarades
inconnus, emmené par eux sur la rive gauche, sans même
y avoir pris garde. Vers quatre heures, ils défendirent
une barricade qui fermait la rue de l'Université, à sa sortie
sur l'Esplanade ; et ils ne l'abandonnèrent qu'au crépuscule, lorsqu'ils surent que la division Bruat, filant le long
du quai, s'était emparée du Corps législatif. Ils avaient
failli être pris, ils gagnèrent la rue de Lille à grand-peine,
grâce à un large détour par la rue Saint-Dominique et la
rue de Bellechasse. Quand la nuit tomba, l'armée de Versailles occupait une ligne qui partait de la porte de Vanves,
passait par le Corps législatif, le palais de l'Elysée, l'église
Saint-Augustin, la gare Saint-Lazare, et aboutissait à la
porte d'Asnières.

Le lendemain, le 23, un mardi printanier de clair et
chaud soleil, fut pour Maurice le jour terrible. Les quelques centaines de fédérés, dont il faisait partie et où il
y avait des hommes de plusieurs bataillons, tenaient
encore tout le quartier, du quai à la rue Saint-Dominique.
Mais la plupart avaient bivouaqué rue de Lille, dans les
jardins des grands hôtels qui se trouvaient là. Lui-même
s'était endormi profondément, sur une pelouse, à côté
du palais de la Légion d'honneur. Dès le matin, il croyait
que les troupes débusqueraient du Corps législatif, pour
les refouler derrière les fortes barricades de la rue du Bac.
Les heures pourtant se passèrent, sans que l'attaque se
produisît. On n'échangeait toujours que des balles perdues, d'un bout des rues à l'autre. C'était le plan de Versailles qui se développait avec une lenteur prudente, la
résolution bien arrêtée de ne pas se heurter de front à la

formidable forteresse que les insurgés avaient faite de la
terrasse des Tuileries, l'adoption d'un double cheminement, à gauche et à droite, le long des remparts, de
manière à s'emparer d'abord de Montmartre et de l'Observatoire, pour se rabattre ensuite et prendre tous les
quartiers du centre dans un immense coup de filet. Vers
deux heures, Maurice entendit raconter que le drapeau
tricolore flottait sur Montmartre : attaquée par trois corps
d'armée à la fois, qui avaient lancé leurs bataillons sur la
butte, au nord et à l'ouest, par les rues Lepic, des Saules et
du Mont-Cenis, la grande batterie du Moulin de la
Galette venait d'être prise ; et les vainqueurs refluaient sur
Paris, emportaient la place Saint-Georges, Notre-Dame
de Lorette, la mairie de la rue Drouot, le nouvel Opéra ;
pendant que, sur la rive gauche, le mouvement de conver-
sion, parti du cimetière Montparnasse, gagnait la place
d'Enfer et le Marché aux chevaux. Une stupeur, de la rage
et de l'effroi accueillaient ces nouvelles, ces progrès si
rapides de l'armée. Eh ! quoi Montmartre enlevé en deux
heures, Montmartre, la citadelle glorieuse et imprenable
de l'insurrection ! Maurice s'aperçut bien que les rangs
s'éclaircissaient, des camarades tremblants filaient sans
bruit, allaient se laver les mains, mettre une blouse, dans
la terreur des représailles. Le bruit courait qu'on serait
tourné par la Croix-Rouge, dont l'attaque se préparait.
Déjà, les barricades des rues Martignac et de Bellechasse
étaient prises, on commençait à voir les pantalons rouges
au bout de la rue de Lille. Et il ne resta bientôt que les
convaincus, les acharnés, Maurice et une cinquantaine
d'autres, décidés à mourir, après en avoir tué le plus possible, de ces Versaillais qui traitaient les fédérés en bandits, qui fusillaient les prisonniers en arrière de la ligne
de bataille. Depuis la veille, l'exécrable haine avait grandi,
c'était l'extermination entre ces révoltés mourant pour
leur rêve et cette armée toute fumante de passions réactionnaires, exaspérée d'avoir à se battre encore.

Vers cinq heures, comme Maurice et les camarades se
repliaient décidément derrière les barricades de la rue
du Bac, descendant de porte en porte la rue de Lille, en
tirant toujours, il vit tout d'un coup une grosse fumée
noire sortir par une fenêtre ouverte du palais de la
Légion d'honneur. C'était le premier incendie allumé
dans Paris ; et, sous le coup de furieuse démence qui
l'emportait, il en eut une joie farouche. L'heure avait
sonné, que la ville entière flambât donc comme un bûcher

immense, que le feu purifiât le monde! Mais une apparition brusque l'étonna : cinq ou six hommes venaient de
sortir précipitamment du palais, ayant à leur tête un
grand gaillard, dans lequel il reconnut Chouteau, son
ancien camarade d'escouade du 106e. Il l'avait aperçu
déjà avec un képi galonné, après le 18 mars, il le retrouvait monté en grade, ayant des galons partout, attaché à
l'état-major de quelque général qui ne se battait pas.
Une histoire lui revint, qu'on lui avait contée : ce Chouteau installé au palais de la Légion d'honneur, vivant là
en compagnie d'une maîtresse dans une bombance continuelle, s'allongeant avec ses bottes au milieu des grands
lits somptueux, cassant les glaces à coups de revolver,
pour rire. Même on assurait que sa maîtresse, sous
le prétexte d'aller faire son marché au Halles, partait
chaque matin en voiture de gala, déménageant des ballots
de linge volé, des pendules et jusqu'à des meubles. Et
Maurice, à le voir courir avec ses hommes, tenant encore
à la main un bidon de pétrole, éprouva un malaise, un
doute affreux où il sentit vaciller toute sa foi. L'œuvre
terrible pouvait donc être mauvaise, qu'un tel homme
en était l'ouvrier ?

Des heures encore s'écoulèrent, il ne se battait plus
que dans la détresse, ne retrouvant en lui, debout, que
la sombre volonté de mourir. S'il s'était trompé, qu'il
payât au moins l'erreur de son sang! La barricade qui
fermait la rue de Lille, à la hauteur de la rue du Bac,
était très forte, faite de sacs et de tonneaux de terre,
précédée d'un fossé profond. Il la défendait avec une douzaine à peine d'autres fédérés, tous à demi couchés, tuant
à coup sûr chaque soldat qui se montrait. Lui, jusqu'à la
nuit tombante, ne bougea pas, épuisa ses cartouches,
silencieux, dans l'entêtement de son désespoir. Il regardait grossir les grandes fumées du palais de la Légion
d'honneur, que le vent rabattait au milieu de la rue, sans
qu'on pût encore voir les flammes, sous le jour finissant.
Un autre incendie avait éclaté dans un hôtel voisin. Et,
brusquement, un camarade vint l'avertir que les soldats,
n'osant prendre la barricade de front, étaient en train de
cheminer à travers les jardins et les maisons, trouant les
murs à coups de pioche. C'était la fin, ils pouvaient
déboucher là, d'un instant à l'autre. Et, en effet, un coup de
feu plongeant était parti d'une fenêtre, il revit Chouteau
et ses hommes qui montaient frénétiquement, à droite
et à gauche, dans les maisons d'angle, avec leur pétrole

et des torches. Une demi-heure plus tard, sous le ciel
devenu noir, tout le carrefour flambait; pendant que
lui, toujours couché derrière les tonneaux et les sacs,
profitait de l'intense clarté pour abattre les soldats impru-
dents qui se risquaient dans l'enfilade de la rue, hors
des portes.

Combien de temps Maurice tira-t-il encore ? Il n'avait
plus conscience du temps ni des lieux. Il pouvait être
neuf heures, dix heures peut-être. L'exécrable besogne
qu'il faisait l'étouffait maintenant d'une nausée, ainsi
qu'un vin immonde qui revient dans l'ivresse. Autour de
lui, les maisons en flammes commençaient à l'envelopper
d'une chaleur insupportable, d'un air brûlant d'asphyxie.
Le carrefour, avec ses tas de pavés qui le fermaient, était
devenu un camp retranché, défendu par les incendies
sous une pluie de tisons. N'étaient-ce pas les ordres ?
incendier les quartiers en abandonnant les barricades,
arrêter les troupes par une ligne dévorante de brasiers,
brûler Paris à mesure qu'on le rendrait. Et, déjà, il sentait bien que les maisons de la rue du Bac ne brûlaient
pas seules. Derrière son dos, il voyait le ciel s'embraser
d'une immense lueur rouge, il entendait un grondement
lointain, comme si toute la ville s'allumait. A droite, le
long de la Seine, d'autres incendies géants devaient
éclater. Depuis lontemps, il avait vu disparaître Chouteau, fuyant les balles. Les plus acharnés de ses camarades filaient eux-mêmes un à un, épouvantés par l'idée
d'être tournés d'un moment à l'autre. Enfin, il restait seul,
allongé entre deux sacs de terre, ne pensant qu'à tirer
toujours, lorsque les soldats, qui avaient cheminé à travers les cours et les jardins, débouchèrent par une
maison de la rue du Bac et se rabattirent.

Dans l'exaltation de cette lutte suprême, il y avait deux
grands jours que Maurice n'avait pas songé à Jean. Et
Jean non plus, depuis qu'il était entré dans Paris avec
son régiment, dont on avait renforcé la division Bruat,
ne s'était pas, une seule minute, souvenu de Maurice. La
veille, il avait fait le coup de feu au Champ de Mars et
sur l'esplanade des Invalides. Puis, ce jour-là, il n'avait
quitté la place du Palais-Bourbon que vers midi, pour
enlever les barricades du quartier, jusqu'à la rue des
Saints-Pères. Lui, si calme, s'était peu à peu exaspéré,
dans cette guerre fratricide, au milieu de camarades dont
l'ardent désir était de se reposer enfin, après tant de mois
de fatigue. Les prisonniers, qu'on ramenait d'Allemagne

et qu'on incorporait, ne dérageaient pas contre Paris ; et il y avait encore les récits des abominations de la Commune, qui le jetaient hors de lui, en blessant son respect de la propriété et son besoin d'ordre. Il était resté le fond même de la nation, le paysan sage, désireux de paix, pour qu'on recommençât à travailler, à gagner, à se refaire du sang. Mais surtout, dans cette colère grandissante, qui emportait jusqu'à ses plus tendres préoccupations, les incendies étaient venus l'affoler. Brûler les maisons, brûler les palais, parce qu'on n'était pas les plus forts, ah ça, non, par exemple ! Il n'y avait que des bandits capables d'un coup pareil. Et lui dont les exécutions sommaires, la veille, avaient serré le cœur, ne s'appartenait plus, farouche, les yeux hors de la tête, tapant, hurlant.

Violemment, Jean déboucha dans la rue du Bac, avec les quelques hommes de son escouade. D'abord, il ne vit personne, il crut que la barricade venait d'être évacuée. Puis, là-bas, entre deux sacs de terre, il aperçut un communard qui remuait, qui épaulait, tirant encore dans la rue de Lille. Et ce fut sous la poussée furieuse du destin, il courut, il cloua l'homme sur la barricade, d'un coup de baïonnette.

Maurice n'avait pas eu le temps de se retourner. Il jeta un cri, il releva la tête. Les incendies les éclairaient d'une aveuglante clarté.

— Oh ! Jean, mon vieux Jean, est-ce toi ?

Mourir, il le voulait, il en avait l'enragée impatience. Mais mourir de la main de son frère, c'était trop, cela lui gâtait la mort, en l'empoisonnant d'une abominable amertume.

— Est-ce donc toi, Jean, mon vieux Jean ?

Foudroyé, dégrisé, Jean le regardait. Ils étaient seuls, les autres soldats s'étaient déjà mis à la poursuite des fuyards. Autour d'eux, les incendies flambaient plus haut, les fenêtres vomissaient de grandes flammes rouges, tandis qu'on entendait, à l'intérieur, l'écroulement embrasé des plafonds. Et Jean s'abattit près de Maurice, sanglotant, le tâtant, tâchant de le soulever, pour voir s'il ne pourrait pas le sauver encore.

— Oh ! mon petit, mon pauvre petit !

VIII

Lorsque le train, qui arrivait de Sedan, après des retards sans nombre, finit par entrer dans la gare de Saint-Denis, vers neuf heures, une grande clarté rouge éclairait déjà le ciel, au sud, comme si tout Paris se fût embrasé. A mesure que la nuit s'était faite, cette lueur avait grandi; et, peu à peu, elle gagnait l'horizon entier, ensanglantant un vol de petits nuages qui se noyaient, vers l'est, au fond des ténèbres accrues.

Henriette, la première, sauta du wagon, inquiète de ces reflets d'incendie, que les voyageurs avaient aperçus, au travers des champs noirs, par les portières du train en marche. D'ailleurs, des soldats prussiens, qui venaient d'occuper militairement la gare, forçaient tout le monde à descendre, tandis que deux d'entre eux, sur le quai d'arrivée, criaient en un rauque français :

— Paris brûle... On ne va pas plus loin, tout le monde descend... Paris brûle, Paris brûle...

Ce fut, pour Henriette, une angoisse terrible. Mon Dieu! arrivait-elle donc trop tard ? Maurice n'ayant pas répondu à ses deux dernières lettres, elle avait éprouvé de si mortelles inquiétudes, aux nouvelles de Paris, de plus en plus alarmantes, qu'elle s'était décidée brusquement à quitter Remilly. Depuis des mois, chez l'oncle Fouchard, elle s'attristait; les troupes d'occupation, à mesure que Paris avait prolongé sa résistance, étaient devenues plus exigeantes et plus dures; et, maintenant que les régiments, un à un, rentraient en Allemagne, de continuels passages de soldats épuisaient de nouveau les campagnes et les villes. Le matin, comme elle se levait au petit jour, pour aller prendre le chemin de fer à Sedan, elle avait vu la cour de la ferme pleine d'un flot de cavaliers, qui avaient dormi là, couchés pêle-mêle, enveloppés dans leurs manteaux. Ils étaient si nombreux, qu'ils couvraient la terre. Puis, à un brusque appel de clairon, tous s'étaient dressés, silencieux, drapés à longs plis, si serrés les uns contre les autres, qu'elle avait cru assister à la résurrection d'un champ de bataille, sous l'éclat des trompettes du jugement dernier. Et elle retrouvait encore des Prussiens à Saint-Denis, et c'étaient eux qui jetaient ce cri, qui la bouleversait :

— Tout le monde descend, on ne va pas plus loin... Paris brûle, Paris brûle...

Eperdue, Henriette se précipita, avec sa petite valise, demanda des renseignements. On se battait depuis deux jours dans Paris, la ligne ferrée était coupée, les Prussiens restaient en observation. Mais elle voulait passer quand même, elle avisa sur le quai le capitaine qui commandait la compagnie occupant la gare, elle courut à lui.

— Monsieur, je vais rejoindre mon frère, dont je suis affreusement inquiète. Je vous en supplie, donnez-moi le moyen de continuer ma route.

Elle s'arrêta, surprise, en reconnaissant le capitaine, dont un bec de gaz venait d'éclairer le visage.

— C'est vous, Otto... Oh! soyez bon, puisque le hasard nous remet une fois encore face à face.

Otto Gunther, le cousin, était toujours serré correctement dans son uniforme de capitaine de la garde. Il avait son air sec de bel officier bien tenu. Et lui ne reconnaissait pas cette femme mince, l'air chétif, avec ses pâles cheveux blonds, son joli visage doux, cachés sous le crêpe de son chapeau. Ce fut seulement à la clarté brave et droite de ses yeux, qu'il finit par se souvenir. Il eut simplement un petit geste.

— Vous savez que j'ai un frère soldat, continuait ardemment Henriette. Il est resté dans Paris, j'ai peur qu'il ne se soit mêlé à toute cette horrible lutte... Je vous en supplie Otto, donnez-moi le moyen de continuer ma route.

Alors, il se décida à parler.

— Mais je vous assure que je ne puis rien... Depuis hier, les trains ne circulent plus, je crois qu'on a enlevé des rails, du côté des remparts. Et je n'ai à ma disposition ni voiture, ni cheval, ni homme pour vous conduire.

Elle le regardait, elle ne bégayait plus que des plaintes sourdes, dans son chagrin de le trouver si froid, si résolu à ne pas lui venir en aide.

— Oh! mon Dieu, vous ne voulez rien faire... Oh! mon Dieu, à qui vais-je m'adresser ?

Ces Prussiens qui étaient les maîtres tout-puissants, qui, d'un mot, auraient bouleversé la ville, réquisitionné cent voitures, fait sortir des écuries mille chevaux! Et il refusait de son air hautain de vainqueur dont la loi était de ne jamais intervenir dans les affaires des vaincus, les jugeant sans doute malpropres, salissantes pour sa gloire toute fraîche.

— Enfin, reprit Henriette, en tâchant de se calmer, vous savez au moins ce qui se passe, vous pouvez bien me le dire.

Il eut un sourire mince, à peine sensible.

— Paris brûle... Tenez! venez par ici, on voit parfaitement.

Et il marcha devant elle, il sortit de la station, alla le long des rails pendant une centaine de pas, pour atteindre une passerelle de fer, construite en travers de la voie. Quand ils eurent gravi l'étroit escalier et qu'ils se trouvèrent en haut, appuyés à la rampe, l'immense plaine rase se déroula, par-dessus un talus.

— Vous voyez, Paris brûle...

Il pouvait être neuf heures et demie. La lueur rouge, qui incendiait le ciel, grandissait toujours. A l'est, le vol de petits nuages ensanglantés s'était perdu, il ne restait au zénith qu'un tas d'encre, où se reflétaient les flammes lointaines. Maintenant, toute la ligne de l'horizon était en feu; mais, par endroits, on distinguait des foyers plus intenses, des gerbes d'un pourpre vif, dont le jaillissement continu rayait les ténèbres, au milieu de grandes fumées volantes. Et l'on aurait dit que les incendies marchaient, que quelque forêt géante s'allumait là-bas, d'arbre en arbre, que la terre elle-même allait flamber, embrasée par ce colossal bûcher de Paris.

— Tenez! expliqua Otto, c'est Montmartre, cette bosse que l'on voit se détacher en noir sur le fond rouge... A gauche, à La Villette, à Belleville, rien ne brûle encore. Le feu a dû être mis dans les beaux quartiers, et ça gagne, ça gagne... Regardez donc! à droite, voilà un autre incendie qui se déclare! On aperçoit les flammes, tout un bouillonnement de flammes, d'où monte une vapeur ardente... Et d'autres, d'autres encore, partout!

Il ne criait pas, il ne s'exaltait pas, et l'énormité de sa joie tranquille terrifiait Henriette. Ah! ces Prussiens qui voyaient ça! Elle le sentait insultant par son calme, par son demi-sourire, comme s'il avait prévu et attendu depuis longtemps ce désastre sans exemple. Enfin, Paris brûlait, Paris dont les obus allemands n'avaient pu qu'écorner les gouttières ! Toutes ses rancunes se trouvaient satisfaites, il semblait vengé de la longueur démesurée du siège, des froids terribles, des difficultés sans cesse renaissantes, dont l'Allemagne gardait encore l'irritation. Dans l'orgueil du triomphe, les provinces conquises, l'indemnité des cinq milliards, rien ne valait ce spectacle de Paris détruit, frappé de folie furieuse, s'incendiant lui-même et s'envolant en fumée, par cette claire nuit de printemps.

— Ah ! c'était certain, ajouta-t-il à voix plus basse. De la grande besogne !

Une douleur croissante serrait le cœur d'Henriette, à l'étouffer, devant l'immensité de la catastrophe. Pendant quelques minutes, son malheur personnel disparut, emporté dans cette expiation de tout un peuple. La pensée du feu dévorant les vies humaines, la vue de la ville embrasée à l'horizon, jetant la lueur d'enfer des capitales maudites et foudroyées, lui arrachaient des cris involontaires. Elle joignit les mains, elle demanda :

— Qu'avons-nous donc fait, mon Dieu ! pour être punis de la sorte ?

Déjà, Otto levait le bras, dans un geste d'apostrophe. Il allait parler, avec la véhémence de ce froid et dur protestantisme militaire qui citait les versets de la Bible. Mais un regard sur la jeune femme, dont il venait de rencontrer les beaux yeux de clarté et de raison, l'arrêta. Et, d'ailleurs, son geste avait suffi, il avait dit sa haine de race, sa conviction d'être en France le justicier, envoyé par le Dieu des armées pour châtier un peuple pervers. Paris brûlait en punition de ses siècles de vie mauvaise, du long amas de ses crimes et de ses débauches. De nouveau, les Germains sauveraient le monde, balayeraient les dernières poussières de la corruption latine.

Il laissa retomber son bras, il dit simplement :

— C'est la fin de tout... Un autre quartier s'allume, cet autre foyer, là-bas, plus à gauche... Vous voyez bien cette grande raie qui s'étale, ainsi qu'un fleuve de braise.

Tous deux se turent, un silence épouvanté régna. En effet, des crues subites de flammes montaient sans cesse, débordaient dans le ciel, en ruissellements de fournaise. A chaque minute, la mer de feu élargissait sa ligne d'infini, une houle incandescente d'où s'exhalaient maintenant des fumées qui amassaient, au-dessus de la ville,

une immense nuée de cuivre sombre ; et un léger vent
devait la pousser, elle s'en allait lentement à travers la
nuit noire, barrant la voûte de son averse scélérate de
cendre et de suie.

Henriette eut un tressaillement, sembla sortir d'un
cauchemar ; et, reprise par l'angoisse où la jetait la
pensée de son frère, elle se fit une dernière fois suppliante.

— Alors, vous ne pouvez rien pour moi, vous refusez
de m'aider à entrer dans Paris ?

D'un nouveau geste, Otto parut vouloir balayer l'horizon.

— A quoi bon ? puisque, demain, il n'y aura plus là-
bas que des décombres !

Et ce fut tout, elle descendit de la passerelle, sans dire
même un adieu, fuyant avec sa petite valise ; tandis que
lui resta longtemps encore là-haut, immobile et mince,
sanglé dans son uniforme, noyé de nuit, s'emplissant les
yeux de la monstrueuse fête que lui donnait le spectacle
de la Babylone en flammes.

Comme Henriette sortait de la gare, elle eut la chance
de tomber sur une grosse dame qui faisait marché avec
un voiturier, pour qu'il la conduisît immédiatement à
Paris, rue Richelieu ; et elle la pria tant, avec des larmes
si touchantes, que celle-ci finit par consentir à l'emmener.
Le voiturier, un petit homme noir, fouetta son cheval,
n'ouvrit pas la bouche de tout le trajet. Mais la grosse
dame ne tarissait pas, racontait comment, ayant quitté
sa boutique l'avant-veille, après l'avoir fermée, elle
avait eu le tort d'y laisser des valeurs, cachées dans un
mur. Aussi, depuis deux heures que la ville flambait,
n'était-elle plus obsédée que d'une idée unique, celle de
retourner là-bas, de reprendre son bien, même au travers
du feu. A la barrière, il n'y avait qu'un poste somnolent,
la voiture passa sans trop de difficulté, d'autant plus
que la dame mentait, racontait qu'elle était allée chercher
sa nièce pour soigner, à elles deux, son mari blessé par les
Versaillais. Les grands obstacles commencèrent dans
les rues, des barricades barraient la chaussée à chaque
instant, il fallait faire de continuels détours. Enfin, au
boulevard Poissonnière, le voiturier déclara qu'il n'irait
pas plus loin. Et les deux femmes durent continuer à
pied, par la rue du Sentier, la rue des Jeûneurs et tout le
quartier de la Bourse. A mesure qu'elles s'étaient appro-
chées des fortifications, le ciel incendié les avait éclairées
d'une clarté de plein jour. Maintenant, elles étaient sur-

prises du calme désert de cette partie de la ville, où ne parvenait que la palpitation d'un grondement lointain. Dès la Bourse pourtant, des coups de feu leur arrivèrent, il leur fallut se glisser le long des maisons. Rue de Richelieu, quand elle eut retrouvé sa boutique intacte, ce fut la grosse dame, ravie, qui tint absolument à mettre sa compagne dans son chemin : rue du Hasard, rue Sainte-Anne, enfin rue des Orties. Des fédérés, dont le bataillon occupait encore la rue Sainte-Anne, voulurent un moment les empêcher de passer. Enfin, il était quatre heures, il faisait jour, lorsque Henriette, épuisée d'émotions et de fatigue, trouva grande ouverte la vieille maison de la rue des Orties. Et, après avoir monté l'étroit escalier sombre, elle dut prendre, derrière une porte, une échelle qui conduisait sur les toits.

Maurice, à la barricade de la rue du Bac, entre les deux sacs de terre, avait pu se relever sur les genoux, et une espérance s'était emparée de Jean, qui croyait l'avoir cloué au sol.

— Oh ! mon petit, est-ce que tu vis encore ? est-ce que j'aurai cette chance, sale brute que je suis ?... Attends, laisse-moi voir.

Il examina la blessure avec précaution, à la clarté vive des incendies. La baïonnette avait traversé le bras, près de l'épaule droite ; et le pis était qu'elle avait pénétré ensuite entre deux côtes, intéressant sans doute le poumon. Pourtant, le blessé respirait sans trop de difficulté. Son bras seul pendait, inerte.

— Mon pauvre vieux, ne te désespère donc pas ! Je suis content tout de même, j'aime mieux en finir... Tu avais fait assez pour moi, car il y a longtemps, sans toi, que j'aurais crevé ainsi, au bord d'un chemin.

Mais, à l'entendre dire ces choses, Jean était repris d'une violente douleur.

— Veux-tu te taire ! Tu m'as sauvé deux fois des pattes des Prussiens. Nous étions quittes, c'était à mon tour de donner ma vie, et je te massacre... Ah ! tonnerre de Dieu ! j'étais donc soûl, que je ne t'ai pas reconnu, oui ! soûl comme un cochon, d'avoir déjà trop bu de sang !

Des larmes avaient jailli de ses yeux, au souvenir de leur séparation, là-bas, à Remilly, lorsqu'ils s'étaient quittés en se demandant si l'on se reverrait un jour, et comment, dans quelles circonstances de douleur ou de joie. Ça ne servait donc à rien d'avoir passé ensemble des jours sans pain, des nuits sans sommeil, avec la mort toujours présente ? C'était donc, pour les amener à cette abomination, à ce fratricide monstrueux et imbécile, que leurs cœurs s'étaient fondus l'un dans l'autre, pendant ces quelques semaines d'héroïque vie commune ? Non, non ! il se révoltait.

— Laisse-moi faire, mon petit, il faut que je te sauve.

D'abord, il devait l'emmener de là, car la troupe achevait les blessés. La chance voulait qu'ils fussent seuls, il s'agissait de ne pas perdre une minute. Vivement, à l'aide de son couteau, il fendit la manche, enleva ensuite l'uniforme entier. Du sang coulait, il se hâta de bander le bras solidement, avec des lambeaux arrachés de la doublure. Ensuite, il tamponna la plaie du torse, attacha le bras par-dessus. Il avait heureusement un bout de corde, il serra avec force ce pansement barbare, qui offrait l'avantage d'immobiliser tout le côté atteint et d'empêcher l'hémorragie.

— Peux-tu marcher ?

— Oui, je crois.

Mais il n'osait l'emmener ainsi, en manches de chemise. Une brusque inspiration le fit courir dans une rue voisine, où il avait vu un soldat mort, et il revint avec une capote et un képi. Il lui jeta la capote sur les épaules, l'aida à passer son bras valide, dans la manche gauche. Puis, quand il l'eut coiffé du képi :

— Là, tu es des nôtres... Où allons-nous ?

C'était le grand embarras. Tout de suite, dans son réveil d'espoir et de courage, l'angoisse revint. Où trouver un abri assez sûr ? Les maisons étaient fouillées, on fusillait tous les communards pris les armes à la main. Et, d'ailleurs, ni l'un ni l'autre ne connaissait quelqu'un dans ce quartier, pas une âme à qui demander asile, pas une cachette où disparaître.

— Le mieux encore, ce serait chez moi, dit Maurice. La maison est à l'écart, personne au monde n'y viendra... Mais c'est de l'autre côté de l'eau, rue des Orties.

Jean, désespéré, irrésolu, mâchait de sourds jurons.

— Nom de Dieu ! Comment faire ?

Il ne fallait pas songer à filer par le pont Royal, que les incendies éclairaient d'une éclatante lumière de plein soleil. A chaque instant, des coups de feu partaient des deux rives. D'ailleurs, on se serait heurté aux Tuileries en flammes, au Louvre barricadé, gardé, comme à une barrière infranchissable.

— Alors, c'est foutu, pas moyen de passer ! déclara

Jean, qui avait habité Paris pendant six mois, au retour de la campagne d'Italie.

Brusquement, une idée lui vint. S'il y avait des barques, au bas du pont Royal, comme autrefois, on allait pouvoir tenter le coup. Ce serait très long, dangereux, pas commode; mais on n'avait pas le choix, et il fallait se décider vite.

— Ecoute, mon petit, filons toujours d'ici, ce n'est pas sain... Moi, je raconterai à mon lieutenant que des communards m'ont pris et que je me suis échappé.

Il l'avait saisi par son bras valide, il le soutint, l'aida à franchir le bout de la rue du Bac, au milieu des maisons qui flambaient maintenant de haut en bas, comme des torches démesurées. Une pluie de tisons ardents tombait sur eux, la chaleur était si intense, que tout le poil de leur face grillait. Puis, quand ils débouchèrent sur le quai, ils restèrent comme aveuglés un instant, sous l'effrayante clarté des incendies, brûlant en gerbes immenses, aux bords de la Seine.

— Ce n'est pas les chandelles qui manquent, grogna Jean, ennuyé de ce plein jour.

Et il ne se sentit un peu en sûreté que lorsqu'il eut fait descendre à Maurice l'escalier de la berge, à gauche du pont Royal, en aval. Là, sous le bouquet de grands arbres, au bord de l'eau, ils étaient cachés. Pendant près d'un quart d'heure, des ombres noires qui s'agitaient en face, sur l'autre quai, les inquiétèrent. Il y eut des coups de feu, on entendit un grand cri, puis un plongeon, avec un brusque rejaillissement d'écume. Le pont était évidemment gardé.

— Si nous passions la nuit dans cette baraque? demanda Maurice, en montrant un bureau en planches de la navigation.

— Ah! ouiche! pour être pincés demain matin!

Jean avait toujours son idée. Il venait bien de trouver là toute une flottille de petites barques. Mais elles étaient enchaînées, comment en détacher une, dégager les rames? Enfin, il découvrit une vieille paire de rames, il put forcer un cadenas, mal fermé sans doute; et, tout de suite, lorsqu'il eut couché Maurice à l'avant du canot, il s'abandonna avec prudence au fil du courant, longeant le bord, dans l'ombre des bains froids et des péniches. Ni l'un ni l'autre ne parlaient plus, épouvantés de l'exécrable spectacle qui se déroulait. A mesure qu'ils descendaient la rivière, l'horreur semblait grandir, dans le recul de l'horizon. Quand ils furent au pont de Solférino, ils virent d'un regard les deux quais en flammes.

A gauche, c'étaient les Tuileries qui brûlaient. Dès la tombée de la nuit, les communards avaient mis le feu aux deux bouts du palais, au pavillon de Flore et au pavillon de Marsan; et, rapidement, le feu gagnait le pavillon de l'Horloge, au centre, où était préparée toute une mine, des tonneaux de poudre entassés dans la salle des Maréchaux. En ce moment, les bâtiments intermédiaires jetaient, par leurs fenêtres crevées, des tourbillons de fumée rousse que traversaient de longues flammèches bleues. Les toits s'embrasaient, gercés de lézardes ardentes, s'entrouvrant, comme une terre volcanique, sous la poussée du brasier intérieur. Mais, surtout, le pavillon de Flore, allumé le premier, flambait, du rez-de-chaussée aux vastes combles, dans un ronflement formidable. Le pétrole, dont on avait enduit le parquet et les tentures, donnait aux flammes une intensité telle, qu'on voyait les fers des balcons se tordre et que les hautes cheminées monumentales éclataient, avec leurs grands soleils sculptés, d'un rouge de braise.

Puis, à droite, c'était d'abord le palais de la Légion d'honneur, incendié à cinq heures du soir, qui brûlait depuis près de sept heures, et qui se consumait en une large flambée de bûcher dont tout le bois s'achèverait d'un coup. Ensuite, c'était le palais du Conseil d'Etat, l'incendie immense, le plus énorme, le plus effroyable, le cube de pierre géant aux deux étages de portiques, vomissant des flammes. Les quatre bâtiments, qui entouraient la grande cour intérieure, avaient pris feu à la fois; et, là, le pétrole, versé à pleines tonnes dans les quatre escaliers, aux quatre angles, avait ruisselé, roulant le long des marches des torrents de l'enfer. Sur la façade du bord de l'eau, la ligne nette de l'attique se détachait en une rampe noircie, au milieu des langues rouges qui en léchaient les bords; tandis que les colonnades, les entablements, les frises, les sculptures apparaissaient avec une puissance de relief extraordinaire, dans un aveuglant reflet de fournaise. Il y avait surtout là un branle, une force du feu si terrible, que le colossal monument en était comme soulevé, tremblant et grondant sur ses fondations, ne gardant que la carcasse de ses murs épais, sous cette violence d'éruption qui projetait au ciel le zinc de ses toitures. Ensuite, c'était, à côté, la caserne d'Orsay dont tout un plan brûlait, en une colonne haute et blanche,

pareille à une tour de lumière. Et c'était enfin, derrière,
d'autres incendies encore, les sept maisons de la rue du
Bac, les vingt-deux maisons de la rue de Lille, embrasant
l'horizon, détachant les flammes sur d'autres flammes, en
une mer sanglante et sans fin.

Jean, étranglé, murmura :

— Ce n'est pas Dieu possible! la rivière va prendre feu.

La barque, en effet, semblait portée par un fleuve de
braise. Sous les reflets dansants de ces foyers immenses,
on aurait cru que la Seine roulait des charbons ardents.
De brusques éclairs rouges y couraient, dans un grand
froissement de tisons jaunes. Et ils descendaient toujours
lentement, au fil de cette eau incendiée, entre les palais
en flammes, ainsi que dans une rue démesurée de ville
maudite, brûlant aux deux bords d'une chaussée de lave
en fusion.

— Ah! dit à son tour Maurice, repris de folie devant
cette destruction qu'il avait voulue, que tout flambe donc
et que tout saute!

Mais, d'un geste terrifié, Jean le fit taire, comme s'il
avait craint qu'un tel blasphème ne leur portât malheur.
Etait-ce possible qu'un garçon qu'il aimait tant, si instruit, si délicat, en fût arrivé à des idées pareilles ? Et il
ramait plus fort, car il avait dépassé le pont de Solférino,
il se trouvait maintenant dans un large espace découvert.
La clarté devenait telle, que la rivière était éclairée comme
par le soleil de midi, tombant d'aplomb, sans une ombre.
On distinguait les moindres détails avec une précision
singulière, les moires du courant, les tas de graviers des
berges, les petits arbres des quais. Surtout, les ponts
apparaissaient, d'une blancheur éclatante, si nets, qu'on
en aurait compté les pierres; et l'on aurait dit, d'un incendie à l'autre, de minces passerelles intactes, au-dessus de
cette eau braisillante. Par moments, au milieu de la clameur grondante et continue, de brusques craquements se
faisaient entendre. Des rafales de suie tombaient, le vent
apportait des odeurs empestées. Et l'épouvantement,
c'était que Paris, les autres quartiers lointains, là-bas, au
fond de la trouée de la Seine, n'existaient plus. A droite,
à gauche, la violence des incendies éblouissait, creusait au-
delà un abîme noir. On ne voyait plus qu'une énormité
ténébreuse, un néant, comme si Paris tout entier, gagné
par le feu, fût dévoré, eût déjà disparu dans une éternelle
nuit. Et le ciel aussi était mort, les flammes montaient si
haut, qu'elles éteignaient les étoiles.

Maurice, que le délire de la fièvre soulevait, eut un rire de fou.

— Une belle fête au Conseil d'Etat et aux Tuileries... On a illuminé les façades, les lustres étincellent, les femmes dansent... Ah! dansez, dansez donc, dans vos cotillons qui fument, avec vos chignons qui flamboient...

De son bras valide, il évoquait les galas de Gomorrhe et de Sodome, les musiques, les fleurs, les jouissances monstrueuses, les palais crevant de telles débauches, éclairant l'abomination des nudités d'un tel luxe de bougies, qu'ils s'étaient incendiés eux-mêmes. Soudain, il y eut un fracas épouvantable. C'était, aux Tuileries, le feu, venu des deux bouts, qui atteignait la salle des Maréchaux. Les tonneaux de poudre s'enflammaient, le pavillon de l'Horloge sautait, avec une violence de poudrière. Une gerbe immense monta, un panache qui emplit le ciel noir, le bouquet flamboyant de l'effroyable fête.

— Bravo, la danse! cria Maurice, comme à une fin de spectacle, lorsque tout retombe aux ténèbres.

Jean, bégayant, le supplia de nouveau, en phrases éperdues. Non, non! il ne fallait point vouloir le mal! Si c'était la destruction de tout, eux-mêmes allaient donc périr? Et il n'avait plus qu'une hâte, aborder, échapper au terrible spectacle. Pourtant, il eut la prudence de dépasser encore le pont de la Concorde, de façon à ne débarquer que sur la berge du quai de la Conférence, après le coude de la Seine. Et, à ce moment critique, au lieu de laisser aller le canot, il perdit quelques minutes à l'amarrer solidement, dans son respect instinctif du bien des autres. Son plan était de gagner la rue des Orties, par la place de la Concorde et la rue Saint-Honoré. Après avoir fait asseoir Maurice sur la berge, il monta seul l'escalier du quai, il fut repris d'inquiétude, en comprenant quelle peine ils auraient à franchir les obstacles entassés là. C'était l'imprenable forteresse de la Commune, la terrasse des Tuileries armée de canons, les rues Royale, Saint-Florentin et de Rivoli barrées par de hautes barricades, solidement construites; et cela expliquait la tactique de l'armée de Versailles, dont les lignes, cette nuit-là, formaient un immense angle rentrant, le sommet à la place de la Concorde, les deux extrémités, l'une, sur la rive droite, à la gare des marchandises de la Compagnie du Nord, l'autre, sur la rive gauche, à un bastion des remparts, près de la porte d'Arcueil. Mais le jour allait naître, les communards avaient évacué les Tuileries et les barricades, la troupe venait de s'emparer du quartier, au milieu d'autres incendies, douze autres maisons qui brûlaient depuis neuf heures du soir, au carrefour de la rue Saint-Honoré et de la rue Royale.

En bas, lorsque Jean fut redescendu sur la berge, il trouva Maurice somnolent, comme hébété après sa crise de surexcitation.

— Ça ne va pas être facile... Au moins, pourras-tu marcher encore, mon petit ?

— Oui, oui, ne t'inquiète pas. J'arriverai toujours, mort ou vivant.

Et il eut surtout de la peine à monter l'escalier de pierre. Puis, en haut, sur le quai, il marcha lentement, au bras de son compagnon, d'un pas de somnambule. Bien que le jour ne se levât pas encore, le reflet des incendies voisins éclairait la vaste place d'une aube livide. Ils en traversèrent la solitude, le cœur serré de cette morne dévastation. Aux deux bouts, de l'autre côté du pont et à l'extrémité de la rue Royale, on distinguait confusément les fantômes du Palais-Bourbon et de la Madeleine, labourés par la canonnade. La terrasse des Tuileries, battue en brèche, s'était en partie écroulée. Sur la place même, des balles avaient troué le bronze des fontaines, le tronc géant de la statue de Lille gisait par terre, coupé en deux par un obus, tandis que la statue de Strasbourg, à côté, voilée de crêpe, semblait porter le deuil de tant de ruines. Et il y avait là, près de l'obélisque intact, dans une tranchée, un tuyau à gaz, fendu par quelque coup de pioche, qu'un hasard avait allumé, et qui lâchait, avec un bruit strident, un long jet de flamme.

Jean évita la barricade qui fermait la rue Royale, entre le ministère de la Marine et le Garde-Meuble, sauvés du feu. Il entendait, derrière les sacs et les tonneaux de terre dont elle était faite, de grosses voix de soldats. En avant, un fossé la défendait, plein d'eau croupie, où nageait un cadavre de fédéré; et, par une brèche, on apercevait les maisons du carrefour Saint-Honoré, qui achevaient de brûler, malgré les pompes venues de la banlieue, dont on distinguait le ronflement. A droite et à gauche, les petits arbres, les kiosques des marchandes de journaux, étaient brisés, criblés de mitraille. De grands cris s'élevaient, les pompiers venaient de découvrir, dans une cave, sept locataires d'une des maisons, à moitié carbonisés.

Bien que la barricade, barrant la rue Saint-Florentin

et la rue de Rivoli, parût plus formidable encore, avec ses hautes constructions savantes, Jean avait eu l'instinct d'y sentir le passage moins dangereux. Elle était en effet complètement évacuée, sans que la troupe eût encore osé l'occuper. Des canons y dormaient, dans un lourd abandon. Pas une âme derrière cet invincible rempart, rien qu'un chien errant qui se sauva. Mais, comme Jean se hâtait, dans la rue Saint-Florentin, soutenant Maurice affaibli, ce qu'il craignait arriva, ils se heurtèrent contre toute une compagnie du 88ᵉ de ligne, qui avait tourné la barricade.

— Mon capitaine, expliqua-t-il, c'est un camarade que ces brigands viennent de blesser, et que je conduis à l'ambulance.

La capote, jetée sur les épaules de Maurice, le sauva, et le cœur de Jean sautait à se rompre, pendant qu'ils descendaient enfin ensemble la rue Saint-Honoré. Le jour pointait à peine, des coups de feu partaient des rues transversales, car on se battait encore dans tout le quartier. Ce fut un miracle, s'ils purent atteindre la rue des Frondeurs, sans faire d'autre mauvaise rencontre. Ils n'allaient plus que très lentement, ces trois ou quatre cents mètres à parcourir semblèrent interminables. Puis, rue des Frondeurs, ils tombèrent dans un poste de communards; mais ceux-ci, effrayés, croyant à l'arrivée de tout un régiment, prirent la fuite. Et il ne restait qu'un bout de la rue d'Argenteuil à suivre, pour être rue des Orties.

Ah! cette rue des Orties, avec quelle fièvre d'impatience Jean la souhaitait, depuis quatre grandes heures! Lorsqu'ils y entrèrent, ce fut une délivrance. Elle était noire, déserte, silencieuse, comme à cent lieues de la bataille. La maison, une vieille et étroite maison sans concierge, dormait d'un sommeil de mort.

— J'ai les clefs dans ma poche, bégaya Maurice. La grande est celle de la rue, la petite, celle de ma chambre, tout en haut.

Et il succomba, il s'évanouit, entre les bras de Jean, dont l'inquiétude et l'embarras furent extrêmes. Il en oublia de refermer la porte de la rue, et dut le monter à tâtons, dans cet escalier inconnu, en évitant les chocs, de peur d'amener du monde. Puis, en haut, il se perdit, il lui fallut poser le blessé sur une marche, chercher la porte, à l'aide d'allumettes qu'il avait heureusement; et ce fut seulement lorsqu'il l'eut trouvée, qu'il redescendit

le prendre. Enfin, il le coucha sur le petit lit de fer, en
face de la fenêtre, dominant Paris, qu'il ouvrit toute
large, dans un besoin de grand air et de lumière. Le jour
naissait, il tomba devant le lit, sanglotant, assommé et
sans force, sous le réveil de cette affreuse pensée qu'il
avait tué son ami.

Des minutes durent s'écouler, il fut à peine surpris, en
apercevant soudain Henriette. Rien n'était plus naturel,
son frère était mourant, elle arrivait. Il ne l'avait pas
même vue entrer, peut-être se trouvait-elle là depuis des
heures. Maintenant, affaissé sur une chaise, il la regardait
stupidement s'agiter, sous le coup de mortelle douleur
qui l'avait frappée, à la vue de son frère sans connaissance, couvert de sang. Il finit par avoir un souvenir,
il demanda :

— Dites donc, vous avez refermé la porte de la rue ?

Bouleversée, elle répondit affirmativement d'un signe
de tête; et, comme elle venait enfin lui donner ses deux
mains, dans un besoin d'affection et de secours, il reprit :

— Vous savez, c'est moi qui l'ai tué...

Elle ne comprenait pas, elle ne le croyait pas. Il sentait
les deux petites mains rester calmes dans les siennes.

— C'est moi qui l'ai tué... Oui, là-bas, sur une barricade... Il se battait d'un côté, moi de l'autre...

Les petites mains se mirent à trembler.

— On était des hommes soûls, on ne savait plus
ce qu'on faisait... C'est moi qui l'ai tué...

Alors, Henriette retira ses mains, frissonnante, toute
blanche, avec des yeux de terreur qui le regardaient fixement. C'était donc la fin de tout, et rien n'allait donc
survivre, dans son cœur broyé ? Ah! ce Jean, à qui elle
pensait le soir même, heureuse du vague espoir de le
revoir peut-être! Et il avait fait cette chose abominable,
et il venait pourtant de sauver encore Maurice, puisque
c'était lui qui l'avait rapporté là, au travers de tant de
dangers! Elle ne pouvait plus lui abandonner ses mains,
sans un recul de tout son être. Mais elle eut un cri, où elle
mit la dernière espérance de son cœur combattu.

— Oh! je le guérirai, il faut que je le guérisse maintenant!

Pendant ses longues veillées à l'ambulance de Remilly,
elle était devenue très experte à soigner, à panser les blessures. Et elle voulut tout de suite examiner celles de son
frère, qu'elle déshabilla, sans le tirer de son évanouisse-
ment. Mais, quand elle défit le pansement sommaire ima-

giné par Jean, il s'agita, il eut un faible cri, en ouvrant
de grands yeux de fièvre. Tout de suite, d'ailleurs, il la
reconnut, il sourit.

— Tu es donc là ? Ah! que je suis content de te voir
avant de mourir!

Elle le fit taire, d'un beau geste de confiance.

— Mourir, mais je ne veux pas! je veux que tu vives!...
Ne parle plus, laisse-moi faire!

Cependant, lorsque Henriette eut examiné le bras traversé, les côtes atteintes, elle s'assombrit, ses yeux se
troublèrent. Vivement, elle prenait possession de la
chambre, parvenait à trouver un peu d'huile, déchirait de
vieilles chemises pour en faire des bandes, tandis que
Jean descendait chercher une cruche d'eau. Il n'ouvrait
plus la bouche, il la regarda laver les blessures, les panser
adroitement, incapable de l'aider, anéanti, depuis qu'elle
était là. Quand elle eut fini, voyant son inquiétude, il
offrit pourtant de se mettre en quête d'un médecin. Mais
elle avait toute son intelligence nette : non, non! pas le
premier médecin venu, qui livrerait peut-être son frère!
Il fallait un homme sûr, on pouvait attendre quelques
heures. Enfin, comme Jean parlait de s'en aller, pour
rejoindre son régiment, il fut entendu que, dès qu'il lui
serait possible de s'échapper, il reviendrait, en tâchant
de ramener un chirurgien avec lui.

Il ne partit pas encore, il semblait ne pouvoir se
résoudre à quitter cette chambre, toute pleine du malheur qu'il avait fait. Après avoir été refermée un instant,
la fenêtre venait d'être ouverte de nouveau. Et, de son lit,
la tête haute, le blessé regardait, tandis que les deux
autres avaient, eux aussi, les regards perdus au loin, dans
le lourd silence qui avait fini par les accabler.

De cette hauteur de la butte des Moulins, toute une
grande moitié de Paris s'étendait sous eux, d'abord les
quartiers du centre, du faubourg Saint-Honoré jusqu'à la
Bastille, puis le cours entier de la Seine, avec le pullulement lointain de la rive gauche, une mer de toitures, de
cimes d'arbres, de clochers, de dômes et de tours. Le jour
grandissait, l'abominable nuit, une des plus affreuses de
l'histoire, était finie. Mais, dans la pure clarté du soleil
levant, sous le ciel rose, les incendies continuaient. En
face, on apercevait les Tuileries qui brûlaient toujours, la
caserne d'Orsay, les palais du Conseil d'Etat et de la
Légion d'honneur, dont les flammes pâlies par la pleine
lumière, donnaient au ciel un grand frisson. Même, au-

delà des maisons de la rue de Lille et de la rue du Bac,
d'autres maisons devaient flamber, car des colonnes de
flammèches montaient du carrefour de la Croix-Rouge, et
plus loin encore, de la rue Vavin et de la rue Notre-Dame-
des-Champs. Sur la droite, tout près, s'achevaient les
incendies de la rue Saint-Honoré, tandis que, sur la
gauche, au Palais-Royal et au nouveau Louvre, avortaient
des feux tardifs, mis vers le matin. Mais, surtout, ce qu'ils
ne s'expliquèrent pas d'abord, c'était une grosse fumée
noire que le vent d'ouest poussait jusque sous la fenêtre.
Depuis trois heures du matin, le ministère des Finances
brûlait, sans flammes hautes, se consumait en épais tourbillons de suie, tellement le prodigieux amas des pape-
rasses s'étouffait, sous les plafonds bas, dans ces constructions de plâtre. Et, s'il n'y avait plus là, au-dessus du
réveil de la grande ville, l'impression tragique de la
nuit, l'épouvante d'une destruction totale, la Seine roulant
des braises, Paris allumé aux quatre bouts, une tristesse
désespérée et morne passait sur les quartiers épargnés,
avec cette épaisse fumée continue, dont le nuage s'élargissait toujours. Bientôt le soleil, qui s'était levé limpide, en
fut caché ; et il ne resta que ce deuil, dans le ciel fauve.

Maurice, que le délire devait reprendre, murmura, avec
un geste lent qui embrassait l'horizon sans bornes :

— Est-ce que tout brûle ? Ah ! que c'est long !

Des larmes étaient montées aux yeux d'Henriette,
comme si son malheur s'était accru encore de ces
désastres immenses, où avait trempé son frère. Et Jean, qui
n'osa ni lui reprendre la main, ni embrasser son ami,
partit alors d'un air fou.

— Au revoir, à tout à l'heure !

Il ne put revenir que le soir, vers huit heures, après la
nuit tombée. Malgré sa grande inquiétude, il était heureux : son régiment, qui ne se battait plus, venait de passer
en seconde ligne, et avait reçu l'ordre de garder le quartier ; de sorte que, bivouaquant avec sa compagnie sur la
place du Carrousel, il espérait pouvoir monter, chaque
soir, prendre des nouvelles du blessé. Et il ne revenait
pas seul, un hasard lui avait fait rencontrer l'ancien major
du 106e, qu'il amenait dans un coup de désespoir, n'ayant
pu trouver un autre médecin, en se disant que, tout de
même, ce terrible homme, à tête de lion, était un brave
homme.

Quand Bouroche, qui ne savait pour quel blessé ce
soldat suppliant le dérangeait, et qui grognait d'être monté

si haut, eut compris qu'il avait sous les yeux un communard, il entra d'abord dans une violente colère.

— Tonnerre de Dieu! est-ce que vous vous fichez de moi ?... Des brigands qui sont las de voler, d'assassiner et d'incendier!... Son affaire est claire, à votre bandit, et je me charge de le faire guérir, oui! avec trois balles dans la tête!

Mais la vue d'Henriette, si pâle dans sa robe noire, avec ses beaux cheveux blonds dénoués, le calma brusquement.

— C'est mon frère, monsieur le major, et c'est un de vos soldats de Sedan.

Il ne répondit pas, débanda les plaies, les examina en silence, tira des fioles de sa poche, et refit un pansement, en montrant à la jeune femme comment on devait s'y prendre. Puis, de sa voix rude, il demanda tout à coup au blessé :

— Pourquoi t'es-tu mis du côté des gredins, pourquoi as-tu fait une saleté pareille ?

Maurice, les yeux luisants, le regardait depuis qu'il était là, sans ouvrir la bouche. Il répondit ardemment, dans sa fièvre :

— Parce qu'il y a trop de souffrance, trop d'iniquité et trop de honte!

Alors, Bouroche eut un geste grand, comme pour dire qu'on allait loin, quand on entrait dans ces idées-là. Il fut sur le point de parler encore, finit par se taire. Et il partit, en ajoutant simplement :

— Je reviendrai.

Sur le palier, il déclara à Henriette qu'il n'osait répondre de rien. Le poumon était touché sérieusement, une hémorragie pouvait se produire, qui foudroierait le blessé.

Lorsque Henriette rentra, elle s'efforça de sourire, malgré le coup qu'elle venait de recevoir en plein cœur. Est-ce qu'elle ne le sauverait pas, est-ce qu'elle n'allait pas empêcher cette affreuse chose, leur éternelle séparation à tous les trois, qui étaient là réunis encore, dans leur ardent souhait de vie ? De la journée, elle n'avait pas quitté cette chambre, une vieille voisine s'était chargée obligeamment de ses commissions. Et elle revint reprendre sa place, près du lit, sur une chaise.

Mais, cédant à son excitation fiévreuse, Maurice questionnait Jean, voulait savoir. Celui-ci ne disait pas tout, évitait de conter l'enragée colère qui montait contre la

Commune agonisante, dans Paris délivré. On était déjà au mercredi. Depuis le dimanche soir, depuis deux grands jours, les habitants avaient vécu au fond de leurs caves, suant la peur; et, le mercredi matin, lorsqu'ils avaient pu se hasarder, le spectacle des rues défoncées, les débris, le sang, les effroyables incendies surtout, venaient de les jeter à une exaspération vengeresse. Le châtiment allait être immense. On fouillait les maisons, on jetait aux pelotons des exécutions sommaires le flot des suspects des hommes et des femmes qu'on ramassait. Dès six heures du soir, ce jour-là, l'armée de Versailles était maîtresse de la moitié de Paris, du parc de Montsouris à la gare du Nord, en passant par les grandes voies. Et les derniers membres de la Commune, une vingtaine, avaient dû se réfugier boulevard Voltaire, à la mairie du XIe arrondissement.

Un silence se fit, Maurice murmura, les yeux au loin sur la ville, par la fenêtre ouverte à l'air tiède de la nuit :

— Enfin, ça continue, Paris brûle!

C'était vrai, les flammes avaient reparu, dès la tombée du jour; et, de nouveau, le ciel s'empourprait d'une lueur scélérate. Dans l'après-midi, lorsque la poudrière du Luxembourg avait sauté avec un fracas épouvantable, le bruit s'était répandu que le Panthéon venait de crouler au fond des catacombes. Toute la journée d'ailleurs, les incendies de la veille avaient continué, le palais du Conseil d'Etat et les Tuileries brûlaient, le ministère des Finances fumait à gros tourbillons. Dix fois, il avait fallu fermer la fenêtre, sous la menace d'une nuée de papillons noirs, des vols incessants de papiers brûlés, que la violence du feu emportait au ciel, d'où ils retombaient en pluie fine; et Paris entier en fut couvert, et l'on en ramassa jusqu'en Normandie, à vingt lieues. Puis, maintenant, ce n'étaient pas seulement les quartiers de l'ouest et du sud qui flambaient, les maisons de la rue Royale, celles du carrefour de la Croix-Rouge et de la rue Notre-Dame-des-Champs. Tout l'est de la ville semblait en flammes, l'immense brasier de l'Hôtel de Ville barrait l'horizon d'un bûcher géant. Et il y avait encore là, allumés comme des torches, le Théâtre-Lyrique, la mairie du IVe arrondissement, plus de trente maisons des rues voisines; sans compter le théâtre de la Porte-Saint-Martin, au nord, qui rougeoyait à l'écart, ainsi qu'une meule, au fond des champs ténébreux. Des vengeances particulières s'exerçaient, peut-être aussi des calculs criminels s'achar-

naint-ils à détruire certains dossiers. Il n'était même plus
question de se défendre, d'arrêter par le feu les troupes
victorieuses. Seule, la démence soufflait, le Palais de
Justice, l'Hôtel-Dieu, Notre-Dame venaient d'être sauvés,
au petit bonheur du hasard. Détruire pour détruire,
ensevelir la vieille humanité pourrie sous les cendres d'un
monde, dans l'espoir qu'une société nouvelle repousserait
heureuse et candide, en plein paradis terrestre des primitives légendes!

— Ah! la guerre, l'exécrable guerre! dit à demi-voix
Henriette, en face de cette cité de ruines, de souffrance
et d'agonie.

N'était-ce pas, en effet, l'acte dernier et fatal, la folie
du sang qui avait germé sur les champs de défaite de
Sedan et de Metz, l'épidémie de destruction née du siège
de Paris, la crise suprême d'une nation en danger de
mort, au milieu des tueries et des écroulements?

Mais Maurice, sans quitter des yeux les quartiers qui
brûlaient, là-bas, bégaya lentement, avec peine :

— Non, non, ne maudis pas la guerre... Elle est bonne,
elle fait son œuvre...

Jean l'interrompit d'un cri de haine et de remords.

— Sacré bon Dieu! quand je te vois là, et quand c'est
par ma faute... Ne la défends plus, c'est une sale chose
que la guerre!

Le blessé eut un geste vague.

— Oh! moi, qu'est-ce que ça fait? il y en a bien
d'autres!... C'est peut-être nécessaire, cette saignée. La
guerre, c'est la vie qui ne peut pas être sans la mort.

Et les yeux de Maurice se fermèrent, dans la fatigue de
l'effort que lui avaient coûté ces quelques mots. D'un
signe, Henriette avait prié Jean de ne pas discuter. Toute
une protestation la soulevait elle-même, sa colère contre
la souffrance humaine, malgré son calme de femme frêle
et si brave, avec ses regards limpides où revivait l'âme
héroïque du grand-père, le héros des légendes napoléo-
niennes.

Deux jours se passèrent, le jeudi et le vendredi, au
milieu des mêmes incendies et des mêmes massacres. Le
fracas du canon ne cessait pas; les batteries de Montmartre, dont l'armée de Versailles s'était emparée,
canonnaient sans relâche celles que les fédérés avaient
installées à Belleville et au Père-Lachaise; et ces dernières
tiraient au hasard sur Paris : des obus étaient tombés rue
Richelieu et à la place Vendôme. Le 25 au soir, toute la

rive gauche était entre les mains des troupes. Mais, sur
la rive droite, les barricades de la place du Château-d'Eau
et de la place de la Bastille tenaient toujours. Il y avait
là deux véritables forteresses que défendait un feu terrible, incessant. Au crépuscule, dans la débandade des
derniers membres de la Commune, Delescluze avait pris
sa canne, et il était venu, d'un pas de promenade, tranquillement, jusqu'à la barricade qui fermait le boulevard
Voltaire, pour y tomber foudroyé, en héros. Le lendemain,
le 26, dès l'aube, le Château-d'Eau et la Bastille furent
emportés, les communards n'occupèrent plus que La Villette, Belleville et Charonne, de moins en moins nombreux, réduits à la poignée de braves qui voulaient mourir. Et, pendant deux jours, ils devaient résister encore
et se battre, furieusement.

Le vendredi soir, comme Jean s'échappait de la place
du Carrousel, pour retourner rue des Orties, il assista, au
bas de la rue Richelieu, à une exécution sommaire, dont
il resta bouleversé. Depuis l'avant-veille, deux cours
martiales fonctionnaient, la première au Luxembourg, la
seconde au théâtre du Châtelet. Les condamnés de l'une
étaient passés par les armes dans le jardin, tandis que l'on
traînait ceux de l'autre jusqu'à la caserne Lobau, où des
pelotons en permanence les fusillaient, dans la cour intérieure, presque à bout portant. Ce fut là surtout que la
boucherie devint effroyable : des hommes, des enfants,
condamnés sur un indice, les mains noires de poudre, les
pieds simplement chaussés de souliers d'ordonnance ; des
innocents dénoncés à faux, victimes de vengeances particulières, hurlant des explications, sans pouvoir se faire
écouter ; des troupeaux jetés pêle-mêle sous les canons
des fusils, tant de misérables à la fois, qu'il n'y avait pas
des balles pour tous, et qu'il fallait achever les blessés
à coups de crosse. Le sang ruisselait, des tombereaux
emportaient les cadavres, du matin au soir. Et, par la
ville conquise, au hasard des brusques affolement de rage
vengeresse, d'autres exécutions se faisaient, devant les
barricades, contre les murs des rues désertes, sur les
marches des monuments. C'était ainsi que Jean venait
de voir des habitants du quartier amenant une femme et
deux hommes au poste qui gardait le Théâtre-Français.
Les bourgeois se montraient plus féroces que les soldats,
les journaux qui avaient reparu poussaient à l'extermination. Toute une foule violente s'acharnait contre la
femme surtout, une de ces pétroleuses dont la peur han-

tait les imaginations hallucinées, qu'on accusait de rôder le soir, de se glisser le long des habitations riches, pour lancer des bidons de pétrole enflammé dans les caves. On venait, criait-on, de surprendre celle-là, accroupie devant un soupirail de la rue Sainte-Anne. Et, malgré ses protestations et ses sanglots, on la jeta, avec les deux hommes, au fond d'une tranchée de barricade qu'on n'avait pas comblée encore, on les fusilla dans ce trou de terre noire, comme des loups pris au piège. Des promeneurs regardaient, une dame s'était arrêtée avec son mari, tandis qu'un mitron, qui portait une tourte dans le voisinage, sifflait un air de chasse.

Jean se hâtait de gagner la rue des Orties, le cœur glacé, quand il eut un brusque souvenir. N'était-ce pas Chouteau, l'ancien soldat de son escouade, qu'il venait de voir, sous l'honnête blouse blanche d'un ouvrier, assistant à l'exécution, avec des gestes approbateurs ? Et il savait le rôle du bandit, traître, voleur et assassin! Un instant, il fut sur le point de retourner là-bas, de le dénoncer, de le faire fusiller sur les corps des trois autres. Ah! cette tristesse, les plus coupables échappant au châtiment, promenant leur impunité au soleil, tandis que des innocents pourrissent dans la terre!

Henriette, au bruit des pas qui montaient, était sortie sur le palier.

— Soyez prudent, il est aujourd'hui dans un état de surexcitation extraordinaire... Le major est revenu, il m'a désespérée.

En effet, Bouroche avait hoché la tête, en ne pouvant rien promettre encore. Peut-être, tout de même, la jeunesse du blessé triompherait-elle des accidents qu'il redoutait.

— Ah! c'est toi, dit fiévreusement Maurice à Jean, dès qu'il l'aperçut. Je t'attendais, qu'est-ce qu'il se passe, où en est-on ?

Et, le dos contre son oreiller, en face de la fenêtre qu'il avait forcé sa sœur à ouvrir, montrant la ville redevenue noire, qu'un nouveau reflet de fournaise éclairait :

— Hein ? ça recommence, Paris brûle, Paris brûle tout entier, cette fois!

Dès le coucher du soleil, l'incendie du Grenier d'Abondance avait enflammé les quartiers lointains, en haut de la coulée de la Seine. Aux Tuileries, au Conseil d'Etat, les plafonds devaient crouler, activant le brasier des poutres qui se consumaient, car des foyers partiels s'étaient ral-

lumés, des flammèches et des étincelles montaient par
moments. Beaucoup des maisons qu'on croyait éteintes,
se remettaient ainsi à flamber. Depuis trois jours, l'ombre
ne pouvait se faire, sans que la ville parût reprendre feu,
comme si les ténèbres eussent soufflé sur les tisons rouges
encore, les ravivant, les semant aux quatre coins de l'horizon. Ah! cette ville d'enfer qui rougeoyait dès le crépuscule, allumée pour toute une semaine, éclairant de
ses torches monstrueuses les nuits de la semaine sanglante! Et, cette nuit-là, quand les docks de La Villette
brûlèrent, la clarté fut si vive sur la cité immense, qu'on
put la croire réellement incendiée par tous les bouts, cette
fois, envahie et noyée sous les flammes. Dans le ciel saignant, les quartiers rouges, à l'infini, roulaient le flot de
leurs toitures de braise.

— C'est la fin, répéta Maurice, Paris brûle!

Il s'excitait avec ces mots, redits à vingt reprises, dans
un besoin fébrile de parler, après la lourde somnolence
qui l'avait tenu presque muet, pendant trois jours. Mais
un bruit de larmes étouffées lui fit tourner la tête.

— Comment, petite sœur, c'est toi, si brave!... Tu
pleures parce que je vais mourir...

Elle l'interrompit, en se récriant.

— Mais tu ne mourras pas!

— Si, si, ça vaut mieux, il le faut!... Ah! va, ce n'est
pas grand-chose de bon qui s'en ira avec moi. Avant la
guerre, je t'ai fait tant de peine, j'ai coûté si cher à ton
cœur et à ta bourse!... Toutes ces sottises, toutes ces
folies que j'ai commises, et qui auraient mal fini, qui
sait? la prison, le ruisseau...

De nouveau, elle lui coupait la parole, violemment.

— Tais-toi! tais-toi!... Tu as tout racheté!

Il se tut, songea un instant.

— Quand je serai mort, oui! peut-être... Ah! mon
vieux Jean, tu nous as tout de même rendu à tous un
fier service, quand tu m'as allongé ton coup de baïonnette.

Mais lui aussi, les yeux gros de larmes, protestait.

— Ne dis pas ça! tu veux donc que je me casse la tête
contre un mur!

Ardemment, Maurice continua :

— Rappelle-toi donc ce que tu m'as dit, le lendemain
de Sedan, quand tu prétendais que ce n'était pas mauvais,
parfois, de recevoir une bonne gifle... Et tu ajoutais que,
lorsqu'on avait de la pourriture quelque part, un membre

gâté, ça valait mieux de le voir par terre, abattu d'un coup
de hache, que d'en crever comme d'un choléra... J'ai songé
souvent à cette parole, depuis que je me suis trouvé seul,
enfermé dans ce Paris de démence et de misère... Eh
bien! c'est moi qui suis le membre gâté que tu as abattu...

Son exaltation grandissait, il n'écoutait même plus les
supplications d'Henriette et de Jean, terrifiés. Et il continuait, dans une fièvre chaude, abondante en symboles,
en images éclatantes. C'était la partie saine de la France,
la raisonnable, la pondérée, la paysanne, celle qui était
restée le plus près de la terre, qui supprimait la partie
folle, exaspérée, gâtée par l'Empire, détraquée de rêveries
et de jouissances; et il lui avait ainsi fallu couper dans sa
chair même, avec un arrachement de tout l'être, sans trop
savoir ce qu'elle faisait. Mais le bain de sang était nécessaire, et de sang français, l'abominable holocauste, le
sacrifice vivant, au milieu du feu purificateur. Désormais,
le calvaire était monté jusqu'à la plus terrifiante des
agonies, la nation crucifiée expiait ses fautes et allait
renaître.

— Mon vieux Jean, tu es le simple et le solide... Va,
va! prends la pioche, prends la truelle! et retourne le
champ, et rebâtis la maison!... Moi, tu as bien fait de
m'abattre, puisque j'étais l'ulcère collé à tes os!

Il délira encore, il voulut se lever, s'accouder à la
fenêtre.

— Paris brûle, rien ne restera... Ah! cette flamme qui
emporte tout, qui guérit tout, je l'ai voulue, oui! elle fait
la bonne besogne... Laissez-moi descendre, laissez-moi
achever l'œuvre d'humanité et de liberté...

Jean eut tout les peines du monde à le remettre au lit,
tandis qu'Henriette, en larmes, lui parlait de leur enfance,
le suppliait de se calmer, au nom de leur adoration.
Et, sur Paris immense, le reflet de braise avait encore
grandi, la mer de flammes semblait gagner les lointains
ténébreux de l'horizon, le ciel était comme la voûte d'un
four géant, chauffé au rouge clair. Et, dans cette clarté
fauve des incendies, les grosses fumées du ministère des
Finances, qui brûlait obstinément depuis l'avant-veille,
sans une flamme, passaient toujours en une sombre et
lente nuée de deuil.

Le lendemain, le samedi, une amélioration brusque se
déclara dans l'état de Maurice : il était beaucoup plus
calme, la fièvre avait diminué; et ce fut une grande joie
pour Jean, lorsqu'il trouva Henriette souriante, repre-

nant le rêve de leur intimité à trois, dans un avenir de
bonheur encore possible, qu'elle ne voulait pas préciser.
Est-ce que le destin allait faire grâce ? Elle passait les
nuits, elle ne bougeait pas de cette chambre, où sa
douceur active de cendrillon, ses soins légers et silencieux mettaient comme une caresse continue. Et, ce soir-
là, Jean s'oublia près de ses amis avec un plaisir étonné
et tremblant. Dans la journée, les troupes avaient pris
Belleville et les Buttes-Chaumont. Il n'y avait plus que le
cimetière du Père-Lachaise, transformé en un camp
retranché, qui résistât. Tout lui semblait fini, il affirmait
même qu'on ne fusillait plus personne. Il parla simplement des troupeaux de prisonniers qu'on dirigeait sur
Versailles. Le matin, le long du quai, il en avait rencontré un, des hommes en blouse, en paletot, en manches
de chemise, des femmes de tout âge, les unes avec des
masques creusés de furies, les autres dans la fleur de
leur jeunesse, des enfants âgés de quinze ans à peine,
tout un flot roulant de misère et de révolte, que des soldats poussaient sous le clair soleil, et que les bourgeois
de Versailles, disait-on, accueillaient avec des huées, à
coups de canne et d'ombrelle.

Mais, le dimanche, Jean fut épouvanté. C'était le dernier jour de l'exécrable semaine. Dès le triomphal lever
du soleil, par cette limpide et chaude matinée de jour de
fête, il sentit passer le frisson de l'agonie suprême. On
venait d'apprendre seulement les massacres répétés des
otages, l'archevêque, le curé de la Madeleine et d'autres
fusillés, le mercredi, à la Roquette, les dominicains d'Arcueil tirés à la course, comme des lièvres, le jeudi, des
prêtres encore et des gendarmes au nombre de quarante-
sept foudroyés à bout portant, au secteur de la rue Haxo,
le vendredi ; et une fureur de représailles s'était rallu-
mée, les troupes exécutaient en masse les derniers prisonniers qu'elles faisaient. Pendant tout ce beau dimanche,
les feux de peloton ne cessèrent pas, dans la cour de la
caserne Lobau, pleine de râles, de sang et de fumée. A la
Roquette, deux cent vingt-sept misérables, ramassés au
hasard du coup de filet, furent mitraillés en tas, hachés
par les balles. Au Père-Lachaise, bombardé depuis quatre
jours, emporté enfin tombe par tombe, on en jeta cent
quarante-huit contre un mur, dont le plâtre ruissela de
grandes larmes rouges ; et trois d'entre eux, blessés,
s'étant échappés, on les reprit, on les acheva. Combien
de braves gens pour un gredin, parmi les douze mille

malheureux à qui la Commune avait coûté la vie! L'ordre
de cesser les exécutions était, disait-on, venu de Versailles. Mais l'on tuait quand même, Thiers devait rester
le légendaire assassin de Paris, dans sa gloire pure de
libérateur du territoire; tandis que le maréchal de Mac-
Mahon, le vaincu de Frœschwiller, dont une proclamation
couvrait les murs, annonçant la victoire, n'était plus que
le vainqueur du Père-Lachaise. Et Paris ensoleillé, endi-
manché, paraissait en fête, une foule énorme encombrait
les rues reconquises, des promeneurs allaient d'un air de
flânerie heureuse voir les décombres fumants des incendies, des mères tenant à la main des enfants rieurs,
s'arrêtaient, écoutaient un instant avec intérêt les fusil-
lades assourdies de la caserne Lobau.

Le dimanche soir, au déclin du jour, lorsque Jean
monta le sombre escalier de la maison, rue des Orties, un
affreux pressentiment lui serrait le cœur. Il entra, et tout
de suite il vit l'inévitable fin, Maurice mort sur le petit
lit, étouffé par l'hémorragie que Bouroche redoutait.
L'adieu rouge du soleil glissait par la fenêtre ouverte,
deux bougies brûlaient déjà sur la table, au chevet du lit.
Et Henriette, à genoux dans ses vêtements de veuve
qu'elle n'avait pas quittés, pleurait en silence.

Au bruit, elle leva la tête, elle eut un frisson, à voir
entrer Jean. Lui, éperdu, allait se précipiter, prendre ses
mains, mêler d'une étreinte sa douleur à la sienne. Mais
il sentit les petites mains tremblantes, tout l'être frémissant et révolté qui se reculait, qui s'arrachait, à jamais.
N'était-ce pas fini entre eux, maintenant? La tombe de
Maurice les séparait, sans fond. Et lui aussi ne put que
tomber à genoux, en sanglotant tout bas.

Pourtant, au bout d'un silence, Henriette parla.

— Je tournais le dos, je tenais un bol de bouillon,
quand il a jeté un cri... Je n'ai eu que le temps d'accourir,
et il est mort, en m'appelant, en vous appelant, vous aussi,
dans un flot de sang...

Son frère, mon Dieu! son Maurice adoré par-delà la
naissance, qui était un autre elle-même, qu'elle avait
élevé, sauvé! son unique tendresse, depuis qu'elle avait
vu, à Bazeilles, contre un mur, le corps de son pauvre
Weiss troué de balles! La guerre achevait donc de lui
prendre tout son cœur, elle resterait donc seule au
monde, veuve et dépareillée, sans personne qui l'aimerait!

— Ah! bon sang! cria Jean dans un sanglot, c'est ma

faute!... Mon cher petit pour qui j'aurais donné ma peau,
et que je vais massacrer comme une brute!... Qu'allons-
nous devenir ? Me pardonnerez-vous jamais ?

Et, à cette minute, leurs yeux se rencontrèrent, et ils
restèrent bouleversés de ce qu'ils pouvaient enfin y lire
nettement. Le passé s'évoquait, la chambre perdue de
Remilly, où ils avaient vécu des jours si tristes et si doux.
Lui, retrouvait son rêve, d'abord inconscient, ensuite à
peine formulé : la vie là-bas, un mariage, une petite
maison, la culture d'un champ qui suffirait à nourrir un
ménage de braves gens modestes. Maintenant, c'était un
désir ardent, une certitude aiguë qu'avec une femme
comme elle, si tendre, si active, si brave, la vie serait devenue une véritable existence de paradis. Et, elle, qui
autrefois n'était pas même effleurée par ce rêve, dans le
don chaste et ignoré de son cœur, voyait clair à présent,
comprenait tout d'un coup. Ce mariage lointain, elle-
même l'avait voulu alors, sans le savoir. La graine qui
germait avait cheminé sourdement, elle l'aimait d'amour,
ce garçon près duquel elle n'avait d'abord été que consolée. Et leurs regards se disaient cela, et ils ne s'aimaient
ouvertement, à cette heure, que pour l'adieu éternel. Il
fallait encore cet affreux sacrifice, l'arrachement dernier,
leur bonheur possible la veille s'écroulant aujourd'hui
avec le reste, s'en allant avec le flot de sang qui venait
d'emporter leur frère.

Jean se releva, d'un long et pénible effort des genoux.
— Adieu!

Sur le carreau, Henriette restait immobile.
— Adieu!

Mais Jean s'était approché du corps de Maurice. Il le
regarda, avec son grand front qui semblait plus grand, sa
longue face mince, ses yeux vides, jadis un peu fous, où
la folie s'était éteinte. Il aurait bien voulu l'embrasser,
son cher petit, comme il l'avait nommé tant de fois, et il
n'osa pas. Il se voyait couvert de son sang, il reculait
devant l'horreur du destin. Ah! quelle mort, sous l'effondrement de tout un monde! Au dernier jour, sous les
derniers débris de la Commune expirante, il avait donc
fallu cette victime de plus! Le pauvre être s'en était allé,
affamé de justice, dans la suprême convulsion du grand
rêve noir qu'il avait fait, cette grandiose et monstrueuse
conception de la vieille société détruite, de Paris brûlé,
du champ retourné et purifié, pour qu'il y poussât l'idylle
d'un nouvel âge d'or.

Jean, plein d'angoisse, se retourna vers Paris. A cette
fin si claire d'un beau dimanche, le soleil oblique, au ras
de l'horizon, éclairait la ville immense d'une ardente
lueur rouge. On aurait dit un soleil de sang, sur une mer
sans borne. Les vitres des milliers de fenêtres braisillaient,
comme attisées sous des soufflets invisibles; les toitures
s'embrasaient, telles que des lits de charbons; les pans
de murailles jaunes, les hauts monuments, couleur de
rouille, flambaient avec les pétillements de brusques
feux de fagots, dans l'air du soir. Et n'était-ce pas la
gerbe finale, le gigantesque bouquet de pourpre, Paris
entier brûlant ainsi qu'une fascine géante, une antique
forêt sèche, s'envolant au ciel d'un coup, en un vol de
flammèches et d'étincelles ? Les incendies continuaient,
de grosses fumées rousses montaient toujours, on entendait une rumeur énorme, peut-être les derniers râles des
fusillés, à la caserne Lobau, peut-être la joie des femmes
et le rire des enfants, dînant dehors après l'heureuse
promenade, assis aux portes des marchands de vin. Des
maisons et des édifices saccagés, des rues éventrées, de
tant de ruines et de tant de souffrances, la vie grondait
encore, au milieu du flamboiement de ce royal coucher d'astre, dans lequel Paris achevait de se consumer
en braise.

Alors, Jean eut une sensation extraordinaire. Il lui
sembla, dans cette lente tombée du jour, au-dessus de
cette cité en flammes, qu'une aurore déjà se levait.
C'était bien pourtant la fin de tout, un acharnement du
destin, un amas de désastres tels, que jamais nation n'en
avait subi d'aussi grands : les continuelles défaites, les
provinces perdues, les milliards à payer, la plus effroyable
des guerres civiles noyée sous le sang, des décombres et
des morts à pleins quartiers, plus d'argent, plus d'honneur, tout un monde à reconstruire! Lui-même y laissait
son cœur déchiré, Maurice, Henriette, son heureuse vie
de demain emportée dans l'orage. Et pourtant, par-delà
la fournaise, hurlante encore, la vivace espérance renaissait, au fond du grand ciel calme, d'une limpidité souveraine. C'était le rajeunissement certain de l'éternelle
nature, de l'éternelle humanité, le renouveau promis à
qui espère et travaille, l'arbre qui jette une nouvelle tige
puissante, quand on en a coupé la branche pourrie,
dont la sève empoisonnée jaunissait les feuilles.

Dans un sanglot, Jean répéta :

— Adieu!

Henriette ne releva pas la tête, la face cachée entre ses deux mains jointes.

— Adieu!

Le champ ravagé était en friche, la maison brûlée était par terre; et Jean, le plus humble et le plus douloureux, s'en alla, marchant à l'avenir, à la grande et rude besogne de toute une France à refaire.

ARCHIVES DE L'ŒUVRE

I

ZOLA ET *LA DÉBÂCLE*

a) *Le premier plan détaillé de* la Débâcle.

Avant de passer à la rédaction du roman, Zola rédigea un plan qui témoigne, sans doute, de sa méthode générale, mais surtout de sa volonté d'organiser vigoureusement un récit complexe. Le découpage en scènes successives, la continuité chronologique, les éléments d'une narration simultanée, que l'on perd parfois de vue dans le foisonnement du roman, apparaissent ici avec une extrême netteté. On notera cependant quelques différences entre ce plan et le roman rédigé. Elles ont disparu dans « un second plan », également conservé et contemporain de la rédaction définitive. La comparaison entre les deux plans permet de suivre le romancier au travail.

« Première partie (Ms. 10.286, f° 136).

I [Nuit du 6 au 7 août]. — Devant Mulhouse. Le camp le soir, jusqu'à la nouvelle de Frœschwiller. Weiss venant, causant, posant Sedan, Gunther. Le passé donné par Rochas, Maurice, Jean, Weiss. Goliath passe, Honoré aussi.

II [7 au 20]. — La retraite sur Belfort. Première scène d'indiscipline, Jean et Maurice heurtés. La panique, les armes jetées, l'invasion, sans qu'on ait vu un Prussien. Toute l'escouade posée, et Honoré défilant avec sa pièce. — Puis, départ de Belfort, scène du wagon contre Jean, et arrivée à Reims.

III [20 au 22]. — Tout Reims, Courcelles. L'empereur, Paris poussant. Prosper venant en ordonnance avec son cheval : posé. — Récit de Wissembourg et de Frœsch-willer, rétrospectif. Rochas. Campagnes du Ier Empire. Que s'était-il passé, pourquoi vaincus ?

IV [23, 24, 25]. — La marche sur Sedan. Les 3 premières étapes, jusqu'à Vouziers. La scène de maraude, aidant l'indiscipline. L'escouade revient. Honoré revient avec la batterie [la batterie, la pièce posée là], et Goliath. Tous les détails de marche. Analyse de l'amitié commençante.

V [25, 26, 27]. — Toute l'attente à Vouziers. L'ennemi qu'on croit là. Pas encore un coup de feu. Puis, Maurice malade, au Chesne. Et tout l'épisode de Napoléon III. La nuit du 27 au 28, décisive, terrible. L'attente au plateau de Quatre-Champs. Dès lors, l'armée en perdition.

VI [28, 29, 30]. — De Vouziers à Remilly. Les étapes. L'ennemi, dès Germont. Mais toujours pas un coup de feu. L'épisode des francs-tireurs, posés. Passage à Raucourt. L'arrière-garde, bombardée. Dans le défilé. L'amitié déclarée.

VII [30]. — A Remilly. Le passage du pont de bateaux. L'attente. Puis, chez le père Fouchard. La ferme posée. Maurice et Jean affamés. Fouchard gardant pour les Prussiens. Scène d'amour de Honoré et de Silvine. Charlot. Le récit de Silvine, de Raucour.

VIII [30, 31]. — A Sedan. Delaherche et Weiss, le matin, à Baybel. Jean séparé de Maurice, cherche la maison de Delaherche. Intérieur de ceux-ci : Gilberte, la vieille mère, le capitaine, le colonel. Première entrevue de Jean et d'Henriette. Jean et Maurice dans des draps. Un Sedan noir, l'empereur. Weiss à Bazeilles.

Deuxième partie [1er septembre] (Ms. 10.286, fo 137).

I [4 h. à 8 h. matin]. — Le matin, à Bazeilles. Weiss et Delaherche. Pourquoi ils sont là. Tous les événements de la veille, le 31. Le champ de bataille et la position des corps. La bataille de 4 h. au commandement de Ducrot, 8 h. [La blessure de M. M.]. Delaherche rentre à Sedan. Le roi Guillaume.

II [4 à 9 ½]. — A Floing. Jean et Maurice depuis le lever jusqu'à 9 h. Couchés tout le temps, pas engagés. Coups d'œil en arrière sur Bazeilles. Le commandement de Ducrot et celui de Wimpffen arrivant à la fois. Honoré. Prosper.

III [4 à 9 ½]. — Dans Sedan. Henriette dans la ville noire, me donnant tout. Le capitaine couché avec Gilberte. Conversation des deux femmes attendant. L'ambulance posée. Delaherche me donnant la ville ensuite. L'empereur est sorti. Le roi Guillaume repris.

IV [9 ½ à 12]. — A Bazeilles. Henriette y va rejoindre son mari au moment où l'on tâche de reprendre les positions (ordre Wimpffen). La maison brûlée, Weiss fusillé. Gutmann. Les Français repoussés dans Balan.

V [11 à 2]. — A Floing. Le grand combat d'Illy. Combat d'artillerie, Honoré tué. La charge, Prosper. Maurice sauve Jean, Otto Gunther. La jonction est faite. Le capitaine Beaudoin blessé à mort.

VI [11 ½ à 4]. — Dans Sedan. Rentrée de l'empereur. La ville s'encombre. Tout l'épisode du drapeau blanc. Delaherche me donnant la ville. Mais surtout l'ambulance. Mort du capitaine Beaudoin dans les bras de Gilberte. La trouée de Wimpffen. Le roi Guillaume repris.

VII [4 à 6]. — Derniers combats autour de Sedan. La retraite. Henriette se retrouvant avec Maurice et Jean. Mort de Rochas. Episode à « Mon repos ». Guerre de ruelles et de jardins, malgré le drapeau blanc. Toute l'armée roulant vers Sedan. On ferme les portes.

VIII [6 h. au matin]. — Dans Sedan. La nuit entière. Le parlementaire au roi Guillaume. Wimpffen à Bellevue. Conseil de guerre. La ville tremblant. Delaherche ne dormant pas, d'inquiétude. L'ambulance, toute la nuit, avec Henriette qui veille, Maurice qui dort, Jean qui rêvasse. Et cela jusqu'à la capitulation décidée.

Troisième partie (Ms. 10.286, f° 138).

I [3 sept.]. — Le champ de bataille, le 3. Prosper revenu de Belgique, et menant Silvine chercher le corps d'Honoré. Par Bazeilles. Puis description du champ de bataille de Floing. Les morts, les blessures, les débris. Honoré retrouvé et emporté. — Par Sedan, les prisonniers au camp d'Iges.

II [sept.]. — Le camp d'Iges, du 3 au 12 sept. Maurice et Jean, avec tous les épisodes possibles. Delaherche venant les voir. Tentative de fuite par la Meuse. La faim, les chevaux mangés. — Toute l'escouade terminée.

III [sept.]. — Les prisonniers menés à Pont-à-Mousson. Maurice et Jean, traversant Sedan, maltraités. Ils s'enfuient, mais Jean, blessé au pied. Maurice le sauve encore, le mène sur un cheval à Remilly. Henriette chez Fouchard. Une ambulance où est Dalichamp. On cache Jean, Maurice va reprendre du service, à Paris.

IV [sept. à déc.]. — Henriette soignant Jean blessé et caché. L'amitié entre eux, devenant de la tendresse discrète. Toute la suite de la campagne par les nouvelles et les journaux. Commerce du père Fouchard avec les Prussiens. Prosper, Silvine, toute la ferme. Goliath entrevu.

V [déc.]. — L'épisode des francs-tireurs surprenant Goliath, le jugeant et le saignant. Première entrevue de Goliath et de Silvine, puis elle le livre et assiste à l'exécution, avec Charlot. Jean, à la fin, sachant et outré. On va les inquiéter.

VI [déc.]. — Retour dans Sedan. Une ville pendant l'occupation. Le père Fouchard a été arrêté et Silvine va trouver Gilberte : couche-t-elle avec l'officier prussien ? non, avec un sergent français. Mme Delaherche. Mort du colonel. Jean allant reprendre du service à l'armée de la Loire ou du Nord. Nouvelles de Paris.

VII [déc. à mars]. — A Paris, avec Maurice. Toute la fin du siège, puis la Commune. La grande analyse, dans Maurice, de ce qui a déterminé la Commune. Jean cherchant Maurice, à la veille du 18 mars, et ne le trouvant pas. Lui avec Versailles, l'autre restant à Paris.

VIII [mai]. — Les incendies. Henriette à Saint-Denis, dès les premières flammes. Conversation avec Gunther. Elle vient à Paris, chez les amis de Ménilmontant. La bataille des rues, les incendies continuent, la barricade prise et Jean tuant Maurice d'un coup de baïonnette. Puis, Jean, Maurice et Henriette dans la chambre, en face de Paris qui brûle. L'immense espoir au-dessus des flammes.

b) *Un article de Zola sur « Sedan ».*

Le 1er septembre 1891 — vingt ans après la bataille — Zola publia dans *le Figaro* un article sur Sedan qui apportait beaucoup plus que des impressions de voyages ou que la banale méditation d'un moraliste. On trouve dans ce prologue à *la Débâcle* la plupart des thèmes, et même l'annonce de quelques scènes du roman, ce qui constitue une précieuse indication chronologique sur la genèse de celui-ci. Mais il y a également un exposé des idées directrices du romancier, présentées avec plus de netteté, ou si l'on préfère, moins de nuances que dans le roman luimême. Tel est le cas, par exemple, du développement final sur la guerre inévitable et nécessaire, qui tourne presque à l'éloge de la guerre comme école de grandeur morale. On apprécie mieux, en lisant ces quelques pages les résonances de *la Débâcle* et l'art du romancier.

SEDAN

« C'est la date terrible. Il semblait qu'un pareil désastre ne s'était jamais abattu sur une nation. Depuis vingt ans, le souvenir n'en a pu être évoqué sans qu'une angoisse serrât les cœurs, dans un intolérable sentiment de honte et de colère.

« Et, maintenant, au fond de cette amertume affreuse, il y a une sensation de souffrance salutaire, de virile guérison. Je l'ai éprouvée là-bas, à Sedan, pendant les journées que j'ai vécues sur le champ de bataille; je crois la retrouver à cette heure, dans toutes les poitrines, cette régénération par la douleur, née de l'excès même de nos revers; et je voudrais, à la date noire, dire toute la lumière qui en a jailli, tout ce qui a germé dans le champ de nos ruines.

« Oui, il y a eu là un bain de sang nécessaire. La leçon, à cette heure, apparaît effroyable et profitable. Il ne restait peut-être que ce soufflet à notre orgueil, que cette saignée à nos veines, pour nous refaire une santé.

« D'abord la défaite quand même était inévitable. Depuis bientôt une année que je suis enfoncé dans les documents de l'époque, tout ce que je lis, tout ce qu'on me raconte aboutit à l'écrasement forcé, mathématique de nos armées. Cela a été ainsi, parce que cela ne pouvait pas être autrement.

« Sans doute, on a commis d'immenses fautes. Mais ces fautes, aujourd'hui, n'apparaissent-elles point comme les résultats incohérents de notre état de maladie ? Au lendemain de la guerre, chacun a refait le plan de campagne, livré les batailles sur de nouvelles positions, trouvé des combinaisons certaines pour battre l'ennemi. Facile besogne, qui ne tient aucun compte de l'humanité mise en jeu et du milieu social dans lequel le drame s'est déroulé.

« Plus haut que les fautes commises, à la source profonde et cachée où naissent les faits de l'Histoire, il y a les causes premières, physiologiques et psychologiques, qui décident de l'existence d'une nation. Si nos sept corps d'armée étaient disséminés de Metz à Belfort, dans une telle confusion qu'ils ne pouvaient prendre l'offensive; si Mac-Mahon s'est laissé battre à Frœschwiller, ignorant de l'ennemi qui l'attaquait, perdant la partie, au point d'en être balayé d'un coup jusqu'à Châlons; si, plus tard, au lieu d'attendre sagement les Prussiens sous Paris, comme tout le monde et lui-même le voulaient, il finit par obéir à la poussée folle qui devait le jeter à Sedan; si, de son côté, Bazaine s'entêta devant Metz, d'abord peut-être par aveuglement et incapacité, ensuite dans un but resté obscur : tous ces faits, il faut bien le constater, ces faits imbéciles et accumulés comme à plaisir n'étaient pas des fautes individuelles, dues simplement à des généraux malheureux, à des personnalités médiocres ou ambitieuses, mais bien des sottises, des crimes de lèse-patrie, commis par la nation entière, et où chacun de nous avait sa part de responsabilité.

« Aujourd'hui, il n'y a plus aucune honte à faire cet examen de conscience. En face de l'Allemagne, toute frémissante de sa victoire sur l'Autriche, rajeunie par son élan irrésistible vers l'unité, ayant à sa tête des hommes instruits et sages, prête à se lever tout entière au premier appel, la France était comme pourrie à sa base par son immobilité dans l'orgueil de sa légende guerrière. Et je ne suis ici d'aucun parti politique, l'Empire a certainement aggravé le désastre, mais les causes premières remontent plus haut. Notre école d'Afrique, si glorieuse, a été sûrement détestable au point de vue de la grande guerre, telle que les Allemands nous l'ont faite. Pourquoi cette ignorance presque générale, cette infériorité de nos chefs, si parfaitement braves et qui ont dû battre en retraite les uns après les autres, sans paraître même avoir compris ? Ils se sont trouvés désarmés, et il faut ajouter que tout a fait faillite entre leurs mains, le matériel insuffisant et inférieur, les troupes gâtées par le remplacement à prix d'argent, travaillées d'un ferment d'indiscipline, ébranlées, incapables de la victoire.

« Telle est la leçon : un peuple, pour vaincre, doit être à la tête des peuples, je veux dire qu'il doit être la science, la santé, le génie de son temps. Nous avions oublié cela, nous nous étions laissé devancer, vivant dans la vaniteuse confiance de notre vieille gloire. Et voilà comment la France, qui avait promené ses drapeaux victorieux par toutes les capitales de l'Europe, quand elle était la force et l'intelligence, a failli mourir de la routine et de la sottise, dans la basse-fosse de Sedan.

« Quel drame, ce désastre de Sedan, et quelle passion à revivre! Mais toute l'angoisse ne fut pas sur le champ de bataille le 1er septembre. D'autres heures mauvaises avaient précédé, et la plus atroce certainement fut celle qui s'écoula au Chêne-Populeux, dans la nuit du 27 au 28 août. C'est là que le crime a été commis, le massacre résolu et accepté.

« Il faut savoir qu'arrivés là, dans leur marche sur Montmédy, l'empereur et Mac-Mahon sentirent l'armée perdue si elle avançait davantage. Une fois encore les Prussiens nous avaient gagné de vitesse, nous n'avions d'autres ressources que de nous replier sur les places du Nord; et les ordres étaient déjà donnés, le maréchal renonçait à secourir Bazaine tranquillement retiré sous Metz. Mais, depuis le départ du camp de Châlons, les dépêches de l'impératrice et du Conseil des ministres se succédaient, pressantes, furieuses, fouettant l'indécision du maréchal éperonnant l'empereur, criant : " Marche, marche! " à cette armée démoralisée, battue sans avoir combattu. L'impératrice avait dit que, si l'empereur revenait à Paris, il n'y rentrerait pas vivant. Marche! marche! pour que cette dernière partie de l'Empire agonisant fût jouée jusqu'au bout! Marche! marche! sans regarder en arrière, sous la pluie, dans la boue, à l'extermination!

« Et ce fut encore le cri impitoyable qui arriva au Chêne-Populeux, dans la nuit néfaste, en réponse à la dépêche de Mac-Mahon qui annonçait sa retraite par le nord. Et ni le Conseil des ministres ni l'impératrice ne pouvaient ignorer que, dès lors, l'armée était en perdition. C'était l'envoi de cent et quelques mille hommes à un anéantissement certain. Cette nuit-là, l'impératrice n'a-t-elle pas souhaité la mort du père, pour que le fils régnât ? Marche! marche! meurs en héros, remplis le monde entier d'une admiration émue! Il n'y a pas, dans les grands tragiques, une situation plus poignante, un sacrifice humain plus effrayant, offert au destin pour le salut d'une dynastie.

« Je m'imagine l'arrivée de la dépêche au Chêne-Populeux, dans la petite maison du notaire, où l'empereur était descendu. Mac-Mahon se trouvait là. Il y eut une courte conférence. On leur demandait leur vie, la vie de l'armée. Aller en avant, c'était l'écrasement inévitable et ils en étaient convaincus l'un et l'autre, tous les documents le prouvent. Remonter vers le nord, c'était le danger évité, retardé du moins, l'armée pouvant se rabattre sur Paris, dans un mouvement de recul que rien encore n'empêchait. Et ils obéirent à la dépêche, les ordres furent changés, on reprit le lendemain matin la marche vers la Meuse.

« Ah! ce misérable empereur, dans toute cette marche, quelle figure tragique et lamentable! Il a pu être le grand coupable, mais une pitié irrésistible monte du cœur, quand on le voit, malade, déchu, emporté à l'ignominie dans le torrent débordé. Quelle vision, celle de ce maître acclamé hier par les sept millions de voix du plébiscite, aujourd'hui démis de son autorité impériale qu'il avait confiée aux mains de l'impératrice-régente, dépouillé de son commandement de général en chef dont il venait d'investir Bazaine, n'étant plus qu'une ombre d'empereur, indéfinie et vague, une inutilité sans nom et encombrante, dont on ne savait quoi faire, que Paris repoussait et qui n'avait même plus de place dans l'armée! Ah! le pauvre homme, pareil à un enfant perdu dans son empire, qu'on emportait comme un paquet gênant, parmi les bagages des troupes, condamné à traîner à sa suite l'ironie de sa maison de gala, ses cent-gardes, ses voitures, ses chevaux, ses cuisiniers, ses fourgons de casseroles d'argent et de vin de Champagne, toute la pompe de son manteau de cour, semé d'abeilles, balayant le sang et la boue des grandes routes de la défaite.

« L'armée de Châlons, malgré tout, se montra grande, car elle fut réellement une armée martyre. Après Sedan, on la chargea d'exécrations, personne ne voulut comprendre comment quatre-vingt mille hommes avaient pu consentir à capituler et à se laisser faire prisonniers. Et pourtant, que d'excuses, dans l'effondrement de la nation entière !

« Sans doute, il y eut d'abominables scènes d'indiscipline, les révoltes ouvertes du camp de Châlons, le pillage de la gare de Reims. Pendant les marches, on jetait les sacs, on jetait les fusils. Les hommes, affamés et ivres, tombaient dans les fossés, mendiaient le long des routes. Une queue grandissante de traînards semait les campagnes d'une véritable horde de vagabonds qui rançonnaient et volaient les paysans. Et pas un exemple ne fut fait, pas un coupable ne fut fusillé, depuis le premier coup de feu. Ils étaient trop.

« Mais, je le répète, que d'excuses ! De braves gens tout de même ! Les vétérans glorieux de Sébastopol et de Solférino, décimés à Frœschwiller, n'étaient plus que le petit nombre, encadrés parmi des troupes trop jeunes, incapables d'une longue résistance. Ces quatre corps, formés et reconstitués à la hâte, sans liens solides entre eux, c'était l'armée de la désespérance, le troupeau expiatoire qu'on envoyait au sacrifice, pour payer les fautes de tous du flot rouge de son sang. Elle fut l'holocauste, le bouc émissaire, couverte de crachats, égorgée sans gloire.

« Et puis, que de souffrances, quel dur calvaire elle monta depuis Reims jusqu'aux forteresses de l'Allemagne ! Dès la troisième journée, la marche sur Montmédy devint un piétinement, un affolement, dont le plus borné des soldats ressentait l'angoisse. Si tous criaient à la trahison, c'était que, pour expliquer tant de jours perdus et de fautes entassées, l'idée de la trahison finissait par être la seule logique. Il y eut aussi de stupides gaspillages de vivres que suivirent des disettes absolues. Le 29 et le 30 août, il ne fut pas fait de distribution. Le 7e corps marcha pendant plus de douze heures sans manger. Et après Beaumont, ce n'était déjà plus des soldats, mais une cohue emportée par la panique, qui reflua sur Sedan. Le 1er septembre, il ne restait ni armée ni chef, on vit le commandement suprême passer, en moins de deux heures, dans trois mains différentes ; on assista à cette effroyable tragédie, pas de plan, des volontés contraires, l'ignorance et le désordre, cent mille hommes poussés au hasard, jetés dans ce trou, pour y être foudroyés par les cinq cents pièces de l'artillerie allemande.

« Ensuite, au lendemain de la capitulation, l'expiation continua par les tortures de la presqu'île d'Iges, où les Prussiens enfermèrent leurs quatre-vingt mille prisonniers. Pendant toute une semaine, ce peuple hâve de vaincus creva de faim, sous des pluies battantes. On couchait dans la boue, sans même pouvoir faire sécher les capotes

trempées, pareilles à des éponges. Il y eut un soldat qui
en tua un autre, pour lui voler un pain. Quand les survivants aujourd'hui, parlent de ce camp de la misère, comme
on l'avait nommé, ils ont dans les yeux l'effarement lointain
d'un cercle de l'enfer, d'une horreur sans nom dont ils
frissonnent encore.

« Une armée martyre, oui, certes! Et une armée brave,
malgré son indiscipline et ses paniques. Elle était malade
de notre maladie à tous, tombée à la faiblesse, à l'épuisement, au nervosisme dont la France entière souffrait. Mais,
partout où elle put se battre, même un contre trois, à
Bazeilles, à Illy, à Floing, elle fut admirable d'abnégation
et de bravoure. Jusqu'à six heures, lorsque depuis trois
heures le drapeau blanc flottait sur la citadelle, des soldats furieux, pleurant de rage, se firent tuer, en s'obsti-
nant à défendre les maisons des faubourgs.

« Cette vérité, amère et forte, on doit la dire, aujourd'hui
que nous pouvons l'entendre. Longtemps, il a semblé
que c'était la fin de la France, que jamais nous ne pourrions
nous relever, épuisés de sang et de milliards. Mais la France
est debout, elle n'a plus au cœur de honte ni de crainte.

« Personne, certainement, ne souhaite la guerre. Ce serait
un souhait exécrable, et ce que nous avons enterré avec
nos morts, à Sedan, c'est la légende de notre humeur
batailleuse, cette légende qui représentait le troupier français partant à la conquête des royaumes voisins, pour rien,
pour le plaisir. Avec les armes nouvelles, la guerre est
devenue une effrayante chose, qu'il faudra bien subir
encore, mais à laquelle on ne se résignera plus que dans
l'angoisse, après avoir fait tout au monde pour l'éviter.
Aujourd'hui, des nécessités impérieuses, absolues, peuvent
seules jeter une nation contre une autre.

« Seulement, la guerre est inévitable. Les âmes tendres
qui en rêvent l'abolition, qui réunissent des congrès pour
décréter la paix universelle, font simplement une utopie
généreuse. Dans des siècles, si tous les peuples ne formaient
plus qu'un peuple, on pourrait concevoir à la rigueur
l'avènement de cet âge d'or; et encore la fin de la guerre
ne serait-elle pas la fin de l'humanité? La guerre mais
c'est la vie même! Rien n'existe dans la nature, ne naît,
ne grandit, ne se multiplie que par un combat. Il faut
manger et être mangé pour que le monde vive. Et seules
les nations guerrières ont prospéré, une nation meurt dès
qu'elle désarme. La guerre, c'est l'école de la discipline,
du sacrifice, du courage, ce sont les muscles exercés, les
âmes raffermies, la fraternité devant le péril, la santé et la
force.

« Il faut l'attendre, gravement. Désormais, nous n'avons
plus à la craindre. Le temps a travaillé pour nous, et on

peut croire, maintenant, que le temps va travailler contre nos vainqueurs. Rien ne reste stationnaire, tout évolue à chaque heure qui sonne, se déplace et se modifie. Quiconque s'oublie au sommet, descend. Nous l'avons durement éprouvé, nous autres, si confiants dans le succès légendaire de nos armes, à l'instant même où nous courions aux plus sanglants revers. L'Allemagne, si haute depuis vingt ans, est à l'apogée de sa puissance; et ne semble-t-il pas déjà qu'un sourd craquement s'y fait entendre ? Les grands hommes de la conquête disparaissent un à un dans la mort, il n'en reste qu'un debout, malade de sa disgrâce, pareil à ces vieillards que les suites de la moindre fracture emportent. Et c'est, plus haut, un drame noir de l'hérédité, le grand-père embaumé dans sa gloire, le fils détruit en quelques mois, dévoré à la gorge, le petit-fils qui paraît avoir hérité du cancer et de la couronne le jour où il a jeté sur ses épaules le manteau impérial. Quel vent de tempête balayant une dynastie et quel ébranlement dans un peuple, qui a donné tout son effort et qui ne peut plus que décroître !

« Là-bas, sur le champ de bataille de Sedan, j'ai senti ces choses.

« Il n'y a donc plus à cacher ni à excuser nos défaites. Il faut les expliquer et en accepter la terrible leçon. Une nation qui a survécu à une pareille catastrophe est une nation immortelle, invincible dans les âges. De cette page affreuse de Sedan, je voudrais qu'il en sortît une vivace confiance, le cri même de notre relèvement.

« Par une nuit de lune claire, je suis monté du fond de Givonne vers le plateau d'Illy, suivant les chemins creux, traversant les champs, où dorment tant de nos morts. Et il m'a semblé que tous ces braves gens se soulevaient de terre, les fantassins frappés isolément derrière une haie, les cavaliers de l'héroïque charge tombés en masse, et que tous ils avaient la joie du sacrifice utile, de la grande moisson d'espérances qui germe aujourd'hui de leur sang. »

c) *La « dimension » Rougon-Macquart de* la Débâcle.

Jean Macquart, déjà présent dans *la Fortune des Rougon* était un des personnages principaux de *la Terre*. C'est pourtant dans *la Débâcle* qu'il trouve sa véritable signification : il est de ceux qui s'attacheront à « la grande et rude besogne de toute une France à refaire ». Dans *le Docteur Pascal*, les passages ci-dessous constituent un prolongement de *la Débâcle;* ils permettent de suivre l'histoire de Jean et précisent le rôle symbolique qui lui revient dans l'*Histoire des Rougon-Macquart*.

Enfin, c'était Jean Macquart l'ouvrier et le soldat redevenu paysan, aux prises avec la terre dure qui fait payer
chaque grain de blé d'une goutte de sueur, en lutte surtout
avec le peuple des campagnes, que l'âpre désir, la longue
et rude conquête du sol brûlé du besoin sans cesse irrité
de la possession.   (Ch. v.)

Et c'était Jean encore qui, devenu veuf et s'étant réengagé aux premiers bruits de guerre, apportait l'inépuisable
réserve, le fonds d'éternel rajeunissement que la terre garde,
Jean le plus humble, le plus ferme soldat de la suprême
débâcle, roulé dans l'effroyable et fatale tempête qui, de
la frontière à Sedan, en balayant l'Empire, menaçait d'emporter la patrie, toujours sage, avisé, solide en son espoir,
aimant d'une tendresse fraternelle son camarade Maurice,
le fils détraqué de la bourgeoisie, l'holocauste destiné à
l'expiation, pleurant des larmes de sang lorsque l'inexorable destin le choisissait lui-même pour abattre ce membre
gâté, puis après la fin de tout, les continuelles défaites,
l'affreuse guerre civile, les provinces perdues, les milliards
à payer, se remettant en marche, retournant à la terre qui
l'attendait, à la grande et rude besogne de toute une France
à refaire.
                                                    (Ibid.)

Enfin, Jean Macquart, licencié après la semaine sanglante, était revenu se fixer près de Plassans, à Valqueyras,
où il avait eu la chance d'épouser un forte fille, Mélanie
Vial, la fille unique d'un paysan aisé, dont il faisait valoir
la terre; et sa femme grosse dès la nuit des noces, accouchée
d'un garçon en mai, était grosse encore de deux mois, dans
un de ces cas de fécondité pullulante qui ne laissent pas
aux mères le temps d'allaiter leurs petits.
                                                    (Ibid.)

Son plus solide espoir, d'ailleurs, était dans les enfants
de Jean, dont le premier-né, un gros garçon, semblait
apporter le renouveau, la sève jeune des races qui vont se
retremper dans la terre. Il se rendait parfois à Valqueyras,
il revenait heureux de ce coin de fécondité, du père calme
et raisonnable, toujours à sa charrue, de la mère gaie et
simple, aux larges flancs, capables de porter un monde.
Qui savait d'où naîtrait la branche saine ? Peut-être le sage,
le puissant attendu germerait-il là.
                                                    (Ibid.)

D'ailleurs, le coin de belle santé vigoureuse, de fécondité
extraordinaire, était toujours à Valqueyras, dans la maison
de Jean, dont la femme, en trois années, avait eu deux
enfants, et était grosse d'un troisième. La nichée poussait

gaillardement au grand soleil, en pleine terre grasse, pendant que le père labourait, et que la mère, au logis, faisait
bravement la soupe et torchait les mioches. Il y avait là
assez de sève nouvelle et de travail, pour refaire un monde.

(Ch. XIV.)

II

POLÉMIQUES AUTOUR DU ROMAN

Il ne saurait être question de consacrer ici un dossier complet à l'accueil de *la Débâcle* par les critiques et les lecteurs contemporains. Un grand nombre d'articles, favorables ou hostiles, furent inspirés par des préoccupations surtout littéraires ou artistiques. Ce sont assurément les plus intéressants. Retenons, entre autres, dans une riche bibliographie, les comptes rendus d'Anatole France (*le Temps*, 26 juin 1892), de Gustave Kahn (*Société nouvelle*, juillet 1892), d'Emile Faguet (*Revue politique et littéraire*, 25 juin 1892), d'Eugène-Melchior de Vogüé (*Revue des Deux Mondes*, 15 juillet 1892), qui ont été repris, en partie ou en quasi-totalité par H. Mitterand dans son étude sur *la Débâcle* (Ed. de la Pléiade, *op. cit.* t. V, p. 1421 sq.). Si dans ces articles l'intention polémique demeurait relativement discrète, il n'en fut pas de même dans d'autres analyses (articles ou plaquettes), légèrement postérieures. Certains de ces écrits, dus à des témoins — des officiers généralement — contestèrent mille détails relatifs à toutes les formes de l'histoire militaire, de l'uniforme prussien au secret des délibérations de l'état-major. Ils ne présentent qu'un intérêt documentaire. Plus importante fut la polémique de caractère idéologique et politique : à partir de données historiques ou artistiques (donc en déguisant le plus souvent les véritables motivations), les adversaires de Zola, représentatifs d'un courant de pensée, voire de sensibilité patriotique et traditionaliste, s'attachèrent à montrer que le romancier venait de commettre une mauvaise action à l'encontre de l'armée, de la nation, de la patrie, de la jeunesse, de l'Idéal, etc. Les accusations de trahison n'étaient plus très loin... Dans ce concert de réprobations au nom de l'ordre moral, une voix allemande s'éleva dans *le Figaro* du 19 septembre 1892, celle du capitaine bavarois Tanera qui, dans une lettre également citée par H. Mitterand, fit la leçon au romancier accusé d'avoir écrit une œuvre « nuisible ». Nous avons choisi, parmi bien d'autres, trois extraits dont l'intérêt littéraire est nul mais qui rendent bien compte des réactions d'humeur — et de mauvaise humeur — que suscita l'œuvre de Zola dans un certain milieu.

a) *Le pathétique.*

Dans une plaquette de quelque 90 pages, *A refaire* « *la Débâcle* » (Paris, Dentu, 1892), Christian Franc joue le jeu du douloureux étonnement devant la méconnaissance du véritable élan de l'armée et du peuple français. Il conclut en ces termes :

Et maintenant, Monsieur Zola, il faut conclure.

Quand vous nous présentez, dans vos autres œuvres, des types d'ouvriers et de paysans, de fonctionnaires et de bourgeois, de femmes et de jeunes filles, d'enfants et de parents, qui sont si proches de n'être vrais ni réels, à force de ne concréter que les laideurs et les pires instincts de la nature, il est loisible à la critique de passer facilement condamnation là-dessus. Mais cette condescendance et cette concession seraient coupables, si la critique agissait de même et ne protestait pas ; lorsque, prenant la France pour sujet de vos études, vous ne reproduisez de sa physionomie, de ses actes, de sa vie, que les tristes ombres, sans rien mettre en lumière de sa gloire éclatante et de sa radieuse beauté ; lorsque vous risquez ainsi, en ne montrant d'elle qu'une image défigurée à force d'être imparfaite, de la faire juger sans équité, par le public innombrable qui vous lit chez nous et à l'étranger.

Ne s'agit-il pas là, en effet, d'un patrimoine national qui se constitue et s'accroît continuellement des efforts et des mérites de tous, qui nous appartient à tous comme notre commun héritage, qui nous est à tous sacré, à l'intégrité duquel nous ne saurions trop, tous, jalousement veiller ? N'est-ce pas le trésor de nos traditions, de notre fierté, de notre honneur, de nos espoirs ; l'arche sainte, à laquelle il ne faut toucher d'une main pieuse, la moindre atteinte même involontaire contre elle devenant tout de suite un crime de lèse-patrie, le pire des sacrilèges.

Exploitez donc, comme il vous plaît, toutes les autres mines de documents humains ; et, du minerai que vous en extrayez, soyez libre, rejetant le métal précieux, de ne retenir que la gangue vile et sordide, pour en faire les impurs matériaux de vos œuvres. Soyez libre en conséquence, de garder tels qu'ils sont, vos autres romans, *l'Assommoir, Germinal, la Terre, la Bête humaine,* etc. et de ne pas vous déprendre de votre complaisance pour eux, s'ils vous conviennent ainsi. Conservez de même vos autres personnages, soi-disant typiques, tels que vous les avez conçus, quelles que soient d'ailleurs leur exactitude et leur vérité. Mais, de grâce, usez-en plus équitablement avec les documents de notre vie nationale! Rendez-nous notre vraie France! Refaites-nous votre *Débâcle !*

*
* *

Il n'est que vous, Monsieur Zola, — après ma sincérité de tout à l'heure, qui ne se démentira pas à voir en vous le bien à côté du mal, je suis bien à l'aise pour le reconnaître spontanément, hautement, de tout cœur, — il n'est que vous, pour donner, à votre géniale étude de la première période de l'Année Terrible, une suite qui soit digne d'elle, l'indispensable complément qu'elle réclame de vous.

Vous vous devez à vous-même cet achèvement de votre chef-d'œuvre, lequel ne deviendra, qu'à cette condition, parfait et définitif, au point de vue de l'unité et de la proportion esthétique, au point de vue de la vérité et de la justice historique, au point de vue supérieur de l'autorité des leçons que vous prétendez y donner comme moraliste, comme sociologue, comme patriote.

Et vous le devez à la France, qui veut n'avoir jamais à craindre de ses fils, — quand l'impartialité les force à reconnaître quelque ombre passagère, sur le prestigieux éclat de sa gloire et de son génie souverains, — qu'ils ne s'imposent pas, en même temps, comme le plus doux et le plus sacré de leurs devoirs envers elle, de faire resplendir aux yeux émerveillés du Monde, à côté des tristes ombres, ce radieux éclat jamais terni de ses vertus et de ses mérites, qui lui garde vierge à jamais de toute souillure, son honneur intangible. Plus l'instant est sombre, et plus elle compte sur l'amour de ses enfants pour ce filial service, pour qu'ils manifestent d'elle, tout ce qui la rend à jamais digne de l'admiration et du respect universels, tout ce qui fait d'elle éternellement, même dans les pires extrémités, la nation des sentiments et des passions chevaleresques, la nation des sacrifices et des héroïsmes surhumains, la nation de cette fière et généreuse parole : « Tout est perdu, fors l'honneur! »

C'est de la hauteur et à la lumière de ces principes supérieurs que votre œuvre, Monsieur Zola, doit être par tous, et surtout par vous-même, définitivement jugée.

Tant qu'elle ne sera que le cruel inventaire de nos

malheurs et de nos fautes, sans rappeler en même temps
les mérites et les gloires de nos états de service incompa-
rables ; tant que, ne se complaisant qu'à raviver nos douleurs, par l'implacable évocation de nos seules détresses
mortelles ; elle ne deviendra pas, en célébrant notre résurrection et notre indestructible vitalité, l'hymne enthousiaste
et inspiré de nos fiertés et de notre espoir ; tant qu'on n'y
sentira pas, enfin et surtout, une débordante effusion filiale
d'admiration et de reconnaissance ; tant qu'elle ne dira pas
à notre France avec quelle vénération ses enfants honorent
ses sanglantes blessures et ses éclatantes vertus, avec quel
amour ils l'adorent d'avoir souffert tous les martyres,
et accompli tous les héroïsmes ; tant qu'elle ne nous fera pas
revivre, dans une émotion intense, les gloires, les grandeurs
et les joies de la France qui ne passent pas et qui nous
comblent le cœur d'ardeur et d'espérance, aussi bien que les
humiliations, les épreuves et les douleurs de la France qui
passent sans épuiser jamais en nous la confiance et le
dévouement ; bref, tant qu'elle refusera de se mettre complètement en règle avec la vérité et la justice, avec le patriotisme et avec la France... elle sera, Monsieur Zola, A
REFAIRE, ou, si vous aimez mieux, A PARFAIRE votre *Débâcle !*

Christian FRANC.

b) *Une exécution.*

Dans une plaquette publiée en 1892 « *La Débâcle* »
de *M. Zola*, Jules Arnaud se plut à relever systé-
matiquement les erreurs et les trivialités d'expression.
Cette apparente objectivité allait de pair avec un procès
d'intention, comme en témoigne la violente estocade
finale.

Mais toutes ces remarques, dont la sévérité ne saurait
exclure la rigoureuse exactitude, ne sont rien à côté de
celles à formuler sur l'esprit et la portée de cet ouvrage
décevant, démoralisant, perfide, mensonger et trompeur.

La Débâcle est, en effet, un livre décevant, parce que en
louant à tout propos les Prussiens, jusqu'à les montrer *bons
garçons et caressants pour les enfants*, en opposition surtout
avec tous les garnements attribués à l'armée française,
M. Zola nous ravale plus que nous ne l'avons mérité ; il
sème le doute dans les âmes et peut nous faire perdre toute
confiance en nous-mêmes.

Parce que avec ses peintures extravagantes, il en arrive
à parodier l'héroïsme, il blase les sensations et enlève
d'avance toute leur saveur aux futures relations de combats
qui, en voulant rester seulement véridiques, seront alors
jugées trop simples et sans charme.

La Débâcle est un livre démoralisant, parce que en étalant, surnaturellement amplifiées, les misères et les mauvais côtés de la vie militaire, les difficultés forcément inhérentes à la guerre et souvent même insurmontables il faut s'y attendre, les inévitables horreurs des ambulances, M. Zola glace les courages et prépare les plus déplorables défaillances pour le moment suprême où tous les Français seraient appelés à la défense du pays.

Parce que en traitant de pourris tous les hommes d'il y a vingt ans, il infuse à nos enfants le mépris de leurs pères. Où était-il donc M. Zola ? Qu'a-t-il fait, lui, de beau et de bien, à l'époque de la guerre quand tant de braves gens donnèrent leur vie pour la patrie ?

La Débâcle est un livre perfide, parce que en prétendant faussement que *la bourgeoisie plébiscitaire voulait la paix*, que l'armée de 1870 *était fumante de passions réactionnaires*, que les *combattants de la Commune tombèrent en héros et en braves*, que les soldats de Versailles achevaient *avec rage les blessés à coups de crosse*, que les bourgeois étaient encore *plus féroces que les soldats*, on provoque de terribles aberrations, on ravive des haines effrayantes et l'on pousse à de nouvelles guerres civiles.

La Débâcle est un livre mensonger, parce que, malgré les fautes commises, il est inexact que les généraux de 1870, même ceux qui n'ont pas été à hauteur de leurs rôles, fussent des *lâches* constamment *attablés*, et que leurs divergences d'opinions ou de projets aient dégénéré en d'indignes querelles sur le champ de bataille.

Parce qu'il est aussi inexact que les chefs étaient assez troublés pour *ne pas tirer sur des uhlans* venant nous narguer à *quelques pas* et pour oublier de faire sauter les ponts de la Meuse. Ces derniers ordres, qui pouvaient peut-être sauver une partie de l'armée, furent donnés, et seul, le manque fatal de poudre empêcha leur exécution.

Parce qu'il n'est pas vrai que nos officiers *buvaient partout aux bouteilles et se vautraient bottés sur les lits.*

Parce que, si l'armée prussienne avait tant de qualités incontestées d'ailleurs, il est faux qu'elle ait marché à raison de *40 kilomètres par jour*. M. Zola ignore assurément que la marche des Prussiens considérée comme la plus remarquable fut celle de l'armée du prince Frédéric-Charles, de Metz à la Loire, qui ne parcourut, journellement en moyenne, que 19 kilomètres ; et celle, absolument hors de pair, des Français en 1806, avait été de 28 kilomètres en moyenne par jour.

Parce que, malgré des actes d'indiscipline comme il s'en produit dans toute agglomération d'hommes, c'est une infamie, quand surtout on se flatte vaniteusement d'être traduit dans toutes les langues, de présenter aux étrangers l'ancienne armée française comme un ramassis de chena-

pans qui se prétendent invincibles ; qui, dès les premiers
jours de l'entrée en campagne, jettent leurs armes et leurs
vivres et se déclarent vendus ; qui, pendant la bataille,
vont boire avec des filles et se grisent dans les auberges ;
ivres, pillent les maisons ; à l'ambulance, détroussent leurs
camarades ; assassinent leur compagnon pour voler un
pain ; insultent leurs officiers et les traitent de lâches et se
regardent en ennemis après la défaite.

La Débâcle enfin est un livre trompeur, en ce qu'il
tend à établir une démarcation pouvant devenir funeste
entre nos diverses classes sociales.

Pour avoir le droit, en tout cas, de proclamer la nécessité
de constituer une société nouvelle afin de nous sauver de
la ruine, il ne faut pas, en nous abreuvant d'obscénités,
concourir soi-même à cet effondrement !

Il ne faut pas surtout, pour pouvoir donner en modèles
le sain et franc habitant des campagnes ou le prolétaire dur
à la peine, avoir commis le crime de nous montrer ailleurs
des ouvriers comme on n'en voit guère heureusement et
des paysans comme on n'en rencontre nulle part.

c) *Pauvres bacheliers toulousains... Triste Université !*

L'Abbé Delmont publia dans *l'Université catholique*
du 15 décembre 1892, et également en plaquette, le
texte très violent d'une « causerie historique et littéraire »
où l'on trouve, outre une réfutation de détails historiques,
un relevé méthodique des grossièretés — des blas-
phèmes surtout — que Zola fait proférer par les troupiers. Il nous semble plaisant de citer une digression
« universitaire », qui ouvre des aperçus sur l'arrière-
plan de la polémique, en même temps que sur la querelle
scolaire à la fin du XIXe siècle et sur l'audace (le mot
n'est pas excessif) d'un doyen de Faculté en 1892.
Mettons Genet, Godard, ou pourquoi pas ? J.E. Hallier
au lieu de Zola et rêvons...

Vaut-il la peine, vraiment, d'avoir le talent de M. Zola
pour avilir ainsi la littérature, pour écrire comme parlent
les goujats, les brutes avinées d'un corps de garde ?

Chère et belle langue française, à quelle répugnante
besogne ne te condamne-t-on pas, en cette fin de siècle !
Toi, si noble, si pure, si délicate, te voilà donc obligée à
descendre jusqu'à des brutalités voulues et à te vautrer dans
la fange de la scatologie et de la pornographie !

Pourquoi faut-il que des milliers et des milliers de lecteurs continuent à regarder comme des pages incompa-

rables ce ramassis de cancans de portières et de grognements de brutes qu'on trouve dans *la Débâcle ?* Pourquoi
faut-il que des revues, des journaux qui croient se respecter, se pâment encore d'admiration devant le « chef-
d'œuvre littéraire » de M. Zola ? Pourquoi faut-il que M. le
doyen de la faculté de Toulouse ait donné le 4 novembre
aux jeunes candidats au baccalauréat ès lettres (1re partie)
le sujet de composition française que voici :

« M. de Vogüé, en rendant compte, dans la *Revue des
Deux Mondes*, du dernier roman d'Émile Zola, *la Débâcle*,
a rendu pleine justice au talent de l'auteur; mais il a fait
des réserves expresses sur l'esprit et sur les tendances du
livre, qu'il croit de nature à affaiblir l'esprit de discipline.
Il vaudrait mieux, suivant lui, jeter un voile sur nos fautes
et sur nos malheurs.

« Vous supposerez que M. Zola lui écrit pour répondre à
son article.

1° La Bruyère a dit qu'un auteur n'a pas à « se remplir
l'esprit de toutes les ineptes applications qu'on peut faire
au sujet de son ouvrage ». M. de Vogüé ne serait-il pas de
cet avis ?

2° L'auteur de *la Débâcle* a voulu faire une œuvre d'art,
non un traité de morale civique.

3° Le véritable patriotisme consiste-t-il à flatter son pays
en déguisant ses fautes, ou à dire en toute occasion ce que
l'on croit la vérité [1] ? »

Mais pour dire la vérité, faut-il insulter son pays ?

---

1. M. Victor Fournel (*Correspondant* du 25 novembre, *les Œuvres
et les hommes*, p. 769) évoque à ce sujet ses vieux professeurs de
Louis-le-Grand et surtout le vénérable père Lemaire, qui s'arrêtait à
La Harpe et au *Tibère* de M.-J. Chénier, comme aux colonnes d'Hercule
de la littérature moderne, et dont les cheveux gris se fussent hérissés
devant de pareils *arguments*. Il dit que, de son temps, un élève qui
eût été surpris avec un roman de l'auteur de *l'Assommoir* dans son
pupitre, fût-ce *la Débâcle*, aurait été rendu à sa famille, pour employer
un euphémisme gracieux. Mais on a changé tout cela; M. Francisque
Sarcey, dans *les Annales*, trouve que les sujets donnés par le doyen de
Toulouse (il y en a un autre qui compare *Œdipe roi* de Sophocle à
un drame d'Ennery!) sont « choisis avec un discernement *exquis! »*.
En tout cas, ils supposent que l'élève a lu la *Revue des Deux Mondes* et
la Débâcle qu'il ne doit pas lire. « S'il a lu Zola, il se trouvera engagé par
les préceptes mêmes de la rhétorique, puisqu'il doit le faire parler
lui-même, à imiter son style, ce qui peut mener fort loin. Et, s'il ne
l'a pas lu, il se trouvera incité à le lire, et à reprocher à ses parents, à
ses maîtres, de l'avoir fait refuser, « *coller* », en lui interdisant de fré-
quenter chez les *Rougon-Macquart!* — Allez donc maintenant confis-
quer *Nana* entre les mains d'un cancre : « Monsieur, vous dira-t-il,
je prépare mon *bachot*, devant une faculté « dans le train! »

III

CHRONOLOGIE SOMMAIRE
DE LA GUERRE DE 1870
ET DE LA COMMUNE

8 mai 1870 : Plébiscite favorable à l'Empire.

13 juillet : Dépêche d'Ems.

19 juillet : Déclaration de guerre à la Prusse.

26 juillet : Napoléon III prend la direction des opérations à Metz. Régence de l'impératrice.

4 août : Wissembourg.

6 août : Frœschwiller. Forbach. Repli de l'armée d'Alsace vers Châlons.

9 août : Démission du ministère Ollivier. Le général Cousin-Montauban, duc de Palikao constitue un gouvernement dur.

14 août : Bataille de Borny.

16 août : Bataille indécise de Rezonville.

17 août : Bazaine s'enferme dans Metz.

18 août : Echecs de Saint-Privat et Gravelotte. Bazaine est bloqué.

1er septembre : Sedan.

4 septembre : Renversement de l'Empire.

19 septembre : Début du siège de Paris.

28 septembre : Capitulation de Strasbourg.

27 octobre : Capitulation de Metz.

9 novembre : Victoire de la 1re armée de la Loire (d'Aurelles de Paladines) à Coulmiers. Elle sera défaite le 28 à Beaune-la-Rolande.

30 novembre — 2 décembre : Vain succès de l'armée de Paris à Champigny.

23 décembre et *3 janvier 1871 :* Succès sans lendemain de l'armée du Nord (Faidherbe).

19 janvier 1871 : Echec d'une sortie de l'armée de Paris à Buzenval.

22 janvier : Journée révolutionnaire à Paris.

23 janvier : Jules Favre va négocier à Versailles.

28 janvier : Capitulation de Paris. Signature de l'armistice.

1er février 1871 : Internement de l'armée de l'Est (Bourbaki) en Suisse.

8 février : Elections générales. L'Assemblée nationale se réunit à Bordeaux et désigne Thiers comme chef de gouvernement.

21 mars : L'Assemblée à Versailles.

1er mars : Ratification par l'Assemblée des préliminaires du traité de paix.

18 mars : Emeute à Paris. Thiers transfère le gouvernement à Versailles.

26 mars : Election du Conseil de la Commune. Paris assiégé.

3 avril : Les canons du Mont-Valérien font échouer une sortie en direction de Versailles.

21 mai : Après la chute des forts d'Issy et de Vanves, les Versaillais pénètrent dans Paris par la porte de Saint-Cloud non gardée.

22 mai — 28 mai : « Semaine sanglante ». Les derniers défenseurs de la Commune tombent le 28, au Père-Lachaise, sur les hauteurs de Belleville et de Ménilmontant.

EN SUIVANT SUR LA CARTE

La nature de cette édition ne permettrait de proposer qu'une carte géographique simplifiée, d'un intérêt limité. Il est pourtant utile de suivre la progression du 7ᵉ corps et la bataille de Sedan, en s'aidant de documents précis. L'ouvrage cartographique dont la consultation serait indispensable est celui de F. Canonge, *Histoire militaire contemporaine (1854-1871)*. *Atlas*, Paris, Charpentier, 1886 (planches 34 et 38), mais la complexité des cartes proposées est telle qu'une reproduction, même photographique, serait difficilement lisible. La seule solution est donc de renvoyer le lecteur à une carte d'état-major, ou, plus simplement à une carte Michelin, même récente : les indications demeurant généralement exactes, le tracé routier de cette région de France ayant, au total, peu évolué en un siècle. On consultera donc avec profit les cartes 56 (Paris-Reims, plis 7 à 10) et 53 (Arras-Charleville-Mézières, plis 19 et 20). Pour faciliter la lecture du roman, nous proposons ci-dessous un index topographique des principaux villages et lieux-dits (à l'exclusion des villes) mentionnés dans le cours du récit, sans prétendre toutefois proposer un index exhaustif.

Les deux premiers chiffres indiqués sont ceux de la carte Michelin et du pli de celle-ci, les distances approximatives.

Angecourt, 56, 9, 2 km S. Remilly.
Aubérive, 56, 17, 13 km N.-O. Suippes.
Autrecourt, 56, 9, 4 km S.-E. Remilly.
Attigny, 56, 8, 14 km N.-O. Vouziers.
Balan, 53, 19, sortie 2, S.-E. Sedan.

Bazeilles, 53, 19, 3 km S.-E. Sedan.

Beauclair, 56, 10, sur R.N. 47, 8 km S.-O. Stenay.

Beaumont, 56,10, 11 km N.-E. Stenay.

Berlière (la), 56, 9, sur D. 24, 11 km N. Buzancy.

Besace (la), 56, 9, sur D. 6, 12 km S. Remilly.

Betheniville, 56, 7, sur R.N. 380, 26 km E. Reims.

Boult-aux-Bois, 56, 9, sur R.N. 47, 12 km N.-E. Vouziers.

Buzancy, 56, 9, 22 km E.-N.-E. Vouziers sur R.N. 47.

Carignan, 53, 20, sur R.N. 381, 20 km S.-E. Sedan.

Chagny, 56, 8, 26 km N. Vouziers, 9 km N.-N.-O. le Chesne.

Chesne (le), 56, 9, 17 km N. Vouziers.

Chestre, 56, 8, sortie 1 de Vouziers, sur R.N. 77.

Chevalier (Bois), 53, 19, sortie N. de Rubécourt (non indiqué).

Contreuve, 56, 8, 7,5 km sortie 3 Vouziers.

Courcelles, 56, 6, N.-O. Reims (actuellement dans l'agglomération).

Croix-aux-Bois (la), 56, 9, sur R.N. 47, 7 km Vouziers.

Daigny, 53, 19, 3 km sortie 1, E. Sedan.

Dieulet (Bois de), 56, 10, 8 km Stenay, entre R.N. 47 et 64.

Donchery, 53, 19, 3 km sortie 3, O. Sedan.

Dontrien, 56, 17, 19 km N.-O. Suippes, 5,5 km N. Aubérive.

Douzy, 53, 19, sur R.N. 64, 4,5 km E. Bazeilles.

Falaise, 56, 8, 4,5 km S.-E. Vouziers.

Fleigneux, 53, 19, 4 km N. Sedan.

Floing, 53, 19, 2 km N.-N.-O. Sedan.

Garenne (Bois de la), 53, 19, sortie N. Sedan, E. de la R.N. 77.

Givonne, 53, 19, 5 km sortie 1, N.-E. Sedan.

Glaire, 53, 19, 1 km sortie 3 O. Sedan.

Grandpré, 56, 9, 17 km S.-E. Vouziers, sur R.N. 46.

Haraucourt, 56, 9, 3 km S. Remilly.

Heutrégiville, 56, 7, 20 km N.-E. Reims.

Iges, 53, 19, 3 km N.-N.-O. Sedan.

Illy, 53, 19, 3 km N.-N.-E. Sedan.

Juniville, 56, 7, 15 km S. Rethel, sur R.N. 325 et 385.

Marfée (Bois de la) 53, 19, 3 km S.-S.-O. Sedan, E. de R.N. 77.

Moncelle (la), 53, 19, 1 km N. Bazeilles.

Monthois, 56, 8, 10 km S. Vouziers.

Mouzon, 56, 10, 17 km N.-N.-O. Stenay, sur R.N. 64.

Neuvillette (la), 56, 6, sortie 7 Reims, sur R.N. 44.

Nouart, 56, 10, 14 km S.-O. Stenay, sur R.N. 47.

Oches, 56, 9, sur D. 24, 9 km N. Buzancy.

Pontaverger, 56, 7, 22 km N.-E. Reims sur R.N. 380.

Prosnes, 56, 17, 20 km E.-S.-E. Reims, près R.N. 31.

Quatre-Champs (les) 56, 9, 8 km N.-E. Vouziers, sur R.N. 77.

Raucourt, 56, 9, 6 km 5 S. Remilly.

Remilly, 56, 9, et 53, 19, 7 km 5 S.-E. Sedan, sur D. 6.

Rubecourt, 53, 19, 5 km O. Sedan.

Saint-Clément, 56, 7, 29 km N.-E. Reims, 7 km E. Pontaverger.

Saint-Etienne, 56, 8, 4 km E.-N.-E. Saint-Clément.

Saint-Pierre, 56, 8, 2 km E. Saint-Clément.

Saint-Pierremont, 56, 9, sur D. 24, 8 km N. Buzancy.

Saint-Thierry, 56, 6, 7 km N.-O. Reims, près R.N. 44.

Semide, 56, 8, 9 km S.-E. Vouziers, sortie 3.

Sommauthe, 56, 9, 9 km N. Buzancy, sur D. 6.

Stenay, 56, 10, 34 km S.-E. Sedan, sur R.N. 64 et 47.

Stonne, 56, 9, 17 km N. Buzancy, sur D. 24 et 30.

Suippes, 56, 18, 42 km S.-E. Reims, sur R.N. 31 et 77.

Terron, 56, 8, 9 km N. Vouziers.

Vendresse, 56, 9, 12 km N. le Chesne.

Villers, 56, 9, 4 km N.-O. Mouzon, sur la Meuse.

Vouziers, 56, 8, 55 km N.-E. Reims, sur R.N. 46.

Wadelincourt, 53, 19, sortie 3 S.-O. Sedan.

Yoncq, 56, 9, 7 km S.-O. Mouzon.

TABLE DES MATIÈRES

GF — TEXTE INTÉGRAL — GF

5505-1975. — Impr.-Reliure Maison Mame, Tours.
N° d'édition 9228. — 4ᵉ trimestre 1975. — PRINNED IN FRANCE.